王云海先生像

该书获河南大学学术著作和教材出版基金资助

王云海文集

河南大学名家文存

王云海 著

河南大学出版社
HENAN UNIVERSITY PRESS

图书在版编目(CIP)数据

王云海文集/王云海著.—开封:河南大学出版社,2006.1
ISBN 7-81041-826-2

Ⅰ.王… Ⅱ.王… Ⅲ.①王云海-文集 ②中国-古代史-研究-宋代-文集
Ⅳ.①D691.5-53②K244.7-53

中国版本图书馆CIP数据核字(2004)第116235号

书　　名	王云海文集
作　　者	王云海　著
责任编辑	陈广胜
责任校对	何　姣
装帧设计	王四朋
责任印制	王　慧

出　　版　河南大学出版社
　　　　　　地址:河南省开封市明伦街85号　　邮编:475001
　　　　　　电话:0378-2864669(行管部)　0378-2825001(营销部)
　　　　　　网址:www.hupress.com　　E-mail:bangong@hupress.com
经　　销　河南省新华书店
排　　版　河南第一新华印刷厂
印　　刷　河南第一新华印刷厂
版　　次　2006年1月第1版　　　印　次　2006年1月第1次印刷
开　　本　650mm×960mm　1/16　印　张　38
字　　数　617千字　　　　　　　插　页　1
印　　数　1—1000册

ISBN 7-81041-826-2/K·353　　　定　价:78.00元

(本书如有印装质量问题请与河南大学出版社营销部联系调换)

序　言

云海同志的文集作为《河南大学名家文存》之一种,在校、院各级领导的关心与出版社领导的支持下,即将付印出版。这真是一件大好事。它既可使在世者受到鼓舞,又可告慰云海同志在天之灵。真是太好了!

这部书共分三部分。第一部分为《宋会要辑稿》研究,第二部分为宋代法制研究,第三部分为宋代文化研究。仅从这个目录,即可概见云海同志功力之深与创获之多。我与云海同志共事45年,又是这些著作中大部分作品的第一个读者,因此,为这些论著的出版写几句话,是我义不容辞的责任。但是提起笔来,又不禁思绪万千,历历往事,涌上心头,真不知从何说起。想来想去,还是按照时间顺序说一说云海同志治学道路上的艰苦和所取得的成就吧。

1957年以前,云海同志在历史系担任中国古代及中世纪史下段(即宋元明清部分)的教学与科研工作,我曾目睹他精心备课与耐心辅导的情景。1957年云海同志被错误处理,离开教学与科研岗位。到1961年秋后,因贯彻《高教六十条》,云海同志得以回教研室从事资料工作。恰在此之前,刘尧庭先生担任历史系副主任兼中国古代及中世纪史教研室主任,刘先生鉴于河南大学(当时称开封师范学院)位于北宋都城开封,对宋史研究负有不可推卸的责任,决心在教研室中开展宋史研究。早在20世纪30年代,刘先生即以其对中国社会经济史的精湛研究享誉学术界。这时,他在正常工作之外,亲自系统阅读宋人文集,夙兴夜寐,孜孜不倦,以作表率。《宋会要辑稿》是研究宋史的重要典籍,但它卷帙浩繁,不易检阅。刘先生就命我为该书编一个简要的目录,以备查阅之用,当时也没有制订对该书进行系统研究的计划。我的工作刚开一个头,又被分配去担任60级和61级两个年级的中国历史要籍介绍及选读的教学工作,编目工作便由云海同志接替。编目之外,他还从《宋史》、《续资治通鉴长编》等书中抄录有关宋代经济史的资料。在编目的过程中,云海同志逐渐感到对该书进行系统研究的必要。编目工作完成后,就开始了他的研究。但上班时间主要从事教研室安排的工作,对《宋会要辑稿》的研究,只能等下班以后,在昏暗的斗室中进行。虽然条件困难,但他锲而不舍,日积月累,渐有收获。1961年即撰成《〈宋会要辑稿〉的史料价值及其存在问题》一文,又编制《〈宋会要辑稿〉标目》,于1963年油印成册,以开封师院中国古代及中世纪史教研室的名义,分送各地研究宋史的有关机构。十余年后得知,史学前辈、宋史权威、北京大学教授邓广铭先生曾见到这本油印的《标目》,对编者的功力,非常赞赏,可惜不知编者的姓名。更值得一提的是1960年,中华书局将当时所能收集到的《永乐大典》计730卷影印出版,云海同志仔细对各册、各卷、各韵进行披检,获得重大收获,据以写成《〈宋会要辑稿〉校补》,也于1963年油印成册(这件事,下文还要详述)。短短二三年间,在极端困难的条件下,取得这样的成果,云海同志治学之勤奋,是可以概见了。

1978年以后,党中央拨乱反正,一切走上正规。1979年夏,在《简明宋史》审稿会上,由参加审稿会的陈振同志介绍,云海同志有幸得识邓广铭先生。当邓先生知道站在自己面前的王云海就是《〈宋会要辑稿〉标目》的编者时,非常高兴;云海同志也向邓先生详细汇报了他的研究工作,邓先生对他奖誉有加,使他受到极大的鼓舞。80年代初,云海同志又走上讲坛,担任两个班的教学任务;同时,仍孜孜不倦、勤勤恳恳从事教学研究,终于把他的研究成果,写成两部专著:一部是《〈宋会要辑稿〉研究》,作为《河南师大学报》的增刊,于1984年出版。一部是《〈宋会要辑稿〉考校》,邓广铭先生亲自作序,由上海古籍出版社于1986年出版。

那么,这两部书究竟有多大价值?为了说清这个问题,还必须说一说现行影印本《宋会要辑稿》所存在的问题。邓先生曾指出它是一部先天不足后天失调的书,其中存在着重重谜团。说它先天不足,是明朝编辑《永乐大典》时工作草率,致使所收《宋会要》,既有前后重复,又有大段脱漏,还混进了别种史书的文字,而徐松从《永乐大典》中辑录《宋会要》时,也是匆忙从事,且当时《永乐大典》已散失了两千多卷，徐松所辑自然不是《永乐大典》所载《宋会要》的全貌。说它后天失调，是终徐松一生未能对所辑《宋会要》进行精细的校勘补正。而其后缪荃孙、屠寄、刘富曾等人虽然曾着手整理，也做得不多，且刘富曾在整理时，还对徐松所辑资料横加割裂和删削，致使徐松所辑书稿已非原貌。所以1936年北平图书馆影印出版的《宋会要辑稿》除了上述重出、脱漏与混入他书文字等问题外，还存在着各门标题不完备，起迄时间不一致，一门分编两处不相衔接，年月次第混乱，文字脱、衍、倒、误等问题；且书首只有一个简单的类目，使用起来，困难重重。云海同志就是面对这样一部卷帙浩繁近千万字而又问题重重的庞然大书，勤勤恳恳、默默无闻地研究了二十余年。他所做的工作，简要概括起来，大致有以下几个方面：

一、详细考查了宋代历次官修本朝《会要》的情况，并对近人汤中所考10种《宋会要》提出商榷。

二、详细考查了宋朝所修本朝《会要》的传抄、流传与散失情况。

三、仔细探讨《永乐大典》所收《宋会要》的底本问题，认为《永乐大典》所收乃是有所残缺的《十三朝会要》。

四、深入细致地研究了徐松、缪荃孙、屠寄、刘富曾、汤中、叶渭清等前辈学者与当代台湾大学王德毅教授及日本学者江田忠、小沼正则、青山定雄和法国学者巴拉兹（Baeage）（按：此人原为匈牙利籍犹太人，汉文名为白乐日）等人对徐辑《宋会要》所作的考订、校勘和所编制的目录、索引等成果，充分肯定他们的创获，并恰如其分地指出其不足。其中特别值得一提的是对青山定雄博士于1970年编制的《宋会要研究备要》一书的评价。该书共设篇目、册数、卷页、《永乐大典》卷数、记事年次、备考6栏。序言中还对1970年以前国际上研究《宋会要辑稿》的成果作了简明而具体的综合报导与总结，是一部很有价值的著作。云海同志对它的评价是：具有丰富的研究成果，在1970年以前出版的《宋会要辑稿》目录中，是最完备的一种。但由于《宋会要辑稿》既大且乱，智者千虑，或有一失。经云海同志仔细查对，发现该书误漏达九百余处，并据以写成《〈宋会要研究备要〉补正》一篇长文。其中有些比较重要的意见，在1982年日本东洋文库宋代史研究会所编的《宋会要辑稿·食货索引》中已有所反映。

五、1960年中华书局将当时所能收集到的《永乐大典》计730卷影印出版，云海同志仔细加以检阅，从中获得标有《宋会要》的文字，凡107篇，以之与影印本《宋会要辑稿》对勘，发现全篇不存及部分残缺者44篇，存于《辑稿》者59篇，另有非宋代史实而《大典》误标为

《宋会要》者4篇,实得103篇。残缺者即据以辑补,并存者则校其异同。并将对勘的结果,写成《宋会要辑稿》校补一文。这是一个重大收获。通过对勘,又解决了《辑稿》中整门重出和所引宋代以后书籍两个问题。凡此,都是突破前人研究的重大成就。

六、将原来编制的《〈宋会要辑稿〉标目》扩充、改编为《〈宋会要辑稿〉篇目索引》。《索引》除编排和补正各门标题并注明卷、册、页码及《永乐大典》卷数外,还注明了各门起迄时间、重出篇幅、分散各门的衔接、混入的广雅清稿、误入的非宋代史料、残本《永乐大典》现存的篇幅等。由此可知,《索引》是《辑稿》的一个详备、实用的目录。与并世包括国外学者对《辑稿》所编的目录相较,具有自己的特色和实用价值。

七、从1986年开始,在云海同志主持并亲自参与下,有两届8位研究生苗书梅、陈广胜、安国楼、胡建华、季怀银、钟剑麟、孔学、周宝荣和一位青年教师程民生参加,对《宋会要辑稿·崇儒》进行点校。先由苗书梅等就所分各门,根据所订点校凡例与点校程序进行点校,最后由云海同志逐一审订。该项工作,于1989年完成。1999~2001年间,又由苗书梅、孔学、陈广胜对原书稿作了多次通校与修正,于2001年9月由河南大学出版社付排印刷。不幸的是,正当该书还在校对之时,云海同志猝然于2000年10月13日仙去,未能亲眼见到这本书的出版,真是天大的憾事。

以上仅是云海同志对《宋会要辑稿》研究的几个大方面,至于他在资料之搜讨、校勘、考证与问题之探讨、分析、论断中所显示出来的渊博学识、深厚功力与严谨学风,更非这篇序言所能详。但仅从这几个大方面来看,即可知云海同志在前人研究的基础上,又对《宋会要辑稿》进行了更深入的探索。他不仅祛除了该书中存在的许多疑问,而且辑出了徐松所未辑出的许多条目;他不仅编制了详备实用的《索引》,为研究者提供极大的方便,而且在他主持下完成了《崇儒》的点校,为今后系统点校这部大书,积累了一些可贵的经验。这些都是他超越前人的地方。这些成就对宋史研究者来说,可谓利在当代,功垂后世。这就是云海同志的学术贡献与学术地位。

从1985年起,云海同志开始和我一起培养宋史硕士研究生,10年间共招5届15人,获得硕士学位后其中苗书梅、胡建华二人,又师从河北大学漆侠教授,安国楼师从浙江大学徐规教授,季怀银师从中国政法大学张晋藩教授获得博士学位;另有郭万平、郭文佳二人正在南京大学分别在陈得芝教授和李昌宪教授指导下攻读博士学位。这是云海同志在培养宋史研究人才方面的贡献。

在如此繁重的科研与指导研究生的工作之外,云海同志又出其余力,与华东师范大学裴汝诚教授合著《校勘述略》,主编《宋代司法制度》,又为《宋代文化史》撰写四分之一的篇章。这些都说明云海同志学术研究的广度与深度。他并不仅仅是以对《宋会要辑稿》的研究名家的。

云海同志的著作曾多次获奖。如《〈宋会要辑稿〉研究》于1987年获河南省社联优秀成果二等奖;《〈宋会要辑稿〉考校》1987年、1990年先后获得河南省社联及河南省社会科学优秀成果二等奖后,1995年又荣获国家教委评定的首届"全国高等学校人文社会科学研究优秀成果奖"二等奖;《宋代司法制度》获1990~1992年度河南省社会科学优秀成果二等奖、河南省优秀图书二等奖后,1998年又获得教育部评定的全国"普通高等学校第二届人文社会科学研究成果奖"法学三等奖等等。

云海同志的学术成就在海内外有很大影响,出版云海同志的文集,使其传之久远,对提高河南大学的学术地位很有意义。为了筹划这部文集的出版,张德宗、苗书梅、陈广胜、孔学、周宝荣等同志以及云海同志的女儿王纯都尽心尽力,做了许多工作,充分体现了他们对云海同志的深厚情谊。校、院和出版社的领导及有关同志亦大力支持这部文集的出版。凡此,都可以告慰云海同志于九泉之下。我写这篇序言,实不足以尽云海同志学术成就之什一,不过聊以寄托我的哀思而已。

愿云海同志永远安息!

姚瀛艇
2001年11月26日
农历辛巳十月十二日
书于汴京夕照堂

目　录

《宋会要辑稿》研究

会要体史书的源流 …………………………………………（3）
宋代官修本朝《会要》 ………………………………………（24）
《宋会要》的流传 ……………………………………………（38）
《宋会要辑稿》的整理和印行 ………………………………（50）
《宋会要辑稿》的现状 ………………………………………（62）
近人对《宋会要》的研究 ……………………………………（78）
《永乐大典》所收《宋会要》的底本问题 …………………（98）
《永乐大典》本《宋会要》增入书籍考 ……………………（107）
徐辑《宋会要》原稿的"副本"问题 ………………………（130）
宋朝《总类国朝会要》考 ……………………………………（134）
《宋会要辑稿》校补 …………………………………………（152）
《宋会要辑稿》校补（续）
　　——附关于藤田本《宋会要》•"食货•市舶"底本的探讨
　　………………………………………………………（230）
《宋会要辑稿》重出篇幅成因考 ……………………………（242）
《宋会要辑稿》篇目索引 ……………………………………（258）
　（一）帝系类 ………………………………………………（260）
　（二）后妃类 ………………………………………………（264）
　（三）乐类 …………………………………………………（266）
　（四）礼类 …………………………………………………（268）
　（五）舆服类 ………………………………………………（291）

(六)仪制类	(294)
(七)瑞异类	(299)
(八)运历类	(300)
(九)崇儒类	(301)
(十)职官类	(304)
(十一)选举类	(338)
(十二)食货类	(346)
(十三)刑法类	(370)
(十四)兵类	(373)
(十五)方域类	(381)
(十六)蕃夷类	(388)
(十七)道释类	(391)

《宋会要辑稿》校勘举例 ……………………………………… (393)
《宋会要辑稿·崇儒》校勘纪要 ……………………………… (399)

宋代法制研究

论宋代司法制度 …………………………………………… (413)
宋代司法机构概述 ………………………………………… (430)

宋代文化研究

论宋史研究中的方志史料 ………………………………… (475)
宋朝的右文政策 …………………………………………… (485)
宋朝馆阁制度与图书编纂 ………………………………… (494)
宋代刻书业的繁荣 ………………………………………… (522)
宋代修史机构与史学成就 ………………………………… (536)
宋代方志与金石之学 ……………………………………… (577)

附 录 论著总目 …………………………………………… (597)

《宋会要辑稿》研究

会要体史书的源流

一、会要体的产生

唐朝是统一而强大的封建政权，给经济文化发展提供了条件；在中央集权发展的同时，各种典章制度也日益完备。官修史书作为一种制度确立下来；汇集一代典章制度的会要体史书，也在唐朝产生了。

我国自有文字记载以来，即有史官的设置。殷墟出土的甲骨文，刻有贞人之名者甚多；卜辞中"贞"字上一字为人名，如"宾贞"，"宾"即为贞人名。贞人将所贞事刻在甲骨片上，实际上就是史官记事的职务，所以贞人也就是巫史。周代有大史、内史、外史、御史等官，大史、内史的地位，仅次于冢宰。史官除编史外，祭祀、卜筮、天文、历法、地理、医术等，都是他们的职务范围，史职是世袭的。秦、汉设太史令，亦兼掌文史星历，不过这时史官已失去巫史集团的势力，地位很低。司马迁在《报任少卿书》中说：

> 文史星历，近乎卜祝之间，固主上之所戏弄，倡优畜之，流俗之所轻也。

东汉以后，史官与历官分设。太史专掌天时星历，另设起居、著作，为记事之官；一般文官，皆可用史的官衔，却不一定参与修史，史官世袭的制度也不复存在了。

汉代经学昌盛。西汉前期，官方博士所传儒家经书，都是今文经;武帝末年,又从孔壁中发现一部分古文经;此后传授经书有今文、古文的不同,对经文的解释互异,形成不同的学派。汉武帝尊崇今文学派,但并不能解决两个学派的争执。此后,今文学派与谶纬神学结合起来。"谶"即图谶,原为巫师方士愚弄人的吉凶征兆和隐语;"纬"即儒家今文学派,用迷信思想穿凿附会,以解释儒家经典。东汉章帝为了解决两派经学的矛盾,在白虎观召集诸儒讨论"五经",亲自裁决,最后由班固总结,写成《白虎通》(又名《白虎通义》、《白虎通德论》),这本书是经学与谶纬学的混合物。由于经学包含了迷信的成分,已不能自圆其说,取信于人;对经书的解释,又极端繁琐,正如班固所说:"一经说,至百余万言"①,"说五字之文,至于二三万言"②。像这样荒诞无稽、繁琐议论的经学,就逐渐丧失了统治人民思想的作用,地主阶级知识分子,不得不另寻更有效的思想武器,来为封建政权服务。

魏晋南北朝以来,经学不振,以老庄思想糅合儒家经义的玄学盛行,虚无玄远的"清谈"之风大盛,使一些有功利主义精神的知识分子,倾向于史学,所以私家修史之风大盛。以后汉史为例,据《隋书》及《旧唐书》两《经籍志》、《新唐书·艺文志》,除后汉刘珍等所修《东观汉记》外,计有:吴,谢承的《后汉书》(有辑本);晋,薛莹的《后汉记》(有辑本);晋,司马彪的《续汉书》(存《志》30卷,附范晔之书以行,纪、传别有辑本);晋(?),刘义庆的《后汉书》(佚);晋,华峤的《后汉书》(有辑本);晋,谢沈的《后汉书》(有辑本);晋,张莹的《后汉南纪》(佚);晋,袁山松的《后汉书》(有辑本);晋,袁宏的《后汉纪》(存);晋,张璠的《后汉纪》(佚);宋,范晔的《后汉书》(存);梁,萧子显的《后汉书》(佚)等凡十余种。现存者,只有范晔的《后汉书》和袁宏的《后汉纪》两种,其他则多是辑本。清,姚之骃编有《后汉书补逸》21卷,收入"《东观汉纪》八卷,谢承《后汉书》四卷,薛莹《后汉书》、谢沈《后汉书》、袁山松《后汉书》各一卷,司马彪《续汉书》四卷,皆散佚之余,于诸书搜合者也"③。

再如晋史。刘知几《史通·古今正史》称:

皇家贞观中,有诏以前后晋史十有八家,制作虽多,未能尽善,乃敕史官更加纂录。

---

① 《汉书》卷88《儒林传赞》。
② 《汉书》卷30《艺文志》。
③ 邵懿辰:《增订四库简明目录标注》卷5《史部四·别史类》。

金毓黻先生《中国史学史》,据《晋书》及《隋书》、《唐书》二志,共辑得23家,并指出,其存于唐初者"应为十九家"。又据《隋志》、《史通》等书,辑得十六国史30种;南北朝史42种;得出的结论是:"官修之史,十才一二,私修之史,十居八九"。

后魏太武帝拓跋焘,命崔浩等修国史,成书30卷,刻石立于路,"以彰浩直笔之迹"①,被人告发,"浩坐此夷三族"②,同死者"百二十八人"③。后人鉴于崔浩受祸,对作史不免有戒心。如韩愈《答刘秀才论史书》④云:"夫为史者,不有人祸则有天刑,岂可不畏惧而轻为之哉。"即其一例。

隋朝统一后,建立了中央集权制度,为了让史学直接为封建政权服务,开皇十三年(593年),隋文帝"诏人间有撰集国史,臧否人物者,皆令禁绝"⑤,明令禁止私修史书。这一方面体现了封建中央集权在加强,把史书的编纂集中在封建政府手中,同时也为唐朝官修史书的发展,发出了信号。

唐朝官修史书成为定制。南北朝时,在秘书省下设著作郎,掌修国史;北齐,著作局亦称史馆,以宰相监修国史。邢子才作诗酬魏收,有"冬夜直史馆"⑥句,即是一证。周、隋仍之。唐太宗贞观三年(629年),置史馆于禁中,除仍以宰相监修国史外,更以他官兼领史职,谓之修撰;官卑资浅而有史才者,亦可选拔入馆,称为直馆,统称为史官。自此,著作郎只掌撰碑志、祝文、祭文,而不参与修史。唐初于禁中专设史馆,以宰相监领。集体修史,是中国封建社会史书编纂上的一个重要变化,它显示出封建政权对历史著作的控制越来越严。此后纪传体的正史,皆由官修,私家著述越来越少了。唐代所修正史有:《晋书》、《梁书》、《陈书》、《北齐书》、《周书》、《隋书》、《南史》、《北史》。在二十四史中,有8种是唐代所修。

唐代还创立了三种体裁的政典,将有关政治、经济、文化诸方面的史料,汇编成书。

杜佑的《通典》。杜佑生活在玄、肃、代、德、顺、宪六朝,历任中央和地方大官,并于德宗、顺宗、宪宗朝致位宰辅。他在刘知几的儿子秩所撰《政典》的基础上,用三十多年的时间,修成此书。

---

①③ 《魏书》卷48《高允传》。
② 《史通·古今正史》。
④ 《韩昌黎文集》外集上卷。
⑤ 《隋书·文帝纪》。
⑥ 《唐六典》卷9《史馆》。

唐代在"安史之乱"以后，迅速由盛转衰，除统治阶级内部矛盾重重外，又处在封建经济发展带来的一系列变化时期。唐朝前期的各种制度日趋破坏，杨炎在财政制度上作了改革，接着王叔文等实行革新遭到失败。杜佑在这种局势下，极意讲求经世致用之学，"以富国安人之术为己任"①，"所纂《通典》，实采群言，征诸人事，将施有政"②。

从史学发展的历史背景来看，自司马迁创立"八书"的体例，以纪典章制度，历代所修断代史，多相沿袭，设"志"以记各代典制。但历代典制的演变，都与前代有因果关系，而断代史只收一代史事，就不能说明制度渊源。梁启超在《中国历史研究法》第二章中说：

> 苟不追叙前代，则源委不明，追叙太多，则繁复取厌；况各史非皆有志，有志之史，其篇目亦互相出入，遇有阙遗，见斯滞矣。于是乎有统括史志之必要，其卓然成一创作以应此要求者，则唐杜佑之《通典》也。

李翰《通典序》说：

> 上自黄帝，至于我唐天宝之末，每事以类相从，举其始终，历代沿革废置及当时群士论议得失，靡不条载，附之于事。如人之支脉，散缀于体。

《通典》乃是我国第一部典制通史。此后宋代学者宋白有《续通典》、魏了翁有《国朝通典》，皆已散失。宋末元初，马端临按照《通典》的体裁增加门类，纂成《文献通考》；宋，郑樵撰《通志》，并称三通。清乾隆朝修续三通、清三通，合称九通。民国以后，刘锦藻撰《清续文献通考》，总称十通，由商务印书馆汇总出版，成为整套的典制通史。

《唐六典》是唐玄宗于开元年间，组织一批文臣编制的唐代典制著作。最初"玄宗手写六条曰：理典、教典、礼典、政典、刑典、事典"③，因称为《六典》；同时又要求"错综古今，法以周官，勒为唐典"④。后来张九龄等，实际上是参照《周礼》六官分类编辑唐代的职官，并于注文中分别叙述诸官职的历代沿革。此后明代仿《唐六典》以官统事的体例，修《明会典》。清代多次修《清会典》，乾隆年间更

---

① 《旧唐书》卷147《杜佑传》。
② 《通典·食货序》。
③ 《新唐书·艺文志》。
④ 《全唐文》卷765顾德章《东都神主议》引《定开元六典敕》。

扩大内容,改革凡例,"区《会典》、《则例》各为之部,而辅以行"①,将《会典》中的则例独立出来,单独成书,称《大清会典则例》。

会典体主要是分类列述一代政治机构的组织形式和隶属关系,虽然收编一些事例,但究竟是职官性质的专书,是提供封建政府处理人事问题的参考文献,史料范围受到一定限制。要考察一代典制的因革损益,讨论朝政的得失兴废是不够的,这方面就要依靠会要体了。

唐,苏冕撰《唐会要》,崔铉、杨绍复撰《续会要》,创立了会要体裁。这种体裁是正史中《志》的扩充,是一个朝代中有关政治、经济、文化制度和风俗习惯的史实汇编,但又不同于专门记载典制的书籍。像《唐六典》、《唐律疏义》、《庆元条法事类》、《元典章》等,只是编辑一代制度法令,并不详叙史实。会要不仅详细记载一代典制的因革损益,而且记载事迹。会要体创始于唐朝的苏冕。《旧唐书》卷189下《苏弁传附兄冕传》称:

> 冕缵国朝政事,撰《会要》四十卷,行于时。

苏冕所修,系私家著述,起唐高祖迄代宗,共九朝。宣宗大中七年(853年)又诏杨绍复等次德宗以来事,撰《续会要》40卷,以崔铉监修,是唐朝派官续修的,止于宣宗大中六年(852年)②。宣宗以后,唐朝没有续修。宋初,王溥"集苏冕《会要》及崔铉《续会要》,补其缺漏,为一百卷,曰《唐会要》"③。宋,章如愚《山堂先生群书考索》续集卷16说:

> 《日历》始于唐,《时政记》始于唐,《玉牒》、《实录》亦始于唐,史之有《会要》,其亦自唐始乎?有《唐会要》,苏冕创之,崔铉续之,至于宋朝王溥而后成之。嗟呼!此一代之典耳!人更三手,世历数代,而其书始就绪,甚矣,《会要》之难成也。

《唐会要》100卷,共分514目。原书后来有残阙,清朝乾隆年间,整理补充后,仍编为100卷,《四库全书总目》称该书"于唐代沿革损益之制,极为详核"。为研究唐史的基本史料之一。

王溥又搜集五代旧制,当时"五十年间法制典章,尚略具于累朝

---

① 《御制会典序》。
② 晁公武:《郡斋读书志》。
③ 《宋史》卷249《王溥传》。

《实录》,溥因检寻旧史,条分件系,类辑成编"①,撰成《五代会要》30卷,建隆二年(961年)与《唐会要》一起进奏,藏于史馆。此后欧阳修撰《五代史记》仅列《司天》、《职方》二考,对五代典制,漏略甚多,赖王溥的《五代会要》得以保存,而且有些记载可订正欧史的错误。《四库全书总目》卷81《史部·政书类一》评论说:

> 盖欧史务谈褒贬,为《春秋》之遗法。是编务核典章,为《周官》之旧例。各名一义,相辅而行,读五代史者又何可无此一书哉!

由上可知,会要体裁创始于唐代。《唐会要》一书,初为私撰,继为官修,虽未修完,但在当时已经流传。宋初,王溥续其宣宗至唐末史事,补为全书,这就是我国历史上第一部会要体史著。

我国古代史籍,是纪传体与典志体并重的。纪传体以人物活动事迹为主;典志体专载典制沿革,通贯数代者为三通,记录断代者乃会要。这两种体裁相辅相成,互为补充。纪传体诸志过简,藉典志以考察史事源流。典志体按事分类,藉纪传体以考察人事盛衰。会要只就一代典制,分类汇编,除个别后人所修如《西汉会要》只就正史资料加以编纂外,一般都较史志丰富;特别是本朝所修,或前朝灭亡不久所修,如唐、五代、宋《会要》,则能够补充或远远超越正史。

二、宋代修史制度

宋代封建政权,对编纂本朝《会要》十分重视,与《国史》、《实录》放在同等地位,设专门机构,由宰相提举。

宋初承唐制,设昭文馆、史馆、集贤院于宫城右长庆门东北,称为三馆,为藏书修纂之所。太宗时,因旧址狭窄,乃于左升龙门东北重新建造,总称崇文院。端拱元年(988年),又在崇文院内建立秘阁,与三馆并列,合称"馆阁",亦称"四馆"。

崇文院藏书甚丰富。《麟台故事》卷1《沿革》记载李至的话说:

> 国家承衰弊之末,复兴经籍,三馆之书,访求渐备,馆内复建秘阁,以藏奇书,总群经之博要,资乙夜之观览。

这就给馆臣编书提供了条件。北宋四大类书:《太平御览》、《太平广记》、《文苑英华》、《册府元龟》,都是在太宗、真宗两朝编成的。

---

① 《四库全书总目》卷81。

元丰五年(1082年)"以崇文院为秘书省"①。南宋绍兴十四年(1144年)建新省于天井巷之左。凡编修《国史》、《实录》、《日历》、《会要》,皆于史馆置局,称国史院、实录院、日历所、会要所,即所谓"《实录》、《国史》,皆寓史馆"②。诸史编修,均由宰臣监修、提举。如开宝六年(973年)修《五代史》,以薛居正监修。景德四年(1007年)修《两朝国史》,以宰臣章得象监修。熙宁十年(1077年),命宰臣吴充监修仁宗、英宗《两朝国史》。绍熙四年(1193年)诏右丞相葛邲,提举编修《国朝会要》。参知政事提举修史,则加"权"字。如绍熙元年(1190年),诏参知政事胡晋臣,权提举编修《国朝会要》。五年(1194年),诏参知政事陈骙,权提举编修《国朝会要》。葛邲在绍熙元年(1190年)为参知政事,权提举编修《国朝会要》,四年为右丞相时,就改为提举编修《国朝会要》了。

参加修史的官员,以本省官或他官差充。修史的机构,像国史院、日历所等,皆是就史馆所置专局的名称。但由于不断置局,有同常设,史馆之名遂被淹没,绍兴十年(1140年)乃"罢史馆"③,故《宋志》直以日历所、会要所、国史实录院作为秘书省所辖修书单位。《宋会要辑稿》职官18·53及60,作如下叙述:

> 绍兴初,实录、国史皆寓史馆,后罢史馆,遇修《实录》,即置实录院,遇修《国史》,即置国史院。

实际上都是临时设置的机构名称。

宋承唐制,于门下省设起居郎一员,中书省设起居舍人一员,为记注之官,即《礼记》左右史记动记言之职。但宋初的记注官"不分言动"④。"元丰前,以起居郎、舍人寄禄,而更命他官领其事,谓之同修起居注"⑤。"元丰改官制,始正郎及舍人之名"⑥。"起居郎、舍人,不治本省事,以三馆秘阁校理以上充。天子御正殿,记注官不侍左右,惟朝会对立于香案前;常日则更番递直于崇政、延和二殿,行幸则从上出入,皆所以书言动,备记录以援史官。"⑦宋初于三馆置起居院,为修注之所。起居院除郎及舍人之外,设勾当院事官一人,楷书

---

① 《宋会要辑稿》(以下简称《宋会要》)职官18·1。
② 《宋会要》职官18·60。
③ 《宋会要》职官18·61;运历1·22。
④ 《宋会要》职官2·14。
⑤ 《宋史》卷161职官一。
⑥ 《宋会要》职官2·10。
⑦ 《两朝国史志》,引自《宋会要辑稿》职官2·10。

四人,驱使官一人。"百司凡干封拜除改,沿革制置之事",均要"关报起居院,以备编录"①。修成的《起居注》每月"封送史馆"②。

我国古代史官在君臣讨论政务时,本有就近笔录的制度。《礼记·玉藻》就有"左史记动,右史记言"的记载。明,王鏊《震泽长语》卷上说:

> 宫中有起居注,如晋董狐、齐南史,皆以史官守职,司马迁、班固,皆世史官,通知典故,亲见在廷君臣之言动而书之,后世读之,如亲见当时君臣之事。

宋建国之初,太祖与其弟光义存在曲折复杂的斗争。为了防止泄漏机密,皇帝御殿不许史官侍立,虽设起居之官,而"起居不记注"③。内殿日历,由枢密院录送史馆,"然所记者,不过臣下对见辞谢而已。帝王言动,莫得而书"④。

太宗淳化五年(994年),史馆修撰张佖上言,请"依故事,复左、右史之职,修集记录,以为《起居注》"⑤。于是置起居院于禁中,以梁周翰、李宗谔分任其职。梁周翰等上书⑥称:

> 每月《起居注》,愿先进御,后付史馆。

于是开了《起居注》进御的先例。由于先送皇帝审查,所记就难免有所匿避和粉饰。宋太宗首开此例,也反映了皇权对史官的控制进一步加强了。也正因为如此,所修《起居注》不过徒具形式。欧阳修《论史官日历状》⑦谈到左、右史修《起居注》的状况时说:

> 员具而职废。其所撰述,简略遗漏,百不存一。至于事关大体者,皆没而不书。

由宰相负责撰《时政记》的制度,创始于唐代。唐高宗时,许敬宗、李义甫用权,多妄奏事,恐史官书之,遂奏令左、右史随仗退出,致使记注官不能备闻机务。武周长寿二年(693年)创设《时政记》。《旧唐书》卷89《姚璹传》云:

> 自永徽以后,左、右史虽得对仗承旨,仗下后谋议,皆不预闻。璹以为帝王谟训,不可暂无纪述,若不宣自宰相,史官无从

---

① ② ⑥ 《宋会要辑稿》职官2·11。
③ 《宋史·职官志序》。
④ 《宋史》卷269《扈蒙传》。
⑤ 《宋会要》职官2·10—11。
⑦ 《欧阳文忠公集·奏议》卷12。

得书。乃表请仗下所言军国政要,宰相一人专知撰录,号为《时政记》,每月封送史馆。宰相撰《时政记》,自璘始也。

宋太祖建国之初,不仅无起居注,亦没有《时政记》,开宝七年(974年),应史馆修撰扈蒙之请,始命参知政事卢多逊,将有关"裁制之事,优恤之言,发自宸衷可书简册者"①,录送史馆,但"多逊受诏而未尝成书"②。太平兴国八年(983年)八月,命参知政事李昉修《时政记》。"李昉上言,所修《时政记》请每月先以奏御,后付有司"③,于是开创了《时政记》进御的先例。上文所述《起居注》进御即援此例。

我国古代"史官所记,皆不令人主观之"④,这一传统,在唐代还是起作用的。《旧唐书》卷80《褚遂良传》,记载贞观十五年(641年)褚遂良以谏议大夫兼知起居事的一段轶事云:

> 太宗尝问:"卿知起居记录何事?大抵人君得观之否?"遂良对曰:"今之起居,古左、右史,书人君言事,且记善恶以为鉴戒,庶几人主不为非法,不闻帝王躬自观史。"太宗曰:"朕有不善,卿必记之耶?"遂良曰:"守道不如守官,职当载笔,君举必记。"黄门侍郎刘洎曰:"设令遂良不记,天下亦记之矣。"太宗以为然。

《旧唐书》卷176《魏谟传》,载文宗欲看《起居注》事云:

> 谟执奏曰:"自古置史官书事,以明鉴诫。陛下但为善事,勿畏臣不书。如陛下所行错忤,臣纵不书,天下之人书之。臣以陛下为文皇帝,陛下比臣如褚遂良。"帝又曰:"我尝取观之。"谟曰:"由史官不守职分。臣岂敢陷陛下为非法。陛下一览之后,自此书事须有回避,如此善恶不直,非史也,遗后代何以取信。"乃止。

这样的修史传统,不仅使帝王知有警惕,亦较能如实记录;破坏了这一传统,势必造成史官逢迎帝王难以直笔的后果。但宋太宗时恢复了《起居注》、《时政记》,毕竟还是丰富了修史的资料。

宋代枢密院亦撰《时政记》。《宋会要辑稿》职官6·30称:

> 端拱二年十月,中书门下言:"所录《时政记》,缘皇帝每御前殿,枢密院以下先上,宰臣未上间,所有宣谕圣语,裁制嘉言,

---

① 《宋史》卷269《扈蒙传》。
② 《宋会要》职官6·30。
③ 《宋会要》职官6·30,《宋史》卷265《李昉传》。
④ 《资治通鉴》卷13。

> 无由闻知,虑成漏略。欲望自今差枢密副使二人逐旋抄录,送中书。"遂诏枢密副使张宏、张齐贤同共抄录。自后枢密院事皆送中书,同修为一书而授史馆。

又云:

> 大中祥符五年六月诏,枢密院所修《时政记》,月送史馆。先是枢密院月录附史事送中书,编于《时政记》,及是,王钦若、陈尧叟始请别撰,不关中书省,直送史馆焉。

枢密院所修《时政记》,初时亦援例于月终修成后进御。

进奏院是公文集中之所。宋初承唐制,诸州镇在京设进奏院,掌管奏章、诏令及各种文书的投递。但由于"外州将吏,多不愿久住,逐〔遂〕募京师人或亲信为之,符移颁下,多或稽缓漏泄"①,太平兴国八年(983年),改由朝官分任诸州进奏官。真宗咸平四年(1001年)八月"诏进奏院,每五日一具报状,实封送史馆"②,五年(1002年)十月,又命三司将所奏事中的可纪者,逐季录送史馆。

日历所则根据《起居注》,中书和枢密的《时政记》,以及进奏院、三司等各方面提供的资料,按月编纂《日历》。臣僚行状、墓志亦加采录。如淳熙十六年(1189年)七月九日,国史日历所为编修孝宗淳熙五年至十六年《日历》上书③称:

> 《日历》内合用修立臣僚传,文臣宰执至卿监,武臣自使相至刺史,合行取索行状、墓志,尚未到者,乞下礼部,通牒所在取索。如内有曾经请谥者,许本所一面移文太常寺,逐旋关借墓志、行状照用。

为了有效地调集资料,由皇帝下诏,限定天数,不能如期送纳者科罪。《宋会要辑稿》运历1·19记载绍兴元年(1131年)四月八日诏书称:

> 省、曹、台、院、寺、监、库、务、仓、场诸司,被受指挥及改更诏条,并限当日录申修日历所。月内无,即于月终具申。其取索急速者,限一日。如追呼人吏,限当日赴所,已出者次日;展限不得过三日。违限及供报草略者,从本所将当行人吏直送大理寺,从杖一百科罪。

---

① 《宋会要》职官2·44。
② 《宋会要》职官18·78。
③ 《宋会要》职官18·104—105。

足见纂修《日历》,是有丰富的资料来源的;加以编修时又力求详备,所以卷帙甚巨。如淳熙十六年(1189年)修成的孝宗朝《日历》,"起自绍兴三十二年六月十一日",迄"十六年正月",不足27年,共成书2000卷,"约计一千五百余万字"①,其规模之大,可想而知。

《宋史》卷445《汪藻传》说:

> 书榻前议论之辞,则有《时政记》;录柱下见闻之实,则有《起居注》。类而次之,谓之《日历》;修而成之,谓之《实录》。

《实录》是在《日历》的基础上修成的。宋,朱弁《曲洧旧闻》卷9云:

> 凡史官记事,所因者四:一曰《时政记》,则宰相朝夕议政,君臣间奏对之语也。二曰《起居注》,则左右史所记言动也。三曰《日历》,则因《时政记》、《起居注》润色而为之者也……四曰臣僚《行状》,则其家所上也。

宋代的《实录》就是根据上述四种史料修成的。至于《国史》、《会要》,则又是在《实录》的基础上,广征博采,严加考订,其资料来源就更加丰富了。

宋代在宁宗以前的十三朝,皆有《实录》,此后有《理宗实录》,虽修而未能完成。这些《实录》,绝大部分散佚,仅钱若水、杨亿等所修《太宗实录》残存,一为8卷本(卷26~30、76、79、80),刊入《古学汇刊》第一集;一为20卷本(卷26~35、41~45、76~80),收入《四部丛刊》三编及鼎文书局版《宋史》附编中。

三、宋代官修《国史》

宋代皇帝死后,嗣君照例下诏置修史院,命大臣提举,修前朝国史,自太宗至理宗代代相续,共成十三朝正史。计有太祖、太宗、真宗《三朝国史》150卷,仁宗、英宗《两朝国史》120卷,神宗、哲宗、徽宗、钦宗《四朝国史》350卷和高宗、孝宗、光宗、宁宗《中兴四朝国史》(卷数不详)。元修《宋史》主要是在这十三朝正史的基础上,删补调整而成的。

1.《三朝国史》

---

① 《宋会要》职官18·105。

太宗雍熙四年(987年),胡旦请修太祖史,"诏史馆西廊置修史院"①。"淳化中,命李至、张洎、张佖、宋白修《太祖国史》;久之,仅进《帝纪》一卷而止"②。咸平元年(998年),宋白倡议再次编修,亦未能成书。真宗景德四年(1007年),开始大规模编修太祖、太宗两朝《国史》。陈振孙《直斋书录解题》卷4云:

> 诏王钦若、陈尧佐、赵安仁、晁迥、杨亿修太祖、太宗《正史》,王旦监修,祥符九年书成。凡为纪六,志五十五,列传五十九,目录一,共一百二十卷。

仁宗天圣五年(1027年),"命吕夷简、夏竦修先朝《国史》,王曾提举"③。天圣八年(1030)由新任宰臣吕夷简进上,《真宗正史》是接续前两朝的续修本,故通为一书,称《三朝国史》。《直斋书录解题》卷4云:"增纪为十,志为六十,传为八十"。总计150卷。

2.《两朝国史》

英宗治平四年(1067年),李清臣已开始修《仁宗正史》,未能完成。神宗熙宁十年(1077年)五月"诏修仁宗、英宗《两朝正史》,命宰臣吴充提举"④。元丰三年(1080年),以吴充病老,改命王珪提举。元丰五年(1082年)书成奏上。神宗曾计划将五朝《正史》通修为一书,《玉海》卷46引元丰四年诏书云:

> 见修《两朝国史》将成,当与《三朝史》通修成书。

并委曾巩任其事。《续资治通鉴长编》卷318,载元丰四年十月曾巩上言云:

> 臣修定《五朝国史》,要见宋兴以来名臣良士,或尝有名位,或素在邱园,嘉言善行,历官行事,军国勋劳,或贡献封章,著撰文字,本家碑志行状记述,或他人为作传记之类,今所修《国史》,须当收采载述。恐旧书访寻之初,有所未尽,乞京畿委开封知府及畿县知县,外委逐路监司,州县长吏,博加采求。有子孙延至询问,所有事迹或文字,尽因郡府纳入史局,以备论次。

曾巩所撰《太祖本纪》中,议论甚多,每事皆以太祖胜汉高祖为言。神宗览后,因有贬低太宗之嫌,于元丰五年四月,罢曾巩修《五朝史》。

---

① 王应麟:《玉海》卷58。
② 陆游:《老学庵笔记》卷3。
③ 《宋史》卷9《仁宗纪》。
④ 李焘:《续资治通鉴长编》卷282。

3.《四朝国史》

《神宗正史》始修于元祐七年(1092年),由吕大防提举。其后哲宗亲政,新党得势,吕大防罢相,改由章惇、邓洵武编修。元符三年(1100年),哲宗死后,向太后听政,再次诏修《神宗正史》。徽宗亲政,乃以蔡京主其事,仍以邓洵武为修史官。崇宁三年(1104年)八月"蔡京上《神宗史》"①。

徽宗朝曾两次修《哲宗正史》。大观四年(1110年)四月十九日,郑久中请修②,政和四年(1114年)五月二十二日进上③。宣和二年(1120年)二月,又诏"别修《哲宗正史》"④,用王孝迪等为修史官,太宰王黼提举。宣和四年(1122年)六月十五日"王黼等表奏《哲宗皇帝正史》,帝纪、表、志、传总二百一十卷"⑤。

神、哲两朝正史,遭到很多非议。如陈瓘"著《尊尧集》,谓绍圣史官,专据王安石《日录》改修《神宗史》,变乱是非,不可传信"⑥。邵伯温作《辩诬录》,力斥《神宗正史》对宣仁高后的诬谤及偏袒新法。于是南宋绍兴四年(1134年),诏史馆"重修神宗、哲宗两朝《正史》、《实录》"⑦。绍兴二十八年(1158年)"置修国史院,修《三朝正史》"⑧,至乾道二年(1166年)"上三朝帝纪"⑨。同年十二月,胡元质上言⑩称:

> 五朝《正史》久已大成,而神宗、哲宗、徽宗三朝之史,开院纂辑累年于兹,臣窃惟靖康继宣和之后,以功绪本末则相关,以岁月久近则相继,伏望将今来所修《钦宗实录》立之课限,并修帝纪缴进,名为《四朝国史》。

于是又改为编修包括钦宗一朝的《四朝国史》了。但修史进度很慢。《玉海》卷46载淳熙五年(1178年)四月李焘上言云:

> 今修《四朝正史》,开院已十七年,乞降睿旨,责以近限,庶几

---

① 《宋史》卷19《徽宗纪》。
② 据《宋会要》运历1·30。
③ 据《玉海》卷46。
④ 李埴:《十朝纲要》卷18。
⑤ 《宋会要》职官18·77。
⑥ 《宋史》卷345《陈瓘传》。
⑦ 李埴:《十朝纲要》卷22。
⑧ 陈振孙:《直斋书录解题》卷4。
⑨ 《宋会要》职官18·55。
⑩ 《宋会要》职官18·56—57。

大典早获具备。

后虽下诏限一年修成,但实际上到淳熙十三年(1186年)才修成,由王淮奏上。从绍兴二十八年(1158年)算起,至此已历时近29年。

4.《中兴四朝国史》

高宗、孝宗、光宗、宁宗《中兴四朝国史》,开始也是分别纂修的。修《高宗正史》开始于嘉泰二年(1202年)二月①。次年,傅伯寿上言②:

> 今孝宗、光宗《实录》已成,将修《三朝正史》,自建炎丁未至于绍熙甲寅六十八年。

于是改修《三朝正史》。但由于"庆元党禁"以来到"开禧北伐",韩侂胄被诛,政局动乱,史官任免不常,所以进度很慢。直到理宗嘉熙二年(1238年)三月"以李心传为秘书少监、史馆修撰,修高宗、孝宗、光宗、宁宗《四朝国史》、《实录》"③,修史工作才迅速进展,淳祐二年(1242年)修成帝纪④。宝祐五年(1257年)四月,临安陷落前二十年,才由程元凤等进《中兴四朝正史》的志、传部分⑤。自嘉泰二年(1202年)诏修,至此已历时55年。由于《中兴四朝国史》成书较晚,宋代诸家书目皆不著录,《宋史·艺文志》亦付阙如,只有《玉海》略作介绍,亦未言及卷数。

宋代所修纪传体《国史》,当时亦称《正史》,今皆不传,《宋会要辑稿》职官及食货类各门的序言,往往引用。编修《国史》,除以《时政记》、《日历》、《实录》为依据外,并通过政府征集资料。《宋会要辑稿》运历1·30,载徽宗大观四年(1110年)初修《哲宗正史》时郑久中等上书称:

> 文臣太中大夫以上,武臣正任刺史以上,并驸马都尉,或虽官品未至而有政绩在民遗爱可纪,忠义之节显闻于时,或有不求闻达终于下位,及隐逸邱园并孝悌之士,曾经朝廷奖遇,凡在先朝薨卒者;并宗室大将军及赠公侯例合立传者,要见逐人行状、墓志、神道碑生平事迹。或有著述文字达于时务者,照证修纂。或烈女节妇,及艺术著闻者,事迹灼然,亦合书载。及中外臣僚

---

① 据《宋史》卷38《宁宗纪》。
② 《宋会要》职官18·60。
③ 《宋史》卷42《理宗纪》。
④ 王应麟:《玉海》卷46。
⑤ 《宋史》卷44《理宗纪》。

并宗室,或因哲宗赐对亲闻圣语,或有司奏事特出宸断,或有论议章疏事关政体可书简册者,并许编录,实封于所在官司投纳,申缴赴院。或亡殁臣僚有本家子孙追录所闻,或收藏得旧稿者,亦并许编录,依上项投纳,仍不得增饰事节。下进奏院遍牒天下州、军、监,明行晓示及多方访求。如无子孙亦许亲属及门生故吏编录,于所属投纳。仍乞下尚书吏部左右选、入内内侍省、阁门、大宗正司出榜晓示,令依上件修写,直纳赴院。今来修《国史》有合取会事,并从本院押帖子会问。其诸处供报隐漏,当行人吏,并从严断勒停,事理重者,刺配五百里外本城,不在赦原降减。急限一日,慢限三日,差错违限,从本院直牒大理寺;主行人吏并科杖八十,罪情理重者自从重。

私家著作,亦在征集范围。《宋会要辑稿》职官18·60载嘉泰三年(1203年)傅伯寿上言称:

> 窃惟《国史》虽据金匮石室之藏,然天下散失旧闻,亦不可不网罗也。中兴以来,修《徽宗实录》,则采《元符诏旨》;修《四朝国史》,则采《续资治通鉴》及《东都事略》。今孝宗、光宗《实录》已成,将修《三朝正史》,自建炎丁未至于绍熙甲寅六十八年,典册所书固已灿然,其间岂无登载漏脱传闻异同之患,凡旧有记述,可不广取而参考乎?今史馆所收《三朝北盟会编》、《中兴遗史》、《中兴小历》三书,恐如此之类尚多有之。臣以为宜发明诏,广加求访,如有以书闻者,下之史馆看详,果有可采,少事旌赏;其有家不能缮写者,官给以笔札,庶几群言毕萃,正史不日可成矣。

明代学者徐一夔说①:

> 往宋极重史事,《日历》之修,诸司必关白。如诏诰,则三省必书;兵机边务,则枢司必报;百官之进退、刑赏之予夺、台谏之论列、给舍之缴驳、经筵之论答、臣僚之转对、侍从之直前启事、中外之囊封匦奏,下至钱谷甲兵、狱讼、造作,凡有关政体者,无不随日以录。犹患其出于吏牍,或有讹失,故欧阳修奏请宰相监修者,于岁终检点修撰官日所录事,有失职者罚之。如此,则《日历》不讹失,他时《会要》之修取于此,《实录》之修取于此,百年之后,纪、志、列传取于此,此《宋史》之所以为精确也。

---

① 《明史》卷285《徐一夔传》;朱彝尊:《曝书亭集·徐一夔传》。

清赵翼《廿二史札记》卷23《宋史事最详》条说：

> 宋代史事，较为详慎，有一帝必有一帝《日历》；《日历》之外，又有《实录》；《实录》之外，又有《正史》，足见记载之备也。

尽管宋代修史制度是严密的，但史官对最高统治者却难以直书。以宋太祖、太宗之间的斗争为例，"烛影斧声"的大事，在北宋的官方史书中，一直都不见记载。宋太祖代周，"乃太宗与赵普所经营筹度"①。"太祖既与太宗共同取得天下，则太祖传子，自无以服太宗之心"②，"太祖既不能乐然从母命以传其弟，又不能毅然守礼之经以立其子，迟疑两端，久而不决"③，于是太宗迫不及待，在"烛影斧声"下使太祖丧命，夺取了皇位。太祖的儿子德昭、德芳也被太宗迫害致死。像这样不寻常的政治事件，宋代的国史却不予记载。南宋高宗无嗣，在舆论的压力下选取太祖的七世孙为太子，这就是孝宗。这时李焘才敢在《续资治通鉴长编》卷17记太祖死事中有"烛影斧声"之文，并注云："此据吴僧文莹《湘山野录》，《正史》、《实录》并无之。"由此可知，宋代官修史书，不仅受政治形势的干扰，对统治者隐恶溢美之处也是不少的④。

5.《宋史》与宋修《国史》的关系

元朝脱脱等所修《宋史》，是以宋人所修《国史》为底本稍加编次而成的，这在今本《宋史》中仍可得到证明。

《食货志序》："宋旧史志食货之法，或骤试而辄已，或哑言而未行。仍之则徒重篇帙，约之则不见其始末，姑去其泰甚而存其可为鉴者焉。"

《天文志序》："今合累朝史官所录为一志"。

《五行志序》："今因先后史氏所纪休咎之征，汇而辑之，作《五行志》。"

《礼志序》："今因前史之旧，芟其繁乱，汇为五礼，以备一代之制，使后之观者有足征焉。"

《舆服志序》："今取旧史所载，著于篇，作《舆服志》。"

《选举志序》："今辑旧史所录，胪为六门。"

---

① 王鸣盛：《蛾术编》卷60《受禅乃太宗与赵普谋》。
② 恽敬：《大云山房文稿》初集卷1。
③ 陆健：《宋太祖传位论》，见袁颂先《精选廿四史政治新论》。
④ 此段参考张孟伦先生《宋代统治阶级在撰修国史上的斗争》，见《兰州大学学报》1981年第4期。

《职官志序》:"虽微必录,并从旧述云。"

《兵志序》:"今因旧史纂修《兵志》"。

《艺文志序》:"宋旧史,自太祖至宁宗,为书凡四。志艺文者,前后部帙,有亡增损,互有异同。今删其重复,合为一志。"

《道学传序》:"邵雍高明英悟,程氏实推重之,旧史列之隐逸,未当,今置张载后。"

《方技传序》:"宋旧史有《释老》、《符瑞》二志,又有《方技传》,多言礼祥。今省二志,存方技传云。"

《外国传序》:"前宋旧史有《女直传》,今既作《金史》,义当削之。夏国虽偭向不常,而视金有间,故仍旧史所录存焉。"

由上可知,《宋史》是以宋代的《国史》为基础修成的,特别是《艺文志序》,明确提出是根据太祖至宁宗四种《国史》合编而成。清,赵翼为此曾作专题论述,见《廿二史札记》卷23《〈宋史〉多〈国史〉原本》和《陔余丛考》卷13《宋辽金史旧本》。正因为如此,所以《宋史》能够比其他正史详备;但同时也由于沿袭旧史调整失检,存在不少问题。如《宋史》卷368《张宪传》首句云:"张宪,飞爱将也",与一般传体不合,是因为旧史原附于《岳飞传》后,故从岳飞叙起,张宪既改为单独立传,此语当改而未改。同卷之《牛皋传》篇尾,总叙岳飞功绩,亦是上述原因造成的。再如将叶梦得编入《文苑传》,但通篇只叙政绩,根本没有涉及著作。这些都是因重新安排而未修改旧文造成的问题。

宋代《国史》止于宁宗朝,理、度两朝未曾编修;《宋史》诸《志》,对于理宗以下记载也多不完备。《文苑传》7卷中,南宋仅熊克等数人,《循吏传》则无南宋一人,这也是《中兴四朝国史》原来的状态所造成的。明,危素《危太仆集》续集卷9《书张少师传后》说:

> 按太祖至徽、钦,列传至为赅备,至高、孝、光、宁《四朝史》,孟蜀人李心传氏所修,其阙漏不可计。

元,苏天爵《滋溪文稿》卷25《三史质疑》也说:"宋《中兴四朝史》诸传尤少"。李焘《续资治通鉴长编》卷10开宝二年六月篇尾一条,注云:

> 今《国史》有黎州山后两林蛮及黎州邛部川蛮传,无云南大理国传。

《宋史》的《大理传》也是十分简略的。

《宋史》对人物的褒贬,往往一仍旧史。《廿二史札记》卷23《宋

史各传回护处》指出:

> 元修《宋史》,度宗以前,多本之宋朝《国史》,而宋《国史》又多据各家事状碑铭,编缀成篇。故是非有不可尽信者。

以《张浚传》为例,旧史是用朱熹所撰《张魏公行状》删润而成,朱熹则是根据张浚的儿子张栻提供的家稿,所以对张浚一生事迹,隐恶扬善,多所回护。朱熹后来对张浚有进一步了解,"始悔昔年不加审核,归咎南轩(张栻号),然亦无及矣"①。朱熹本人对此并不隐讳,曾对其弟子说:"如某向来作张魏公行状,亦只凭钦夫(张栻字)写来事实将去,后见《光尧实录》,其中煞有不相应处"②。并曾书一帖云:"十年前率尔记张魏公行实,当时只据渠家文字草成,后见他书所记多不同,尝以为恨"③。宋周密在《齐东野语》中引《涧上闲谈》云:

> 近世修史,本之《实录》、《时政记》等,参之诸家传记、野史及铭志行状之类,野史各有私,好恶固难尽信;若志、状则全是本家子孙门人掩恶溢美之词,又可尽信乎? 与其取志、状之虚言,反不若取野史、传记之或可信者耳! 且以近修《四朝史》言之,如《张魏公列传》所书嘉禾刺客,乃是附会杂史张元遣刺韩忠献事。又载遣腊书疑郦琼之语,亦是潘远纪闻岳武穆秦州判卒事。至云符离军溃,公方鼻息如雷,此乃心学,虽亦取莱公纪事中意,然方当大军悉溃,又安在其为心学哉! 其说皆浅近易见,乃略不审其是非,登之信史,传之千万世可乎?

但元人修《宋史》,对宋人的议论未作考查,而一仍旧史。

《宋史》卷394《谢深甫传论》称:

> 谢深甫出处,旧史泯其迹,若无可议为者。然庆元之初,韩侂胄设伪学之禁,网罗善类而一空之,深甫秉政,适与之同时,诿曰不知不可也。况于一劾陈傅良,再劾赵汝愚,形于深甫之章,有不可掩者乎?

此论指出了旧史中的问题,但传文却仍用旧史。其他如攻王安石新党,歌颂元祐复制,贬韩侂胄庆元党禁、开禧北伐,褒朱熹道学等,皆沿用旧史的观点。清代学者钱大昕,在《十驾斋养新录》卷7《宋史褒

---

① 钱大昕:《廿二史考异》卷79。
② 《朱子语类》卷131。
③ 王世贞:《池北偶谈》卷9引何彦澄家藏朱晦翁墨迹一帖。

贬不可信》条指出：

> 《宋史》于南渡季年臣僚，褒贬多不可信。如包恢知平江府，奉行公田，至以肉刑从事，见于《贾似道传》；而《本传》言其历仕所至，破豪猾，去奸吏，政声赫然，度宗至比恢为程颢、程颐，此岂可信乎？刘应龙当贾似道专政时，与何梦然、孙附凤、桂锡孙等，承顺风指，凡为似道所恶者，无贤否皆斥，见于《理宗纪》，而《本传》言其不附似道，何其相矛盾之甚也。

由上可知，《宋史》是在宋代《国史》的基础上加以调整补阙而成。宋修《国史》有丰富的资料，经史臣反复删定，纪、传、表、志俱全，为元修《宋史》提供了很好的基础。《宋史》诸《志》，计162卷，在二十四史中最多。《列传》共收二千余人，多于《旧唐书》一倍，但同时也承袭了旧史褒贬失实及观点方面的问题；在调整篇幅中，亦存在彼此抵牾的问题。所以后世对《宋史》的批评甚多。元末周以立，明代周叙、严嵩、归有光、汤显祖，清代顾炎武、朱彝尊、全祖望、杭世骏、邵晋涵、章学诚等均打算重修《宋史》而未果。已修成者有明代危素的《宋史稿》，王洙的《宋史质》，柯维骐的《宋史新编》，王维俭的《宋史记》，钱士升的《南宋书》；清代有陈黄中的《宋史稿》，陆心源的《宋史翼》。这些著作中，有的未曾刊印即已散佚，有刻本留传下来的，亦不能代替《宋史》，资料不足是其中一个重要原因。

四、会要体史籍概述

宋代官修本朝《会要》，其规模与纂修《国史》大体相当，关于这一方面的情况，将在下一章专述。私人所修前代《会要》，除王溥的《唐会要》、《五代会要》以外，南宋徐天麟纂《西汉会要》，嘉定四年（1211年）进于朝。该书分类编排极为详审，《四库全书总目》称之为"《汉书》功臣"；但同时也指出所采只据《汉书》，"故于汉制之见于他书者，概不采掇，未免失之于隘"。徐氏又撰《东汉会要》，于宝庆二年（1226年）奏进。《东汉会要》"据范书为本，而旁贯诸家，悉加裒次，其分门区目，排比整齐，实深有裨于考证"[①]。此外，北宋范师道则撰《会要详节》40卷，是章得象等所修《庆历国朝会要》的节本。

---

① 《四库全书总目》卷81。

《郡斋读书志·赵希弁附志》卷 5 上引其《叙》称：

> 师道所节四十卷，先后详致，无异全本。

与此同时，辽朝则有《契丹会要》，原书已佚，尤袤《遂初堂书目》著录。

会要体裁，自唐朝创立后，在宋代有很大发展。此后元人赵孟𫖯有《汉唐会要》，原书散佚，钱大昕《补元史艺文志》著录。元文宗天历二年（1329 年）九月，敕翰林院"辑本朝典故，仿唐、宋《会要》修《经世大典》"①，至顺二年（1331 年）成书，三年三月进呈。全书凡 880 卷，目录 12 卷，另附《公牍》1 卷，《纂修通议》1 卷，实际上乃是《元会要》的异名。今原书散佚，清末徐松、文廷式从《永乐大典》中辑出 6 篇，收入《广仓学窘丛书》。元，苏天爵所编《国朝文类》中载有《经世大典》各类叙录。中华书局影印本《永乐大典》中尚存零星篇幅。点校本《元史》往往据以校订史文。《元史》诸志，在天历以前，多据此书修成。《元史》卷 97《食货五》小序云：

> 食货前志，据《经世大典》为之目，凡十有九，自天历以前，载之详矣。若夫元统以后，海运之多寡，钞法之更变，盐茶之利害，其见于《六条政类》之中，及有司采访事迹，凡有足征者，具录于篇，以备参考；而丧乱之际，其亡逸不存者，则阙之。

《元史·兵志》中的"站赤"，与现存《永乐大典》残存的文字相同。上述情况，足以说明两书的关系。日本学者箭内亘在《蒙古史研究》之《元经世大典考》一章中，对此书作了专门研究。

清人杨晨，撰《三国会要》23 卷，有光绪二十六年（1900 年）江苏书局刊本，中华书局 1956 年印本。孙楷撰《秦会要》26 卷，光绪三十一年（1905 年）刻于湖南，其后 1943 年徐复先生加以订补，成《秦会要订补》，于 1955 年由上海群联出版社排印。龙文彬撰《明会要》80 卷，有广雅书局刊本，1956 年中华书局印本。朱铭盘撰《两晋会要》80 卷，南朝《宋会要》50 卷，《齐会要》40 卷，《梁会要》40 卷，《陈会要》30 卷，手稿藏北京图书馆善本库，上海古籍出版社已整理完毕，即将付印②。朱氏原拟再撰北朝魏、齐、周、隋四朝《会要》，合称《两晋南北朝会要》，但未能完成③。钱仪吉撰《三国会要》5 册，稿成未

---

① 《元史》卷 181《虞集传》。
② 见《古籍书讯》1982.3.1。
③ 《桂之华轩遗集》，郑肇经《曼君先生记年录》。

刊。又撰《晋会要》、《南北朝会要》，皆未成书。目前北京大学商鸿逵先生正在主编《清会要》。上海古籍出版社拟汇集为《中国历代会要丛书》①刊行，不过还有不少朝代的《会要》尚须新修，仅存辑稿的如《宋会要》，也必须整理；所以要编出一套完整的《历代会要丛书》，还是一项艰巨的工作。

（原载《河南师大学报》1984年3月增刊）

---

① 商鸿逵：《简论关于编纂〈清会要〉》，见《光明日报》1982.3.1。

宋代官修本朝《会要》

一、宋修本朝《会要》的规模

赵宋政权,对编修本朝《会要》是十分重视的。其原因并非只是为了修史,主要在于提供处理朝政时的根据。宋高宗说:"《会要》乃祖宗故事之统辖,不可缺。"①正因为封建政权有这样的实际需要,所以在集中资料和配备人力上都能得到保证。

编修《会要》,一如修《日历》、《实录》、《国史》,在秘书省置局,称会要所,以宰臣提举。乾道四年(1168年)修《四朝会要》,以"左正议大夫、守尚书右仆射同中书门下平章事、兼枢密使、兼提举修《四朝国史》、兼制国用使陈俊卿,兼提举编修《国朝会要》"②。人员组成情况是:"其合排办,亦不别差诸司官,止就委国史日历所见今提举承受诸司官,排办施行。"③其机构名称和印记:"以编修国朝会要都大提举诸司为名,合用印记","就用现领国史院都大提举诸司印记行使"④。人员、印记、提举宰臣,皆与国史日历所同,这说明修《会要》与修《国史》放在同等的地位,都是在秘书省下设置的修书班子,并无严格的分工和界线。朝廷提供资料,还优先下给会要所,《麟台故事》卷1《官职》记载徽宗时纂修《政和会要》的情况说:"朝廷每有讨论,不下国史院而下会要所者,盖以事各类从,每一事则自建隆元年以来

---

① 王应麟:《玉海》卷51。
②③④ 《宋会要》职官18·32。

至当时,因革利害源流皆在,不如国史之散漫简约,难见首尾也。"

编纂《会要》根据的资料是十分丰富的。首先是《国史》。现存《辑稿》中职官、食货两类各门的序言,多有注明引自《两朝国史》、《神宗正史》、《哲宗正史》、《四朝国史》的史文,即是明证。

其次是《实录》和《日历》。乾道五年(1169年)修《四朝会要》时,秘书少监汪大猷等上言①称:

> 窃见蔡攸所修《吉礼》,缘当时议论好恶不同,或妄有删改以迎时好,故其间去取有不可尽循者。乞许令本省重照《实录》诸书再加删定。

乾道六年(1170年),开始修高宗、孝宗朝《会要》,秘书省上言②称:

> 所有照修文字,合用太上皇帝、今上皇帝《日历》,参照编修。

再次,调集诏令。乾道六年(1170年)十一月六日,秘书省上言③称:

> "本省编修《国朝会要》,已降指挥,自建炎元年接续修至乾道五年。续准指挥,许逐旋关用建炎以后《日历》编修。缘其间多经去取,未为详备;欲望特降指挥,在内令六部行下所属,在外令诸路监司行下所管州军,将建炎元年以后至乾道五年终,应被受诏书及圣旨指挥,内百司限一月,外路州军限一季,并录全文,赴省送纳,照用编修,所贵大典不致疏略。"从之。

各级官府,如果不能按照要求抄送,就要受到惩处。乾道九年(1173年)三月二十六日,秘书少监陈骙等上言④称:

> "奉旨续修太上皇帝《会要》,取索内外官司,自建炎元年以后,应申请画降被受改更圣旨指挥,参照本末,编类成书。其诸处视为闲慢,或作缘故不行供报。伏望严限,依应回报;如违,依见行条法施行。"诏依,仍限五日回报。

淳熙三年(1176年)七月八日,秘书少监陈骙等上言⑤称:

> "本省编修今上皇帝《会要》,合要内外官司被受指挥,参照编类,移文取索,多不供报,有妨修纂,乞立限行下诸处。"诏限三日回报,违戾去处,开具当行人吏姓名申尚书省。

---

① 《宋会要》职官18·33。
② 《宋会要》职官18·34。
③④ 《宋会要》职官18·35。
⑤ 《宋会要》职官18·37。

由上可知,已修成的《日历》、《实录》、《国史》,都是编修《会要》时采用的文献。但这些成书,在节取原始资料时,"其间多经去取",因此十分重视调集各级政府的重要档案,直接从第一手材料中采录。由封建政权,通过它的组织系统调集档案,有不能如期送纳者,要受到惩处,这就使修书单位能够占有尽可能多的资料。这一点,是私家修书所不可能做到的。因此,《日历》、《实录》、《国史》与《会要》之间的区别,只是体例上要求不同。这些书都是以丰富的第一手材料为依据,其可靠程度也是相当的。在这样的条件下,由宰臣提举,组织专家集体编纂,所以宋代官修本朝《会要》,能够将本朝政治、经济、文化诸方面的制度,全面系统地分类汇辑,它不仅成为当时统治者处理朝政的参考文献,也是后世研究宋代历史极为珍贵的资料。尽管它只是从封建统治者的观点汇辑成编,但所存有关宋代典章制度的丰富资料,却是研究宋代历史不可缺少的。

宋代从天圣八年(1030年)诏修《庆历国朝会要》,至淳祐二年(1242年)《宁宗会要》第四次进书,凡213年,所修《会要》起太祖迄宁宗共十三朝,成书11种,总计三千余卷。《唐会要》由私撰到官续,在唐代也只完成80卷。元文宗时,命虞集与中书平章政事赵世延任总裁,"辑本朝典故,仿唐、宋《会要》,修《经世大典》"①,由于"累朝故事有未备者,请以翰林国史院修祖宗《实录》时百司所具事迹参订。翰林院臣言于帝曰:'《实录》法不得传于外,则事迹亦不当示人。'又请以国书《脱卜赤颜》②增修太祖以来事迹。承旨塔失海牙曰:'《脱卜赤颜》非可令外人传者',遂皆已"③。所以元代所修《经世大典》,虽亦成书八百余卷,但在占有资料上,较之宋代官修本朝《会要》,则远远不如,所修亦难期完备。明、清两代,没有组织官修。虽然清代学者,私家著有几种前朝《会要》,但由于时代久隔,文献不足,不可能修成像《宋会要》那样的规模。因此,《宋会要》作为一代典制的文献,在历代的典制古籍中,是最丰富、最完备的一种,只可惜原书散佚,辑本已经残缺不全了。

宋初修本朝《正史》,在进书之后,史官要将底稿烧掉。仁宗嘉祐四年(1059年),史馆修撰欧阳修上言④称:

"史之为书,以纪朝廷政事得失,及臣下善恶功过,宜藏之有

---

①③ 《元史》卷181《虞集传》。
② 《脱卜赤颜》,即蒙文的《蒙古秘史》,该书记载13世纪时的蒙古状况。
④ 《宋会要》职官18·79。

司。往时史官以本朝《正史》进入禁中而焚其草,令史院惟守空司而已。乞诏龙图阁别写一本下编修院,以备讨阅故事。"从之。

南宋所修《日历》、《会要》,一般是誊写3份。淳熙十六年(1189年)十二月二十六日,秘书监杨万里等上言①称:

> 国史日历所修写至尊寿皇圣帝《日历》,进册三本。

《南宋馆阁续录》卷4,载《淳熙会要》第一次进书时,秘书少监施师点上言云:

> 进册合缮写三本,其一本俟进呈毕,合于秘阁安奉,一本恭进德寿宫,一本留中,以备乙览。

绍熙三年(1192年)第三次进《淳熙会要》,秘书丞兼实录院检讨官沈有开等上言②称:

> 今来进呈《会要》,合缮写进册三本,内一本俟进呈毕,迎奉于秘阁安奉,一本恭进至尊寿皇圣帝,一本留中。

由于要进书三本,故诸书修成,皆"募工书写"③。进书时有隆重的仪式④。进书之后,与修官员均有奖赏。如乾道六年(1170年)五月九日诏书⑤云:

> 秘书省上《四朝会要》,修书官吏,各转一官,减磨勘一年。余人等第转官,减磨勘,支赐有差。

二、历次官修诸《会要》

宋代历次官修本朝《会要》,除李心传所修《国朝会要总类》(即《十三朝会要》),曾"刻于蜀中"⑥外,其余则只有抄本,虽间有传抄本流传⑦,但毕竟甚少,故诸家书目著录多不完备。

---

① ② 《宋会要》职官18·105、80。
③ ④ ⑤ 《宋会要》职官18·42、33—34、34。
⑥ 陈振孙:《直斋书录解题》卷5。
⑦ 据《宋会要》崇儒4·21—23。绍兴元年(1131年)进士何克忠上《太祖实录》4册、《国朝会要》3册。右金吾卫上将军张琳妻、镇国夫人王氏,上六朝《实录》、《会要》、《国史志》等书,"处州缙云县若澳巡检唐开,上王珪重修《国朝会要》三百卷"。绍兴三年(1133年)下诏征集湖州管下故执政林摅家"太祖以来《国史》、《实录》、《国朝会要》等书","令本州守臣劝诱献纳"。"知静江府许中,上《政和重修国朝会要》一部"。

汤中《宋会要研究》，设《宋会要考略》一卷，根据《宋史》、《玉海》、《书录解题》、《决科至论》、《群书考索》、《麟台故事》、《容斋随笔》、《朝野杂记》、《通志》、《通考》诸书的记载，对宋代官修本朝《会要》的名称、卷数、朝代、修纂年月、修纂进奏诸臣，分别作了考察，但却很少采用《宋会要辑稿》的记载，某些结论也是有问题的。比如宋代官修本朝《会要》共成书几种；《辑稿》所载各种《会要》名称的统计，以及由此而对明初尚存几种《宋会要》，《永乐大典》所收《宋会要》的底本诸结论，都是错误的。有些在《辑稿》中本来可以搞清楚的问题，如《乾道续四朝会要》、《中兴会要》、《淳熙会要》等起迄时间亦未作细致研究。汤氏《宋会要考略》中，将《嘉定国朝会要》与《十三朝会要》混为一书的问题，日本学者石田干之助氏在《三松盦读书记》①中，山内正博氏在《〈册府元龟〉与〈宋会要〉》②中，青山定雄氏在《宋会要研究备要·序》中，都曾附带提出过，但由于未曾作出系统论证，迄今汤氏宋代官修本朝《会要》"成书十种"的结论，仍为一般学者所遵循。像北平图书馆《影印〈宋会要辑稿〉缘起》，齐成《〈宋会要稿〉略说》③，台湾大学王德毅先生的《〈宋会要〉人名索引》一书中的《编辑叙例》④，及1979年发表的《两宋十三朝会要纂修考》⑤，1980年湖北人民出版社出版的《中国古代史籍举要》，1982年北京出版社出版的《史籍举要》，黑龙江人民出版社出版的《中国历史要籍介绍及选读》，上海古籍出版社出版的《中国历史要籍介绍》等，都沿袭汤氏旧说。

1981年中华书局出版的王重民先生所著《史部要籍解题》，所列十二种《宋会要》简表中，已将《嘉定国朝会要》与《十三朝会要》分开。但关于《宁宗会要》，却将前三次进本与最后一次进本分列为两书。按，前三次进本均在宁宗朝，所修必不完整，理宗朝的第四次进本续为全书奏上，与《淳熙会要》的情况相同，分列为两书似欠妥当。

今在汤氏《宋会要考略》的基础上加以订补，将宋代官修十一种《会要》的名称、卷数、起迄时间、修纂进书年月、修纂进奏诸臣，分述如下：

1.《庆历国朝会要》150卷（据《玉海》卷51，以下不注者同此）。

---

① 《史学杂志》43之9，1932年。
② 《史学研究》103，1968年。
③ 《国学季刊》三卷一、二合期。
④ 1978年台北市新文丰出版公司出版。
⑤ 《宋史研究集》第十一辑。

起太祖建隆元年（960年），迄仁宗庆历三年（1043年），共84年。分21类：帝系、后妃、礼（吉、凶、嘉、宾、军五类）、乐、舆服、仪制、崇儒、运历、瑞异、职官、选举、道释、食货、兵、刑法、方域、蕃夷。天圣八年（1030年）七月丁巳（初六）诏修，庆历四年（1044年）四月己酉（十八日）奏上。章得象监总，宋绶、冯元、李淑、王举正、王洙同修（《文献通考》卷201）。

2.《元丰增修五朝会要》（《直斋书录解题》作《六朝国朝会要》）300卷。

起建隆元年（960年），迄神宗熙宁十年（1077年），共118年。分21类，858门。熙宁三年（1070年）九月十六日王珪请修，元丰四年（1081年）九月己亥（二十八日）上之。王存、林希、李德刍、陈知彦编修，王珪奏上。

3.《政和重修国朝会要》111卷（并目录1卷在内，书名据《直斋书录解题》卷5）。

起建隆元年（960年），迄徽宗政和，仅成帝系、后妃、吉礼3类（据《辑稿》职官18·33）。五礼中其余"四类编治垂成，宣和庚子（二年）罢局，遂成散漫"（《直斋书录解题》卷5）。元符三年（1100年）十二月徽宗（已即位未改元）诏修。政和末年奏上（《玉海》原作"政和八年十二月己未"。按政和八年十一月己酉朔改元重和，疑有误字）。王觌、曾肇、蔡攸同修（蔡攸据《直斋书录解题》卷5，及《宋史》本传）。

4.《乾道续四朝会要》300卷（《玉海》作200卷。《书录解题》、《郡斋读书志·附志》、《通考》引李焘《序》并作300卷，今从之）。

自治平四年（1064年）正月丁巳（初八）神宗即位（《通考》卷201李焘序《辑稿》有关各门《续会要》的首条时间），迄钦宗靖康二年（1127年），分21类，666门。绍兴九年（1139年）诏修，乾道六年（1170年）五月己未（初九）奏上。汪大猷等纂修，虞允文进奏，李焘进读（进读官据《辑稿》职官18·34）。

5.《乾道中兴会要》200卷。

自建炎元年（1127年）五月初一，迄绍兴三十二年（1262年）六月十一日（据《辑稿》职官18·35及有关各门《中兴会要》的起迄时间）。孝宗乾道六年（1170年）闰五月一日诏修，乾道九年九月六日进书（据《辑稿》职官18·34—35）。陈骙编类（《辑稿》职官18·35），梁克家进上。

6.《淳熙会要》368卷（第一次进本《辑稿》作《乾道会要》）。

自绍兴三十二年(1162年)六月十一日孝宗即位,迄淳熙十六年(1189年)正月(据《辑稿》职官18·35,80)。乾道九年(1173年)九月二十八日陈骙请修(《辑稿》职官18·35—36)。进书三次:淳熙六年(1179年)七月十八日,进150卷;十三年(1186年)十一月二十一日,进130卷;绍熙三年(1192年)十二月二十三日("二十三日"据《辑稿》职官18·80,《玉海》作"壬寅",即初四)进80卷。陈骙、郑丙、王淮等纂修(《辑稿》职官18·37,42,43),赵雄等进第一次,王淮等进第二次,光宗率群臣进第三次(《宋纪》)。

7.《嘉泰孝宗会要》200卷。

自绍兴三十二年(1162年)六月十一日,迄淳熙十六年(1189年)正月(据《辑稿》有关《孝宗会要》起迄时间,并参照《淳熙会要》三书)。庆元六年(1200年)闰二月二十五日,秘丞邵文炳请修,嘉泰元年(1201年)七月十一日奏上。杨济、锺必万总修(《宋史·艺文志》)。

8.《庆元光宗会要》100卷。

起淳熙十六年(1189年)二月二日(《辑稿》职官18·80),迄绍熙五年(1194年)七月,总23类,364门。淳熙十六年(1189年)三月十一日请修(《辑稿》职官18·80),宁宗庆元六年(1200年)二月丁巳(二十二日)奏上。葛邲、胡晋臣、沈有开等(《辑稿》职官18·80)纂修,京镗等进奏。

9.《宁宗会要》150卷(据《宋史·艺文志》。按《玉海》著录,共进书四次,末次进书记载甚略,今从《宋志》)。

起绍熙五年(1194年)七月甲子(初五)宁宗即位,迄嘉定十七年(1224年)闰八月丁酉(初三)(据《辑稿》有关《宁宗会要》记事时间,参照《宋纪》)。凡四次进书:嘉泰三年(1203年)八月二十一日,进115卷。嘉定六年(1213年)闰九月二十七日,进100卷。十四年(1221年)五月九日,进改正《会要》115卷,续修110卷。理宗淳祐二年(1242年)正月戊戌(二十四日)进第四次(末次进书据《宋纪》)。陈自强(进第一次)、史弥远(进二、三次)、史嵩之等奏上(据《宋史·宁宗纪》)。

10.《嘉定国朝会要》588卷(《辑稿》帝系5·1作《经进总类会要》,《郡斋读书志·附志》作《总类国朝会要》)。

起太祖建隆元年(960年),迄孝宗乾道九年(1173年)(据《辑稿》有关《乾道会要》的记事时间,参考《郡斋读书志·附志》)。孝宗淳熙七年(1180年)十月九日请修,宁宗嘉定三年(1210年)六月十六日奏上。张从祖类辑。

11.《国朝会要总类》588卷（据《直斋书录解题》卷5。《辑稿》食货62·47作《经进总类国朝会要》，《宋史·李心传传》作《十三朝会要》）。

起太祖建隆元年（960年），迄宁宗嘉定十七年（1224年）闰八月（据《辑稿》记事时间，参照《宁宗会要》）。理宗端平三年（1236年）成书（《宋史》卷438《李心传传》）。李心传、高斯得修（《宋史》409本传）。

三、汤氏所考10种《宋会要》的商榷

《宋会要研究》卷1《宋会要考略》，对宋代官修本朝《会要》，一一作了考查，今就有关问题讨论如下：

第一，汤氏将张从祖所修《嘉定国朝会要》，与李心传所修《十三朝会要》混为一书。在《嘉定国朝会要》条下注云："《书录解题》作《国朝会要总类》，《文献通考》同，《宋史》卷四百三十八《李心传传》作《十三朝会要》"。这就是说，王应麟《玉海》著录的《嘉定国朝会要》，也就是陈振孙《直斋书录解题》、马端临《文献通考》著录的《国朝会要总类》，《宋史·李心传传》记载的《十三朝会要》，名称不同，实为一书。所以得出的结论是："自建隆以迄嘉定，历朝凡十有三，成书十种"。

《玉海》卷51《嘉定国朝会要》条云：

> 淳熙七年十月九日，秘书少监〔赵〕汝愚言："《国朝会要》、《续会要》、《中兴会要》、今上《会要》，分为四书，去取不同，详略各异，请合而为一，俾辞简事备，势顺文贯。"从之。将作少监张从祖类辑《会要》，自国初至孝庙为一书，凡二百二十三册，五百八十八卷。嘉定元年四月十六日，诏秘书省写进。三年六月十六日上之。

赵汝愚在淳熙七年（1180年）所说的"今上《会要》"，只能是《淳熙会要》于淳熙六年（1179年）七月的第一次进本，所修内容，只应包括孝宗朝前期。从《辑稿》各门的史文来看，张从祖所采《淳熙会要》的第一次进本，所用名称是《乾道会要》，不少篇幅于乾道九年条下注称："以上《乾道会要》"（见礼37·46、59·8，职官48·105，选举

23·19,食货18·7等)。《南宋馆阁续录》卷4,载宁宗庆元六年(1200年)闰三月,秘书丞邵文炳等上言称:

> 本省昨来进呈寿皇圣帝《会要》,先于淳熙六年七月进一百五十八卷,起自嗣位,至九年。

《郡斋读书志·赵希弁附志》卷5上,著录《总类国朝会要》称:"由建隆而至乾道也。"

由上可知,《淳熙会要》第一次进本的下限,亦即《总类国朝会要》的下限,为乾道九年,与《辑稿》现存的状况恰好一致。

《辑稿》中有些篇幅,如帝系5·1、6·1、7·1"宗室杂录"门各段篇首所冠原书名称皆作《经进总类会要》,史文起元丰元年(1078年)至乾道九年(1173年),与张从祖所修范围相合。帝系7·16—32,有关"宗室袭封"、"换授"、"补官"等诸门的总书名,食货18·8"商税"门篇首所冠原书名称,皆作《经进续总类会要》,史文起淳熙(或庆元、嘉泰、开禧),终于嘉定,则与李心传续修的部分相合。这就告诉我们,李心传续修部分的原书名是《经进续总类会要》。

此外,在《辑稿》食货62·47"义仓"门篇首所冠原书名称是《经进总类国朝会要》,史文起绍熙迄嘉定,属李心传续修的范围,书名不加"续"字。这说明合十三朝为一书的总名称,仍是《经进总类国朝会要》,也是《书录解题》将李心传所修称作《国朝会要总类》的根据。《宋史·李心传传》称作《十三朝会要》,则是以朝代数命名,以便与张从祖所修相区分。

李心传对张从祖所修的部分,未作改动。这一点可以从《辑稿》保留的某些注文中得到证明。如选举11·43、12·37,职官4·44等处注称:"以上《续国朝会要》,《国朝》、《中兴》、《乾道会要》无此门";选举18·25注云:"以上《乾道会要》,前三书无此门";选举18·27注云:"以上《国朝会要》,后三书无此门";选举26·7注云:"以上《乾道会要》,《国朝会要》、《续国朝会要》、《中兴会要》无此门"等。这些注文,都明显地反映了张从祖据《国朝会要》、《续国朝会要》、《中兴会要》、今上《会要》(即《乾道会要》)"四书,合编为《嘉定国朝会要》的语气,李心传续修时,对此未作改动。

由上可知,张从祖是将《元丰增修五朝会要》、《乾道续四朝会要》、《乾道中兴会要》及被称为"孝宗会要三书"(即《淳熙会要》)之一的《乾道会要》,统一编成起宋初迄乾道九年的《经进总类会要》,亦即《玉海》所著录的《嘉定国朝会要》。李心传又将《嘉泰孝宗会要》的淳熙元年以下部分(亦少量采用《淳熙会要》,见《辑稿》食货11·30),及《庆元光宗会要》、《嘉泰宁宗会要》合编,续于张从祖所编各卷之后,除续修的部分将原书名加"续"字外,全书仍用旧名,所以两种《总类会要》皆为"五百八十八卷"。两者虽有密切的关系,但包括的朝代多少不同,也和北宋几种《会要》的情况相似,既已各自为书,分别奏进,自不应看成是一种。

李心传所据《宁宗会要》,只是前三次进本,其未完部分,当是据已修未进之书。因为《十三朝会要》进书在理宗端平三年(1236年),而《宁宗会要》第四次进书在淳祐二年(1242年),晚于《十三朝会要》6年。这一点从《辑稿》中也有所反映。如《辑稿》职官73·45,于嘉定四年十二月二十八日条下注云:"以上《宁宗会要》",此下起嘉定五年至十七年诸条未注书名。倘所据为同一《宁宗会要》,自应注于篇尾,今既分为两段,所据应非同书。

据《南宋馆阁续录》卷4秘书丞张攀上言,《宁宗会要》的前两次进本,修至嘉定四年,第三次进本除嘉定四年以前的重修本外,另有五年至十二年的续修部分。据此则第四次进本当是嘉定十三年至十七年。前引《宋会要辑稿》于嘉定四年条下注"以上《宁宗会要》",正好是重修本的下限,这一点当不是偶然的。嘉定五年至十二年为已进的续修部分,这一次进书在嘉定十四年(1221年),距端平元年(1234年)李心传开始修《十三朝会要》,已历时13年,宁宗朝最后5年的《会要》是应当已有成稿的。

第二,关于《乾道续四朝会要》的起迄时间,汤氏只罗列诸书的有关记载,未作判断:

> 《玉海》云:断自神宗之初,迄于靖康之末,凡六十年。《群书考索》前集同。《书录解题》云:起元丰元年,迄靖康之末,《文献通考》同。《群书考索》前集及《决科至论》前集注引《职源》云:断自神宗,其《五朝会要》内,有熙宁十年内事,亦重行编入。

据汤氏所列资料,《乾道续四朝会要》终于靖康末年,是可以肯定的,其开始的时间则比较模糊。

在《辑稿》中,注明《续会要》的文字,有三种情况:一种是后修诸《会要》的泛称,一种是指李心传自淳熙元年迄嘉定十七年的续修部分,另一种则是指《乾道续四朝会要》。在出自《乾道续四朝会要》的篇幅中,有不少地方显示了该书开始的时间。如职官48·29—33、49·4—6,注明出自《续国朝会要》的两篇史文,篇首采《哲宗正史·

职官志》序文,下面首条分别是:"治平四年八月神宗已即位未改元","治平四年六月神宗已即位未改元"。食货38·31—34、39·19—27两段《续会要》文字,分别起"治平四年八月十二日","治平四年三月十九日",皆注称:"神宗已即位,未改元"。其他如选举17·11—25等,皆起自治平四年,神宗即位以后。据此,则《乾道续四朝会要》,应是起于治平四年(1067年)正月丁巳(初八)神宗即位。

第三,《乾道中兴会要》、《淳熙会要》、《孝宗会要》、《光宗会要》、《宁宗会要》的起迄时间。

汤氏将《乾道中兴会要》的起迄时间,定为"建炎元年,至绍兴三十二年,凡三十六年",也只是一个大体上的时间。实际上高宗即位改元在建炎元年(1127年)五月庚寅(初一)。其后孝宗即位,在绍兴三一二年(1162年)六月十一日。《玉海》卷51:"秘书少监陈骙请名曰《中兴会要》"下注云:

> 自建炎元年至绍兴三十二年六月十一日。

《宋会要辑稿》职官18·35,载乾道九年(1173年)七月(原作"十月",据《玉海》改)二十一日,秘书少监陈骙等上言称:

> "恭奉指挥,编类建炎以后《会要》,经今三年有余,已编修至绍兴三十二年六月十一日成书,欲乞敷奏择日进呈,乞以《国朝中兴会要》为名。"从之。

九月二十八日,陈骙等在请修孝宗朝《会要》的奏章中又说:

> 恭依先降指挥,编修建炎以后《会要》,今已修至绍兴三十二年六月十一日成书,进呈了毕。

由上可知,《中兴会要》开始于建炎元年(1127年)五月初一,终于绍兴三十二年(1262年)六月十一日,共为35年又2个月不足。

汤氏将《淳熙会要》的起迄时间,定为"孝宗一朝,二十七年",也是不够精确的。

《宋会要辑稿》职官18·35—36,载乾道九年九月二十八日《中兴会要》进书后,陈骙等上言称:

> 所有今上皇帝即位起修,合行接续编类。其应已行事件,并乞依修进《中兴会要》前后已得指挥施行。

是《淳熙会要》起自绍兴三十二年(1162年)六月十一日,孝宗即位。

《宋会要辑稿》职官18·80,载光宗淳熙十六年(1189年)三月十一日，秘书省上言称：

> 本省编修《会要》，已进呈至淳熙十年十二月，自淳熙十一年正月至淳熙十六年正月，见今接续编修，仍至今年二月二日起修今上皇帝《会要》。

是《淳熙会要》终于淳熙十六年（1189年）正月。二月光宗即位之后，就修入《光宗会要》了。

《嘉泰孝宗会要》的起迄时间与《淳熙会要》同。《玉海》卷51称：

> 庆元六年闰二月二十五日，秘丞邵文炳言：《孝宗会要》三书，统计未壹，愿汇次为全书。制曰可。越明年，嘉泰元年七月十一日，书成上之。

所谓"《孝宗会要》三书"，即是《淳熙会要》的三次进本。因为仅是就这三次进本合编，虽有增删和调整，但起迄时间则是一致的。

《庆元光宗会要》的起迄时间，汤氏虽引《玉海》之文云："自淳熙己酉二月，迄绍熙甲寅七月"，但按语只称"光宗一朝六年"，仍是不够具体的。

《南宋馆阁续录》卷4，载庆元二年（1196年）八月秘书省奏章云：

> 恭奉圣旨指挥，编修太上皇帝《会要》，起淳熙十六年二月登极，至绍熙五年七月禅位，修纂将欲就绪。

《宋会要辑稿》"会要所"门首条，记载光宗淳熙十六年（1189年）三月十一日，秘书省上言云：

> 自今年二月二日，起修今上皇帝《会要》。

《辑稿》各门有关《光宗会要》的史文，也与上述记载相合。如帝系8·44《光宗会要》首条为"淳熙十六年二月四日"。其他如仪制4·31，崇儒4·32，职官47·44、55·16，食货62·68、66·17等，注明属于《光宗会要》的篇幅，也都是从淳熙十六年光宗即位后开始的。

由上可知，《光宗会要》起自淳熙十六年（1189年）二月二日光宗受禅，止于绍熙五年（1194年）七月甲子（初五）退位，共5年多3个月。

《宁宗会要》的起迄时间，诸书记载不详。汤氏谓"宁宗一朝，三十年"，亦只言其大体。

《南宋馆阁续录》卷4记载秘书丞张攀有关编修《宁宗会要》的奏章称：

> 秘书省专修今上皇帝《会要》，自绍熙甲寅（五年）龙飞编类，至嘉定辛未（四年）一十七年，凡两经进呈。

据此，则《宁宗会要》从绍熙五年（1194年）宁宗即位起修。以《宋会要辑稿》现存《宁宗会要》史文验之，亦相吻合。如礼7·38—40，起绍熙五年七月五日，至嘉定十七年六月五日；选举5·12，起绍熙五年七月七日；选举18·10，起绍熙五年十月十一日；食货28·40，起绍熙五年八月二十七日等皆是。据《宋纪》，宁宗于绍熙五年七月甲子（初五）即位，嘉定十七年闰八月丁酉（初三）去世，参照《宁宗会要》的记载及前此诸《会要》惯例，其起迄时间应当是：自绍熙五年（1194年）七月初五，迄嘉定十七年（1224年）闰八月初三，共30年又不足2月。

宋代官修11种本朝《会要》，有的包括几朝，有的只是一朝，其中有一部分是重复的，总的时间是：从太祖建隆元年（960年），至宁宗嘉定十七年（1224年），共13朝265年。此外，理、度两朝还有进《会要》的记载：《宋史·理宗纪》，淳祐十一年（1251年）"二月乙未（初五），左丞相郑清之等，上《玉牒》、《日历》、《会要》"。宝祐二年（1254年）八月癸巳（二十三日），"谢方叔等上《玉牒》、《日历》、《会要》"。《度宗纪》：咸淳四年（1268）"八月壬寅（二十三日），奉安《宁宗实录》、《理宗实录》、《御集》、《日历》、《会要》"。据此似当有理宗朝《会要》，但诸家书目皆不著录，亦未见后人征引，汤中先生疑其为元修《宋史》时的错误，虽未为定论，但《宋纪》的记载是难以证实的。

两宋三百二十年，外患不绝，在雕版印刷高度发展的情况下，为了防务的需要，对刻印书籍是有严格限制的。哲宗时，苏辙使辽归来后所上札子云："本朝印本文字，多已流传在彼，其间臣僚章疏，及士子策论，言朝廷得失，军国利害，盖不为少"，为防止"泄露机密"，请"禁民不得擅开板印行文字"[①]。《宋会要辑稿》刑法2·38，载元祐五年（1090年）礼部上言称：

> 凡议时政得失，边事军机文字，不得写录传布。本朝《会要》、《实录》，不得雕印。违者徒二年，告者赏缗钱十万。

宋朝《会要》，在当时是禁止刻印的，但朝臣又需要参考，所以实际上可以传抄。北宋灭亡时，虽然图籍皆北运，但南宋初年，仍可在臣僚

---

① 苏辙：《栾城集》卷42《北使还论北边事札子五道》。

家中搜集到传抄本。关于这方面的情况,《宋会要辑稿》崇儒4·20—29《中兴会要》记载甚详。由于上述原因,宋代官修11种本朝《会要》,前10种皆不曾刻版,只有李心传所修《总类国朝会要》,陈振孙在《书录解题》中提到"刻于蜀中,其板今在国子监"。既然官府刻版了,当然要印刷,这应当是基于朝臣需要参考而刻版,由国子监控制印刷,其印刷数量当然是不多的。

(原载《河南师大学报》1984年3月增刊)

《宋会要》的流传

一、原本的流传和散失

宋代历次所修《日历》、《实录》、《国史》、《会要》等大量文献，在南宋灭亡时，被元朝接收。公元1276年"德祐之变"，恭宗赵㬎降，元军入临安。伯颜携宋主北上，以董文炳掌留事，负责绥靖江南，解散宋军，罢宋官府，封库藏，没收礼器、乐器、图书等事。董文炳说："国可灭，史不可没，宋十六主，有天下三百余年，其太史所记，具在史馆，宜悉收以备典礼。乃得宋史及诸注记五千余册，归之国史院"①。这些书籍，是用朱清、张瑄海运之议，由海道徙往大都的，后来元修《宋史》，即以宋人所修《国史》为据。赵翼《廿二史札记》卷23《宋史多国史原本》中说：

> 宋代《国史》，国亡时皆入于元。元人修史时，大概祇就宋旧本，稍为编次。

明洪武初年，"元都既定，大将军徐达，尽收奎章、崇文秘书图籍及太常法服、祭器、仪象、版籍，归之于南"②。永乐十八年（1420年）迁都北平，又将"文渊阁所贮书籍，自一部以至百部之多者，各取其一，置于燕都。连舻柜载而迁之南者，复改而之北"③。

---

① 《元史》卷156《董文炳传》。
②③ 《明史·艺文志序》。

正统六年(1441年)杨士奇所编的《文渊阁书目》,著录"《宋会要》一部,二百三册,缺",是正统年间,文渊阁藏有《宋会要》残本一部。弘治(1488~1505年)以后,藏书逐渐散佚。倪灿《明史·艺文志序》云:

> 内阁诸书,典司者半系赀郎,于四库之旨懵如,且职卑品下,馆阁之臣假阅者,往往不归原帙。值世庙而后,诸主多不好文,不复留意查核,内阁之储,遂缺轶过半。万历间,中书舍人张萱,始请于阁臣,躬自编类;更著目录,则视前所录,十无二三。所增益者,仅近代文集地志,其他唐宋遗编,悉归子虚乌有。

现存张萱等所编《新定内阁藏书目录》(收入《适园丛书》),已不载《宋会要》。可知此书在万历(1573~1620年)之前,已经散失了。幸赖《永乐大典》收入,使该书大部分得以保存。

在明代的其他书目中,虽有著录《宋会要》者,但却是据目抄入,并非实有其书。如成化年间(1465~1487年)叶盛所编私家《菉竹堂书目》(收入《粤雅堂丛书》),著录"《宋会要》二百三册"。其五世孙恭焕跋语云:

> 书目总计四千一百六十一部,而序止云为册四千六百有奇。又云率本鄱阳马氏,岂其欲如数售而充之而未之竟耶?

可知此书目中,有不少是有目无书的,叶恭焕即疑其为打算购买而未能实现的书目。以《菉竹堂书目》与《文渊阁书目》相比较,其书名排次及各种书的册数皆相同,只是没有《文渊阁书目》丰富而已。据《菉竹堂书目自序》,此目编于"成化十七年"(1481年),晚于《文渊阁书目》,则其中无书之目抄自《文渊阁书目》的线索是可以判断的。

明,焦竑的《国史经籍志》史部·故事,著录五种《宋会要》:

> 《国朝会要》一百五十卷章得象,《国朝会要》三百卷王珪,《续会要》三百卷虞允文,《中兴会要》二百卷梁克家,《节国朝会要》十二卷范师道。

《四库全书总目》指出:

> 顾其书丛钞旧目,无所考核,不论存亡,率尔滥载,古来书目,惟是书最不足凭。

伍崇曜《国史经籍志跋》说:

《明史稿》本传,称大学士陈士陛建议修国史,欲兹专领其事。兹逊谢。乃先撰《经籍志》,其他率无所撰,馆亦竟罢云。厉樊谢等《南宋杂事诗》自注:焦氏所载《高宗实录》五百卷,《孝宗实录》五百卷,《光宗实录》三百卷。此据《宋史·艺文志》而列之,未必有完书也。惟陈均《中兴编年举要》,见于诸簿录者可考云云。盖历朝修经籍、艺文志,大都如此,未可专以诟焦氏一人也。

据此可知,焦氏《经籍志》,并非如他在自序中所说,"以当代现存之书,统于四部",而是"丛钞旧目"编成的。尽管作为修史来说,大都如此,但如看做是"当代现存之书"则不然。所以该书著录的 5 种《宋会要》,亦并非实有其书。

因此,可以认为,明朝正统以前,文渊阁收藏一部 203 册的残本《宋会要》,在万历以前就已经散失了。所幸《永乐大典》已将此书采入,使我们还能见到从《永乐大典》辑出的《宋会要辑稿》。

二、《永乐大典》的编修和流传

明成祖永乐元年(1403 年)秋,"诏学士解缙,以韵字类聚经史子集、天文、地理、阴阳医卜、僧道技艺之言,为一书"①,并组成 174 人的修书班子,用 17 个月的时间修成,赐名《文献大成》。但明成祖以为不完备,决定扩大重修,又命姚广孝等与解缙共同监修,并用征召和推荐的方式,在全国官吏和宿儒中选拔人才,以充实人力。"与其事者,凡二千一百六十九人。"②永乐六年(1408 年)冬成书,定名为《永乐大典》。全书"二万二千八百七十七卷,凡例并目录六十卷,装潢成一万一千九十五册"③,共约 3.7 亿字,收集了明初以前的重要典籍达七八千种,文渊阁藏书,大都收入。用赵万里《〈永乐大典〉内辑出之佚书目》④与《文渊阁书目》相比较,知《永乐大典》所收,超出了《文渊阁书目》的范围,特别是古典通俗文学方面的书籍,像小说、平话、戏文、杂剧等,文渊阁收藏太少,《永乐大典》所收,当是被征召、

---

① 缪荃孙:《艺风堂文续集》卷 4《永乐大典考》。
② 《四库全书总目》子部类书存目一。
③ 姚广孝等:《进永乐大典表》。
④ 见《北平北海图书馆月刊》第二卷第三、四号合刊。

推荐的人所带来。

明成祖《永乐大典序》云：

> 尚惟有大混一之时，必有一统之制作，所以齐政治而同风俗，序百王之传，总历代之典，世远祀绵，简编繁夥，恒慨其难一。至于考一事之微，汎览莫周；求一物之实，穷力莫究，譬之淘金于沙，探珠于海，夐夐乎其不易得也。乃命文学之臣，纂集四库之书，及购天下遗籍，上自古初，迄于当世，旁搜博采，汇聚群分，著为奥典。以为气者，天地之始也，有气斯有声，有声斯有字，故用韵以统字，用字以系事，揭其纲而目毕张，振其始而末具举。包括宇宙之广大，统会古今之异同，巨细精粗，粲然明备。其余杂家之言，亦皆得以附见。盖网罗无遗，以存考索，使观者因韵以求字，因字以考事，自源徂流，又射中鹄，开卷而无所隐。

清代学者全祖望《钞〈永乐大典〉记》①云：

> 其例乃用《洪武四声韵》分部，以一字为纲，即取十三经、廿一史、诸子百家，无不类而列之，所谓因韵以统字，因字以系事者也。而皆直取其文，未尝擅减片语。夫偶举一事，即欲贯穿前古后今书籍，斯原属事势所必不能，而《大典》辑叠并包，不遗余力，虽其间不无汗漫陵杂之失，然神魄亦大矣。

按全氏所记"皆直取其文，未尝擅减片语"，《永乐大典》所收书籍，并非皆是如此。详见第八章《〈永乐大典〉本〈宋会要〉的增入书籍》。全氏从《永乐大典》中选取"所欲见而不可得者"加以钞录，从而认识到《大典》保存大量古籍的价值。他说：

> 信手荟萃，或可以补人间之缺本，或可以证后世之伪书，则信乎取精多而用物宏，不可谓非宇宙间之鸿宝也。

《永乐大典》实际上乃是一部具有百科全书性质的大类书。郭沫若先生在《影印永乐大典序》中说：

> 《大典》之成，不仅在我国文化史上提供了一部最早最大的百科全书，而且在世界文化史中，也是出类拔萃的。

《永乐大典》修成后，原拟刻印，但因工费浩大未果。定都北京

---

① 《鲒埼亭集》外编卷17。

后,移于文楼。明世宗嘉靖四十年(1561年),禁中火灾①,世宗亟命抢救,申谕再四,幸得保存。为防止损坏,"选礼部儒士程道南等一百人重录正副两本,命高拱、张居正等校之"②,隆庆元年(1567年)完成。原本归南京,正本贮文渊阁,副本贮皇史宬。正本大约在明亡时被毁,副本于清乾隆年间,已残缺二千四百余册,后来又有散失;到光绪二十六年(1900年),八国联军侵入北京,大部分被焚毁,剩下的一些,多被英、美、德、俄、日等帝国主义劫夺。我国古代许多珍贵书籍,因《永乐大典》被毁而失传。

中华人民共和国成立后,搜集国内外现存的730卷,于1960年由中华书局影印出版。近二十年来,中华书局又在国内外征集到63卷,现正在着手影印中。据中华书局统计,现存总数约近八百卷,两次影印占现存总数的99%③。

《永乐大典》按《洪武正韵》的韵目,排列单字,每一单字以楷书为字头,先录《洪武正韵》的音义,次录各种韵书的反切和释文,附以古人所书篆、隶、草各种书体,然后有一个总序,摘取古代文献与该字有关的文字。这以上是属于初修本《文献大成》的部分。此下则分设与该字有关的词目,汇集天文、地理、人事、名物,以及诗文、词曲等各种记载。所有这些,皆以红字标写书名,异常醒目。如现存《永乐大典》卷3143~3144,9页,陈字,"陈瓘"词条下,收集了《宋史·列传》、《东都事略》、《南康志》、《雷州府图经志》、《惟阳志》、《名臣言行录》诸书中有关陈瓘的记载,继录陈瓘七世孙陈子宣所撰《年谱》,并附有十世孙陈泽的识语。有关陈瓘的事迹,皆见于此。今陈瓘《全集》已失传,《永乐大典》中的《年谱》,对于了解陈瓘一生行事及所撰文字,均斑斑可考④。不过诸单字下汇集文字的标准并不一致,"或以一字一句分韵,或析取一篇以篇名分韵,或全录一书,以书名分韵;与卷首凡例,多不相应,殊乖编纂之体"。"然元以前佚文秘典,世所不传者,转赖其全部、全篇收入,得以排纂校订,复见于世"⑤。清乾隆年间修《四库全书》,朱筠请将保存在《永乐大典》中的佚书,择取

---

① "嘉靖四十年,禁中火灾"据《明世宗实录》。全祖望《鲒埼亭集》外编、缪荃孙《永乐大典考》,均作嘉靖四十一年。
② 蒋超伯:《南漘楛语》"永乐大典条引"清姜绍书《韵石斋笔谈》。
③ 《联合书讯》第17期,1981年12月15日。
④ 参考赵万里《馆藏〈永乐大典〉提要》,见《北平北海图书馆月刊》第二卷三、四号合刊。
⑤ 《四库全书总目》,子部类书存目一。

较完整者辑出,分别缮写,以备著录。所辑经、史、子、集,编入《四库全书》及著录于《四库全书总目存目》者,达375种。此后清代学者陆续抄出。据赵万里先生于1929年所撰《〈永乐大典〉内辑出之佚书目》①,总计达487种,已辑而原书尚存者44种除外;又用《永乐大典》校补的残书27种,另有3种,因原书尚存,亦未计算在内,实际辑得佚书和校补古籍共达514种。尽管被封建文人看做重要的书籍,抄出了不少,四库馆臣认为"菁华已采,糟粕可捐"②,但实际上还存在大量的宝贵文献。属于古典农学的,如卷1319存宋朝吴攒《种艺必用》,元朝张福《种艺必用补遗》,以及《山居备用》、《治民书》、《韦氏月录》等,均未辑出。属于古典通俗文学的古籍,在现存《永乐大典》卷13 965~13 992载戏文33种,卷20 737~20 757载杂剧十余种,这些佚文,都是元代或元人改编宋人的作品,皆未辑出③。有关宋代典制的佚书,尚有《祖宗官制》、《中书备对》、《吏部条法》等。按《祖宗官制》,当即《宋史·艺文志》著录的蔡元道《祖宗官制旧典》。《中书备对》,《宋志》著录为毕仲衍所撰,共10卷;原书记载官制、财赋、礼法,今存者多财政方面的统计资料,对研究北宋中期的经济史,很有价值。《吏部条法》是宋代吏部铨衡考绩制度的档案汇编④。此外,《宋会要》亦在影印本《永乐大典》中存107篇,其中除4篇系异代事误标《宋会要》外,实存103篇,本人已对徐辑稿作了校补。其他如宋元方志,张国淦先生已辑录;宋人笔记,胡道静先生有《宋人笔记钩沉》稿52种,附辑本2种;宋、金、元人诗文,赵裴云先生有《宋人诗文集校辑》、《元人诗文集校辑》等,有关乐府部分,已有《校辑宋金元人词》行世。

《宋会要》对封建政权应该是有用的。清四库全书馆纂修官中,如邵晋涵,精于史学,并打算重修《宋史》,但他却只从《永乐大典》中辑出薛居正《旧五代史》,而不辑《宋会要》。关于这个问题,汤中先生在《宋会要研究》卷3中认为:

> 盖《宋会要》卷帙浩瀚,条目纷繁,至分隶《大典》各韵,更难寻其端绪,荟萃编次,措功匪易。

---

① 参考赵万里《馆藏〈永乐大典〉提要》,见《北平北海图书馆月刊》第二卷三、四号合刊。
② 《四库全书总目》,子部类书存目一。
③ 参考王重民《〈永乐大典〉的编纂及其价值》,载《社会科学战线》1980年第二期。
④ 参考胡道静《读影印本〈永乐大典〉记》,载中华书局《古籍整理出版情况简报》1961年16号。

此后全唐文馆成立,才被徐松抄出。

三、徐松辑录《宋会要》

嘉庆十四年(1809年)诏修《全唐文》。翌年,二十九岁的徐松,以翰林院编修派入全唐文馆,为提调兼总纂官。徐松利用职务上的方便,在签注《永乐大典》中的唐文时,将《宋会要》、《中兴礼书》、《续中兴礼书》亦签作《全唐文》,交写官抄录。所以徐辑《宋会要》原稿,在卷首第一行顶格及各页版心鱼尾之上,多有"全唐文"三字。关于这方面的情况,汤中《宋会要研究》卷3解释说:

> 稿本内写"全唐文"三字,或为省钞费之故;盖徐松在全唐文馆,辑录此书,以假编纂《全唐文》之名,方得利用其写官云。

朱绪曾《开有益斋读书志》卷3《中兴礼书续中兴礼书》条引钱味根的话说:

> 星伯(徐松字)因《礼书》非《全唐文》所宜取,虑钞手或致延岁月,故每卷末标题"全唐文"字样以速之耳。

不论是出于何种动机,在《永乐大典》还残阙不多的时候,抄出篇幅很大,对收存原书散失的珍贵古籍,都是有贡献的,特别是在《永乐大典》绝大部分散佚的情况下,更显示了保存祖国历史文献的功绩。

徐松在全唐文馆一年左右,嘉庆十五年(1810年)简湖南学政,十七年(1812年)因出题割裂文义,违例滥取俻生,不派教官监场,又失察家人、书役、轿夫藉端需索等原因,被给事中赵慎畛奏参,谪戍伊犁①。二十四年(1816年)释放回籍。在谪戍新疆的七八年中,没有条件整理所辑《宋会要》诸书。

道光元年(1821年),赏内阁中书,十六年(1836年)选授礼部主事。在这十多年中,徐松曾为整理《中兴礼书》、《续中兴礼书》及《宋

---

① 参考陈垣《记徐松遣戍事》,载《陈垣学术论文集》第2集。

会要》的辑稿,付出了辛勤的劳动。《中兴礼书》已整理就绪①,《宋会要》辑稿则因篇幅大,问题多,又受人力的限制,终于未能完成。

徐松为整理《宋会要》,曾与当时的著名学者严可均、李兆洛联系,希望得到协助。

严可均,字景文,号铁桥,乌程人。嘉庆五年(1800年)举人。曾任建德县教谕,后引疾归,专意撰述。严氏学问渊博,于校勘辑佚,用力甚勤。著《说文校议》30卷,专正徐铉之失;又著《唐石经校文》10卷,皆甚精密。其他诸子百家,由严氏校定者甚多。嘉庆十三年(1808年),开全唐文馆,以未能参加为憾,乃在孙星衍旧稿的基础上,与李兆洛、孙星衡等,完成辑录《全上古三代秦汉三国六朝文》,与《全唐文》相衔接。计录三千余家,各附以小传②。又校辑诸经逸注及逸子书等数十种,合自所撰述,编成《四录堂类集》1251卷③。是一位精力过人、著述宏富的学者。严氏《铁桥漫稿》卷3《致徐星伯先生书》云:

> 嘉庆中,足下在全唐文馆,从《永乐大典》写出《宋会要》,此天壤间绝无仅有者。及今闲暇,依《玉海》所载《宋会要》体例,理而董之,存宋四百年典章,肆力期年,粗可竣事。而来书言苦无助我为力者;助得附名,非有议叙,废时悬望,难必其人;异日或蒙恩大用,无暇及此矣!时哉不可失,盍早图之。

李兆洛,武进人,字申耆。嘉庆十年(1805年)进士,与徐松为同年。由翰林散馆改授安徽凤台县知县,后主讲江阴暨阳书院20年。少从卢文弨读书,致力于考据训诂。其后博览群书,尤重史学。魏源《古微堂外集》卷4《武进李申耆先生传》云:

> 自乾隆中叶后,海内士大夫兴汉学,而大江南北尤盛……武进李申耆先生,生于其乡,独治《通鉴》、《通典》、《通考》之学,疏通知远,不囿小近,不趋声气,年甫三十而学大成,兼有同辈所长,而先生自视嗛然如弗及。

---

① 李兆洛:《养一斋文集》卷18《与徐星伯同年》云:"《中兴礼书》厘订已成完帙,不朽鸿业也。"朱绪曾《开有益斋读书志》卷3《中兴礼书续中兴礼书》称,所见钱聚仁本"乃星伯初辑稿也"。又咸丰三年(1853),朱氏闻叶名澧云:"藏有精抄本,亦从星伯转录",惜朱氏未见此本。然钱氏藏本,得自龙元任,系徐松委龙氏排印之底本,后以龙氏去世未果,书归钱氏。据此,则徐松似仅将所辑《礼书》原稿加以编排而已,俟考。

② 参考毅中《〈全上古三代秦汉三国六朝文〉的作者是谁》,见《古籍整理出版简报》1962年第6号。

③ 参考张舜徽《清人文集别录》卷11。

李氏曾参与编辑《全上古三代秦汉三国六朝文》①。他在《养一斋文集》卷18《与徐星伯同年》中说：

> 《会要》一书，自当钩稽异同，拾遗补坠，使本末灿陈，为故宋一代考证渊薮；若草草麕录，复何与于存亡之数。执事敏于识而练于古，壹此不懈者数年，自当纲目详备，宏富绝特，卓冠流略，为宇宙留此奇籍，幸无复以欲速致悔也。

从严、李二人给徐松的复信中可以看出，徐松曾打算请人协助，共同整理《宋会要》的辑稿，特别是严可均信中提到"来书言，苦无助我为力者"，可见徐松当时是欲加整理，而苦于无人协助，希望合作。但严氏劝徐松自己"盍早图之"；李氏则劝徐松"壹此不懈"地自己去完成这一工作。徐松邀请合作的打算没能实现。尽管如此，徐松对整理辑稿，还是做了大量的工作。

从影印本徐辑原稿中可以看到，徐松的辑录工作是细致的。除照录《永乐大典》所引《宋会要》的书名、标题和史文外，一般皆在版口写出原在《永乐大典》中的卷数。抄出之后，又做了认真的校对工作。像食货·59·13、65·1，栏外右下角皆有"吴校"二字，后者并印有"写定讫"阳文楷书图章。食货64·1栏外右下角，批有草书"茹校"二字。从而可知，曾有不止一人专司校对。校书的问题，除随手可改者外，其较多的脱文，则批出补抄的意见。如食货54·10眉批："淳熙以下缺，应补抄"等皆是。其中有已批"补抄"而写官未能查到者，亦有所交代。如食货3·21篇尾批有："下脱淳熙二年至嘉定十七年共十三条，须补抄"；书眉则批有："此十三条，查未得"。（按此十三条见食货63·153—160）正因为抄写及校对均很细致，所以辑稿能在相当程度上保持《永乐大典》中的原样。当然这样一部大书，在《永乐大典》中又很分散，即使经过仔细的校对，某些未能发现的问题，也是很难避免的。

徐松所做的整理工作，也在影印本的校语中反映出来，批校的笔迹散见各篇，以食货类为最多。有的加"松案"二字，有的没有署名，可以从笔迹中分辨出来。在这些校语中，属于编次方面的，如礼7·41眉批云：

> 松案：《永乐大典》于淳熙三年条下，另标祭祀祝文，知原书卷不相属，故别为一卷。

---

① 傅增湘：《藏园群书题记》卷8《〈全上古三代秦汉三国六朝文〉跋》。

职官22·34《管勾》：

> 松案：《续会要》元丰以后郊社令、太庙令、籍田令、宫闱令、提点管勾郊庙祭器所，南郊太庙祭器库、提点朝服法物库、所，朝服法物库、南郊什物库、铃辖教坊所、诸陵祠坟所，并入此门，余见诸司库务。

食货37·1眉批：

> 松案：别本乃重出市易一卷，误名和买，非和买文，有同市易者也。

食货64·61眉批：

> 此下八条，《大典》引《会要》作上供银。松案：银系上供之一，似无庸别作名目，疑《大典》摘此数条编入银字韵耳！今第附上供后，不别出上供银焉。

食货69·14眉批：

> 松案：此条见王应麟《玉海》，《大典》引，今附以备参考，后仿此。

即将修《永乐大典》时附入的书籍，经查对后，一律附存。属于考订史料方面的校语，如礼7·41眉批：

> 松案：此条有阙文，以神宗为曾祖，而下复有淳熙纪年，则此当是隆兴、乾道时事。

食货4·18眉批：

> 松案：一本有"常平仓"至"无以易也"四十二字，添"范镇言"下，"青苗者"上。

食货4·19眉批：

> 松案：一本有"陛下嫉富人"至"不可得也"七百六十三字，添"所奏之谓也"下，"外议纷纭"上。

> 松案：一本有"而幸天下"至"奉议"十六字，添"以息民"下，"于是"上。

按此处所称"一本"，指北京图书馆现藏《宋会要复文》中"青苗"一门。

食货69·1，第3、4、8行间及书眉批云：

松案:《玉海》作丙戌十九日。
　　松案:《玉海》作丙申。
　　松案:《玉海》作庚午。
　　松案:诏下疑有脱字。
　　垂,松案:《玉海》引《实录》作捶。

食货45·8—19"纲运令格"一门,汤中在嘉业堂所见徐辑原稿,尚有徐松签注①云:

　　此卷纲目混淆,既非编年,又难分类。思之再四,不得编排主脑,意抄胥有颠倒脱落,非检原书,未敢一定。

今影印本无此签注,但中华书局影印残本《永乐大典》卷15 984尚存此篇,原题作"宋漕运六"。经校对,《辑稿》有45处误字,篇尾缺《中书备对》一段注文,所增"纲运令格"标题,乃屠寄的字迹,史文皆照录《永乐大典》。至于此门编排较乱的原因,究竟是原《会要》的问题,抑或是《永乐大典》编者的问题,尚难以判断。

从现存《永乐大典》及《宋会要辑稿》的全面情况来看,《宋会要》在《永乐大典》中是分散采入的,或选取一门,或摘出数句,随各韵所列词目,摘取编入,并附入了二十多种南宋晚期至明初的书籍②,所以对《辑稿》的整理,是一项很复杂的工作。徐松对"纲运令格"一门的整理,即"思之再四,不得编排主脑",整理全书,当然更要复杂。徐松虽未能完成,但他对稿本的分类及所批校语,对后来的整理,提供了方便;除字句的考订及编排意见,可供参考外,同时由于徐松整理时稿本是完整的,故亦能在某些校语中了解全稿更多的情况;不过运用这方面的材料,有的则需要通过分析才能正确理解,否则就会出现错误。

汤氏《宋会要研究》卷3云:

　　食货类之《常平仓》,有眉批云:副本《义仓》末,有仁宗嘉祐二年、四年《广惠仓》三条。又有夹签云:别本《义仓》卷后,有仁宗嘉祐二年、四年《广惠仓》三条。由此可知,今之传世者,为正本,此外当别有副本。

汤氏所见,乃嘉业堂收藏的徐辑原稿,在影印之前,今影印本不见上

---

① 《宋会要研究》卷3。
② 详见本书第303～329页《〈永乐大典〉本〈宋会要〉增入书籍考》。

述校语及夹签,但食货53·6—34页,存有辑自《永乐大典》卷17 541的《常平仓》、《义仓》、《广惠仓》史文,其第8页,徐松笔迹的眉批云:

> 仁宗嘉祐二年以下三条应补抄'四年'上,右本卷《义仓》末。

34页的眉批云:

> 以下三条,移入《常平》仁宗嘉祐四年上。

与汤氏所引另一篇《常平仓》的眉批及夹签所指的"副本"、"别本"是相合的,所指当即此篇。又检中华书局影印本《永乐大典》卷7 506,存《常平仓》一门重出篇幅,恰好亦缺《义仓》后的嘉祐二年、四年广惠仓3条,被汤氏指为"正本"的《常平仓》门,自应出自此处。这重出的两个《常平仓》门,既分别在《永乐大典》的不同卷中,当然属于《永乐大典》中的复文,徐松只是照《永乐大典》中的原文录出,并非因为抄录正、副两本才造成的重出。查影印本《宋会要辑稿》及嘉业堂作为复文剔出未印的原稿中,徐校称作"副本"、"一本"、"一作"、"别本"、"两本"的地方很多,实际上都是指在《永乐大典》中本来重出的篇幅,并非辑有正、副两本。汤氏对此所作的解释,是不正确的。关于这方面的情况,本人有《徐辑〈宋会要〉原稿的副本问题》一文,载《河南师大学报》1983年第4期,这里就不再一一举例论证了。

(原载《河南师大学报》1984年3月增刊)

《宋会要辑稿》的整理和印行

一、广雅书局对《辑稿》的整理

徐松于道光二十八年（1848）去世，"同治初年，其书散出"①，所辑《宋会要》稿本，为缪荃孙购得②。

缪荃孙（1844~1919年），字炎之，又字筱珊，晚年号艺风，江苏江阴人。光绪二年（1876年）进士，曾任翰林院编修，清史馆纂修、总纂、提调，后主讲南菁、泺源、钟山等书院，创办江南图书馆和京师图书馆。学问渊博，著述繁富，尤精于版本目录学，早年协助张之洞编《书目答问》，在学术界享有盛名。

光绪十三年（1887年），两广总督张之洞创设广雅书局。《张文襄公全集》卷23《开设书局刊布经籍》奏摺称：

> 上年即经臣之洞捐资设局举办，然必须筹有常款，择有定地，方能经久。即将省城内旧机械局，量加修葺，以为书局，名曰广雅书局。

当时缪荃孙任翰林院编修，被聘作书局校勘。缪氏又推荐屠寄进入书局，并将徐辑《宋会要》稿本，提供书局整理。

《艺风堂文集》卷1《徐星伯先生事辑》中，载徐松所著书目，其

---

① 缪荃孙：《艺风堂文续集》卷6《宋太宗实录跋》。
② 缪荃孙：《艺风堂文漫存》乙丁稿卷3《琉璃厂书肆后记》。

"辑大典书"中著录"《宋会要》五百卷",下注:"此书稿本归荃孙,今归广雅书局。"后来广雅书局王秉恩在予缪荃孙的信①中提到:

> 顷复以《宋会要》、《中兴礼书》、《续中兴礼书》原直二百金奉上。(原注:此闻之文孝廉云阁)

另一封信②中又提到:

> 前函已略陈,现在以聚书为第一要义,前文云阁云《宋会要》三书,足下购其稿,凡二百金,急欲出买(?),因屡向孝达(张之洞字)师陈说,始允兑京。现观君上师书,与云阁言颇殊。刻下拟请先将可抄者精抄,纸费抄资即在二百内除算,其可寄者寄来,或补撰,或缺卷待补均可。

据此信,则缪荃孙仅是将《宋会要》稿本交广雅书局整理刻印,并未出售。所以王秉恩接任书局提调后,因《宋会要》既未刻印,又未还书,而写信③解释说:

> 《宋会要》原分门类,徐氏即有未定,故未贸然付梓。秉恩夆陋失学,同局诸君亦能遽了此事。刻下征书四出,俊彦云集,硕儒博学,必有以副盛意。原书具在,决不致使孤本自恩失之,为儒林所诟病也。

但后来此稿却被王秉恩据为己有。

徐松自称"《宋会要》世无传者,余于《永乐大典》中辑出,无虑五六百卷"④,缪荃孙亦云"《宋会要》五百卷"⑤,但今影印本仅376卷(分上、下卷者,以两卷计),连同抽出未印的复文(现藏北京图书馆),亦不足数。按《艺风堂友朋书札》屠寄17,载屠寄予缪荃孙信中说:

> 《宋会要》拟先将草本案次编排,再为搜辑,否则门类错杂,年月颠倒,纵有所辑,无从附丽也。月河所见书果已毁去,可惜!然此本益足珍矣。

据此信,疑缪荃孙所得徐辑《宋会要》原稿,或非全稿。

广雅书局对《宋会要》的整理工作,由缪荃孙、屠寄负责,而缪既

---

①② 《艺风堂友朋书札》王秉恩1、2。
③ 《艺风堂友朋书札》王秉恩3。
④ 俞正燮:《癸巳类稿》卷12《宋会要辑本跋》。
⑤ 缪荃孙:《徐星伯先生事辑》。

任职京师,具体工作则以屠寄为主,两人经常在书信中商讨整理《宋会要》的问题。

屠寄(1856～1921年),字敬山,江苏武进人,光绪进士,为近代史学家,有《蒙兀儿史记》等著作。屠氏治学勤奋,他在写给缪荃孙的信①中提到:

> 寄自弱冠以来,偏好夜读,往往通夕不寐,近来过十二钟时亦觉疲倦。

对整理《宋会要》亦很努力。他在另一封信②中说:

> 《会要》已动手,诚如先生言,甚难之中自有乐趣,寄必力成此书,以报南皮(张之洞直隶南皮人)知己之德。现在穷日夜之力为之,好在提调以下彼此甚相投契,一切通融商办,尚称顺手。

缪荃孙长于屠寄,地位亦较高,屠寄称为"世老前辈"③。在整理《宋要会》的工作上,缪荃孙虽亦校订一部分,但实际上是居于指导地位,整理体例由他决定。《艺风堂友朋书札》屠寄8,载屠寄予缪氏信中说:

> 《会要》卷目及版样已收到。(原注:前数日已着富文照《御览》格式刊,底本格较来格少行耳,未知可否?)承指授条例,谨当遵办。

足见屠寄对缪荃孙的意见是很重视的。

光绪十五年(1889年),张之洞改调两湖,虽带去一批文人,但广雅书局是他所创办,而且该书局已有固定收入,屠寄予缪荃孙信④中说:

> 书局款项甚裕,前月在四成报效项下,拨银十万两存店生息,作为长年经费。又有充公屯田,亩入岁约五六千金,故将来可保长局。

所以书局中仍留一批人员继续工作,屠寄即是其中的一个。他在同一信中说:

> 函丈以书局事经创办,察寄尚能悉心雠校,特令留粤,优筹

---

① ② 《艺风堂友朋书札》屠寄22、4。
③ 《艺风堂友朋书札》屠寄24。
④ 《艺风堂友朋书札》屠寄9。

廪入,意极可感。

屠寄谈到他的工作条件时①说:

〔吴〕孟棐本约帮《会要》纂辑事,近因局中精于雠校者不多,渠只得专司校书,不能助寄纂辑矣。此外诸君,更无从求助。寄处钞胥四人,长年写《会要》不停手,大约明年草本可成。草本既成,乃可按门补辑也。

另一信②中又云:

《宋会要》难于得帮手,现在写工四人,终年钞写,不暂停手。

不久,张之洞又邀他去鄂参预政务。这时,屠寄表示③:

南皮师仍欲招我赴鄂,特筹款尚未就绪耳。《会要》寄必携以自随,决不留粤也。

在从政以后,由于"事较陵杂,且钞胥书籍俱不便"④,曾打算让书局其他人员继续整理,但有的在编纂洋务书籍,有的望而生畏,结果还是无人接替。这时缪荃孙曾表示愿一手排校,但由于书局提调不敢决定,没有答复。

此后,书局王存善予缪荃孙信⑤中说:

《宋会要》一书,久未校成,匪特未能付刊,并尚不能付写,几有头白汗青之诮。上年特从敬公处索返,又将敬公已写九卷交伯鸾司马寄上,知达典签。兹事体大,非公莫办,伏祈讲帷之暇,速赐校定,陆续寄粤,至祷至盼。

缪荃孙并未继续整理,而是将底本及清稿一并退交广雅书局。

汤氏《宋会要研究》卷3,记载1931年在嘉业堂见到的广雅清稿,共有:

帝系7册

后妃3册

凶礼4册　吉礼1册,注云:"以上吉凶礼五册,徐辑本与广雅本合订而成,亦未经写定也"。今影印本亦如此。

职官95册

---

①②③　《艺风堂友朋书札》屠寄18、19、21。
④　《艺风堂友朋书札》屠寄14。
⑤　《艺风堂友朋书札》王存善2。

共110册,另有重复本2册,目录1册,未计算在内。其中以职官类为最完整。

但从屠寄的书信及北京图书馆现藏广雅稿本来看,汤氏所见似非全稿。《艺风堂友朋书札》屠寄12云:

> 《宋会要》五礼、职官、食货三门最繁,而职官尤冗乱。今先从难处下手,此门编纂已竟,而五礼亦略有头绪矣。

同书屠寄15云:

> 顷编《宋会要》五礼、职官二门已毕,余食货门最繁杂,然日日疏理,已略有头绪矣。

据此,则屠氏所校,已成五礼、职官6类,食货类亦当有抄胥誊写的部分清稿。

北京图书馆所藏广雅稿本中,有"郊祀御札"一门,批有"此本犯重复",但与汤氏所见者并不重复,当另有此门清稿,为汤氏所未见。

此外影印本又礼47·1—10,附有"优礼大臣"一门广雅清稿,为汤氏所忽略。

根据上述情况判断,广雅清稿似应有职官、五礼6类,及帝系、后妃、食货的一部分。今存者,有职官一类,在嘉业堂所修清本中,五礼中有9门,在影印本中,另有北京图书馆收藏的五礼中"郊祀御札"、"历代大行丧礼下"重复本,及帝系、后妃的部分广雅清稿。这些自不应是全部广雅清稿,而汤氏所见,亦未超过今存的范围。

广雅书局整理《宋会要》的体例,大体上可以从影印本校语及部分清稿中看出一些眉目:

1. 在徐松编排的基础上,按王应麟《玉海》及《小学绀珠》所载《庆历国朝会要》21类的类目,将辑出的篇幅按门分别编入各类。各门原有标题者仍旧,缺标题者则据史文内容,参照有关典籍予以补充。对于零星篇幅,分类归并为一门,编入大类。如礼21"岳渎诸庙"一门,标题及校语为屠寄所批,是集中了原在《永乐大典》30处的零星篇幅合成的。

2. 调整错乱年月。如职官4·36,有屠寄眉批云:"此下颠倒复重,按李焘《长编》年月日事改正编定,覆校时幸勿轻改。"史文有关调整诸条,皆用苏州字码标出顺序,舆服1·7眉批云:"照下方号码排次",其7—12页有关诸条栏下,皆有苏州字码编号。其他如舆服4·6—10,食货27·9—20等均同此。

3. 重出篇幅校出异同后,加以删并。如职官1·11眉批云:"寄按:《大典》卷一百五十九,徐辑有检校官一门,除治平二年五月十七日以上各条不复外,余并同此门,今并。"礼59·19,《乾道会要》一段文字,眉批云:"复,校销。"

复文的校记,则以注文附于有关诸条下。如选举1·2眉批:"一本作'取进士王嗣宗等三十一人'",双行注"二百九十人下"。职官1·3眉批:"寄按:《大典》一万一千五百八十二作'少保'。"

被删复文原在《永乐大典》的卷数,与保留篇幅的卷数一并注于每条史文之下。又礼11·1—2"配享功臣",又礼11·2—10"配享功臣杂录"等附入的广雅清稿,皆是如此。如"配享功臣"门首条下注云:"《大典》卷一万一千八百五十三,又卷一万七千六十四。"其与前条卷数相同者,则注"同上"。

4. 以他书校《会要》。职官4·38背2行,于大中祥符"四年"条下注云:"寄按:李焘《长编》,事系二月甲寅。二月乙巳朔,甲寅十日也。"即是以《长编》校《会要》之一例。

5. 缺字改用"□"符号。职官1·79第13行,原注云:"注二字昏"。眉批:"'注二字昏'者,谓《大典》内磨粘二字,写官注之也。今只作□□。"

6. 调整编次。职官27·57"粮料院"门篇首批称:"寄按:《宋志》三司使、太府寺两出粮料院,盖以元丰后罢三司并户部,而粮料院并入太府寺也,徐辑不分,非是。今析中兴以后事隶太府,从《宋志》互见之例。"其所析宋初"粮料院"门,见职官5·65—66。此两处"粮料院"皆出自《永乐大典》卷16 669,是原为一篇,由屠氏分置两处也。

7. 调整正文和附注。礼9·5眉批云:"《实录》二字作小注。"职官3·60第13行空格处批云:"'三月'以下十一字,大字居中。"选举1·1眉批:"'《文献通考》'至'新制也',应双行注。"此下3、4、6页引《文献通考》、《容斋随笔》正文多处,皆批有"应双行注"字样。大抵凡附入的文字,原稿作正文者,一律改作附注。

8. 查补漏辑篇幅。北京图书馆所藏《宋会要》残稿中,有帝系"尊号"一门,共8页,批有缪荃孙按语称:"荃孙按:徐辑原稿漏此,据《大典》卷一万七千五十五补。"

9. 书写格式。广雅稿纸,为红线单格,每半页14行,行25字,每页以正文计为700字。首行顶格书类别,倒数第5格书《宋会要》。第2行低2格书各门篇目,其礼类分吉、凶、嘉、宾、军五种者,则于第2行低3格书×礼,如"凶礼后丧",第3行低2格书本门标题,如"昭宪皇后丧礼"。版心鱼尾下书一"要"字。每一事条均提行。注文、按语及包括复文在内的《永乐大典》卷数,皆小字双行,注于有关诸条之下。在影印本中附有9门广雅清稿可供参考,见又礼11·1—2"配享功臣",又礼11·2—10"配享功臣杂录",又礼31·1—38"后丧"(一),又礼32·1—31"后丧"(二),又礼33·1—35"后丧"(三),又礼43·1—11"景献太子攒所",又礼43·1—12"外夷入吊之仪",又礼43·12—13"吊祭",又礼47·1—10"优礼大臣"。上述9门广雅清稿,皆附于同一内容的徐辑原稿之后,对比一下,整理的体例,即可了然。

此外,屠寄亦打算从其他典籍中,辑补残缺。《艺风堂友朋书札》屠寄15称:

> 此书须一手经理,他人竟无能为力。今拟将原稿编字,再辑《长编》,逐条补入也。

同上书屠寄17云:

> 《宋会要》拟先将草本案次编排,再为搜辑,否则门类错杂,年月颠倒,纵有所辑,无从附丽也。

广雅书局,特别是屠寄,在徐松整理的基础上,在稿本编排,文字校订,年月调整,以及誊录清稿等方面,都做了大量工作,虽然只整理出一部分,但却为后来嘉业堂的整理创出先例,而且已成的清稿中,职官一类,直接被嘉业堂采用,成为所编清本《宋会要》的一个组成部分。

二、嘉业堂接续整理

嘉业堂为刘承干私家所建图书馆,旧址在浙江嘉兴专区吴兴县的南浔镇。民国初年,藏书达60万卷,有不少宋刊及精抄善本书籍。刘氏设田取租为嘉业堂经费,准许公开阅览。除藏书外,亦努力校刊书籍,有《求恕斋丛书》、《吴兴丛书》、《留余草堂丛书》、《嘉业堂金石丛书》、《景宋四史》、《章氏遗书》、《旧五代史注》、《晋书校著》、《清朝诗粹》等行世。

1911年,辛亥广州起义,广雅书局提调王秉恩携《宋会要》等书离开广州,本打算以书抵债,而债主不允。

刘承干对收购善本书籍甚重视,"有以善本投者,虽故轩其值,必得而后安"①。1915年,经朱孝臧介绍,王秉恩将《宋会要》、《郑堂读书记》两钞本,以2 400元售予刘氏。交书时缺《宋会要》刑法类及其他零册。八九年后,又通过朱孝臧转告刘氏,所缺部分已找到,只是由于他靠卖书度日,请刘氏出价补全,结果又索取500元。于是徐辑原稿及广雅清稿转归嘉业堂收藏。

嘉业堂请仪征刘富曾整理《宋会要》,自1915年迄1924年,用10年时间将刘承干第一次所得稿本整理完毕。第二次所购《宋会要》零册,计帝系3册、吉礼19册、凶礼6册、军礼2页、宾礼3册、嘉礼14册、刑法7册又一页、食货10册,请吴兴费有容整理。这两次整理的清稿,其中包括广雅书局职官类清稿,编在一起,这就是嘉业堂整理出来的《宋会要》清本。

嘉业堂的清本,主要是刘富曾完成的。费有容整理的一部分,"下笔极谨慎,除注明清讳应缺笔之外,余无发明"②。刘富曾"前后十载为刘承干典司校勘,其精神专注,即在《宋会要》一书,昕夕钻研,紬绎条理,于卷数增减,门目分合,事实隶属,字句考订,一一整比钩稽,用力甚勤"③。其整理体例,大体上也是遵照广雅书局。

嘉业堂清本的稿纸,每半页11行,行21字,每页以正文计共462字。栏外印有"吴兴刘氏嘉业堂钞本"或"吴兴刘氏求恕斋钞本"。书写格式,卷首第1行顶格,书"宋会要卷第××",次行低2格写"大兴徐松辑 吴兴刘承干编定",第3行为类别及各门标题。共分460卷,每卷一册。职官类是将广雅稿编入。全书共约840万字。

汤氏《宋会要研究》卷3,对刘富曾系统整理《宋会要》的工作评论说:

> 刘富曾董理此书,颇费经营。尝谓:"原稿自《永乐大典》零星写出,其中不无残缺凌乱,今所编定,等于辑逸,而视他书之辑逸为尤难。即如卷首帝号,太宗而下,仅有仁宗、孝宗;帝谥仅存孝宗、光宗;历朝宰臣,仅有太祖、太宗两朝;酒诰俄空,往往而在,丛残掇拾,几等无征"。甚矣,此书校勘之困难也。惜彼从事于此,年已老耄,勤于排比梳栉,而疏于考核补订,或以精力所限软。

"全编纲举目张,极便检查,较之广雅草目详备多矣。"此后北平

---

① 《嘉业堂丛书·金坛冯煦序》。
②③ 汤中:《宋会要研究》卷3。

图书馆编纂叶渭清先生,将徐辑原稿与刘氏整理的清本作了比较研究,对嘉业堂的清本提出了不同的看法。

三、北平图书馆影印徐辑原稿

1931年,北平图书馆以4 000元从嘉业堂买去被剪裁后的徐辑原稿,并将所修清本借来,由该馆编纂叶渭清先生对照研究,叶氏经过3年的研究,发现"刘氏将全部徐氏原稿,痛加删并","自此以后,原稿面目不可复见。""又参考《宋志》、《通考》、《玉海》等书,移改旧史实,增入新资料"编成清本,而"改编本,分类隶事颇多失检"①。如徐辑原稿"南蛮"一门,正文摘自《宋史》,附注乃出《会要》。清本分此门为上、下卷,上卷删去《宋史》正文,独取《会要》;下卷"编者又自出新意,通《宋史列传》、《会要》为一,而尽删诸《会要》字,亦不分大小字,于是一篇之中,同事两见,详略异辞"②。同时还发现"有少数篇幅,确系《大典》原文,见于清本,而覆检原稿,遍觅不得者。如立夏祀荧惑星一则,见清本乐六;赴任二则,见清本仪制十二;三官告一则,见清本仪制十一;淳熙九年五月二十六日条,见清本兵十二"③。同时又"杂引他书,不注所本"④,如"交阯"一门,徐本因《永乐大典》原缺,"多空格,此辄以《宋史·交阯传》删补,而又不尽依用;史传所无者,则印一缺字"⑤。叶氏研究的结论⑥是:

> 如以刘氏新编之清本,与被剪裁之原稿较,吾人宁取原稿而舍清本。盖原稿纵有误文误字,乃《永乐大典》编者,或全唐文馆中写官之过,与他人无涉;且一字一句,尽是《大典》原文,吾人尚可据以推定原来之次序。至所谓清本,总类子目,离合无端,杂引他书,不注所本,有窃改兰台漆书之嫌,只能供读原稿者比勘之用,不足据为典要,是则有负刘氏一番苦心矣。

兹录叶氏《宋会要校记》手稿,对嘉业堂所修清本之评论如下:

> 清大兴徐氏松,既辑《宋会要》而未编也,于是江阴缪氏荃孙、武进屠氏寄,以至吴兴刘氏承干,乃始因而编之。缪于诸类无所成,屠氏独成职官,而粤局未之刻,惟刘氏最晚出为有成书。

---

① ③ ④ 俱见《影印〈宋会要辑稿〉缘起》。
② ⑤ ⑥ 叶渭清:《刘编宋会要目录注》。

吾兹所注,即刘编之目录。其书功不补过,尚幸未刊布耳!而徐氏之原本乃为所割裂,甚且因删并而削弃焉。夫《会要》之全,吾固不可得而睹矣,今其奈何并徐辑之旧,复不可得而读耶?凡刘所去,既痛于再佚,所取又累于失真,则何若弗之编之为愈乎?吾知吾注之出,人或将归咎刘氏,实则改窜增删,缪、屠已先为之,其迁流所极,亦不至于割裂削弃不止。诗不云乎,谁生厉阶,至今为梗,缪、屠阶之矣,于刘氏何尤,吾为此注,绳愆纠缪,期欲撤去此阶,以多存逸书,故不觉其言之切至也,苟有罪,我庸敢辞乎?中华民国二十二年十一月十一日,叶渭清。

在叶氏研究的基础上,以陈垣先生为首的编印委员会认为:"清本与原稿,实有合印并行之必要,然为经费所限,不得不先印原稿"①。于是在1935年,委托上海大东书局印刷所,将原稿影印,名之曰《宋会要稿》,以线装200册行世。

由于研究宋史的需要,1957年中华书局再度影印,以精装八大册发行。

1964年,台湾世界书局以《宋会要辑本》为名,作为中国学术名著第6辑,影印发行了16册本。

1976年,台北市新文丰出版公司,又用四合一版影印装成8册本。

这4次印本,都是经徐、缪、屠、叶校订后的徐辑原稿及少量附入的广雅清稿。

1953年,北京图书馆从来薰阁购进被嘉业堂作为复文剔除的徐辑原稿,另有少量广雅书局和嘉业堂的清稿,题签作"嘉业堂藏书,宋会要复文,大兴徐松辑,二十三册"。徐辑稿均不成册,与几本清稿分作两捆。这大约是北平图书馆初从嘉业堂购进徐辑《宋会要》原稿时,未知尚有剔除的部分;嘉业堂则因是剔除的复文,不予重视,亦未曾提供,其后随嘉业堂藏书散出,落入商人手中。这一部分稿件,是叶渭清先生所未曾见到的。经初步审查,原稿除可供印本复文校勘外,亦有少量不见于印本的史文。如"青苗"一门,出《永乐大典》卷5 278,影印本食货类存原辑稿"青苗"两卷出自《永乐大典》卷17 551、17 552,虽是复文,但前者亦有不少史文可补印本之缺。又有"郊祀大乐"一门,记绍兴四年至淳熙十二年事,出自《永乐大典》卷5 466引《中兴礼书》,则是印本所无(《中兴礼书》在印本的其他篇幅

---

① 《影印〈宋会要辑稿〉缘起》。

中是保留的），而印本乐4·9至乐5·26，存"郊祀乐"两卷，记建隆元年迄宣和四年事，出《永乐大典》卷5 464、5 465，记事性质相同，记事年次及《永乐大典》卷数亦相连，本应编在一起，但却被剔除了。

叶氏于1931～1934年对徐辑稿及清本进行研究，写出了蕃夷、刑法、仪制、崇儒、兵、乐6类的校记。此后因多病，嘉业堂又频频索还清本，"因遂辍不复作"①。

在影印本徐辑原稿中，叶氏所批按语，亦屡见不鲜。仪制、瑞异、运历、崇儒、职官、选举、刑法、兵8类中，皆有署名按语，多是据《宋史》、《玉海》、《通考》及《会要》复文以校订文字。如崇儒3·7"三月二十七日"条，原补作"熙宁七年"，7—8页眉批云："渭清案：《通考》学校三，《玉海》卷一百十二熙宁律学，《宋史》选举志选举三、本纪神宗二，置律学并在熙宁六年。"刑法2·149，绍兴"二十八年"条下，有"八月二十四日"一条，眉批云："渭清案：此八月二十四日，是绍兴五年，此德音，卷一万三千二百二十四，田讼门引有，正作五年可证。"

叶氏对原辑稿及清本的研究，发现了不少问题，校订了一些史文，并说明清本与原稿的一些状况，是有所贡献的；在对前人的批评中，如某些篇幅编排不当，"杂引他书不注所本"，以及剪裁丢失原稿等，都是正确的。但对于删去校出异同后的重出篇幅，对时序错乱原稿的排整，亦看做是"移改"、"删并"而予以否定，则似欠公允。《永乐大典》所收《宋会要》文字，是根据各韵字下的词目需要来选取的，原书次第已被打乱，又往往多次重出，如果不按《玉海》所载《庆历国朝会要》的类目重新排整，则根本不成体系。错乱年月如不调整，则记事不明；重出篇幅如不删除，则徒增冗文。重出篇幅，有较高的校勘价值，但校出异同之后，删去复文，对保存佚书并无妨碍。因此"其书功不补过，尚幸未刊布耳"之评语，似嫌偏激。《影印〈宋会要辑稿〉缘起》中所述编印委员会认为："清本与原稿实有合印并行之必要"，则是比较客观的。但如能在前人的基础上重新整理，则原稿与清本亦无须再印了。

现存徐辑原稿，除4种印本外，北京图书馆藏有影印的底本，另有被嘉业堂作为复文剔除的残篇。广雅清稿，除影印本礼类附入9门外，职官类编在嘉业堂清本中，北京图书馆亦藏有帝系7册、后妃3册、礼及职官各1册。嘉业堂所修清本，现为浙江省图书馆所收藏。在当前的条件下，吸取前人的经验教训和近人的研究成果，整理出一

---

① 叶渭清：《刘编宋会要目录注·后记》。

个较好的定本,不仅是可能的,而且是必要的。倘能完成这一工作,则嘉业堂的清本,就可不必刊行了。

（原载《河南师大学报》1984年3月增刊）

《宋会要辑稿》的现状

一、史料价值

北平图书馆影印的《宋会要稿》，中华书局及台北市新文丰出版公司影印的《宋会要辑稿》，台湾省世界书局影印的《宋会要辑本》，名称虽有不同，实际上都是经嘉业堂剪裁后的徐辑原稿。

明初修《永乐大典》时，《宋会要》原书已有残缺，《永乐大典》又非全书收录，清乾隆年间，《永乐大典》已"阙失几二千册"[①]。徐松从《永乐大典》抄出《宋会要》后，至嘉业堂收藏之前，有无丢失尚难肯定，嘉业堂对原稿剪裁并有所丢失，是没有问题的。所以影印本较之原书，已大有残阙，但仍然是800万言的巨著，保存了《宋志》及其他有关史籍所不载的史料。如食货类"限田杂录"、"造水砲"、"修置堰闸、斗门、堤岸"、"各路产物卖银价"、"量衡"、"诸郡进贡"、"船战船附"、"民产杂录"、"置市"等门，皆为《宋会要辑稿》所独有。以《宋志》与《辑稿》的卷数相比较，《宋史》诸志总计不过162卷，《辑稿》则为376卷（分上、下卷者，以2卷计）。《宋史·职官志》仅12卷，《辑稿》职官类为83卷，几乎相当《宋志》的7倍。《宋史·食货志》仅14卷，《辑稿》则为70卷，相当《宋志》的5倍。由此可知，《宋会要辑稿》虽较原书已大有残阙，但就现有的状况来看，它所保存的宋代史料，还是远远超过《宋志》的。

[①] 全祖望：《鲒埼亭集》外集卷17《钞〈永乐大典〉记》。

宋代官修本朝《会要》的用意,并不仅在于修史,更现实的目的是将处置政务的事例,及典章制度的得失兴废,分类归纳,汇编成书,供处理朝政时参考,以弥补律令的不足。

神宗熙宁三年(1070年),王珪所上《乞续修〈国朝会要〉札子》①云:

> 臣伏见《国朝会要》,凡朝廷检用故事,未尝不用此书。

《嘉泰孝宗会要序》②云:

> 继今立政立事,其一以孝宗为准。

王应麟在《玉海》卷51,著录9种《宋会要》之后评论说:

> 自昔帝王之兴,必有一代之制,著在方册,作则垂宪。若夫国有大典,朝有大疑,于是稽以为决,操以为验。使损益废置之序,离合因革之原,不待广询博考,一开卷而尽见,此《会要》之书,所以不可废也。
>
> 《会要》之书,典故尽在,所以弥缝律令之阙,相为表里。

这就是宋政权力求把本朝《会要》修得准确详备的原因。王珪等所修《元丰增修五朝会要》的《进书表》③云:

> 礼乐政令之大纲,仪物事为之细目,帝后以底臣庶,朝廷施于蛮夷,有关讨论,顾无不载,信叠矩重规之盛,便遗训故实之求。

《宋会要》所载典章制度,并非一成不变,而是"有关讨论,顾无不载",这样就能够揭示各种制度从建立到实施过程中发生的变化,及有关讨论中的各种不同意见,从而反映出整个发展和变化的过程。同时,正由于《会要》有"作则垂宪"的作用,是处理政务的依据,所以宋代臣僚的奏章中,往往征引《会要》,作为自己政见的依据。如《辑稿》礼18·37—38,淳熙三年五月二日,礼部上言,提出建昌军申请于天庆观建火德殿一事,即"检照《国朝会要》"所载崇宁三年,政和元年、七年,及建炎元年诸例,作为根据说:

> 检照到国朝典故,即不该载州郡天庆观及道宫许置火德殿

---

① 王珪:《华阳集》卷8。
② 见王应麟《玉海》卷51。
③ 王珪:《华阳集》卷9,《玉海》卷51有节文。

去处。

并据此予以驳回。礼6·22绍兴十五年十二月三十日,礼部太常寺上言中有"检会《国朝会要》端拱旧制";礼6·24页注文,载绍兴十六年"正月十五日,太常寺言:检照《国朝会要》明道二年"旧例;礼7·2,绍兴二十二年二月十九日,礼部状"检照《政和会要》及郊庙奉祀礼文";仪制13·13,载绍圣元年二月二十三日,三省枢密院上言称:

> 宣仁圣烈皇后同听政之日,天下章奏皆避高陈王名讳。按《国朝会要》,章献明肃皇后上仙,中外不复避彭城郡王名。诏依章献明肃皇后故事。

以上都是以《会要》所载旧事为依据处理朝政的实例。所以宋高宗说:"《会要》乃祖宗故事之总辖,不可阙也。"①

宋代学者,在纠正他人有关本朝史事的著作中,亦往往引《会要》为依据。如李心传在《旧闻证误》卷1云:

> 唐至五代、国初,京师皆不禁打伞,自祥符后始禁,惟亲王、宗室得打伞。其后通及宰相、枢密(出叶梦得《石林燕语》)。按《会要》,国初惟亲王得张盖。太宗时,始许宰相、枢密使用之。此云国初不禁,又云祥符后始及枢辅,皆误也。

又对王明清《挥麈后录》作如下纠正:

> 朱希真云,太平兴国中,诸降王死,其旧臣或宣怨言,太宗尽收用之,置之馆阁,使修群书。如《册府元龟》、《文苑英华》、《太平广记》之类,广其卷帙,厚其廪禄赡给,以役其心,多卒老于文字之间。按《会要》,太平兴国二年,命学士李明远(昉)、扈日用(蒙)偕诸儒修《太平御览》一千卷,《广记》五百卷。明年,《广记》成。八年《御览》成。九年(按《宋会要辑稿》崇儒5·1作'七年'),又命三公及诸儒修《文苑英华》一千卷,雍熙三年成。与修者乃李文恭穆、杨文安徽之、杨枢副砺、贾参政黄中、李参政至、吕文穆蒙正、宋文安白、赵舍人邻几,皆名臣也。杨文安虽贯浦城,然耻事伪朝,举后周进士第。江南旧臣之与选者,特汤光禄(悦)、张师黯(洎)、徐鼎臣(铉)、杜文周(镐)、吴正仪(淑)等数人。其后,汤、徐并直学士院,张参知政事,杜官至龙图阁直学

---

① 李心传:《建炎以来系年要录》卷188,绍兴三十一年正月庚寅条。

士,吴知制诰,皆一时文人。此谓"多老于文字之间"者,误也。

当修《御览》、《广记》时,李重光(煜)尚亡恙,今谓因"降王死而出怨言",又误矣。

《册府元龟》乃景德二年王文穆(钦若)、杨文公(亿)奉诏修,朱说甚误。

由上可知,在宋代当时,《会要》不仅是朝廷处理政务的依据,学者亦据以纠正他书记载的错误。

以现存残阙不全的《辑稿》而言,所载史事,一般均详于《宋志》,而且往往能够校订正史中的错误。点校本《宋史》校勘记中,据以校正之处甚多,无需赘述,今举其漏校二例如下:

《宋史》卷177,载熙宁九年(1076年)"诸路上司农寺岁收免役钱"中的现存数,作"见在八十七万九千二百六十七贯、石、匹、两"。《文献通考》卷133所载此项数字与《宋志》同。《宋会要辑稿》食货65·17,及食货66·40重出的"免役"两门中,皆作"见在八百八十七万九千二百六十七贯、硕、匹、两",比《宋志》、《通考》所载多出"八百万"一个大数。《辑稿》下文分别载有各路免役钱的收、支、应在及见在细数,将其中"见在"数相加,总计在800万以上,这就足以说明《辑稿》记载的数字是可信的;特别是此项数字,乃节自毕仲衍所修《中书备对》,今原书已佚,影印残本《永乐大典》卷7 507,却保存了此段文字,其"见在"总数与《辑稿》同,总数下面又分别将钱、斛、银、绢、丝绵、交子的现存数字列出,较《辑稿》更为详细,相加之和,亦在800万以上。因此可以断定《宋志》及《通考》脱"八百"二字,以至少了800万一个大数。①

又如《宋史》卷199刑法一,载侍御史陈次升上言中引诏书语:"诏以强盗计赃应绞者,并增一倍"。"增"字原作"减"字,点校本据《宋会要辑稿》刑法3·4校改,但文义仍未确切,《辑稿》于"并增一倍"前尚有"赃数"二字,则所增为赃数就很清楚了。

王德毅先生在《两宋十三朝会要纂修考》②一文中说:

《宋会要》是宋代史料的渊薮,其价值同于《实录》。方今宋代列朝《实录》,除《太宗实录》有残本二十卷外,它皆不存,而《宋会要》幸赖《永乐大典》之收录流传人间,尤幸清徐松因辑

---

① 参考李伟国《〈中书备对〉及其作者毕仲衍》,载《上海师院学报》1981年第2期。
② 见《宋史研究集》第11辑。

《全唐文》之便,嘱书吏从《大典》各卷中逐条辑出,依原分门类次第,厘为二百册,得以保存下来,给研究宋史的学者以无尽的宝藏,丰富的文献。用《宋会要》各类的记事,和《宋史》相关的"志"来对勘,不仅其详略难以比拟,而且正史的重大错误,也要靠《会要》来纠正。《宋史》中缺传甚多,宰执如曾怀、钱象祖,枢使如周麟之、李皇等,都可以利用《会要》记载补作列传。其他臣僚可补者尤多,更不待言了。

漆侠先生在《学习宋代历史的一个读书报告》中说:《宋会要》"记载之翔实、正确,多可资以刊正他书"①。

《宋会要》一书,历来为研究《宋史》的中外学者所重视。清代学者俞正燮,于嘉庆九年(1804年)研究南宋太一宫问题,由于《宋史》"志传不详,思得《宋会要》",疑其书元时已亡,"乃锐意辑之",及"读《元史·礼志》,其议多引《宋会要》,始知其书元时犹存"。及见《文渊阁书目》著录《宋会要》,《弘治新安志》及顾祖禹《读史方舆纪要》均引《宋会要》,始知"明时犹存"。清"官书《盛京通志》引《宋会要》十余条,《崇文总目提要》引《续宋会要》,乾隆武英殿刊《宋史》三百九卷,两王延德考证云:《宋会要》谓,大名人使高昌者为于延德,是今官有其书"。在"疑信之间,或作或辍",嘉庆二十五年(1820年),已从近40种书中,辑得5卷。后由于见到徐松所记"《宋会要》世无传者,余于《永乐大典》中辑出,无虑五六百卷",才停止辑录,而撰《宋会要辑本跋》一文记其事②,今俞氏所辑5卷已不传。

清道光年间(1821~1850年)豫堃所编《粤海关志》,引《宋会要》有关市舶史料甚多,当是出自徐松所辑稿本。

1916年,日本学者藤田丰八博士,通过罗振玉的介绍,从嘉业堂借去徐辑《宋会要》稿本中有关市舶司部分,所撰《宋代的市舶司及市舶条例》一文,大量引用《宋会要》所载史文,发表于日本大正六年(1917年)五月出版的《东洋学报》第七卷第三号。所抄《宋会要》的稿本,现藏日本东洋文库。此外,东洋文库还收藏有转抄的食货、蛮夷两类写本。徐辑原稿,在影印之前已被中外学者所引用,影印之后,成为广大学者研究宋史所依据的最基本的书籍之一。也正因为如此,原辑稿虽尚待整理,但却由于学术界的需要,一再影印发行;中外学者也非常重视编制使用此书的工具书。

---

① 见《历史教学》1957年第2期。
② 俞正燮:《癸巳类稿》卷12《宋会要辑本跋》。

二、存在问题

《宋会要辑稿》既然只是抄自《永乐大典》尚未彻底整理的残稿，就必然存在较多的问题。

首先是残缺。《宋会要辑稿》中的完整篇幅，一般皆起太祖迄宁宗十三朝，但也有很多篇幅是不完整的。在不完整的篇幅中，有一小部分是宋代修书时原有的问题。如职官5·13注："枢密院亦置讲义司，元降指挥检未获"；又注："武备房归枢密院，年月检未获"。食货34·38"各路产物买银价"中"福建路"条注云："买银，熙宁十年限，勘会未到"。蕃夷4·102"佛泥国"门篇尾注云："以上《续会要》，《国朝》、《中兴》、《乾道会要》无此门"等，这些都是宋代修书时的原注，不属残缺的范围。本来张从祖所修就存在"始末不全"①的问题，这一点在《辑稿》中得到证实。

明初修《永乐大典》时，所根据的《宋会要》底本就是残缺的。这不仅从《文渊阁书目》著录《宋会要》一部残本反映出来，在《辑稿》中也有不少地方注明"原缺"字样，说明《永乐大典》所据底本是不完整的。如兵16·12空格处注"原本缺"，职官24·4及25·7空格处注"缺"、"原缺"，蕃夷4·24空格处注"阙"字，刑法4·78、4·82—84共7处空格处注明"原缺"等，这些在《永乐大典》中的缺文，应属明初所据底本的残缺。

《辑稿》中常可见到的注明"详见××门"，有些能够查到，有些就不见所指"详见"之门。如职官1·47注云："〔建炎〕三年六月七日，罢赏功司，详载枢密院门"，57页注"详见枢密院门"，但《辑稿》中却查不到枢密院门。职官20·51注云："详见修书下"，在《辑稿》中，皆查无其文。其他如兵类无禁军门等，这些都反映出原书不少篇幅整门地残缺了。

《辑稿》中有很多残文断简。如"帝号"一门，太祖以下只有太宗、仁宗、孝宗三朝，其中太宗、仁宗两朝，仅是作为《十朝纲要》的注文附入的。"帝谥"一门，仅存孝宗、光宗两朝。"历朝宰臣"一门篇尾按语云："案宰臣惟有太祖、太宗两朝，而太宗朝尤详，惜真宗以下

---

① 《郡斋读书志》赵希弁《附志》卷5上，著录《总类国朝会要》588卷称："此集则合十一朝为一书，然中多节略而始末不全者。"

无之,阙佚多矣"①。职官 30·18"沟河司"门篇首,屠寄所批按语云:"寄按徐辑《永乐大典》本《会要》,阙都水监,其属官见此。"职官 16·13"水部员外郎"篇尾按语:"寄按徐辑《永乐大典》本《会要》,工部一门残阙,其略见此。"食货 34·38"各路产物买银价"篇首眉批云:"上原缺。"用中华书局 1960 年影印残本《永乐大典》相校,《大典》共存《宋会要》文字 103 篇(非宋事误作《宋会要》者 4 篇不计),其中《辑稿》整篇或部分残缺可以辑补者达 44 篇,占《大典》现存总数的 42% 以上,可见残缺篇幅是不少的。

第二,存在大量重出篇幅。《永乐大典》是按韵字次第编排词目的类书,往往将《宋会要》同一篇文字编入不同的词目中,而形成重出问题。在《辑稿》中,有一些篇幅因辑录时发现重出而存目不录。如选举 22·1"考课"门眉批:"与职官全同,存目不录。"选举 23·1"吏部"门,只书"详见职官";"审官东院"门,书"与职官同,存目不录"。选举 24·1"审官西院"门,书"与职官全同,存目不录"。选举 30·29"自代"门,书"与职官同,存目不录"。除上述未辑的复文外,《辑稿》现存的篇幅中,重出者仍然是很多的。兹表列如下:

《宋会要辑稿》重出篇幅简表

重出组次	册	类卷页	篇　目	《永乐大典》卷数	备注
1	1	帝系 1·1—3	帝号　僖祖至太祖	12 300	僖祖至宣祖重出,前一门文字较详。
	36	礼 49·1	尊号　僖祖至宣祖	17 287	
2	8	乐 5·38—39	钧容乐　附东西班乐 　　　太平兴国三年至绍兴三十年	21 692	互有详略
	72	职官 22·31—33	〃　　　〃	6 133	
3	8	乐 5·39	四夷乐　元丰六年	21 692	元丰六年互见,各有详略
	72	职官 22·33	四夷乐　乾德四年至元丰六年	6 133	
4	14	礼 11·1	配享功臣　太祖朝至宁宗朝	17 064 11 853(补)	
	14	又礼 11·1—2	〃	17 064 11 853	

---

① 《宋会要》帝系 1·23。

续表

重出组次	册	类卷页	篇目	《永乐大典》卷数	备注
5	14 14 41	礼11·1—12 又礼11·2—10 礼59·12—19	配享功臣杂录 咸平二年至嘉定十四年 〃 原批"册命亲王大臣二"咸平二年至乾道五年	17 064 11 853（补） 17 064 11 853 3 184	三门互见，后一门16—17页脱4条，篇尾脱绍熙至嘉定4条
6	17 17	礼17·2—9 礼17·43—56	朝享太庙 绍兴十三年修行礼仪注 时享 附朝享太庙行礼仪注	17 060 11 846	后一门脱篇首34字
7	17 17	礼17·10—11 礼17·82—84	亲享庙杂录 太祖朝至宁宗朝 时享门 附亲享庙太祖朝至宁宗朝	17 059 11 846	
8	21 21	礼21·7 礼21·8	孚佑王庙 淳熙十六年 西岳别庙 淳熙十六年	6 773 17 140	
9	22 23	礼24·33—42 礼25·75—97	明堂御札 治平元年至四年 祖宗配侑 序、建隆四年至绍兴十三年	7 199 7 200 5 455(？) 5 456	治平元年至四年互见，后一门脱《通考》注文1处。
10	23 23	礼25·1—14 礼25·28—48	郊祀赏赐 （熙宁定制） 郊祀赐例 （熙宁定制）	5 504 13 719	
11	27 27	礼31·1—53 又礼31·1—38	后丧 （一）建隆二年至大中祥符六年 〃	7 365 7 366 〃	
12	28 28	礼32·1—44 又礼32·1—31	后丧 （二）明道元年至元丰四年 〃	7 365 7 367 〃	
13	29 29	礼33·1—50 又礼33·1—35	后丧 （三）至和元年至崇宁二年 〃	7 367　7 368 7 369 〃	

· 69 ·

续表

重出组次	册	类卷页	篇　目	《永乐大典》卷数	备注
14	32	礼40·1—5	濮安懿王园陵　治平元年至元丰四年	6 762	元丰四年以上互见，前一门中间脱5条并注文2处，篇尾脱绍兴至乾道13条，又注文1处。
	32	礼40·6—12	濮安懿王国庙　治平元年至乾道七年	17 085	
15	34	礼43·1—16	景献太子攒所　嘉定十三年至十四年	3 994	
	34	又礼43·1—11	〃	〃	
16	34	礼43·17	吊仪　乾兴元年至淳熙十四年	缺	后一门补入卷数，是依此上"攒所"门推测。
	34	又礼43·11—12	外夷入吊之仪　乾兴元年至淳熙十四年	(3 994)	
17	34	礼43·18—19	吊祭　淳熙三年至七年	缺	后一门补入卷数，系依此上"攒所"门推测。
	34	又礼43·12—13	〃	(3 994)	
18	35	礼47·1—14	优礼大臣　太祖受禅至隆兴二年	3 187 10 454	
	35	又礼47·1—10	〃	〃	
19	50	仪制10·1—5	官诰　淳化二年至乾道七年	17 308 17 108（？）	淳化二年十月，绍兴二年，乾道三、四年诸条皆重出，后一门较完整。
	66	职官11·60—75	官诰院　乾德四年至嘉定六年	14 615（补）	
20	66	职官11·79	甲库　至道三年至大中祥符七年	14 615	食货"甲库"门，脱大中祥符五年条，"七年"当系大中祥符。
	146	食货52·7	〃	14 788	
21	70	职官18·110—111	钟鼓院　序,绍兴三年至淳熙七年	16 665（补）	前一门完整，后一门脱序文及淳熙四年、七年两条。
	75	职官31·9	钟鼓院　绍兴三年至隆兴元年	19 514	

续表

重出组次	册	类卷页	篇目	《永乐大典》卷数	备注
22	70	职官 18·112	刻漏所 绍兴间	10 940	后一门完整。
	75	职官 31·9	测验浑仪刻漏所 绍兴二年至隆兴元年	19 514	
23	91	职官 53·1—6	提举德寿宫 绍兴三十二年至乾道九年	10 945	绍兴三十二年至乾道九年互见。
	91	职官 54·1—26	宫观使 大中祥符七年至绍熙五年	13 323 13 322（？）	
24	91	职官 54·1—26	宫使观 大中祥符七年至绍熙五年	13 323 13 322（？）	熙宁二年至九年诸条互见。
	91	职官 54·27—42	〔外〕任宫观 序,熙宁二年至绍熙五年	16 251	
26	107	职官 78·61—63（下）	罢免 淳熙十六年至嘉定十四年	17 595	
	107	职官 78·64—68	〃 〃	11 425	
26	121	食货 1·1—14	检田 建隆二年至乾道九年	4 750	
	151	食货 61（上）·71—78	杂录 〃	4 350（？） 17 539	
27	121	食货 1·15—47	农田杂录 建隆三年至乾道九年	缺	乾道九年以前互见,前一门脱淳熙以下10条。
	155	食货 63（下）·161—225	农田杂录 建隆三年至嘉泰三年	4 748 4 749	
28	121	食货 2·1—21（上）	营田杂录（下） 序,端拱二年至乾道九年。	缺	乾道九年以前互见,后一门多出注文7处,及《朝野杂记》、《宋史》正文6处,又淳熙至嘉定13条。
	122	食货 3·1—21			
	154	食货 63（上）·67—108	营田杂录（上） 序,端拱二年至嘉定十七年	4 765 4 775 4 776	
	155	食货 63（下）·109—160			
29	122	食货 4·1—6	屯田杂录 淳化四年至政和六年	缺	政和六年以前互见,前一门脱误较多。
	154	食货 63（上）·37—66	屯田杂录 淳化四年至嘉定十七年	4 769 4 770	
30	122	食货 4·7—15	方田 熙宁五年至宣和三年	4 751	
	163	食货 70（下）·114—123	方田杂录 熙宁五年至宣和三年	17 533	

·71·

续表

重出组次	册	类卷页	篇	目	《永乐大典》卷数	备注
31	123	食货5·19—37	官田杂录	建炎元年至乾道九年	缺	乾道九年以前互见，前一门25页有残文，后脱淳熙至嘉定35条。
	151	食货61（上）·1—46	官田杂录	建炎元年至嘉定十二年	4 784	
32	123	食货6·1—10	限田杂录	绍兴元年至庆元五年	4 750	乾道八年以前互见，后一门脱淳熙以下5条。
	151	食货61（上）·78—80	限田杂录	绍兴元年至乾道八年	17 539	
33	123	食货6·11—34	垦田杂录	绍兴二年至嘉定十六年	4 750	乾道九年以前互见，后一门脱淳熙以下23条。
	152	食货61（下）·81—88	垦田杂录	绍兴二年至乾道九年	17 539	
34	123	食货6·36—52	经界	绍兴十二年至二十八年	17 533	绍兴十二年至二十八年互见，前一门脱绍熙以下3条，并注文1处。
	163	食货70（下）·124—134	经界杂录	绍兴十二年至嘉定十五年	15 076	
35	124	食货7·1—57	水利	（上）淳化四年至乾道九年	11 106	前一门27、31页有脱文。后一门脱绍兴三十二年二月1条，并《文献通考》正文4页。
	125	食货8·1—17		（下）	11 107	
					11 108	
	125	食货61（下）·89—122	水利杂录	（上）淳化四年至乾道九年	10 665（？）	
					17 540	
36	126	食货9·1—11	受纳	绍兴三年至乾道七年	4 687	乾道七年以前互见，前一门脱淳熙至嘉定1卷。
	159	食货68（上）·1—27	受纳	绍兴三年至嘉定十四年	17 544	
					22 669	
37	126	食货9·12—31 食货10·1—31	赋税（上）杂录（下）	政和二年至乾道九年	15 422	政和二年以下互见。前一门缺序文，及建隆至政和元年1卷。
	162	食货70（上）·1—67	赋税（上）杂录	序、建隆四年至乾道九年	17 533	
38	127	食货11·10—25	版籍	建隆四年至乾道六年	17 531	乾道六年以前互见。前一门脱淳熙以下7条。
	161	食货69·19—34	版籍	建隆四年至嘉定十四年	20 359	

续表

重出组次	册	类卷页	篇目		《永乐大典》卷数	备注
39	127	食货 11·26—30	户口杂录	开宝九年至淳熙十六年	缺	乾道九年以前互见。前一门中间有脱文11处。后一门脱淳熙以下诸条。
	161	食货 69·70—77	户口〔总数〕	开宝九年至乾道九年	17 531	
40	127	食货 12·1—7	户口杂录	开宝四年至乾道七年	缺	前一门篇首及6页脱2条。
	161	食货 69·77—81	〔户口〕杂录	建隆元年至乾道七年	17 531	
41	127	食货 12·8—22	身丁	建炎三年至乾道九年	17 544	乾道九年以前互见。前一门脱淳熙至开禧23条。
	158	食货 66·1—20	身丁钱	建炎三年至开禧三年	4 687 7 879	
42	128	食货 13·1—37 食货 14·1—48	免役钱（上）（下）	元祐元年至乾道九年	4 685 4 686	三门并互见。前一门脱治平至元丰1卷。
	157	食货 65·1—102	免役（一）	治平四年至乾道九年	20 725 20 726	
	158	食货 66·32—89	免役（二）	治平四年至乾道九年	17 549 17 550 17 551	
43	138	食货 35·1—18	钞旁印帖	崇宁三年至乾道九年	15 434	
	163	食货 70（下）·135—152	钞旁定帖杂录	崇宁三年至乾道九年	17 534	
44	138	食货 35·19—29	经总制钱	建炎二年至乾道八年	缺	乾道八年以前互见。前一门脱淳熙至嘉定21条。
	156	食货 64·84—113	经总制钱	建炎二年至嘉定十七年	4 982	
45	138	食货 35·30—31	无额上供钱	建炎元年至绍兴二十九年	4 988	
	156	食货 64·63—65	无额供上	建炎元年至绍兴二十九年	17 544	
46	138	食货 35·31—45	上供钱	建炎三年至乾道九年	4 688	前一门脱绍兴三十一年诸路上供钱数。
	156	食货 64·45—60	上供	建炎三年至乾道九年	17 544	

续表

重出组次	册	类卷页	篇 目		《永乐大典》卷数	备 注
47	141	食货40·40—56	市籴粮草(三)	乾道元年至九年	11 598	前一门45页6行至53页6行,与后一门3页16行至9页13行互见,史文小异。
	142	食货41·3—21	〔和籴杂录〕	乾道七年至淳熙十六年	20 787	
48	142	食货41·22—25	均籴	政和元年至宣和七年	20 791	
	163	食货70(下)·152—155	均籴杂录	政和元年至宣和七年	17 534	
49	142	食货41·27—35	量衡	建隆元年至绍兴二十二年	8 633	绍兴二十二年以前互见。前一门脱11条并有残文2处。
	161	食货69·1—13	宋量	建隆元年至绍兴三十二年	5 213(补) 8 633(补)	
50	147	食货53·19—33	义仓	建隆四年至乾道九年	17 541	乾道九年以前互见。前一门中间有脱文4处,后脱绍熙以下7条,后一门中间脱5条。
	153	食货62·18—52	义仓	建隆四年至嘉定十四年	7 509	
51	147	食货54·1—10	诸州仓库	建隆四年至乾道九年	17 542	乾道九年以前互见。前一门脱淳熙至嘉定诸条,后一门中间脱28条。
	153	食货62·53—75	诸州仓库	建隆四年至嘉定十四年	7 512	
52	147	食货55·15—19	杂买务	序、太平兴国八年至隆兴二年	14 990	后一门脱序文。
	156	食货64·40—44	和买	太平兴国八年至隆兴二年	缺	
53	149	食货57·1—21 食货58·1—12	赈贷(上)	建隆元年至乾道九年	10 898 15 239	前一门(下)12页脱2条。后一门28页脱正文1条,注文2条。
	159	食货68(上)·28—73	赈贷(上)	建隆元年至乾道九年	缺	

续表

重出组次	册	类卷页	篇　目	《永乐大典》卷　数	备　注
54	150	食货59·1—52	恤灾　熙宁元年至乾道九年	2 633 20 899	前一门13页有副本重出1条,又有脱文二十余条。后一门脱一百余条。又注文2处。
	160	食货68（下）·112—127	〔恤灾〕　熙宁元年至乾道九年	17 543	
55	150	食货60·3—17	恩惠(二)(副本)熙宁二年至嘉泰三年	20 900 11 621	乾道二年以前互见,后一门脱淳熙以下5条。
	160	食货68（下）·128—152	恩惠　熙宁二年至乾道三年	17 544	

上表所列55组重出篇幅,可分3种类型:

第一种类型是原在《永乐大典》中的卷数相同。计有第4、5(重出三门中,第一、三两门卷数不同)、11、12、13、15、16、17、18共9组。其中16、17两组,前一门缺《大典》卷数,后一门加"( )"的卷数,则是后人整理时,据前此"景献太子攒所"门补入的,实际上都是属于漏录卷数的篇幅。这9组中,具有以下特点:

1. 有关重出各门,原在《永乐大典》同一卷中,或同属漏录卷数的篇幅。

2. 有关重出各门,都在礼类,而且大体上皆前后相连。

3. 在页次编排上,重出的后一门都加上一个"又"字,单独编页。

4. 在书写格式上,凡加"又"字编页的篇幅,皆符合广雅书局稿本的格式,与徐辑原稿迥然不同,而且注文中往往有屠寄的按语。

根据以上4个特点,可以肯定,凡是在编页上加"又"字的各门,全是附入的广雅清稿,只是在《影印〈宋会要〉辑稿缘起》中未作交代而已。因此,附入的9门广雅清稿,就构成重出的一个原因。

第二种类型是原在《永乐大典》中的卷数不同。上表以下各组有关重出各门,皆出自《大典》不同卷中。计有:1、2、3、5(重出三门中,前两门属第一种类型)、6、7、8、9、10、14、19、20、21、22、23、24、25、26、30、32、33、34、35、36、37、38、41、42(三门重出)、43、45、46、47、48、49(后一门补批两个卷数中,前一个与上门不同)、50、51、54、55,共38组。在这38组中,有关重出各门,原辑稿所录《永乐大典》卷数,皆不相同;个别组中如"宋量"一门,篇尾批有两个卷数,其后一个与复文相同的卷数,实系据"量衡"门复文补入的。这些复文既出自《永乐大典》不同卷中,当然应属于《永乐大典》中本来重出的篇幅。参照

· 75 ·

北京图书馆现存被嘉业堂剔出的徐辑原稿复文,不难看出,在《永乐大典》中重出的《宋会要》篇幅,是远远超过影印本《辑稿》现状的。

用影印残本《永乐大典》所存《宋会要》与《辑稿》相校,也同样反映了这一情况。《大典》中所存《宋会要》有些在《辑稿》中残缺了,但却保存了不同卷中的复文,兹将有关这方面的资料,表列如下:

中华书局影印本《永乐大典》与《宋会要辑稿》出自不同卷中的复文简表

《永乐大典》		《宋会要辑稿》		备 注
篇目	卷数	类卷页篇目	原在《大典》卷 数	
城池	1 056	方域1·11　东京杂录	7 699	
月桩钱	6 524	食货64·79　月桩钱	(钱字)	《辑稿》所补卷数,《大典》该卷无此文,卷6 524复文注"详见钱字"。
常平仓	7 506	食货53·6—19　常平仓	17 541	《辑稿》缺政和1条又注文9处。
广惠仓	7 513	食货53·34　广惠仓	17 541	
奉迎圣像	18 224	礼51·13—14　徽号二	17 302	
奉安圣像	18 224	礼51·14—16　徽号二	17 302	

中华书局影印本《永乐大典》,虽只有全书的3%强,但仍可反映出《宋会要》在《大典》中的重出篇幅是不少的,其中有的较《辑稿》现存篇幅还要完整些,上表所列"常平仓"一门,就是如此。

第三种类型是原辑稿漏录《永乐大典》卷数部分。计有27、28、29、31、39、40、44、52、53共9组(礼类16、17组,已在上文作了考察,不计在内)。这9组中,虽然各自只有一门漏录卷数,校勘结果都存在着文字上的差异和此脱彼存的现象,参照《大典》所收《宋会要》其他重出篇幅的状况,看做是《永乐大典》本来存在的复文,还是有根据的。陈智超同志据《连筠簃丛书》本《永乐大典目录》,推断出复文中所缺《大典》的近似卷数①,为上述判断增加了证据。

从上述分析中,可以得出如下结论:在《宋会要辑稿》中整门及部分篇幅的重出,是由两种原因造成的,一种是礼类附入了9门广雅清稿,另一种是在《永乐大典》中本来就重出的。

第三个方面的问题,是对原辑稿编排失当。如食货70(下)"蠲

---

① 陈智超:《〈宋会要辑稿〉复文成因补析》,载《中国史研究》1982年第1期。

放杂录"门,起乾德四年迄宣和七年,出《永乐大典》卷17 534。食货63(上)"蠲放"门,起建炎元年迄乾道九年,出《永乐大典》卷17 535。两门本应衔接,在《永乐大典》中的卷数亦相连。但《辑稿》却编在两处,而且前后倒置。重出各门,亦缺乏一个处理体例。如食货类"免役"重出三门,分别在13~14卷、65卷、66卷;"甲库"两门,一在职官11,一在食货52。番夷类"南蛮"门两篇,前一篇起嘉定元年至七年,注文至十一年,出《永乐大典》卷4 231。后一篇起乾德三年迄嘉定五年,出《永乐大典》卷4 229、4 230,原在《大典》中是按时序相连的。但《辑稿》却将后一篇置于前。这些都是编排不当的问题。

此外,《宋会要辑稿》中,还附入了南宋晚期乃至元朝和明初的书籍,详见《永乐大典本〈宋会要〉增入书籍考》一文,此处从略。

(原载《河南师大学报》1984年3月增刊)

近人对《宋会要》的研究

基于研究宋代历史的需要，徐松自《永乐大典》中抄出《宋会要》之后不久，就被中外学者所引用，同时也开始了对该书的研究。除前章所述整理辑稿过程中，徐松、屠寄、刘富曾、叶渭清等，为整理刊行而进行的大量研究工作外，还发表了专著和一些文章。

一、汤中《宋会要研究》

汤氏所著《宋会要研究》，于民国二十一年（1932年）由商务印书馆出版。汤中字野民，又字爱礼，江苏武进人，光绪末年留学日本。民国初年，曾任教育部次长，与嘉业堂刘承干有私交，因得将嘉业堂所藏徐抄《宋会要》原稿及嘉业堂整理的清本充分利用，进行研究，并在施维藩的协助下，完成这一专著。

汤氏《宋会要研究》分3卷，篇尾附有嘉业堂编定的清本《宋会要目录》。

第一卷《宋会要考略》。根据《宋史》、王应麟《玉海》、陈振孙《直斋书录解题》、林駉《决科古今至论》、章如愚《山堂群书考索》、程俱《麟台故事》、洪迈《容斋随笔》、李心传《建炎以来朝野杂记》、郑樵《通志》、马端临《文献通考》等书，对宋代官修本朝《会要》作了系统的研究。对每一种宋代官修本朝《会要》的名称、卷数、起迄时间、修纂进奏年月、修纂进奏人，皆分别考察，将分散零星的记载汇集起来，大体上将宋代历次官修本朝《会要》理出头绪，但却把张从祖所修

《嘉定国朝会要》与李心传续修的《十三朝会要》混为一书,从而把 11 种《宋会要》看做 10 种。汤氏又根据从《宋会要辑稿》中查到的 7 种《宋会要》名称,认为明初尚存 7 种,《永乐大典》所收《宋会要》,即此 7 种。这一看法也是有问题的。实际上宋代 11 种《会要》名称在《宋会要辑稿》中全可查到,并非只有 7 种,但却不能证明这些《会要》都是《永乐大典》所收《宋会要》的底本,也不能当做判定明初尚存几种《宋会要》的根据。关于这方面的问题,将在第七章作专题论述。

第二卷《俞正燮〈宋会要辑本跋〉考证》。俞正燮所辑《宋会要》已散佚,跋文见《癸巳类稿》卷 12。此跋文中涉及近四十种上千卷书籍中记载《宋会要》的概况,但由于文字甚简,而且不注篇章,汤氏乃将清初以前的 31 种书籍加以查考,录出原文,并补充《永乐实录》一条,给后人研究《宋会要》汇集了一些资料。

第三卷《大典本〈宋会要〉辑订始末》,分为 3 章。

第一章介绍徐松辑录和整理《宋会要》的经过及稿本状况,并录有稿本征引书目,及附有《永乐大典》卷数的目录,介绍是系统而具体的,但所附征引书目既不完备,亦有错误。如宋高晦叟《珍席放谈》,《辑稿》将"席"字误作"度"(见礼 47·4),汤氏亦仍其误。宋倪思《经鉏堂杂志》,在《辑稿》职官 77·55 注中作"见《经鉏堂杂志》,雪川倪思,正文"。本意是注明此段正文,出自雪川倪思所撰《经鉏堂杂志》,而汤氏不录《经鉏堂杂志》,而于"正文"下加一"集"字,以《雪川倪思正文集》为书名。

第二章介绍广雅书局整理徐辑《宋会要》的概况和广雅清稿的格式。前章所述《辑稿》中重出篇幅的成因,确定有 9 门广雅清稿的结论,就是以汤氏所记为主要根据的。但此章所载嘉业堂收藏的广雅稿本的目录中,却漏录了礼类"优礼大臣"一门,此篇现存影印本《辑稿》中。

第三章介绍嘉业堂得徐辑本、广雅本,及其整理《宋会要》的经过,并对嘉业堂整理的清本作出评价。其最后结论说:

> 自徐松辑写,缪、屠校勘,以迄刘承干之厘订成编,其中经过事实,皆罗而列之,一览即能知其梗概。至辑订者之考证苦心,与夫稿本授受之原委,皆表微,不使湮没。文中所取材料,悉依据史乘,及各家文集笔记,不作向壁虚造之谈,力守无徵不信之义。此书流传百余年,中更三四主,述者藏者均无记载;余伤文献散失,详为纪述,并欲有便于阅者云尔。

汤氏《宋会要研究》，综合诸书的记载，对宋代官修本朝《会要》，大体上理出一个头绪，并在俞正燮《宋会要辑本跋》的基础上，汇集了清初以前诸书所载《宋会要》的资料。对徐辑稿本的历次整理和流传，亦作了详细的介绍。虽然存在一些问题，但筚路蓝缕之功，是应当肯定的。他所研究的结论，包括错误的结论，如认为宋代官修本朝《会要》为"十种"，《永乐大典》所收《宋会要》的底本是其中"七种"，迄今仍被学术界所遵循，是一部有影响的专著。

二、讨论《宋会要》的文章

在汤氏《宋会要研究》于1932年出版的同一年，日本学者石田干之助在《三松盦读书记》①中就作了介绍，并附带提出：张从祖的《嘉定国朝会要》与李心传的《十三朝会要》可能是两种书的问题。此后1968年，山内正博的《册府元龟与宋会要》②一文，也认为上述推断是正确的，并提出《十三朝会要》是由《嘉定国朝会要》和《续会要》（《经进续总类会要》）两书类辑而成的看法。在1970年日本东洋文库宋代史研究会所编的《宋会要研究备要》中，青山定雄博士的序言提出：

> 《永乐大典》有很大可能就是类辑了《嘉定国朝会要》所根据的几种《会要》，记载了宋初以来各种制度；如果再把其中还有光宗、宁宗《会要》一并考虑，就可以认为，它主要是以《十三朝会要》为依据的文献③。

在国内，1979年台湾大学王德毅教授的《两宋十三朝会要纂修考》④，对李心传所修《十三朝会要》与张从祖所修《嘉定国朝会要》间的关系，提出了疑问，但却认为还是一个"费考"的问题，而采取了慎重态度，仍沿用汤氏10种《宋会要》的旧说。

1953年，日本学者仁井田升所撰《永乐大典本〈宋会要〉稿本二种》⑤，讨论了徐辑本及嘉业堂清本关于食货类的版式问题。1936年

---

① 《史学研究》43之9杂录。
② 《史学研究》103。
③ 汉译文见《河南师大学报》1981年第3期。
④ 见《宋史研究集》第11辑。
⑤ 见《东洋学报》22卷3号。

北平图书馆影印徐辑原稿时,所附《影印〈宋会要辑稿〉缘起》,及《图书季刊》第三卷一、二合期中,齐成的《宋会要稿略说》两文,除在叶渭清先生研究的基础上,对嘉业堂所修清本《宋会要》及其将原稿剪裁丢失提出批评外,其余皆接受了汤氏的研究成果,无所建树。

日本学者浅海正三在徐辑稿影印的第二年(1937年),发表了《论〈宋会要〉中有关〈宋会要〉编修的记载》①,研究了徐辑稿、广雅稿、嘉业堂清稿、东洋文库抄本与影印本的关系,并提出了影印本中附有广雅稿的问题。其他如岛田正郎、山本达郎、田村实造等日本学者,都发表了有关研究《宋会要》的文章。上述日本学者的著作,笔者尚未直接阅读,只是从青山定雄博士的介绍及有关目录索引中了解到一些。

三、检阅《宋会要辑稿》的工具书

对《宋会要辑稿》研究的另一方面,是针对该书卷帙浩大,而且残缺零乱、问题繁多的特点,编制各种带有研究成果的使用工具。

1936~1939年,日本学者江田忠在汤中《宋会要研究》中所录徐辑稿本目录及《大典》卷数的基础上,编成《徐辑〈宋会要〉稿本目录》,连续发表在《京城帝大史学会志》第9~14号。此目除将影印本《辑稿》的类、门名称,册数、卷数、页码依次排列外,诸篇标题的书名及原在《永乐大典》中的卷数,皆一一录出。

1937年,小沼正则编制了《宋会要食货目录》,发表于《史学杂志》48之7。此目记载了食货类各门的目录和《永乐大典》卷数,卷数不同处,另加小目,应编为一门而《辑稿》分散的篇幅,则加注说明。

1958年,法国学者爱丁奴(Etienne)、巴拉兹(Balazs)将《宋会要辑稿》的食货、职官、刑法、方域4类,编成《宋会要目次》出版。此目包括4类及所属各门名称、册数、卷数、页码,并附有《永乐大典》卷数。方域类各门标题下有详细的小目。其备考栏,则标明各门年代,注出重出及前后关联的篇幅,有时亦在栏外注出史文中的统计数字。卷末附有笔划索引,是一部有关《宋会要辑稿》上述4类中涉及内容的详细目录。

1970年,日本学者青山定雄博士领导的东洋文库宋代史研究会,

---

① 《斋藤先生古稀纪念文集》。

在前人的基础上编制了《宋会要研究备要》。1980年,台湾大学王德毅教授的《宋会要辑稿人名索引》出版。1982年,日本东洋文库宋代史研究会又出版了《宋会要辑稿·食货索引》。这些都是使用《宋会要辑稿》较好的工具书。

四、关于《宋会要研究备要》

《宋会要辑稿》(以下简称《辑稿》)保存了大量极有价值的宋代史料,一向为研究宋史的中外学者所重视,但它毕竟还只是一个未经彻底校勘整理的残稿。明初修《永乐大典》时,不仅将原本加以剪裁,而且附入了南宋晚期到明朝初年的著作。自嘉庆十四年(1809年)徐松自《永乐大典》抄出后,稿本虽先后经过徐松本人及后来广雅书局、嘉业堂、北平图书馆的校订排整,一直到1936年影印时,仍然是散乱零落,不成次第;既不便检阅,更存在大量的残文误字。为解决这方面的问题,中外学者都曾对该书进行了研究,并编出详略不同的目录、索引。日本东洋文库宋代史研究会青山定雄先生主编的《宋会要研究备要》(以下简称《备要》),就是其中较好的、包含大量研究成果的目录。

《备要》分设篇目、线装册数、各类卷页、原在《永乐大典》中的卷数、记事年次、备考6栏。篇目,主要以原题或前人校批的标题为依据,对于原书缺标题或前人补批标题中的不当者,则补充或改成新的标题,这些补、改的标题,皆加〔〕以示区别。篇目下分列小目,对于编入不同册数及原在《永乐大典》中卷数不同的小目,皆另列一行,单独标出页码,给检阅《辑稿》,提供了很大的方便。在《永乐大典》卷数一栏中,将各篇原辑及补批卷数录出,有问题者加( ),对《永乐大典》现存篇幅的卷数,用黑体字,其中与《大典》中文字有出入者,则在黑体字卷数之前加"﹡"(星标),并于备考栏中加注,这样就使现存《永乐大典》保存的篇幅,可以一目了然。又由于《辑稿》诸篇多不完备,设"记事年次"一栏,指明该篇的起迄时间,是十分必要的;但《辑稿》中有不少篇幅年月参差,有的还没有年号,尚须加以查考,因而这一工作是需要很大功力的。特别是备考栏中,除注明各种《宋会要》及征引的其他书名、年次错乱、与现存《永乐大典》的异同、小字双行的篇幅外,还注明了有关重出、相互衔接和参照的篇章等有关事项。这些都必须在深入研究的基础上才能做到。青山定雄先生的序言,简要而具体地介绍了1970年以前,各国学者对《辑稿》的研究,及各种目录的编制概况。实际上是对前此研究成果的综合报导和总结。正因为有如此成就,所以李弘祺先生在介绍伊沃斯·赫沃特按埃狄纳·巴拉兹的"宋史研究计划",组织各国专家撰稿所编的《宋代书录》时,把"漏录了青山定雄对《宋会要》所编的1970年索引",看成是"缺少最新作品"的缺点(《哈佛亚洲研究杂志》第四十卷第一期,译文见《中国史研究动态》1981年第8期,作者姓名音译作李宏志)。

语云:"智者千虑,或有一失。"尽管《备要》一书,有着上述成就,但同时也存在不少疏漏和错误之处,有待补充和纠正,兹就个人所见,择要概述如后。

1. 篇目中的问题

(1)漏录史文中所夹标题

《辑稿》各门标题中,有些是辑自《永乐大典》的原题,这些标题,或在首行书名之下,或冠于史文之前,或夹在史文中间;也有原辑缺标题,后人整理时批补的;其中亦有未补标题的,情况比较复杂。《备要》在处理这些问题的时候,难免有失检之处。如帝系7·16—32,仅录篇首"宗室袭封"一个标题,而以"换授、请给、恩赐、赐名、杂录"为小目,并漏录了"补官"(19页)、"卹孤"(21页)、"训名"(22页)、"继承"(27页)4个夹在史文中间的标题。另一方面,本篇虽皆是有关宗室的记事,但却是分类叙述、互不统辖的,各标题下的年次也分别排序。《备要》将全篇作为一门处理,就显得年次错乱,从而把记事年次一栏,空而不填。

乐5·29—39"教坊乐",漏录了"云韶部"(37页书眉)、"钧容直"(38页)、"东西班乐"(38页),亦不填年次。

礼14·75—120"群祀(3)",漏录了108页史文中所夹标题"祀祭行事官",同时也忽视了108页"群祀(3)"门篇尾嘉定"十四年"条,而将119页"祀祭行事官"篇尾嘉定"十一年"条为最末纪事年次。这显然是未曾细审全文所造成的疏失。

礼24·42—83"明堂议论",漏录了68页史文中所夹标题"明堂制度",同时也忽略了67页宣和"七年"条,而误以81页"政和七年"为末条。

礼41·15—23"临奠"。按此篇22页"太祖乾德四年九月二十五日"条前,记幸诸皇亲、大臣第临奠事,以下为有关临奠的诏书、奏章等杂录,年次亦分别排序。本应补一标题,今混为一门,并遗漏21

页乾道"七年"条,而误以 23 页绍兴"二十七年"为最后年次。

职官 43·105—11〔7〕"都大〔提〕(原脱)举茶马司",漏录 117 页文中所夹标题"提点纲马驿程"。

职官 62·11—27"借补官"。按 12 页《续宋会要》以下,单独为篇,缺标题,史文皆特恩补官事;又 19 页文中夹有"特恩除职"标题,亦被遗漏,均当专列篇目。

选举 2·6—33"贡举 进士科",漏录 25 页文中所夹标题进士科"杂录",这些都是对史文失察造成的问题。

(2) 误以书名入篇目及篇目误字

以书名入篇目者如:礼 3·19"章如愚考藁"。按此篇乃章如愚《山堂先生群书考索》卷 31"祭天地"之节文,《辑稿》的体例,是将《永乐大典》中红字标写的书名,皆置于每篇首行标题的位置。此篇乃"章如愚考索"之误写,不当录为篇目。其他如礼 20·110"羊士谔集会稽山神祠"、礼 20·134"临汀志靖王祠",其中《羊士谔集》、《临汀志》均为书名,不当录为篇目。

篇目中的误字如:礼 53·18—19"亲王聚",《辑稿》原作"亲王娶"。舆服 1·1—2"大贺五副辂",《辑稿》原作"大驾五副辂",兵 21·17—18"佑马司",《辑稿》原题如此,史文 18 页 4、6、7、16 行皆作"估马司",原题笔误,当改正。

(3)《辑稿》缺标题及与现存《永乐大典》原题不合者,未作补正

缺标题未作补充者如:礼 59·20—21 章颖上所撰刘、岳、李、魏四人传表,职官 43·40—42 诸路常平司,职官 60·43 再任官,职官 62·27—31 进纳补官,职官 62·31—37 赈济补官等,《辑稿》原缺标题,《备要》未作补充。

与现存《永乐大典》原目不合者如:礼 23·14"社稷",据中华书局影印本《永乐大典》卷 20 424,原题为"郡县社稷",又依《备要》凡例,《永乐大典》卷数,亦应改黑体字。

舆服 4·4"皇后服",《永乐大典》原为"后妃服"。

职官 27·70"编〔估〕(《备要》误为"佑")局",《永乐大典》原为"编估打套局"。

兵 29·31—39"备进(3)",《永乐大典》原作《备御》,卷数亦应改为黑体字。

道释 1·11—12"僧道官",《永乐大典》原题为"僧官",卷数应补为 8706。

道释 1·13—37"披度普度度牒"。按此篇 15 页残文及 15—16

页,皆见《永乐大典》卷8706,前者原题是"僧籍",后者原题是"度僧",《永乐大典》卷数,亦当补入。

(4)小目中的遗漏和错误

《备要》篇目下的小目,是不够完备的。如帝系1·24—43"太子诸王"、帝系3·1—8"宗室封建"、礼58·66—77及78"〔历代〕后谥",皆缺小目,列出小目的篇幅,则存在以下问题。

首先是帝后间的伦常关系存在错误。如后妃1·4"哲宗钦慈陈皇后",此条原校所批隶"哲宗",检《宋史》卷243、《东都事略》卷14,陈氏为神宗侍御生,徽宗建中靖国元年追尊为皇太后,陪葬永裕陵。据此则陈氏当隶神宗,原校误,《备要》亦误。

后妃1·6"钦宗皇后宋氏〔钦宗〕明节皇后刘氏"。按"宋氏"为"朱氏"之误。"明节皇后刘氏",据本条史文及《东都事略》卷14、《宋史》卷243,为徽宗妃,宣和三年"追册为皇后,谥曰明节"。又本条前空格处,原校批有"此在前",即移至"钦宗皇后朱氏"之前,亦即隶徽宗之意,改作隶〔钦宗〕误。

后妃3·1"真宗贵妃方氏"。按此条栏外原校批有:"定本 太宗妃方氏",本条史文有:"贵妃生魏国大长公主"。检《宋史》卷248,太宗第7女"明道元年进魏国"。真宗共二女,无封魏国者,应以原批为是,改隶"真宗"误。

后妃3·6—7"仁宗贵妃沈氏"。按此条书眉原批:"定本 真宗贵妃沈氏",本条史文称沈氏于"大中祥符二年四月为才人"。《宋史》卷242《沈贵妃传》,亦隶真宗。当以原批为是,改隶仁宗误。

后妃3·12"真宗淑妃王氏"。按此条原批:"定本 太宗淑妃王氏",本条史文有"生荆王元俨"语。据《宋史》卷245、《东都事略》卷15,元俨为太宗第8子,应以原批为是,改隶"真宗"误。

其次是小目有遗漏,如后妃3·1—6"仁宗贵妃张氏"下,脱另一仁宗贵妃张氏(6页6—9行)。据本篇史文,后一张氏,崇宁三年死后"特赠贵妃";前一张氏,早在庆历八年已册"为贵妃",并非一人。

后妃3·17"高宗贤妃潘氏"条下,尚有高宗贤妃"张氏"一条被遗漏。

兵16·2—5"归正官"下,脱4页文中所夹标题,归正"士人"。

此外尚有不少小目存在误字、缺字,如礼20·142"陈元先祠","先"误作"光"。礼20·168"折御卿祠","折"误作"卿"。礼21·13"利民侯庙","民"误为"泽"。方域8·21"来宾县城","来"误为"失"。方域8·22"秦凤路","秦"误作"泰"。方域19·47"请城山界","请"误作"诸"。礼20·165"曹村埠神祠","曹"作"□"。礼21·52"安溪善利夫人庙","善"作"□"等。

以上各种类型的问题,在篇目一栏中,计达90处。

2. 著录《辑稿》卷、页方面的错误

《备要》著录《辑稿》卷数及页码错误的总数,共31处,其中有对史文处理方面的问题,亦有疏略失检造成的问题。

青山定雄先生的序文第1页:"徐松辑本中所见到的《国朝会要》,也包括仁宗至和、嘉祐年间的记事。如……第140册食货39·27页正面等"。按食货39·27正面并无《国朝会要》记载仁宗至和、嘉祐年间的文字,同卷19—20页,有至和5条,20页背面有嘉祐2条,下注"以上国朝会要"。

卷数页码栏中,如帝系8"公主",误作"帝系9"。后妃"美人",误为"3·21"。乐6·2—5"郊祀前朝献",误作"6·3—5"。礼6·1—38"亲享先农耕耤",误作"6·1—37"。礼15,又22—64"庙议",又22是两个22页中的后一个,《备要》省"又"字误为"15·22—64"。礼20"王韶祠"等祠,误为礼"30"。礼21·40—41"昭惠庙"等庙,误为"21·41"。礼28·71—76"郊祀事务(4)",误作"礼28·71—77",按"郊祀事务(4)",记郊祀宿斋事,下一门"郊祀事务(5)",记郊祀大礼五使事。76页背面至77页9行,乃郊祀大礼五使之序文,当隶后一门,原批以此属前一门误,《备要》亦误。仪制11·3—11"尚书丞郎追赠",误作"11·3—10"。职官5·67—68"都盐院",误作"5·67"。职官18"实录院",误作"19"。职官18·78—79"修撰",误作"18·79"。职官48"县尉","误作"49"。选举22·22—33"侍郎,右选〔下〕流外铨",误为"25·22—32"。刑法3"田讼",误为"33"。方域9·25—26"潼川府路叙州山峒",误作"9·25"等皆是。

3. 著录《永乐大典》卷数中的问题

(1)漏录版口原辑卷数

帝系7·16—32"宗室袭封",缺16、17、23页版口卷数"223"。

乐6·9—15"五方帝感生帝",缺10、11页版口卷数"11 684"。

礼7·41"祝文版",缺版口卷数"10 007"。

运历1·5—14"历法",缺12页版口卷数"20 879"。

职官1·1—9"三公三少",仅录1页版口卷数,缺2—8页版口

卷数"16 918"。

职官7·20—21"资政殿学士",缺21页版口卷数(13 421)。

职官8·27—68"吏部",缺28页版口卷数"14 614"。

职官11·76—78"吏部格式司",仅录76页版口卷数,缺77、78页版口卷数"1 108"。职官57·18—63"俸禄〔5〕杂录〔上〕",漏录25—29、36—39、42、43、46—50、53—63页版口原辑卷数"13 116"。

兵17·1—31"归明",脱1页版口卷数"8 201"。

方域9·17—19"长沙府城,《备要》只加"＊",缺卷数。按中华书局影印本《永乐大典》无此篇,版口原辑卷数为"8 096"。

(2)录误的卷数

礼5·11—12"景灵宫太极观""16 0 229"。按11页版口原辑卷数作"16 229"。

礼8·4—20"朝会""1 2 525"。按诸页版口原辑卷数皆为:"15 225"。

崇儒6·29—32"处士、赐处士号""12 449",按诸页版口原辑卷数皆为:"13 449"。

职官3·48"检正""19 044",本篇版口无原辑卷数,篇尾补批卷数为"10 944"。

职官58·1—31"职田""4 732"诸页版口原辑卷数皆为"4 782"。

食货68·12—27"受纳""12 669"。诸页版口原辑卷数皆为"22 669"。

(3)著录《永乐大典》现存篇幅中的漏误

礼12·16末篇,见现存《永乐大典》卷3 127,原题为"坤道入门"。《辑稿》缺卷数及标题,《备要》亦缺。

食货64·79—82"月桩钱""6 523",按79页版口批补卷数如此,检现存《永乐大典》,该卷无此篇,卷6 524存此篇前6行复文,下注"详见钱字",则此门当出自《永乐大典》钱字韵中,不知何卷。

其他如后妃4·1—3"内职"、职官48·94—106"乐职"、职官55·1—28"〔御史台〕"、食货40·40—56"市籴粮草〔3〕"、方域9之14"南昌府城"、方域9·15"赣州府城"、蕃夷5·1—3"瓜沙二州",皆见中华书局影印本《永乐大典》,为《备要》所遗漏。

(4)漏录的补批卷数

帝系3·1—8"宗室封建",缺1页书眉所批卷数373、6 761,2页26行批注卷数370、6 771。

后妃4·3—29"内职杂录",缺4页书眉所批卷数1 264、1 296,及29页篇尾补批卷数24 288。

礼2·1—33"郊祀坛位大小次〔上〕、北郊"、"郊祀位次"、"位次"、"郊祀奏告"、"郊祀陈八宝"诸门俱缺卷数。按33页补批云:"卷五千四百八十七、八十八计壹万陆千一百十字",此即原批以上诸门原在《永乐大典》中的卷数,当据以补入。

礼57·20—26"重明节"等节,缺卷数。按26页篇尾批补卷数为"2 550"。

职官17·31—35"监察御史",缺35页16行屠寄补批卷数"21 248"。

食货69·1—13"宋量",缺卷数。按13页篇尾补批卷数为5 213、8 633。

(5)录补批卷数,漏原辑卷数

职官6·19"检详所",仅录书眉所批卷数"10 944",漏录版口原辑卷数"1 101"。

职官7·37"管勾北宅所",仅录篇尾补批卷数"10 941",漏录版口原辑卷数"1 125"。

以上5种类型的问题,计91处。

4. 记事年次中的问题

在"记事年次"一栏中,对于有年次可录者,各类收录情况很不一致,像瑞异、运历、崇儒、选举、刑法5类,就没有遗漏;职官、蕃夷两类遗漏较少;乐、帝系、舆服、道释,仅录1/2或1/2强;后妃所录不到1/4,特别是方域类,收录不到1/5。这些空缺的部分,就不能指示各篇史文的时间,从而降低了使用价值。

在收录记事年次的各篇中,则存在如下问题。

(1)误补误改原书

礼2·34—36"郊祀卤簿",所录年次:"〔淳化5〕—政和7",该篇史文首条:"八月庚辰朔。内出御札,以十一月十六日甲子,有事南郊。十一月辛酉十三日,宿斋崇元殿。壬戌,服通天冠、绛纱袍,执镇圭,乘玉辂,卤簿前导,赴太庙宿斋。癸亥十五日,服衮冕,执圭,飨四室……"《备要》将此"八月"补作"〔淳化5〕"。按《辑稿》礼3·2"淳化三年十二月二十二日有事南郊,前祀十日,皇太子许王薨,太宗以郊祀俯逼,礼有不便,命宰臣集议,改用来年正月上辛"。礼28·69"太宗太平兴国三年十一月十五日、六年十一月十七日,雍熙元年十一月二十一日,淳化四年正月二日,至道二年正月十日,并亲郊"。《文献通考》卷72"太宗在位二十二年,南郊五",所列年月日与《辑稿》同。据此则太宗淳化五年并无郊祀。检《辑稿》礼28.1"乾德元年八月一日,内出御札曰:王者诞膺骏命,光启鸿图,罔不升中于泰坛,昭祀于上帝,著诸令典,是谓彝章……朕以今年十一月十六日有事于南郊,宜令所司,各扬其职……"礼2·38"太祖乾德元年十一月,大祀南郊,宿斋于崇元殿。翌日,服通天冠、绛纱袍,执镇圭,乘玉辂,由明德门赴太庙……"此两处记载,与"八月庚辰朔"条,文字虽有详略,所记为一事是可以判断的,故当是"乾德元年"之"八月",《备要》补作"〔淳化5〕"误。

职官5·33"理欠司"门,所录年次为:"淳化3—景〔祐〕4"。本篇史文:"盖司名犯仁宗庙讳,乾兴元年改为蠲纳司,天圣三年又改今名。咸平元年又置勾簿司,勾销般拨及主管文簿,以理欠司主判官兼领其事,景德四年废。淳化三年六月……"《备要》将理欠司与勾簿司混而为一,以为"景德"废司不当在"天圣"改司名之前,因而改作"景〔祐〕"。按《宋史》卷162"……三部各置理欠,有勾簿司,景德四年废"。据此,则《辑稿》"景德四年"废勾簿司不误,《备要》改误。本门年次应是:淳化3—天圣3。

职官17·36"御史里行",所录年次为:"熙宁2—〔元祐〕1"。本篇史文末条是"景祐元年",在"元丰四年"条后,《备要》乃将"景祐"改作"〔元祐〕"。按《辑稿》此条乃"御史中丞韩亿等"上言。检《宋史》卷315,韩亿"拜御史中丞"在景祐二年前,与本篇史文相合,改为"〔元祐〕"误。本门年次应是:熙宁2—元丰4。

食货52·39—40"库子",所录年次为:"建炎3"。本篇原作"建炎三十一年",按建炎止四年。检食货54·9复文,隶绍兴"三十一年",此篇"建炎"乃绍兴之误,《备要》改作"建炎3"亦误。

(2)《辑稿》误字未作订正

礼17·30—40"时飨"门,所录年次为:"乾道6—淳熙16"。本篇首条:"乾道六年十月,判太常寺和岘言"。按此条史文见《宋史》卷108,作"乾德六年",又《宋史》卷439,和岘在太祖朝曾判太常寺,卒于端拱初。据此则"乾道"乃"乾德"之误。《备要》对此未作订正。

礼28·71—7〔6〕"郊祀事务(4)",年次录为:"开宝4—乾道3"。本篇史文,在"乾道三年"条下,尚有"五年"、"九年"诸条,篇尾一条作"光宗绍兴二年十一月二十四日……二十七日,亲郊于圜坛"。按"绍兴"为高宗年号,《通考》卷72郊社5:"高宗在位三十六年,南郊七:建炎二年十一月二十二日,绍兴十三年十一月八日、十六年十一月十日……"则绍兴二年无郊祀。"光宗在位五年,南郊一:绍熙二年十一月二十七日",《辑稿》礼28·37、《宋史》卷99与《通考》同。则此条"光宗绍兴二年"乃"绍熙二年"之误。本门年次当改作:开宝4—绍〔熙〕2。

选举13·2—10"恩科〔特奏名〕",年次录为:"绍兴31—嘉定15"。此门首条史文:"绍兴三十一年(寿皇圣帝已即位未改元)六月十三日……"据《宋纪》,孝宗即位在绍兴三十二年六月丙子(初十),则此条"绍兴三十一年"应是"三十二年"之误。记事年次应改为:绍兴〔32〕—嘉定15。

蕃夷5·81—104"南蛮",年次录为:"天禧1—嘉泰5"。按此篇正文,是《宋史》卷493—494之节文,《辑稿》73页亦注明系出自"宋史列传",《辑稿》81页4行"天禧七年"条,《宋史》隶"天圣"。104页"五年"条,《宋史》隶"嘉定"。当改作:〔天圣〕7—〔嘉定〕5。

(3)待补问题处理失当

乐2·7—32(律吕),年次录为:"景祐5—崇宁3"。按"景祐五年"条在19页,此条之前,篇首有:"二十一日,诏翰林学士丁度……"条,缺年月。检《宋史》卷127,事在"景祐三年七月"。据此则当补为:〔景祐3〕—崇宁3。

礼57·1"朝贺(1)",年次录为"庆历6—宣和6",备考栏中注云"首条年次记事不明",所录起第二条。按篇首"七年"条,在下一页(礼57·2—3)即有复文,据复文,知为"天圣七年"事。年次当改为:〔天圣〕7—宣和6。

(4)待考问题缺而不录

后妃3·12"淑妃"(略小目),缺年次。此门首条:"真宗景德七年,封婉仪杨氏为淑妃"。按"景德"止四年,史文有误。然其次条接叙"以婉仪杨氏为淑仪"事,在"大中祥符七年六月十八日"。后妃1·2"杨氏……大中祥符二年正月进婕妤,六年正月进婉仪,七年六月封淑妃"。则篇首"景德",当是"大中祥符"之误。

乐7·3—4"御楼",缺年次。按篇首乐章,见《宋史》卷138,称"建隆御楼三首",则此门年次,起于建隆可知。

礼36·23"展日视事",缺年次。按此篇史文,为《中兴礼书》所载"高宗小祥,乞展日视事"之奏章。据《宋纪》高宗崩于淳熙十四年,其小祥,当在十五年。

礼40·13—14"秀安僖王园庙",缺年次。按史文首条为"绍兴元年三月十三日",诏秀王袭封事。次条接前涉"置园庙"事。据《宋纪》,秀王子偁,乃孝宗生父,绍兴"十三年殁于秀州",绍熙元年三月,诏"置园庙"。《辑稿》帝系2·56"秀王置园立庙",亦在"绍熙元年"。则首条"绍兴"当是"绍熙"之误。

蕃夷4·12"高昌",缺年次。史文首条及5行"八年"条皆无年号、据《宋史》卷490,本门篇首〔王〕延德述达靼事,在"雍熙元年","八年其使安首卢(《宋史》作"安鹘卢)……来贡"事,在"太平兴国"八年。

(5)误录引文年次

仪制4·10—11"朱衣吏引",所录最后年次为"绍兴32"。按史文末条原作"庆历四年",《备要》所取"绍兴32"乃该条诏书引文。眉批云:"下文言绍兴,此庆历当是庆元之误",当以眉批为是。

职官23·2"骐骥院",所录最后年次为"淳熙14"。按史文末条为21行之"庆元二年",《备要》所取"淳熙14",乃该条兵部上言所引"淳熙十四年"事。

(6)选取起迄年次中的差错

礼1·39(郊祀仪注),所录最后年次为"乾道12",按乾道止九年,史文"十二年"条,在"淳熙三年"条后,应是淳熙12。

礼21·3—5"岳渎诸庙",所录最后年次为"绍兴22"。按5页12行以下,有"乾道四年"事,被遗漏。

仪制4·12—21"导从",所录最后年次为"淳熙16"。按21页4行有"绍熙元年"一条,被遗漏。

仪制10·6—9"臣僚恩庆封赠",所录最后年次为"景祐3"。按7页24行有熙宁"十年"事。

仪制11·3—〔11〕"尚书丞郎追赠",所录最后年次为"绍兴5",按6页末行有乾道"九年"事。

仪制12·1—15"外戚追赠",所录最后年次为"乾道6",史文11页20行有嘉定"二年"条。

崇儒6·25—28"录贤",所录最后年次为"绍兴8"。史文26页2行有绍兴"三十一年"条。

职官1·68—77"中书门下省",所录最后年次为"治平3"。史文75页17行有元丰"五年"事。

职官4·36—42"行在诸司",所年录次起"大平兴国4"。按所取乃第二条,史文序言之下,首条为"太祖开宝二年"。

职官13·8—15"贡院",所录年次起"景德4"。史文15页有"太平兴国三年"条。

职官17·5—22"御史台",所录最后年次为"绍兴21"。史文21页16行有"隆兴二年"条。

职官22·25—27"大晟府",所录最后年次为"宣和2"。史文27页篇尾有宣和"七年"条。

职官27·50"榷货务(都茶场)",所录最后年次为"绍兴32",按本篇14—15行有"乾道六年"事。

职官37·4—6"开封尹",所录最后年次为"熙宁8"。按4页19行有"徽宗宣和七年"条。

食货34·20—26(坑冶杂录),所录最后年次为"淳熙5"。本篇23页16行有"嘉定十四年"条。

食货62·18—52"义仓",所录最后年次为"嘉定11"。本篇52页1行有嘉定"十四年"条。

食货64·65—69"免行钱",所录最后年次为"绍兴25"。史文篇尾有绍兴"二十八年"事。

刑法1·1—10"格令(1)",所录最后年次为"治平4"。本篇9页有熙宁"九年"条。

刑法1·11—26"格令(2)",所录年次,起"治平10"。按治平止四年,所取年号见前一卷6页17行。此条之后6页29行尚有"熙宁元年"条,依次当隶"熙宁"。

刑法2·18—146"禁约",所录最后年次为"嘉泰4"。本篇145页22行有嘉定"十七年"条("嘉定"年号,在136页13—14行)。

刑法5·1—15"亲决狱",所录最后年次为"隆兴9"。按隆兴止二年,所取年号见13页17—18行,其下20—21行有"乾道三年"条,篇尾"九年"乃是乾道九年。

刑法5·15—48"省狱",所录最后年次为"庆元14"。按庆元止六年。所取"庆元"在44页,其下47页有"嘉定五年"条被遗漏,篇尾"十四年"下诸条,当隶"嘉定"。

兵3·1—12"厢巡",所录最后年次为"绍熙11"。按绍熙止五年,11页"绍熙"之下有"嘉定十年"条被忽视;篇尾"十一年"当隶"嘉定"。

此外尚有将起迄年次颠倒的现象。如蕃夷4·99—101"真理富国"年次录为"嘉定9—庆元6"。

在记事年次一栏中,上述各类问题,总计529处。

5.备考栏中的问题

(1)重出篇幅著录不全

《备要》在深入研究的基础上,将发现的重出篇幅,注于备考栏中,这对于使用和校订史文,提供了方便。但这方面的著录是不够的,还有不少重出篇幅被遗漏了。如:

帝系1·1—3"帝号",与礼49·1"尊号"重出。

乐7·6—29"册宝"门9—10页,与乐7·32"册宝"重出。

礼11·1"配享功臣",与又礼11·1—2"配享功臣"重出。

礼11·1—7"配享功臣杂录",已注明"与又礼11·〔3〕—10重出",但此门尚与礼59·12—19"册命亲王大臣(2)"并重出,而被遗漏。

礼17·2—9"朝享太庙",与礼17"时飨"门之43—56重出。

礼21·7"孚祐王庙",与礼21·8"西岳别庙"重出。

礼24·1—4〔2〕"明堂御札"门,33页"英宗治平元年"以下,与礼25·87—94重出。

职官11·4"审官西院",与职官11·55—56"审官西院"及选举24"尚书右选"之1—2并重出。

职官11·57—58"侍郎右选",与选举25"侍郎右选(上)"之10重出。

职官11·79"甲库",与食货52·7"甲库"重出。

职官12·1"金部(判司事)",与食货56"金部"之1—2重出。

职官12·3"膳部(判司事)",与职官13·42—43"膳部"序文重出。

职官23·4"群牧司"与兵21"牧马〔官〕"之19—20重出。

职官54"宫观使"一门之5—7页,与职官54"〔外〕任宫观"之27重出,又19—24页,与职官53·1—6"提举所"重出。

食货55·15—19"杂买务",与食货64·40—44"和买"重出。

(2)失注《永乐大典》现存篇幅

《备要》体例,凡存于《永乐大典》,但与《辑稿》不全同的篇幅,在备考栏中加注说明,属于这种情况而失注者如:

礼23·14〔郡县〕"社稷",见《永乐大典》卷20 424。

礼51·1—24"徽号(1)(2)",部分复文见《永乐大典》卷18 224。

职官17·1—4"御史台"及17·38—40"三京留司御史台",皆缺原辑卷数,而见《永乐大典》卷2 607。

职官43·39"御史台主簿",缺原辑卷数,见《永乐大典》卷14 607。

食货53·6—19"常平仓",复文见《永乐大典》卷7 506。

道释1·7—9"大师禅师杂录",缺原辑卷数,见《永乐大典》卷8 706,标题为"僧号"。

道释1·11—12"僧道官",缺原辑卷数,见《永乐大典》卷8 706,标题为"僧官"。

道释1·15—16"披度普度度牒"中两篇残文,俱见《永乐大典》卷8 706,标题为"僧籍"、"度僧",这些都是在备考栏中应注而未注的。

(3) 注释与原书不符

礼18·37—38"祷灾异",注"编年不整"。按本篇年次,并无错乱现象,其38页6行"检照国朝会要"以下,崇宁、政和、建炎诸条,皆是"淳熙三年"礼部奏章中所引《国朝会要》文字,理应在该条之中。

职官18·78"修撰",注"编年不整"。按此38页1—18行为一篇,19行以下至39页为另一篇,标题皆作"修撰",因原在《永乐大典》卷数不同,《备要》将两篇分开处理。78页一篇年次不乱。

职官39·1—21"督都府",注"一部双",即部分为小字双行。检本篇12页有26行附注,其余皆大字单行。附注本应小字双行,当不注。

选举4·1—16"〔贡举杂录〕 考试条制",注云:"此门与职官贡院互见,详略不同"。按互见诸条,自选举3·38至选举5·5,包括此门及其前、后共3门,只注此门,与原书实际状况不符。

食货41·1—21"和籴",注"3至9页,搀入食货40·45—52乾道3年7月23日—7年5月13日诸条"。按两处文字详略及所收事条均有异同,不似羼入;又重出实至食货40·53,乾道七年八月十七日"淮东总领蔡洸"言事条。

(4) 漏录书名

凡例要求在备考栏中,注明原会要及征引文献名称,这对于了解各篇史文的来源是有用的,但漏录之处亦颇多,如:

礼47·1—12"优礼大臣",缺2页《宋朝事实》、4页《珍〔席〕放谈》、7页《邵氏闻见录》、《文昌杂录》。

职官34·15—43"皇城司",缺15页之《两朝国史志》,《神宗、哲宗正史职官志》。

职官36·1—27"内侍省",缺1页《两朝国史志》、13页《神宗正史职官志》、14页《哲宗正史职官志》。

职官42·64—66"招讨使",缺64页《大一统志》。

兵22·1—32"买马(上)",缺2页《续资治通鉴长编》、5页《涑水记闻》、《宋史·吕公绰传》、《宦者传》、9页《旧闻证误》、《实录》、10页《宋史长编》、14页《宋史通略》、《宋史·张若谷传》、《东斋纪事》、26页《岭外代答》。删去原注《光宗会要》、《宁宗会要》。

兵23·1—28"买马(下)",缺11页《宋史本纪》、《袁抗传》、《南轩语录》、《中兴小历》、《李心传传》、《朝野杂记》、12页《宋史占城国传》、24页《光宗会要》、《宋史光宗本纪》、《苏采传》、28页《宁宗会要》、《苏黄门龙川略志》。

方域3·19—30"资善堂 都堂 射堂",缺19页《景定建康志》、20页《玉海》。

方域5·1"京东路"〔略小目〕,缺《金坡遗事》。

方域12·〔12〕—13"京东〔东〕路",缺篇首《宋会要》。

蕃夷4·85—90"天竺国",缺85页《扶南传》、《竺法维佛国记》、《释法盛历国传》、88页《晋宋浮图经》。以上4种类型的问题,共164处。

《备要》全书,包括序言在内,共发现各类问题906条,《辑稿》一书,篇幅浩大,问题繁多,整理一个包括大量研究成果的目录,需要很大功力,系统校订,亦甚不易,所提诸事,难免有不当之处,即使有些可供参考的意见,亦无损于《备要》的成就,所以提出这些问题,不过是切磋琢磨之意,所谓攻美玉之瑕而冀其瑜之粹也。

五、《宋会要辑稿人名索引》和《宋会要辑稿食货索引》

台湾大学历史系王德毅教授所编《宋会要辑稿人名索引》,1978年7月,由台北市新文丰出版公司出版,是采用该公司1975年影印的四合一版8册本所编页码。新文丰影印本,自原稿之首页编起,如将此本编页加14,即与中华书局影印本及世界书局影印本编页一致,也就是说新文丰本之第1页,即中华书局本、世界书局本之第15页;故王氏的《索引》对这3种印本皆可使用。但由于没采用原编页码,不能适用于北平图书馆初次影印的线装本。

所收人名,以宋代及宋同时的辽金人名为主,五代以前一般不收。帝王只收即位前的本名,即位之后不录。皇后有姓无名,遇同姓皇后,则注明谥号或某帝后。贤妃、昭仪、美人及公主、郡主等,一律不收。边疆民族及外国人名,只收其可以确定者。

会要体只述事载言,不记其人的字号籍贯,故对于同一姓名时代相近的人,不易区别,凡能判定并非一人者,则加以区分。如《索引》中前一张焘下注"北宋人",后一张焘下注"南宋人"。

对于《宋会要辑稿》中人名的误字,做了系统的考证,一一予以改正。如职官65·18"其中复",据《续资治通鉴长编》改"其"为"吴"。职官65·35"吴公著",据《十朝纲要》,改"吴"为"吕"。职官70·6建炎元年正月十四日条,官名之后脱人名,则据《系年要录》、《咸淳临安志》补为"叶梦得"等。其他著姓而脱名及有名而无姓者,亦皆一一查补,编入《索引》,并附《〈宋会要辑稿〉校勘记》于后,共1 139条。

原书因避讳所改人名,如避孔子讳,将"丘崈"改作"邱崈"。避宋讳称陈遘之字"亨伯";称沈遘之字"文通";"桓"字缺末一笔,有的又误为"栢"(见礼29·13),称黎垣为"黎桓"。避清讳,将玄、弘缺末一笔,烨及晔改为"煜"等,皆一律改为原来姓名。人名中的异体字,如棄弃,世古、实寔等,经考证确知是一人者,皆归并在一起。

《宋会要辑稿》注文中,所引宋人笔记,涉及的人物,多用表字、别号、封爵、谥号,《索引》皆改以本名收入。如富韩公、富郑公、富文忠等,均编在富弼名下。一人两名者,以后改者为正,或将两名合并为一条,注出原名。如宋郊改名宋庠,则于"宋庠"条下注"郊"字;或将两名分别收录,注明参见。如王皡改名子融,《索引》两收,互注参见。

由上可知,王氏《人名索引》虽遗留一些问题未能解决,所收人名亦不全,但解决的疑难问题是大量的,不仅给使用《宋会要辑稿》提供了方便,且为将来的系统校订做了一部分工作。但由于采用新文丰本的编页,限制了使用范围。如能用北平图书馆原编页码,则可适用于4种印本,提供更多的方便。

1982年,日本东洋文库宋代史研究会出版的《宋会要食货索引》,包括《人名索引》、《书名索引》、《食货目录》3个组成部分。青山先生将《宋会要研究备要》的序言加以修订,作为本书的序言。《食货索引》采用北平图书馆原编页码,4种影印本均可适用,并注出人名书名的行数。《人名索引》参考了王氏所编,而扩大了收录范围,前代人、皇帝等均予收录。每一人名下大都注明官职。《书名索引》,

前此尚无人单独编制。《食货目录》参考了拙撰《〈宋会要研究备要〉补正》稿,在《宋会要研究备要》的基础上作了修改,不过尚有少量遗留问题。这部包括3个内容的《食货索引》,对检阅《宋会要辑稿·食货》类提供了方便。

(原载《河南师大学报》1984年3月增刊)

《永乐大典》所收《宋会要》的底本问题

一、有关底本问题的讨论

明初修《永乐大典》时所收《宋会要》，是明人加给宋代官修本朝《会要》的名称，它的底本是宋修《会要》中的哪几种，或者是哪一种，学术界存在不同意见，还是一个需要讨论的问题。

汤中《宋会要》卷1说：

> 明初编纂《永乐大典》，将《宋会要》分隶各韵，内载《国朝会要》，《续会要》，《乾道会要》，《中兴会要》，《光宗会要》，《宁宗会要》，《政和会要》七种，当时已十亡其三。

汤氏从《宋会要辑稿》中，查到"七种"《宋会要》名称，认为明初尚存7种，都收进《永乐大典》。

1978年出版的《宋会要辑稿人名索引》，王德毅教授在《编辑叙例》中说：

> 明初修《永乐大典》时，宋代十三朝的《会要》多半存在，悉被编录，以韵分隶散在各卷中。

这里用"多半"代替"七种"，似已发现"七种"之说未必可靠，但基本看法仍是沿袭汤氏旧说。

1968年，日本学者山内正博氏在《册府元龟与宋会要》①一文中提到，《永乐大典》中编入的《宋会要》，"可能是属于《十三朝会要》系统中的内容"②。1970年青山先生在《宋会要研究备要》的序言中说：

> 《永乐大典》有很大可能就是类辑了《嘉定国朝会要》所根据的几种《会要》，记载了宋初以来各种制度；如果再把其中还有光宗、宁宗《会要》一并考虑，就可以认为，它主要是以《十三朝会要》为依据的文献。

以上两位先生，提出了《永乐大典》所收《宋会要》的底本，"可能"是《十三朝会要》，或"以《十三朝会要》为主"的看法，但尚未能提出足够的证据，作出可信的结论。

二、《宋会要辑稿》中的宋代《会要》名称

汤氏从《宋会要辑稿》中，查到宋代官修本朝《会要》的7种名称，从而得出明初还存7种，《永乐大典》采入7种的结论。这一结论的问题，首先是没有将《宋会要辑稿》中的《会要》名称查清楚。《宋会要辑稿》中，除了统称为《宋会要》者之外，篇首标题或每段史文下注明的具体《会要》名称，是11种全有：

①《庆历国朝会要》
《玉海》卷51《庆历国朝会要》条说：

> 庆历四年四月己酉，修国史章得象上新修《国朝会要》一百五十卷。以编修官王洙兼直龙图阁，赐三品服。《会要》止修至庆历三年，后事莫述。

《国朝会要》是宋代官修本朝《会要》的通称，由于章得象上书在庆历四年，故《玉海》以《庆历国朝会要》著录，起建隆元年（960年）迄庆历三年（1043年）。故在《宋会要辑稿》中，凡是庆历三年以前史文下，注明《国朝会要》者，以上文字皆应出自此书。如帝系1·1—2四处在"大中祥符"条下，礼9·38等处在"太平兴国"条下注称"以上《国朝会要》"。所云"《国朝会要》"，即是《庆历国朝会要》。

---

① 《史学研究》103。
② 转引自青山定雄《宋会要研究备要序》，译文见《河南师大学报》1981年第3期。

②《元丰增修五朝会要》

《玉海》著录的名称为《元丰增修五朝》,是以进书时的年号及此书所修朝代数命名的。《通志》作《国朝会要》。《直斋书录解题》、《文献通考》作《六朝国朝会要》,是把神宗朝也计算在内。因为该书是《庆历国朝会要》的续修本,为区别于前书往往加上进书时的年号或包括朝代数,以相区别。

关于该书的修纂情况,《玉海》卷51说:

> 熙宁三年九月十六日,翰林学士王珪,请续修庆历四年以后,止熙宁三年。珪以旧书尚有遗事,所载颇多吏文,因略加增损,凡十二年乃成。元丰四年九月己亥,宰臣王珪上之。续庆历四年,止熙宁十年,通旧增损,成书三百卷。

《元丰增修五朝会要》的续修部分,起庆历四年(1044年),迄熙宁十年(1077年),所以在《宋会要辑稿》中,凡是在庆历四年至熙宁十年诸条史文下,注明《宋会要》者,皆应出自此书。像崇儒4·9嘉祐"七年",礼37·33"治平元年",兵21·3"熙宁八年"等事条下,注"以上《国朝会要》"者,以上史文,皆是出自《元丰增修五朝会要》。

③《政和重修会要》

《宋会要辑稿》职官18·33,载乾道五年四月二日,秘书少监汪大猷等上言称:

> 蔡攸所修《国朝会要》,除将熙宁十年以前章得象、王珪所修重加删润外,其自元丰至政和,止修得帝系、后妃、吉礼三门,其嘉礼以下,本省见行续修。

此书,陈振孙《直斋书录解题》卷5著录,作《政和重修国朝会要》。

由上可知,《政和会要》续修的部分是元丰元年(1078年)至政和年间(1111~1118年)有关帝系、后妃、吉礼三类。《宋会要辑稿》礼11·4,"崇宁元年二月九日"条,即有注明引自《政和会要》之文。

④《乾道续四朝会要》

《宋会要辑稿》职官18·33,载汪大猷等上言说:

> 窃见蔡攸所修吉礼,缘当时议论好恶不同,或妄有删改以迎合时好,故其间去取,有不可尽循者。乞许令本省重照《实录》诸书,再加删定,务归至当。兼今来续修,断自神宗以来,其《五朝会要》内,有熙宁十年内事,亦合重行编入,以《续修国朝会要》为名,庶得神宗一朝事实首尾相贯,可以稽考。

由上可知,《玉海》著录的《乾道续四朝会要》,其原定书名是《续修国朝会要》。因《会要》一再续修,含义不明,王应麟著录此书,加上进书时的年号和所续神、哲、徽、钦四朝的朝代数。《直斋书录解题》、《山堂群书考索》诸书,则称《续会要》。记事时间,起神宗即位,至靖康之末。

在《宋会要辑稿》中,凡属治平四年正月以后,靖康二年四月以前的史文,注明为《续会要》者,皆是此书。如帝系1·1—2三处,崇儒5·29等处,分别在"大观"、"熙宁"、"元祐"、"崇宁"、"靖康"条下,注"以上《续国朝会要》";礼62·42—45一篇,标题为《宋续会要》,史文皆熙宁中事;礼62·47一篇,标题为《续宋会要》,所载为元祐事;崇儒2·1一篇,标题作《宋续会要》,所载皆宣和事等,都是采自《乾道续四朝会要》的史文。

⑤《乾道中兴会要》

《乾道中兴会要》是《玉海》著录的名称,原作《国朝中兴会要》,起建炎元年(1127年)五月初一,至绍兴三十二年(1162年)六月十一日。在《宋会要辑稿》中称《中兴会要》。礼20·46,崇儒5·30,食货52·41等处标题为"《中兴会要》",所记皆高宗朝事;职官43·109、60·7,分别于绍兴"三十二年"、"二十九年"条下注"以上《中兴会要》",皆是出于此书。

⑥《淳熙会要》

《淳熙会要》是孝宗一朝的《会要》,起绍兴三十二年(1162年)六月十一日孝宗即位,迄淳熙十六年(1189年)正月。凡进书3次,第一次在淳熙六年(1179年),第二次在淳熙十三年(1186年),这两次进本均在孝宗朝,故当时行文称《今上会要》①;第三次进书,在绍熙三年(1192年),诏"以《至尊寿皇圣帝会要》为名"②。三次进本在庆元六年(1200年)邵文炳上书中合称为《孝宗会要》三书"③。《玉海》著录作《淳熙会要》。

在《宋会要辑稿》中,除食货11·30在"淳熙"条下注"以上《淳熙会要》"外,一般都是在乾道末年诸条下注《乾道会要》。如崇儒4·30,职官43·118,选举8·15等处,均是在乾道九年或八年条下,注"以上《乾道会要》";崇儒5·37—38隆兴二年至乾道九年一篇,

---

① 《宋会要》职官18·42—44,《南宋馆阁续录》卷4。
② 《南宋馆阁续录》卷4。
③ 《玉海》卷51。

首行标题即是《乾道会要》,淳熙末年诸条下,皆注《孝宗会要》。所注《乾道会要》是 11 种《会要》中的哪一种,是一个需要搞清的问题。

《南宋馆阁续录》卷 4,记载庆元六年(1200 年)闰二月,秘书丞邵文炳等上言称:

> 本省昨来进呈《寿皇圣帝会要》,先于淳熙六年七月进一百五十八卷,起自嗣位,至乾道九年。淳熙十三年十一月进一百三十卷,起自淳熙元年至十年。绍熙三年十二月进八十卷,起自淳熙十一年至十六年。

《宋会要辑稿》职官 18·43—44,载淳熙十三年(1186 年)十月九日秘书监沈揆等人的上言称:

> 昨奉圣旨,接续修《今上皇帝会要》,今自淳熙元年正月,至淳熙十年十二月,修纂已成。

由上可知,《淳熙会要》的第一次进本是起于绍兴三十二年六月十一日孝宗即位,迄乾道九年底,正与《宋会要辑稿》中所注《乾道会要》吻合;因此可以判断,《宋会要辑稿》中的《乾道会要》,就是《淳熙会要》的第一次进本。

⑦《嘉泰孝宗会要》

《孝宗会要》是将《淳熙会要》的三次进本"统为一书"①的,但变动很大。《玉海》卷 51 说:

> 盖比而同之者,六百九十有二条;删而正之者,二千八十有七条;润色初绪,凡三千八百十八条;别门析类,傅合者九,芟烦者四;增多四十有六。事详文省,纪纲制度,粲然有章。

在《宋会要辑稿》中,自淳熙元年迄十六年的史文,一般皆注《孝宗会要》。像瑞异 2·26、崇儒 4·32,于"淳熙十五年"条下,职官 22·41 于"淳熙五年"条下,食货 28·29 于淳熙十六年条下注"以上《孝宗会要》";崇儒 5·39—42 一篇,起淳熙元年,迄十六年正月,篇首标题即是《孝宗会要》,诸如此类为数甚多,皆出自《嘉泰孝宗会要》。

⑧《庆元光宗会要》

《光宗会要》起淳熙十六年(1189 年)二月光宗受禅,迄绍熙五年(1194 年)七月退位,已在第二章论述。《宋会要辑稿》中,凡属这一时期的史文,注明《光宗会要》者,即出自此书。如帝系 7·13—15

---

① 《南宋馆阁续录》卷 4。

《绍熙宗室杂录》一门,起"淳熙十六年二月四日",至绍熙"四年六月四日",篇尾注"以上《光宗会要》"。崇儒5·43,绍熙三年史文首行标题为"《光宗会要》"。崇儒4·32"淳熙十六年七月十五日"条下,食货28·39绍熙五年"三月"条下,皆注"以上《光宗会要》"。

⑨《嘉泰宁宗会要》

《宁宗会要》起自绍熙五年(1194年)七月宁宗即位,止于嘉定十七年(1224年)闰八月宁宗去世,已如前述。在《宋会要辑稿》中注明出自《宁宗会要》的史文甚多。如帝系8·44—45"宗女"一门中,自"绍熙五年九月十四日",至开禧"三年"条后,注"以上《宁宗会要》"。职官47·58嘉定"十年"条下,食货18·31嘉定"十七年二月十四日"条下等,均注"以上《宁宗会要》"。

⑩《嘉定国朝会要》

张从祖所修《经进总类国朝会要》,《玉海》著录作《嘉定国朝会要》,起宋初,至孝宗乾道九年(1173年),已在第二章中论述。如《宋会要辑稿》帝系5·1—37、6·1—33、7·1—12《宗室杂录》三门篇首标题皆作"《经进总类会要》",记事时间在元丰元年(1078年)至乾道九年(1173年)之间,皆出自此书。

⑪《十三朝会要》

李心传继张从祖之后续成的《经进总类国朝会要》,在《宋史·李心传传》中称作《十三朝会要》。此书宋初至孝宗乾道九年(1173年),为张从祖所修,淳熙元年(1174年)至嘉定十七年(1224年)乃李心传所续,前章已经论及。在《宋会要辑稿》中全书名称为《经进总类国朝会要》,见食货62·47,淳熙元年(1174年)以下的续修部分,称《经进续总类会要》,见帝系7·16,食货18·8标题书名。

由上可知,宋代官修11种本朝《会要》,在《宋会要辑稿》中全可查到,并非只有"七种"。

三、《永乐大典》所收是《十三朝会要》

在《宋会要辑稿》中,尽管可以将宋代官修11种《会要》全部查到,但却不能说明明初尚存或《永乐大典》直接采入了11种《宋会要》。因为《宋会要辑稿》中所载各种《会要》名称,除《宋会要》为后人所加外,其余具体名称则是《十三朝会要》原有的。其中最多,夹在史文中间注"以上《××会要》"者,在乾道九年(1173年)以前,属张从祖所修《嘉定国朝会要》的原注。张从祖所修,是将《元丰增修五朝会要》(注中作《国朝会要》)、《乾道续四朝会要》(注中作《续会要》)、《中兴会要》及《淳熙会要》的第一次进本,共4种《会要》合编而成,起宋初至乾道九年。《郡斋读书志·赵希弁附志》卷5,著录《总类国朝会要》称:

    此集则合十一朝为一书也,然中多节略而始末不全者。

以上特点,在《宋会要辑稿》中也反映了出来。在宋初至乾道一段的各门史文中,有些不完整的篇幅注称:"以上《乾道会要》,前三书无此门"①,"以上《国朝会要》,后三书无此门"②,"以上《续国朝会要》,国朝、中兴、乾道《会要》无此门"③等。这些注文,清楚地说明是张从祖修《嘉定国朝会要》所根据的4种《会要》,这当然是张氏的原注。而且对原《会要》"无此门"的残缺部分,均一仍其旧,不作补充,所以就存在"始末不全"的问题。至于所谓《国朝会要》中,包括《庆历国朝会要》的部分,则当是王珪等修《元丰增修五朝会要》中的旧注,因为《元丰增修五朝会要》已包括了《庆历国朝会要》的内容,张氏就无须再直接采用《庆历国朝会要》了。张氏合编4种《会要》,分别注明所据《会要》的名称,是合情合理的。

  《宋会要辑稿》在淳熙至嘉定诸条下,所注孝宗、光宗、宁宗《会要》,则是李心传续修时所注。这一点可以从《宋会要辑稿》中保存的《经进续总类会要》中得到说明。如食货18·8—31"商税"门,篇首书名为《经进续总类会要》,起"淳熙元年十一月十一日",至嘉定"十七年三月十四日"。其18页"淳熙十五年"条下注"以上《孝宗会要》";18—20页"淳熙十六年闰五月"条至"绍熙四年三月四日"条下,注"以上《光宗会要》";31页篇尾"嘉定十七年三月十四日"条下,注"以上《宁宗会要》"。这些注文,当然是《经进续总类会要》的原注。李心传既然是继张从祖所修续成十三朝,全书又采用了原名,则《宋会要辑稿》中所注具体《会要》的名称,均应是《十三朝会要》旧有的,因此,它与明初还存在有几种《宋会要》的问题无关,据以判定《永乐大典》收入了几种,当然也是不能成立的。

  以上从《辑稿》记载的各种《宋会要》名称中,探讨了《十三朝会要》的状况,同时也说明了《永乐大典》所收即是此书。

---

① 《宋会要》选举18·25等。
② 《宋会要》选举18·27等。
③ 《宋会要》选举11·43,12·37,职官4·44等。

《十三朝会要》在宋代官修 11 种本朝《会要》中,是最完整的一种,它通前修诸《会要》为一书。在《宋会要辑稿》中,各门的起迄时间,虽然一般是起太祖迄宁宗,与《十三朝会要》的起迄时间相合,但却有下列诸篇,在正文中记载理宗以后的史事。计有:

后妃 1·9	载理宗宝庆三年(1227 年)至绍定六年(1233 年)事。
乐 6·6—20	载理宗朝"明堂朝献"乐章。
乐 7·19	绍定三年寿明仁福慈睿皇太后册定九首。
乐 7·27—29	载理宗"宝祐二年(1254 年)皇子冠"乐章。
乐 8·28	载理宗宝庆三年(1227 年)"奉上宁宗徽号导引"。"庄文太子虡导引一首"。"景献太子虡一首"。
礼 20·47	"张孝子祠"条,载至元二十三年(1286 年)事。
礼 20·166	"辅教神祠"载淳祐戊申(1248 年)事。
礼 30·86—95	载理宗宝庆元年(1225 年)至二年有关宁宗丧礼共 31 条。
礼 49·97	载宝庆元年(1225 年)至三年,有关宁宗谥号两条。
礼 54·20—21	载理宗嘉熙四年(1240 年)、度宗咸淳十年(1274 年)、恭宗德祐元年(1275 年)、端宗景炎元年(1276 年)及帝昺改元祥兴事。
仪制 10·11—13	载淳祐元年(1241 年)至度宗咸淳三年(1267 年)勋臣封赠事。
瑞异 2·13	载理宗绍定三年(1230 年)十一月丁酉孛星事。
瑞异 2·16—17	载理宗"绍定四年"(1231 年)、"景定五年"(1264 年)春雪。
瑞异 2·30	载度宗咸淳六年(1270 年)、十年(1274 年)旱灾。
瑞异 3·47	载理宗绍定三年(1230 年)至景定三年(1262 年)蝗灾。
食货 34·37	载理宗端平三年(1236 年)敕书。
方域 8·29	载元"泰定三年(1326)三月六日"火沙王等奏甘肃省上言修城事。

方域9·21—23	载洪武元年(1368年)至六年,永州府修城事,及咸淳乙丑(元年,1265年)吴之道《修城记》。
蕃夷7·56	载理宗淳祐三年(1243年)、景定三年(1262年),度宗咸淳元年(1265年)及二年安南进贡事。

上述理宗以后至明初的史文,有的篇首标题就不是《宋会要》。如瑞异3"蝗灾"门,标题书名为《宋史·五行志》,是因为有引《宋会要》的注文而辑出的。有的前人已校出非《宋会要》文字。如食货34"坑冶杂录"门,篇首原批称"此《宋史·食货志》,非《会要》"。经系统校对,除上述原题及原批皆是外,方域9"永州府"条,出自明洪武十六年(1383年)虞自明、铭修、胡琏纂《永州府志》,其余大部分出自《宋史》,但尚有几条暂未查到出处,其中像帝昺祥兴间及元代的史文,必不出于《宋会要》,个别理宗时期的史文,尚有待进一步查考。不过《宋会要辑稿》中已附入的书籍数十种,正文、附注数百条,在这种情况下,并不影响我们对《永乐大典》所收《宋会要》的底本作出结论。当然进一步再把遗留的个别问题搞清楚,还是必要的。

在宋代官修11种本朝《会要》中,《十三朝会要》是最完整的一种,它包括了前修10种《会要》,又是惟一有刻本的一种,从而成为能够流传下来的有利因素。

《永乐大典》修成于明成祖永乐六年(1408年),在此后33年,即正统六年(1441年),杨士奇所编《文渊阁书目》中,著录"《宋会要》一部,二百三册,阙"。《永乐大典》所收《宋会要》的底本,当即此书。在《宋会要辑稿》中,有不少注明"原缺"、"原本缺"、"缺"的残文(例证见第五章),也反映了所据底本是残缺的。因此可以认为,《永乐大典》所收《宋会要》的底本,是有所残阙的《十三朝会要》。

(原载《河南师大学报》1984年3月增刊)

《永乐大典》本《宋会要》增入书籍考

《宋会要》为宋代官修典籍,原书佚于明朝中期,所幸明初所修《永乐大典》按韵分散收入。清嘉庆十四年(1809年),徐松在全唐文馆任职,利用该馆书吏,自《大典》中抄出,并于离馆后做了一些校订工作,但终因篇幅大、问题多、又限于人力,未能完成。光绪十三年(1887年),两广总督张之洞,在广州创置广雅书局,得徐抄《宋会要》稿本,聘缪荃孙、屠寄进行整理。光绪十五年(1889年),张之洞改调两湖,幕客星散,整理工作中断,共录出清稿110册,这就是"广雅稿本"。1915年,吴兴刘承干嘉业堂,购得稿本,聘刘富曾等人整理完毕,其所成清稿即《清本宋会要》。1931年,前国立北平图书馆叶渭清先生,对徐抄原稿及清本进行比勘、研究,并从刘氏所编清本中,查获一些丢失的原稿内容,加以补充,于1936年影印发行,1957年,中华书局再次影印,这就是目前我们所能见到的《宋会要辑稿》。

《永乐大典》是一部按韵编纂的类书,自成一个体系。其所采书籍,虽然也有全书收录在一处的现象,但《宋会要》在《大典》中却是分散的,多者整门,少者数句;而且在编纂过程中,也增入和删去了一些文字。本文对其中肯定是增入的部分加以考察,说明《永乐大典》收录《宋会要》的部分状况,也期望为将来对稿本的校订、整理,提供一点方便。

一

　　影印本徐抄《宋会要辑稿》，除礼类附入了9门广雅书局整理的清稿以外，其余皆是徐松所辑原稿。以中华书局影印本《永乐大典》相比勘，知徐辑原稿确系按《大典》原文逐字抄录，虽不免有一些抄误之处，却没有任意增补的现象。故对徐辑原稿的研究，是能够反映该书在《大典》中之状况的，同时也将使我们进一步了解，《大典》是在怎样的情况下保存了原书。虽然由于没有《宋会要》原本可校，在了解的程度上不能不受很大的限制，但对于有些问题，比如说是不是增入或删去了一些文字，增入部分的大致情况等，也还能得到一个大概的了解。不过由于笔者对目录学的知识不够，也限于图书条件，在现存的书籍中，也还有一部分未能查对，所以错误之处，势将难免，殷望得到史学界师友们的批评和指正。

　　《辑稿》原稿部分，注出征引的书名（包括各种《宋会要》名称）约一百六十多种，其中有一部分书的作者和时代还未能查清，对于不能肯定是否为同书异名的部分，也只得分别列出，所以尚难肯定一个确切的数字。兹将原稿所注书名，按初见顺序排列如后，并附以作者姓名和朝代。

《宋会要辑稿》征引书目
（以初见书名排序，凡标"▲"符号者，皆见《文渊阁书目》）

▲宋会要（或作"宋朝会要"）

续国朝会要（或作"续会要"、"续宋朝会要"、"续宋会要"、"宋续会要"、"四朝会要"）按：其中一部分系汪大猷等所修《乾道续四朝会要》，一部分为宋代后修本朝诸《会要》的泛称。

国朝会要　按：一部分系章得象等所修《庆历国朝会要》，一部分为宋代所修本朝《会要》的泛称。

▲十朝纲要　　宋　李埴撰

张唐英寇准传　按《宋史》本传，张唐英著有《宋名臣传》，《艺文志》亦著录。

中兴会要　　宋　陈骙等修

乾道会要（或作"淳熙会要"）　　宋　赵雄等奏进　按：《辑稿》所注《乾道会

要》,皆指《淳熙会要》。

▲九朝长编纪事本末(或作"九朝纪事本末"、"长编纪事")　宋　杨仲良撰

　　经进总类会要　宋　张从祖修

　　光宗会要　宋　京镗等修

　　经进续总类会要　宋　李心传修

▲张方平乐全集　宋　张方平撰

▲欧阳修文集　宋　欧阳修撰

▲王安石文集　宋　王安石撰

　　宁宗会要　宋　陈自强等修

　　宋续通鉴长编(或作"续资治通鉴长编"、"通鉴长编"、"长编"、"宋长编"、"续通鉴长编"、"通鉴续编")　宋　李焘撰

▲王应麟玉海(或作"玉海")　宋　王应麟撰

　　乐府杂录　唐　段安节撰

　　景祐广乐记　宋　冯元等撰、

　　景祐乐髓新经　宋　吕夷简等修

▲隋志(文见《隋书律历志》)　唐　长孙无忌等修

▲马端临文献通考(或作"马端临通考"、"通考"、"文献通考"、"马端临曰")　元　马端临撰

▲中兴礼书(或作"礼书")　宋　淳熙、嘉泰间官修

▲章如愚考藁[索](或作"张[章]如愚群书考索"、"章如愚山堂考索"、"山堂考索")　宋　章如愚撰

▲建炎以来朝野杂记(或作"朝野杂记")　宋　李心传撰

▲文昌杂录　宋　庞元英撰

▲事类合壁[璧]　宋　谢维新撰

　　政和会要　宋　王觌等修

▲挥麈录　宋　王明清撰

▲宋卓异记　宋　乐史撰

▲云麓漫抄　宋　赵彦卫撰

　　政和五礼新仪　宋　郑居中等修

▲通典　唐　杜佑撰

▲宋史　元　脱脱等修

▲庙学典礼　元　阙名

▲老学庵笔记　宋　陆游撰

　　羊士谔集　唐　羊士谔撰

▲临汀志　宋　胡太初修　赵与沐、钟明之纂

▲宋朝事实　宋　李攸撰

麈史　宋　王得臣撰

宋史备要　（待考）

▲萍州可谈　宋　朱彧撰

▲存心录　明　吴沈等撰

开宝通礼　宋　刘温叟撰

乾道逐次礼例　宋　（作者待考）

▲绍兴府前志　宋　阙名

▲江少虞类苑（或作"宋类苑"、"宋江少虞类苑"）　宋　江少虞撰

▲麟台故事　宋　程俱撰

▲宇文绍奕燕［语］考异　宋　宇文绍奕撰

▲范蜀公东斋遗［记］事（或作"东斋记事"）　宋　范镇撰

▲闻见录（或作"邵氏闻见录"、"邵伯温闻见录"）　宋　邵伯温撰

▲珍度［席］放谈　宋　高晦叟撰

四朝志（记元丰三年事,疑即李焘、洪迈等所修《四朝正史》之礼志）

▲东京梦华录　宋　孟元老撰（或谓即孟揆）

▲葛立方归愚集　宋　葛立方撰

▲香山先生喻良能集　宋　喻良能撰

章谊集　宋　章谊撰

公是先生集　宋　刘敞撰

▲杨万里诚斋集　宋　杨万里撰

▲盘洲集　宋　洪适撰

▲孙应时烛湖集　宋　孙应时撰

唐鉴　宋　张九成等撰

▲邵氏后录　宋　邵博撰

▲蔡絛国史后补　宋　蔡絛撰

蔡絛五行篇　宋　蔡絛撰

国史李淑传　按：淑为若谷子,真宗朝进士,天圣中与修《三朝国史》。此传疑出吴充等所修《两朝正史》。

春明退朝录　宋　宋敏求撰

文心雕龙　（记北宋仁宗时事,待考）

▲金玉新书　宋　阙名

▲邕州志　（见《文渊阁书目》卷19,《舆地纪胜》存一条,印本《永乐大典》存两条,作者及成书时间待考）

· 110 ·

▲编年备要(或作"宋编年备要")　　宋　陈均撰
　孝宗会要　宋　邵文柄等修
　清夜录　宋　俞文豹撰　(《宋志》、陈振孙《书录解题》谓沈括撰)
　会元历序　宋　李璹撰
▲通略(或作"熊克九朝通略"、"宋史通略")　　宋　熊克撰
　宋史长编(记神宗徽宗朝事,待考)
　实录(记徽宗朝事)　宋　李焘等修
▲宋大事记讲义(或作"宋朝大事记讲义")　　宋　吕中撰
▲纪纂渊海(或作"记纂渊海")　　宋　潘自牧修
▲大诏令　(文不见中华书局本《宋大诏令集》,待考)
▲容斋洪氏随笔(或作"洪迈容斋随笔"、"洪氏容斋三笔")　　宋　洪迈撰
　崇文总目　宋　王尧臣等撰
▲朱子语续录　宋　李性传编
▲宋鉴　元　阙名　按:《四库全书总目提要》作《宋史全文》。
▲孝宗中兴圣政　宋　绍熙三年官修
　圣政(绍兴二十三年事)　宋　徐度等修
▲宣城志　宋　赵希远、李兼纂
▲维阳[扬]志(或作"维扬志")　　宋(宝祐间修)
▲仁皇训典　宋　范祖禹等修
▲庄季裕鸡肋编　宋　庄绰撰
　神宗正史　宋　吕大防等修
　两朝国史　宋　宋敏求、苏颂、王珪等修
　哲宗职官志(或作"哲宗正史")　　宋　王孝迪等修
▲职官分纪　宋　孙逢吉撰
　掖垣丛志　宋　宋庠撰
　正陵遗事　唐　裴庭裕撰
▲事略(或作"东都事略")　　宋　王称撰
▲九国志　宋　路振撰
▲事文类聚　前、后、续、别四集,宋　祝穆撰;新集、外集,元　富大用撰;遗集,元　祝渊撰
▲朝野类要　宋　赵升撰
▲儒学警悟　宋　俞鼎孙、愈经辑
▲鹤林吴泳　按:宋吴泳有《鹤林集》,惟所引文字,不见辑本,待考。
▲锦绣万花谷　宋　萧赞元撰

▲大一统志　元　札剌马丁、虞应龙等修
▲言行录　宋　朱熹撰
▲益公集　宋　周必大撰
▲名臣言行录　宋　李幼武撰(文见别集)
▲沈括笔谈　宋　沈括撰
▲归田录　宋　欧阳修撰
▲石林燕语(或作"石林叶氏曰"、"石林叶氏")　宋　叶梦得撰
▲却扫编　宋　徐度撰
　燕翼贻谋录　宋　王栐撰
▲事实　按：宋李攸撰《宋朝事实》，惟引文不见辑本，待考。
　清德志旧志　（待考）
▲书林事类　宋　阙名
▲杨内翰谈苑　宋　杨亿撰
　悦生随抄　宋　贾似道撰
　涑水记闻　宋　司马光撰
▲百川学海(或作"北[百]川学海")　宋　左圭辑
▲三槐王氏杂录按引文见《闻见近录》　宋　王巩撰
▲温公诗话　宋　司马光撰
▲旧闻证误(或作"旧证")　宋　李心传撰
▲洛阳志　（待考）
▲渔隐丛话　宋　胡仔撰
▲司马温公传家续集　宋　司马光撰
　叶梦得避暑录话　宋　叶梦得撰
　墨庄漫录　宋　张邦基撰
▲魏泰东轩笔录　宋　魏泰撰
　范景仁乞致仕录(待考)　宋　范镇撰
▲自警编　宋　赵善璙撰
▲类说　宋　曾慥撰
▲张文潜明道杂志　宋　张耒撰
▲济美集　（《明书·经籍志》著录《王氏济美集》，时代及作者待考）
▲经钽堂杂志　宋　倪思撰
▲曲洧旧闻　宋　朱弁撰
▲吴氏能改斋漫录　宋　吴曾撰
▲韶州府曲江志　元　失名
▲叶适论宏词(文见《水心别集》卷13)　宋　叶适撰

▲四朝闻见录　宋　叶绍翁撰
▲吕原明杂记　宋　吕希哲撰
▲嘉定镇江志　宋　史弥坚修　卢宪纂
　三朝国史　宋　王旦、吕夷简等修
　四朝国史　宋　陈康伯、李焘、洪迈等修
　番阳志　宋　史定之撰
　宋毕衍备对（或作"中书备对"）　宋　毕仲衍修
▲三山志　宋　梁克家纂
▲建安志　宋　张叔椿修　林光纂
▲建安续志　宋　刘牧纂
▲抚州志　宋　家坤翁修　周彦约纂
▲咸淳毗陵志　宋　史能之修
　旧纪　（神宗事，疑即元祐中吕大防、范祖禹等所修《神宗正史·本纪》）
　新纪　（神宗事，疑即绍兴中陈康伯等所修《神宗正史·本纪》）
　实录　（淳化事，疑即钱若水等所修《太宗实录》）
▲稽古录　宋　司马光撰
　实录　（神宗事，疑即赵鼎、范冲所修《神宗实录》）
▲岭外代答　宋　周去非撰
▲南轩语录　宋　张栻撰
▲中兴小历　宋　熊克撰
▲苏黄门龙川略志　宋　苏辙撰
▲景定建康志　宋　马光祖修　周应合纂
　金坡遗事　宋　钱惟演撰
　续东阳志　宋　瞻思纂
　永州府志　明　虞自明修　胡琏纂
▲宋北盟录　宋　徐梦莘撰
▲洪皓松漠纪闻　宋　洪皓撰
　扶南传　（待考）
　竺法维佛国记　（待考）
　释法盛历国传　□　僧法盛
　晋宋浮图经　（待考）
▲南蛮序略（见《文渊阁书目》、《明书·经籍志》，作者及时代待考）
▲契丹国志　宋　叶隆礼撰

二

宋代官修本朝《会要》，有下列11种：

《庆历国朝会要》（一作"三朝国朝会要"）。

《元丰增修五朝会要》（一作"六朝国朝会要"）。

《政和重修会要》。

《乾道续四朝会要》（一作"续会要"）。

《乾道中兴会要》。

《淳熙会要》。

《嘉泰孝宗会要》。

《庆元光宗会要》。

《嘉泰宁宗会要》。

《嘉定国朝会要》（一作"总类国朝会要"）。

《十三朝会要》（一作"经进总类国朝会要"）。

此外尚有范师道所修《会要详节》，由于仅是《庆历国朝会要》的节本，故未计算在内。

上述11种《宋会要》，内容虽然往往相互交错，总的时间，则包括太祖到宁宗十三朝，365年。其中李心传继张从祖以后续修的《十三朝会要》，则通编前修诸《会要》为一书，并曾经"刻版蜀中"①。

《宋会要辑稿》各门所注《宋会要》名称，与上述11种《宋会要》是相合的。从起迄时间来看，在比较完整的各门中，一般是起于太祖，终于宁宗。虽然也有少数几处，出现了理宗、度宗甚至帝昺祥兴年间的文字，但其中有的注明采自《宋史》，有的虽然暂时尚未能查到出处，但却是极个别的，而且在《辑稿》已经增入不少宋代以后著作的情况下，也没有根据认为《永乐大典》收入了11种以外的宋代官修本朝《会要》。

在11种《宋会要》中，李心传的《十三朝会要》，是在理宗"端平三年（1236年）成书"②的。此后，在理宗淳祐二年（1242年），《宁宗会要》又有第四次进书。用这个最后进书时间为断限，来考察辑本《宋会要》征引的书籍，凡是成书或流传时间晚于淳祐二年（1242年）

---

① 陈振孙：《直斋书录解题》卷5。
② 《宋史》卷438《李心传传》。

的,就不难肯定是属于增入的部分。这样虽然只能搞清一部分,但对于该书的了解,却不是没有助益的。

《事文类聚》 该书分前、后、续、别、新、外、遗七集,"前、后、续、别四集,皆宋祝穆撰;新集、外集,元富大用撰;遗集,元祝渊撰"①。穆书见《郡斋读书志·赵希弁附志》,知南宋已单独流传,"其合为一编,则不知始自何人,疑即建阳书贾所为也"②。前集篇首,有祝穆淳祐丙午自序,知穆书成于理宗淳祐六年(1246年),已在《宁宗会要》第四次进书以后了。辑本《宋会要》征引该书文字,有的则见于元富大用的新集,如职官17·37末两行见新集卷18,知采入时间,实在合编之后。

《维扬志》 见《文渊阁书目》卷19,今原书未见传本。据嘉靖《惟扬志》凡例,宋宝祐间所修《惟扬志》,是继绍熙《广陵志》及嘉泰《广陵续志》续修而成。影印残本《永乐大典》引《维扬志》24条,张国淦先生《中国古方志考》,据其中"平籴仓"条有宝祐元年(1253年)事,判定为宝祐元年(1253年)以后所修。

《鹤林吴泳》 按吴泳,嘉定二年(1209年)进士,理宗朝历官起居舍人,兼直学士院,权刑部尚书,终宝章阁学士、知泉州。著有《鹤林集》,事迹具《宋史》本传。《鹤林集》原书已佚,《四库全书》有《大典》辑本,《提要》云:"放佚之余,篇帙尚夥。"成书时间未详,辑本卷22《奏宽民五事状》有"准淳祐十二年空日札子"句,则成书当在淳祐十二年(1252年)之后。惟引文不见辑本,无从查对。

《九朝长编纪事本末》 见《文渊阁书目》卷5,宋杨仲良撰。阮元《四库未收书目提要》:"卷端有宝祐丁巳(1257年)庐陵欧阳守道序……然其书不见于《宋史·艺文志》……据守道序,此书宝祐元年(1253年)刻于庐陵郡斋,贡士徐琥重为校刻,则在宝祐五年(1257年)也。"则其书之流传,已晚于《宁宗会要》最后一次进书十多年了。

《事类合璧》 见《文渊阁书目》卷11。倪氏《宋志补》、焦氏《经籍志》俱载之。《四库全书总目提要》据宋坊本、《郑堂读书记》据明刊本,皆作《古今合璧事类备要》。该书为宋人谢维新所撰,"前有宝祐丁巳自序,盖应坊人刘德亨之托而作,并书名亦德亨所定"③,《提要》则根据谢维新自序,肯定"是书成于宝祐丁巳",即理宗宝祐五年(1257年)。

---

①② 《四库全书总目提要》子部类书一。
③ 周中孚:《郑堂读书记》卷61。

《临汀志》 宋胡太初修，赵与沐等纂。据《永乐大典》卷7 895，十九庚，"汀州府题咏"，赵与沐《临汀志跋》，知成书在开庆元年（1259年）。《辑稿》所录《临汀志》见礼20·134正文。不过其所标书名为《临汀志》，而非《宋会要》，似当属于误录的范围。

《悦生随抄》 宋贾似道撰。《宋志》及《宋志补》皆不著录，原书不见传本，陶宗仪《说郛》存其节本。辑本《宋会要》注明采自此书正文二处，仅一处见《说郛》，知所据非此节本。贾似道自号"半闲老人"，其自序云："予老来观书，辄多遗忘。暇日随所披阅，约而笔之，寝盈编帙，因厘为百卷，题曰《悦生随抄》。"①按《宋史》卷474贾似道传云："（淳祐）十年，以端明殿学士移镇两淮，年始三十余。"当淳祐十年（1250年）才三十多岁，当然不应称为"老"，则该书成于此后一二十年是可以推知的。

《名臣言行录》 《宋会要辑稿》职官41·100注文，引《名臣言行录》，出《宋名臣言行录》别集《四朝名臣言行录》卷7。按《宋名臣言行录》前集、后集，为朱熹所撰；续集、别集、外集，则为李幼武所补编。李书续集卷首，有其外祖浚仪赵崇砣景定辛酉序。按景定辛酉即理宗景定二年（1261年），故《四库全书总目提要》，据以判定为"理宗时所作"。

《抚州志》 《辑稿》食货32·32—33，录《抚州志》引《宋朝会要》文字四段。按宋抚州临川郡，有淳熙、嘉定、景定三志，皆无传本。从诸家书目著录情况来看，惟家坤翁所修景定志流传较广，倪灿《宋志补》、《文渊阁书目》、《南雍志经籍考》、《千顷堂书目》皆载之。前此二志，则不见诸家书目。又弘治《抚州府志》旧序家坤翁序称："临汝望于江介，群公先正萃焉，文献可谓足矣，郡乘顾无成书，先后草创，乃不足证，来者慊焉。"似在景定以前，虽"先后草创"，但却没有"成书"，所以此段文字出自景定志的可能性就更大了。关于成书的时间，家坤翁序云："坤翁以景定壬戌，被命来守，岁余少事，属同志收揽载籍，考订耆旧，退而相与裁之，合为三十五卷，书成，条目粗备，然遗忘尚多……会予节趋闽，以其书托诸推掾周君彦约，覆正阙误，且衰金俾锓诸梓，明年周君来谂曰，锓梓就矣，宜叙其首。"按景定壬戌，即理宗景定三年（1262年），其序文则是在此后二年所写，故当是景定五年（1264年）成书。

《景定建康志》 宋马光祖修，周应合纂。据嘉庆六年仿景定刊

---

① 陶宗仪：《说郛》卷12。

本，马光祖《进建康志表》《序》，及周应合《修志本末》，均在景定二年(1261年)。张国淦先生《中国古方志考》云："是志三九武卫志,引咸淳三年,四十田赋志,引咸淳四年,是此书志进于景定二年,陆续增益至咸淳四年。"

《咸淳毗陵志》 宋史能之纂。据嘉庆二十五年重刊本史能之咸淳四年自序,知成书在度宗咸淳四年(1268年)。

《百川学海》 宋左圭辑。其序款:"时昭阳作噩岁,柔兆执徐月,古鄮山人左圭禹锡敍。"据此,则成书在度宗咸淳九年(1273年)三月。

《玉海》 宋王应麟(1223~1296年)撰。《宋史》本传称"[应麟]九岁通六经,淳祐元年举进士……调西安主簿,民以年少易视之,输赋后时……初,应麟登第言曰:今之事举子业者,沽名誉,得则一切委弃,制度典故漫不加省,非国家所望于通儒。"于是闭门发愤,誓以博学宏辞科自见,假馆阁书读之,宝祐四年(1256年)中是科。由此可知,王应麟在淳祐元年(1241年)举进士时,还很年轻①,他的《玉海》,也必然是举进士以后开始编撰的。周中孚《郑堂读书记》卷61著录该书称:"观其《词学指南》所云编题之法,知此书即其业词科时所创始,后逐渐增益成编。"据此,则宝祐四年(1256年)以后还在逐渐增益。《四库全书总目提要》子部类书一著录该书云:"案明贝琼《清江集》有所作应麟孙王厚墓志,称应麟著《玉海》,未脱稿而失,后复得之,中多阙误,厚考究编次,请于阃帅锓梓,并他书十二种以传。据此则诸书付梓,实始于元代。"又《玉海》卷首所附至元三年(1337年)指挥:"自公殁之后,其家族党分争,书遂遗缺,缙绅韦布,迪相抄录,虽多寡不同,俱非全书。当职游宦四明,询访文献故家,得公之孙厚、孙延,致家塾俾教二子,因获尽取公之著述,悉心讨论,访求遗逸,《玉海》遂见全帙,考订诠次,粲然大备。"知《玉海》抄本的流传,实在元代应麟殁(1295年)后,至于印行,据该书至元六年(1340)四月李桓序,则已在元末了。

《大一统志》 元扎马剌丁、虞应龙等纂。原书已佚,仅存残本。许有壬《大一统志序》云:"[至元]二十八年辛卯,书成,凡七百五十五卷,名《大一统志》,藏之秘府。应龙谓……尚欲网罗遗佚,证其异同焉。"②张国淦先生《中国古方志考》据《秘书监志》判定:"至元二

---

① 据钱大昕《深宁先生年谱》。王应麟淳祐元年举进士时是19岁。
② 许有壬:《圭塘小稿》卷5。

十八年虽已曾进呈初修本,而应龙实仍在监继续纂修,未尝辍事……直至大德七年五月,而全书始正式告成也。"是该书最后完成,在元成宗大德七年(1303年)。

《庙学典礼》 《四库全书总目提要》史部政书二著录该书称:"不著撰人姓氏,诸家书目皆不著录。核其所载,始于元太宗丁酉,而终于成宗大德间,盖元人所录也。"可知成书时间,当在大德(1297～1307年)之后。

《文献通考》 元马端临撰。卷首自序之后,附有至治二年(1322年)《抄白》及延祐六年(1319)王寿衍《进书表》。《抄白》云:"速为差委有俸人员,礼请马端临亲赍所著《文献通考》的本文籍,赴路眷写校勘刊印施行。"则其初印时间,当在至治二年(1322)之后。

《宋鉴》 见《文渊阁书目》卷5。杜信孚《同书异名通检》谓:"又名《宋史全文》。"《四库全书总目提要》史部编年类,著录作《宋史全文》,称"不著撰人名氏,原本题曰《续通鉴长编》,而以李焘进长编表冠之于前,是直以为焘之《长编》矣。案焘成书在孝宗时,所录止及北宋,此本实载南宋一代之事,其非出焘手明甚。检此书,每卷标题,全有'宋史全文'四字,而《永乐大典》宋字韵内,亦多载《宋史全文》,与《长编》截然二书。又此本目录前有坊间原题,称'本堂得《宋鉴》善本,乃名公所编,前宋已盛行,再付诸梓'云云。盖本元人所编,而坊贾假托焘名,诡称前宋盛行耳!惟《永乐大典》所收之书,皆载入《文渊阁书目》,乃《宋鉴》多至六部,独不见《宋史全文》之名,或亦杨士奇等编辑时,因标题而致误欤?"关于成书时间,各家意见也是一致的。《四库提要》引商丘宋荦跋云:"此三十六卷,是元人所刊。"《四库提要补证》引张氏《藏书志》云:"书肆题语,谓前宋已盛行者,似不足信。"杨绍和《楹书隅录》卷2:"是书乃宋之遗民逸老入元后所作,因末卷多涉元事,故不著姓名序跋,而以李焘《进长编表》冠之于首,当时坊贾,或亦不无避忌,遂并诡称前宋盛行耳!"尽管成书的确切时间不能肯定,但"前宋已盛行"是假的,为入元以后成书,则是前人共同的看法。

《宋史》 元脱脱等修。按《宋史》自元世祖时期,就开始"以宋人国史为稿本"[①]进行纂修,"延祐、天历间,又屡诏修之",终因宋、

[①] 《四库全书总目提要》史部正史二。

辽、金三史"义例未定"①,直到元顺帝至正五年(1345年)才最后修成②,翌岁下杭州雕版。

《存心录》 《明史·艺文志》著录:"《存心录》十八卷,吴沈等编集。"《文渊阁书目》卷1天字号第一厨,有《存心录》一部10册,两部8册,皆注"阙"字。清乾隆年间尚有传本。《四库全书总目提要》史部政书类存目一,著录该书称"不著撰人名氏,皆记明初坛庙祭祀之制,而附以灾祥物异。其前有序称:臣等承命作此录,以坚诚敬之心。是奉敕所撰;而其文多残损不完。考《明史·艺文志》,有吴沈等编集《存心录》十八卷……吴沈者,兰溪人,元国子监博士师道子,洪武时官东阁大学士,尝著辩言孔子封王之非礼,后嘉靖中更定祀典,实祖其说。则其人娴于说礼可知。而此书内所载礼节,皆洪武三年以前之事,则《艺文志》所谓《存心录》者,即此书也。惟此本止十卷,与十八卷之数不合。检该书首,有私印一,其文曰:尚宝少卿袁氏忠彻印。盖犹明初旧本,尚无脱佚。又黄佐《南雍志》载嘉靖间《存心录》版,存者五十八,而阙者三面,所列亦止十卷,与此本同,是史志误衍一八字也。"《续通考》卷186亦有类似记载。由此可知,《四库提要》编者所见到的,与《明志》所著录的《存心录》,乃是一种。该书既然是洪武年间的著作,文渊阁有存书,被采入《永乐大典》是很自然的。同时该书内容为"坛庙祭祀之制",也与《辑稿》所引(见礼28·37)有关郊祀文字相合。但另一方面,《提要》又称"皆记明初坛庙祭礼之制","书内所载礼节,皆洪武三年以前事",而《辑稿》所引则是绍熙二年文字,这就需要搞清楚该书是否也包括明初以前的典礼问题。关于这一点蒙北京图书馆参考书目组提供《明实录》的两段资料:"洪武元年三月己亥,命礼官及诸儒臣编《存心录》,上以祭祀为国家大事,念虑之间,儆戒或怠,则无以交神明。乃命礼官及诸儒臣编集郊社、宗庙、山川等仪,及历代帝王祭祀感应祥异可为鉴戒者,为书以进。"又"洪武四年秋七月辛亥朔,《存心录》成,上览之,谓诸儒臣曰:朕观历代贤君事神之道,罔不祗肃,故百灵效祉,休征类应;及乎衰世之君,罔知攸敬,违天慢神,非惟感召实谴,而国之祸乱,亦由是而致;朕为此惧。每临祭,心戒必敬,惟恐未至;故命卿等编此书,欲示鉴戒。夫水可以鉴形,古可以鉴今,是编所以彰善恶,岂惟行之于今,将俾子孙,永为世守"。由此可知《存心录》的内容,是包括明以前历代

---

① 赵翼《廿二史札记》卷23。
② 《宋史》进书表。

有关事迹的。同时,从中华书局影印本《永乐大典》所存片断的《存心录》文字中,除明初祭祀典礼外,有不少前代祭事感应事例,如卷2 345、2 948、3 001、10 311等皆是。因而虽没有原书查对,但认为《辑稿》所引,就是洪武四年(1371年)吴沈等编集的《存心录》,还是有根据的。

《永州府志》 明虞自明修、胡琏纂。成于洪武十六年(1383年),以《辑稿》引文与北京图书馆所藏《府志》相校,是符合的。

此外尚有:

《续东阳志》 继洪遵绍兴间所修《东阳志》而后所修郡志,有宋朱子槐的《咸淳东阳志》、宋钱奎的《东阳私志》、元赵绍的《东阳图志》,又有元色目人瞻思所修称《续东阳志》。康熙《金华府志》瞻思旧序云:"余始至于婺,即访其图志,云失之已久,惟出郡人赵绍所编,简策实繁,而未为成书。继而《洪志》已令复刊矣,然自绍兴之末,迄归附后事,悉所不及。其间人物之盛,可录矣,而吕成公、宗忠简之传未立;易代制度之变当纪矣,而本朝因革之宜未书,纪录不备。为郡之典,良有阙焉。斯责固守土者之所任,若夫临治者,亦岂不预哉。余思及此,为之惕然,乃凤夜孜孜,求所以塞之者……顷因案部,索诸属邑,有得辄录,窥暇隙以时述之,逮兹成编,规模无异洪氏之书,而事物不载而已登,厘为六卷,题曰《续东阳志》,见修述也,复命刻梓于学宫,庶补其阙,亦已塞余责云。"据此可知《赵志》尚未修成,《朱志》、《钱志》亦不传,惟瞻思所修,不仅书名相合,且曾有印本流传。同时从《辑稿》所引(见方域6·38)称"宋会要云",亦是元人语气,其出自瞻思的《续志》当可推知。

《韶州府曲江志》 按今广东省韶关市,唐宋为韶州始兴郡,元为韶州路,明清为韶州府,府治曲江县,明以前似不当称府。然影印残本《永乐大典》存《韶州府曲江志》3条,张国淦先生《中国古方志考》云:"其通济仓条岁收本路租税,又广州路推拨粮,知是元志。曰韶州府,或修《大典》时所加。"据此则《大典》所收为元志。然《宋史·艺文志》有南宋苏思恭所修《曲江志》,究竟出自哪一种,尚不易肯定。但《大典》所收《元志》名称,与《辑稿》所注(见选举9·24)相同;又《辑稿》此段注文,位于"以上国朝会要"之下,这说明不是原《会要》的文字。从这些特点来看,都像是明初修《大典》时附入的元志。

以上仅是以《宁宗会要》第四次进书的时间为断限,对《大典》辑本《宋会要》增入书籍的考查。但《宁宗会要》只包括宁宗一朝三十年,而且前此已进书三次;从《辑稿》的全书情况来看,在比较完整的各门中,大都是自太祖迄宁宗,与李心传所修《十三朝会要》是一致的,同时《十三朝会要》又是唯一刻版印行的一种,所以用《十三朝会要》的进书时间端平三年(1236年)为断限,则是更切实际的。除成书在淳祐二年(1242年)以后的前文已作考查外,晚于端平三年的,尚有下列书籍:

《朝野类要》 宋赵升撰。前有"端平丙申"自序,故《四库全书总目提要》云:"是书作于理宗端平三年",也就是《十三朝会要》进书的同一年。

《燕翼诒谋录》 宋王栐撰。其自序称:"宝庆丁亥孟冬既望,求志老叟晋阳王栐叔永,书于山阴寓居求志堂中。"则其书成于理宗宝庆三年(1227年)。

《朱子语续录》 宋李性传编。据同治十一年(1872年)所刊应元书院藏版《朱子语类》所附《饶州刊朱子语续录后序》称"嘉熙戊戌,月正元日,后学三嵎李性传书",则该书成于理宗嘉熙二年(1238年)。

《金玉新书》 《四库全书总目提要》史部政书类存目二,著录《金玉新书》称:"盖元时坊本也。"日本学者仁井田升、今堀诚二,则否定了"《金玉新书》元代说",认为初编本是在乾道八年(1172年)以后,淳祐二年(1242年)以前,以乾道、淳熙、庆元各新书为素材,将其中敕令照原文分类编纂而成。其后,又将淳祐新书增补刊行①。据此,则该书初编本成书时间的下限,亦在端平三年(1236年)以后。

此外,《辑稿》方域8·29"宋会要_{甘州府城}"则有元"泰定三年六月三日枢院臣火沙王等奏甘肃省"事,疑出自《元甘州志》,但原书既佚,《辑稿》又未标原书名,只好存疑。不过属于增入部分,还是没有问题的。

三

上述26种书籍,被纂入辑本《宋会要》中的状况,可以分下列三种类型:

---

① 《东洋学报》29卷1期,仁井田升、今堀诚二:《金玉新书及び淳祐新书考》。
原文:"……ての书は,乾道八年以后淳祐二年以前に撰述されたものであって、乾道、淳熙、庆元各新书のいづれかを素材とし、その内、敕と令とをとつて原文のまま、分类编纂しれものである。但,其の后,淳祐新书を以て增补されもしれ"。

第一,作为注文附入。其中又可分两种形式,一种是将原文或节文注于《会要》正文之后,计有:

《事文类聚》 见《辑稿》职官17·37,41·90—91等。

《九朝长编纪事本末》 见《辑稿》礼24·70、24·72、24·76—77,舆服6·7,崇儒3·11等。

《鹤林吴泳》 见《辑稿》职官39·12。

《事类合壁[璧]》 见《辑稿》礼11·1(共11处),礼15·42—43,崇儒1·2,职官57·35、36—37等。

《名臣言行录》 见《辑稿》职官41·29、41·100等。

《景定建康志》 见《辑稿》方域3·19。

《咸淳毗陵志》 见《辑稿》食货59·22。

《大一统志》 见《辑稿》职官41·85—86。

《庙学典礼》 见《辑稿》礼16·3。

《韶州府曲江志》 见《辑稿》选举9·24。

《燕翼诒谋录》 见《辑稿》职官56·21。

《朱子语续录》 见《辑稿》崇儒1·47。

《金玉新书》 见《辑稿》仪制13·12。

另一种形式,是用以考订正文。

《存心录》 见《辑稿》礼28·37。

这两种形式,在辑自《永乐大典》的其他书籍中,也曾经出现过。如《大典》辑本《建炎以来系年要录》,目录之后所附按语指出:"原本所载秦熺、张汇诸论,是非错谬,疑为后人搀入,又于本注外载留正《中兴圣政》、吕中《大事记》、何俌《龟鉴》诸书,当亦修《永乐大典》时所附入者。"这种于本注之外附入其他书籍的形式,是与辑本《宋会要》增入注文的前一种形式相同的。又范行准先生《述现存永乐大典中的医书》一文中说:"寒字伤寒部分,不仅精心校注,有时还作批判分析,这在以往的类书中是没有的。"①这与辑本《宋会要》中附入注文的后一种形式是相近的。

第二,作为正文纂入。其中亦有两种形式。一种是单纯用作正文补入的。计有:

《维扬志》 见《辑稿》崇儒7·61—62、7·68。

《临汀志》 见《辑稿》礼20·134(因标题书名非《宋会要》,疑系误录)

---

① 范行准:《述现存永乐大典中的医书》,见《中华文史论丛》第2辑。

《悦生随抄》　见《辑稿》职官77·30、77·45。

《百川学海》　见《辑稿》职官77·38、77·45。

《续东阳志》　见《辑稿》方域6·38。

《朝野类要》　见《辑稿》职官27·50录《朝野类要》卷2"四辖"一段代序文。

《抚州志》　见《辑稿》食货32·32—33。

《甘州志》(?)　见《辑稿》方域8·29(只注《宋会要》,未注原书名)。

另一种形式,是除当作正文补入外,亦当作注文附入,其中更有以增入书籍为正文,摘取《宋会要》作注文的。这种形式,情况较复杂,故对其中增入较多的书籍,作重点考察。

《玉海》　徐松所辑原稿部分,注明《玉海》的文字,约计一百多处,分散在乐、礼、舆服、仪制、瑞异、崇儒、职官、方域、蕃夷诸类中,其中以蕃夷类为最多,大部分是作为注文附入,有的地方,如食货69·14—15,就是作为正文增入的。此外,徐辑原稿残阙,存于中华书局影印本《永乐大典》的,也有附入的《玉海》注文。如《大典》卷11 849,十八养,享字,燕享二,存有《宋会要》"燕享"一门,其中附入的《玉海》注文达5处之多,从而可以肯定,《玉海》的增入,是《大典》中《宋会要》的原有状况。

《文献通考》　徐辑原稿注明《通考》的文字,约计亦达一百余处,分布在乐、礼、舆服、仪制、瑞异、崇儒、职官、选举、食货诸类中,而以选举和瑞异两类为多;采入文字一般是较长的,多数作为注文附入,有的地方如崇儒7·62、选举1·3—6四处、食货8·1—4等,则是作为正文补入的。《辑稿》礼40之"濮安懿王园庙"一门,还保存在中华书局影印本《永乐大典》中(见《永乐大典》卷17 085,十三啸,庙字,亲庙),其所附《通考》注文,《大典》仅有误字一处,《辑稿》则衍一字,脱、误各二字,符合转抄多讹的一般现象。

《宋鉴》　注文见崇儒7·48,正文见崇儒7·54(两处)。

《宋史》　徐辑原稿采入《宋史》的文字,约达一百数十处,分散在舆服、瑞异、职官、食货、选举、兵、方域、蕃夷等类中,而以舆服类为最多,其中除大部分作为注文附入外,有不少地方是作为正文补入的,而且有些以《宋史》作正文的地方,还摘取《宋会要》为注,兹将作为正文修入的部分校勘简况,表列如右。

徐辑《宋会要》原稿以《宋史》为正文部分校勘简表

类别、卷、页	原注名称	《宋史》卷数	校勘简况	附　注
乐5·27—28	（诗乐）	142	照录	有误字脱文
乐5·29—37	（宋会要教坊乐）	142	照录	有误字并错简脱句
乐5·37—38	（云韶部）	142	照录	
乐5·38	（均容直）	142	照录	错简脱三句眉批已补
乐5·38—39	（东西班）	142	照录	
乐5·39	（四夷乐）	142	照录	
乐6·20		135	照录	
乐7·3—6（正文）	（宋会要御楼）	138	照录	卷首有阙文，首句小异，5、6页小字非《宋史》文字
乐7·6	（绍兴登门肆赦）	138	照录	
乐7·6—20（正文）	（宋会要）	138　139	照录	小字非《宋史》文字
乐7·20—26		139	照录	
乐7·26	（皇帝受恭膺天命之宝）	139	照录	
乐7·26—27	（册皇太子）	139	照录	
乐7·27—29	（皇子冠）	139	照录	
乐7·29—31	（乡饮酒）	139	照录	
乐7·32	（中兴会要）	139	照录	注文脱一字多四字
乐8·5—32		140　141	照录	空格处，皆脱文。
礼11·8	宋史丰稷传	321	节文	又礼11·6，广雅稿改作注文
瑞异2·16	宋史丰稷传	321	照录	有误字
瑞异3·40	宋史五行志	62	照录	摘《会要》为注
瑞异3·41—47	宋史五行志	62	照录	摘《会要》为注
运历2·3—13	天文志	48	照录	有脱文误字

续表

类别、卷、页	原注名称	《宋史》卷数	校勘简况	附 注
职官77·38	宋史张士逊传	311	照录	
职官77·38	宋史张存传	320	节文	
职官77·38	宋史章得象传	311	节文	
职官77·49	宋史刘涣传	324	节文	
职官77·50	宋史王素传	320	照录	
职官77·54	宋史元绛传	343	节文	
职官77·54	宋史何郯传	322	照录	
职官77·59	宋史苏颂传	340	照录	
职官77·59	宋史李公麟传	444	节文	
职官77·69	宋史叶梦得传	445	节文	
职官77·60	宋史	351	文字小异	
职官77·69	宋史叶梦得传	445	节文	
职官77·82	宋史	387	节文	
职官77·85	宋史李焘传	388	节文	
食货34·36—37	（宋会要）	185	照录	
食货63·113	宋史	388	节文	
方域16·26	宋史金水河	94	照录	摘《会要》、《续会要》为注
蕃夷5·68—71	（宋会要）南蛮传	494	节文	摘《会要》为注
蕃夷5·73—104	（宋会要）宋史列传	493 494	节文	摘《会要》为注

通过以《宋史》为正文部分的校对,可以看到:

（一）有的是照录《宋史》文字,而摘取《(宋)会要》为注文,像方域类一处、瑞异类两处即是。有的对《宋史》文字有节略,而以《会要》为注文,像蕃夷类两处即是。也有的只照录或节录《宋史》一段而不加注文,像乐类十五处、礼类一处、瑞异类一处、运历类一处、食货类两处、职官类十二处,皆是如此。前两种情况,异常明显地反映了有意纂入的事实。后一种情况除食货类及乐类未注明为《宋史》的篇幅,有可能是标写书名的错误,或与《宋史》来源相同外,其余也都反映了有意纂入的特点,而以职官类"致仕上、下"两门(见职官77·28—86)表现得最为明显,因为这两门不少是采用《宋史》和其他笔记、文集之类的书籍组成的。其采用《宋史》的十多处,皆是节文,并和采自其他笔记、文集的文字一样,都是作为正文修入的。

(二)采用《宋史》为正文的部分,并不一定是《宋会要》的残阙部分,因为有些地方几乎每条都摘取了《宋会要》文字为注文,这说明《会要》这一段文字,当时是存在的,只是由于采用《宋史》而被割裂或删除了。特别是有的地方由于《会要》文字和《宋史》相同,被完全删除了。如蕃夷4·18,"于阗"门后,注云"余同宋史外国传",不录原文,更直接证明了这一点。

(三)增入文字的加工质量不同,有的节录很得体,有的则发生错误。如蕃夷5 编入《宋史》"西南溪峒诸蛮上、下"节文两处。其后一处(73—104页,实际应当在前)81页4行"天禧七年"条前,删去275字,包括"天圣"年号,本当为"天圣七年",却误书"天禧"。又此"七年"条后,一直到"绍兴四年"条前,则将《宋史》原文全部节去,而以14页《会要》注文来补充。其104页"五年"一条,《宋史》原系于"嘉定",而此处因将"嘉定元年"一条,移于前一篇(68页),致使误系于"嘉泰"。此外,本门其他各条,亦有处理不当之处,反映了加工十分草率的现象。不过这只是一个不好的典型,并不能代表一般。

作为注文附入的《宋史》文字,是比较普遍的,校对的结果,与上述作为正文修入的情况相类似。虽然篇幅一般都较短,有的是完整地节录一段,有的中间有节略,一般都能判定出自《宋史》。但极个别的地方(见职官28·1)注明为《宋史·太宗纪》,前一半文字还相似,后一半则多于《宋纪》,这可能是原《会要》收入的《国史》,被后人改作《宋史》的结果。从《辑稿》附入书籍的名称来看,是很不严格的,如把江少虞的《皇朝事实类苑》称作"宋类苑"、"江少虞类苑";李心传的《旧闻证误》,称作《旧证》;叶梦得的《石林燕语》称作《石林叶氏》;乐史的《广卓异记》称作《宋卓异记》等。在书名之前冠一个"宋"字,或将"国朝"、"皇朝"改作"宋朝"的情况都是存在的,因而把宋代的《国史》改称《宋史》也是可能的。不过这种现象,毕竟是极个别的,在《辑稿》中原称《国史》的地方很多,一般还是沿用旧称。如《国史·李淑传》、《三朝国史》、《两朝国史》、《神宗正史》、《哲宗正史》等皆是。基于上述情况,在《辑稿》已增入不少书籍的条件下,对于注明《宋史》的文字,一方面不应当不加考查就认作脱脱等所修的《宋史》;同时也不能因为在极个别的地方,出现了将《国史》改作《宋史》,而否定增入《宋史》的事实。

《宋史》的增入,同样也不是从《大典》中抄出以后的问题。在《辑稿》和中华书局影印本《永乐大典》中,都有《宋会要》"濮安懿王园庙"一门(见《辑稿》礼40·6—12及《大典》卷17 085,十三啸,庙字,亲庙),其元丰三年正月"二十四日"条后,有《宋史》注文一处,见《宋史》卷123,《大典》无误字,《辑稿》则脱、误各一字。

《永州府志》,见《辑稿》方域9·21—23,标题:"宋会要永州府城",即采入明初所修《府志》为正文,而且大段抄入,未曾删节,开头一段就涉及洪武元年(1368年)至六年(1373年)的修城问题,中间增入《宋会要》一段注文,为《府志》所无,末一段则照录《府志》中吴之道咸淳年间所作的《修城记》。增入注文的现象,同样也反映了是有意纂入的;对《府志》有关洪武年间修城一段不予删除,则反映了加工的草率。

在辑自《永乐大典》的其他书籍中,增补或节删原书的现象,也是存在的。如《永乐大典》所收《临汀志》,朱士嘉先生指出:"是志郡县题名记至开庆元年,其他各门间附元代事迹;建置沿革则至明代,盖修《大典》时补入。"[1]这是增补原书的一个例子。又陈垣先生跋傅藏《永乐大典》本《南台备要》云:"本名《南台备纪》,摘取入《永乐大典》时名《南台备要》,又名《南台类纪》。"[2]则是节删原书并改书名的一个例子。

第三,因其他书籍征引《宋会要》文字而被抄出的。

《抚州志》 见《辑稿》食货32·32—33,题"宋朝会要所载"一段文字,原批指明为"抚州志引"。

这种类型则是辑录时增入的。《大典》所收书籍,皆以红字标写书名,异常醒目,而《辑稿》此处,在书名的位置上写"宋朝会要所载",原批又已指明是"抚州志引",足见是抄录时,因所引为《宋会

---

[1] 朱士嘉:《宋元方志传记索引》"书名简称表"附注。
[2] 陈垣:《书傅藏〈永乐大典〉本〈南台备要〉后》。见《北京师范大学学报》1963年第1期。

》而被录出。

四

综上所述，可以得到如下结论：

一、从《辑稿》的原稿部分，并参照现存影印本《永乐大典》所存《宋会要》的全面情况来看，《大典》所收《宋会要》是经过一番加工的：不仅附入了大量注文，也修入了不少正文，并对原《会要》有所删削。《永乐大典》是一部"用韵以统字，用字以系事"①，按字汇集资料的类书，这样处理，也是允许的。但作为对辑本《宋会要》的考察，却应当搞清楚。否则，如果认为"一字不易"②，那就未免脱离实际了。

二、从增入的书籍来看，有南宋晚期和元人的著作，最晚则有明洪武十六年(1383年)的《永州府志》，从而可以推知：对原书的加工时间，上限不早于洪武十六年(1383年)，加工了的《宋会要》被收入《大典》中，其下限就不当晚于《永乐大典》告成——永乐六年(1408年)，也就是说在1383～1408年之间，所以看做是修《大典》时所增，还是有根据的。

首先，在《永乐大典》所收书籍中，附入注文、考订、节删，以至增补等情况，在其他辑自《大典》的书籍中均曾经出现过，而《宋会要》的变动，大体上也是属于这些方面。

其次，从增入书籍的成书时间来看，洪武十六年(1383年)的《永州府志》已被采用，距永乐元年(1403年)开始修《大典》只有20年，从《府志》成书到被采用，势必还有一段时间。如果认为变动在永乐以前，从完成到被《大典》编者采用，也需要一段时间，像这样大一部书，是根本不可能的。

最后，从《辑稿》中所反映的改动质量来看，有的较细致，有的则很粗放，也符合《大典》编修的情况。《大典》的编修，是在强盛的封建帝国的支持下进行的，有丰富的图书和充足的人力，不过在5年内修成2万多卷的大书，也不能不是草率的。《四库全书总目提要》指出："惟其书割裂庞杂，漫无条理。或以一字一句分韵；或析取一篇，以篇名分韵；或全录一书，以书名分韵；与卷首凡例，多不相应，殊乖编纂之体，疑其始，亦如韵府之体，但每条备具始末，比韵府加详；今

---

①② 中华书局影印本《永乐大典》郭沫若序。

每韵前所载事韵,其初稿也。继欲急于成书,遂不暇逐条采掇,而分隶以篇名。故参差无绪,至于如此。然元以前佚文秘典,世所不传者,转赖其全部全篇收入,得以排纂校订,复见于世。"在《宋会要辑稿》中有的只存《宋会要》某些片断文字,有的则是完整一门;有些篇幅未经改动,有些篇幅则经过加工;有的加工质量较高,有的则十分粗放,这些情况就反映了集体修书和体例不一的特点,与《提要》的分析是相合的。

《永乐大典》既是按韵分编的类书,它本来就不是像丛书那样全文收录,不过因为急于求成,有些是全书、全篇收录了,这对于保存元以前的佚文秘典,却起了重要作用。《大典》对所采书籍的分散、节删,本来是正常的,不过在红字标出的书名后附以他书,则是处理上的问题,我们要想在可能范围内恢复原书,把这些附入的部分识别出来,就不能不是一个初步的重要工作了。

三、在《辑稿》的增入部分中,有少量文字是因《大典》所收其他书籍中引用了《宋会要》而被抄出的。

(原载《宋会要辑稿考校》,
上海古籍出版社 1986 年版)

徐辑《宋会要》原稿的"副本"问题

徐松于清嘉庆十四年(1809年),在全唐文馆任职时,从《永乐大典》中抄出《宋会要》。其原稿大部分已经影印。另有被嘉业堂作为复文剔出的约1700页,这是民国二十五年(1936年)北平图书馆影印时未曾见到的;1953年,北京图书馆自来薰阁购得,收藏于善本库。目前我们所能见到的原稿,总字数约近一千万。

徐松曾经对他所辑的稿本按照《玉海》所载《庆历国朝会要》的21类目次加以排整,并且在文字方面进行过细致的校订。但是由于篇幅大,问题多,终于未能完成。在影印本《宋会要辑稿》及未印的原稿中,均有他校批的大量笔迹。在这些校语中,有的加"松案"二字,有的虽没有署名,但可以从字体辨识出来。徐松的校语中往往提到"副本"、"别本",特别是称为"副本"的地方,不仅在校订文字中使用,也有不少在一门标题附近出现。

汤中先生的《宋会要研究》,对"副本"、"别本"作了如下的判断:"查食货类常平仓,有眉批云:副本义仓末,有仁宗嘉祐二年、四年广惠仓三条。又有夹签云:别本义仓卷后,有仁宗嘉祐二年、四年广惠仓三条。由是可知,今之传世者为正本,此外当别有副本"。这种根据徐松校语作出除正本之外,还"别有副本"的断言,是值得商榷的。

汤氏所引"常平仓"一门,影印本及未印原辑稿均已不存。但《宋会要辑稿》食货53·6—34页,存有辑自《永乐大典》卷17541的《常平仓》、《义仓》、《广惠仓》史文,其第8页徐松笔迹的眉批云:"仁宗嘉祐二年以下三条应补抄四年上,右本卷义仓末"34页眉批:"以下三条移入常平仁宗嘉祐四年上"。与汤氏所引另一篇《常平仓》的眉批及夹签所指的"副本"、"别本"是相合的,所指当即此篇。又检中华书局影印本《永乐大典》十八阳,仓字,卷7 506存《常平仓》一门重出篇幅,恰好亦缺影印本《义仓》后的嘉祐二年、四年广惠仓三条。被汤氏指为"正本"的《常平仓》门,自应出自此处。这重出的两个《常平仓》门,既分别在《永乐大典》的不同卷中,当然属于《永乐大典》中的复文,徐松只是照《永乐大典》的原文录出,并非因为抄录正、副两本才造成的重出。

此外,在我们所能见到的原稿徐批校语中,被称作"副本"、"别本"、"一本"、"两本"的地方很多,实际上都是指在《永乐大典》中本来重出的篇幅。

属于整门的"副本"。如食货13及14两卷,有《免役钱》门,篇首大字批作"免役副本",并以小字批注:"此本缺治平四年至元丰八年一卷",本门原录《永乐大典》的卷数是4 685、4 686,与此门重出者尚有:食货65的《免役》门,出自《永乐大典》卷20 725、20 726;又食货66的《免役》门,出《永乐大典》卷17 549、17 550、17 551。这重出的三门,分别出自《永乐大典》的不同卷中,只是食货13、14卷的一门,因篇首"缺治平四年至元丰八年一卷",徐松不打算采用,才批作"副本"的。

食货59《恤灾》门的13页,"宣和元年"一条,原录标题是《赈恤》,漏录《永乐大典》卷数。其栏外右上角批有"恤灾副本",眉批云:"此卷前有熙宁以下七十条,应补抄",又"脱二月十六日一条"。按此上1—12页即眉批所指"熙宁以下七十条",此下14页,除有"宣和元年"一条复文外,亦有眉批所指"二月十六日"条,均出于《永乐大典》卷2 633,标题是《恤灾》。两者标题不同,可见原来都是各自为篇的,只是由于《赈恤》一篇不仅与《恤灾》重出,而且所缺甚多,只有校订史文的价值,实无专立一门的必要。故徐松批作"副本"附于复文之前,以便最后处理,后来照原样影印了。

在逐字校订中提到"副本"的校语,也是不少的。食货62《义仓》门之18页,有眉批云:"脱三条在副本"。检食货53有重出的《义仓》一门,其19页确有淳化一条、咸平二条为此门所无。两门中还有许多校语指出重出两门的异同,亦皆符合,可知食货53之《义仓》门,即徐批所指"副本";而此门出自《永乐大典》卷17 541;食货62之《义仓》门,则出自《永乐大典》卷7 509。这些都是《永乐大典》原有的篇幅,并非什么"别有副本"。

食货64《公使钱》门之113页,眉批云:"官田副本亦有公使钱错简七条,移补此上"。检《食货》5《官田杂录》门之25页空13行,于空缺处批称"下脱指挥至据责四百五十字;多公使钱至从之四百字,此条可移入公使钱",与上述眉批相应。所云"错简",史文业已裁去。此门漏录《永乐大典》卷数。按食货61尚有重出一门《官田杂录》,出自《永乐大典》卷4 784,无徐松所批"公使钱错简"七条,则所谓"官田副本"系指食货5之《官田杂录》门是没有问题的。这种重出两门中有一门缺《永乐大典》卷数的篇幅,亦当属于《永乐大典》中的复文(参看拙著《〈宋会要辑稿〉重出篇幅成因考》,见《史学月刊》1980年第三期)。

食货11《版籍》门之24页眉批:"益疑盖,副本同"。检食货69重出的一门《版籍》,其30页则作"盖",并不与上述一门同误,但这重出两门中的其他校语,却都是相应的。前一门同页眉批"忠一作志"、"自圣祖及仁宗,一作圣祖神宗";后一门同页眉批:"志一作忠"、"神宗一作仁宗"。又前者25页篇尾眉批:"脱淳熙以后数条,应补抄"。后者31页以下,确有淳熙至嘉定七条。据此则徐松所批"副本同"者,当是疏忽,其所谓"副本",则当是指食货69之《版籍》门。在这重出的两门中,前一门出自《永乐大典》卷17 531,而后一门则出自卷20 359。

其他像食货42《宋漕运》门之11页眉批"副本有《玉海》一条附注"、食货48《陆运》门之19页眉批"副本有苏黄门一条,应抄入从之后",在原辑稿中查不到所指副本的篇幅,则应属于丢失的部分。

称"别本"的校语,食货12《户口杂录》门之第6页眉批:"别本卷首有寿皇圣帝一条,应移抄于此"。检食货69《〔户口〕杂录》门之第77页,篇首即有此一条。又前一门78页眉批"以一作是"、"三一作王"等,后一门1—2页眉批则是"是一作以"、"五一作三"等,皆是相合的。前一门缺《永乐大典》卷数,后一门出自《永乐大典》卷17 531。

食货68《恤灾》门之128页篇首眉批:"按大观二年八月十九日条下注有'详见《恤灾》门',则此卷不当名《恤灾》。又别卷有《恩惠》一门,考其详则赈贷也,似当移以名此卷。"检食货60·3批作"副本《恩惠》"的一门与此门重出,即徐松校语中所指的"别本"。但《恤灾》门出《永乐大典》卷17 544,《恩惠》门则出自卷20 900,本是《永乐大典》中的两篇。

称作"一本"、"一作"的校语。食货4《屯田杂录》门之1页眉批:"事一作使",而食货63《屯田杂录》重出一门之37页眉批则是"使一作事"。食货63《屯田杂录》门之48页,"〔元丰〕二年以所收不及额罢之"条上,眉批云:"'以所收不及额罢之',一本无此八字",而食货4《屯田杂录》重出一门之5页史文,也正无此八字衍文,其他许多批出的异同及脱文处,亦皆相合。食货4一门缺《永乐大典》卷数,其重出的后一门,出自《永乐大典》卷4 769、4 770。

也有称作"两本"的,如食货35《上供钱》门之44页眉批"'数目多少仍'一作'酬赏从本部',按文义两本似俱有脱误"。检食货64重出的"无额上供钱"门,其59页眉批:"'酬赏从本部'一本作'数目多少仍',细核文义,两本似俱有脱误"。这重出的两门,其他校语,亦皆相应,而前一门出《永乐大典》卷4 688,后者出卷17 544,也是在《永乐大典》中就存在的两篇。

根据上述情况,在徐松所批校语中,凡称作"副本"、"别本"、"一本"、"一作"、"两本"的,都是指在《永乐大典》中重出的篇幅,它并不能说明"今之传世者为正本",另外还"别有副本"。

(原载《河南师大学报》1983年第4期)

宋朝《总类国朝会要》考

《总类国朝会要》,是宋朝所修的十多种本朝会要中唯一有刻本的一种。但原书早已散佚,今所见者,是徐松从《永乐大典》中辑出之稿本,其中有许多问题需要考辨。本文拟对此书流传不广的原因、著录混乱的状况,确切的书名,两种《总类会要》的作者及其构成,《永乐大典》所收《宋会要》之底本,《辑稿》所反映的原书状况,以及学术界的有关意见等,提出个人看法,请方家指正。

一

宋朝编修本朝会要,具有双重用意。其一,提供处理政务之参考。熙宁年间,王珪上书称:

> 《国朝会要》,朝廷检寻故事,未尝不用此书。(《华阳集》卷八《乞续修国朝会要札子》)

宋代臣僚的奏章中,往往引《国朝会要》的记载作为阐述政见之依据。如《宋会要辑稿》(以下简称《辑稿》)《礼》6·22、6·24,《礼》7·2,《礼》18·38,《礼》49·24(两处),《仪制》13·13 等所节录臣僚奏章文字中,皆有"检照《国朝会要》",或作"检会《国朝会要》"、"检准《国朝会要》"之文,在宋人文集、笔记中,亦屡见不鲜。

其二,是流传后世,作则垂宪。《孝宗会要序》云:

> 孝宗宪章前烈,乂我受民,骤帝驰王,跨越周汉。品式备具,

规摹宏远,诒谋垂范,将亿万年。天叙有典,以正罔缺,熙朝简册,炜烨相望。继今立政立事,其一以孝宗为准。(《玉海》卷51)

《辑稿》崇儒4·25,载绍兴九年(1139年)八月二十三日,起居舍人王铢上言称:

窃见《国朝会要》,备载祖宗以来良法美意,凡故事之损益,职官之因革,与夫礼乐之文,赏罚之章,宪物容典,纤细毕具,粲然一王之法,永贻万世之传。今朝廷讨论故事,未尝不遵用此书。

王应麟评论说:

自昔帝王之兴,必有一代之制,著在方册,作则垂宪。若夫国有大典,朝有大疑,于是稽以为决,操以为验,使损益废置之序,离合因革之原,不待广询博考,一开卷而尽见,此会要之书所以不可废也。会要之书,典故尽在,所以弥缝律令之阙,相为表里。(《玉海》卷五一)

因为会要具有上述双重价值,在当时属于政书,因此与实录、国史有所区别。诸家书目,或著录于类书类,如《郡斋读书志·附志》;或著录于典故类,如《直斋书录解题》、《玉海》;或著录于故事类,如《文献通考》;或著录于类事类,如《宋史·艺文志》。宋修本朝会要,将大量档案节文分类编辑,为处理政务提供依据,因而宋政府比较重视。除了与实录、国史院等史局一样设会要所专司其事外,在提供档案资料方面,则优于史局。程俱评论徽宗朝罢编修《政和会要》一事说:

朝廷每有讨论,不下国史院而常下会要所者,盖以事各类从,每一事则自建隆元年以来至当时,因革利害,源流皆在,不如国史之散漫简约难见首尾也。故论者惜其罢之无渐而处之无术也。(《麟台故事》卷2《职掌》)

正是由于实际需要,宋政府才比较重视编修本朝会要的工作,持续修纂,共成书11种,总计3000余卷①。另有《理宗会要》,仅见修书及进书记载②,未见传世文字,故不计在内。

宋修本朝会要,除参考日历、实录、国史外,主要是调集政府档案,以备采择。乾道九年(1173)三月,秘书少监陈骙等上言:

> 奉旨续修太上皇帝会要,取索内外官司自建炎元年以后应申请画降被受改更圣旨指挥,参照本末,编类成书,其诸处视为闲慢,或作缘故不行供报,伏望严限依应回报。如违,依见行条法施行。诏依,仍限五日回报。(《辑稿》职官18·35)

因修书调集的档案,涉及众多的国家机密。两宋外患不绝,严防泄密,故修书之所,门禁甚严。《南宋馆阁录》卷6《门禁》:

> 日历所、会要所、国史院,准敕:辄入,流三千里。凡所见闻

---

① 宋修11种本朝会要,据《玉海》、《直斋书录解题》、《郡斋读书志附志》、《南宋馆阁录》、《南宋馆阁续录》、《文献通考》、《宋史》、《宋会要辑稿》,综合整理如下:

(一)《庆历国朝会要》(一作《三朝国朝会要》)150卷,起建隆元年(960年)至庆历三年(1043年),章得象监总。

(二)《元丰增修五朝会要》(一作《六朝国朝会要》、《国朝会要》)300卷,起建隆元年(960年)至熙宁十年(1077年),王珪奏上。

(三)《政和重修国朝会要》(一作《政和会要》)110卷,(只上帝系、后妃、吉礼三类)起建隆元年(960年)至政和末年,蔡攸等修。

(四)《乾道续四朝会要》(一作《续会要》)300卷,起治平四年(1064年)神宗即位,至靖康末(1127年),汪大猷等修,虞允文上。

(五)《乾道中兴会要》200卷,起建炎元年(1127年),至绍兴三十二年(1162年)六月十一日高宗禅位,梁克家等奏上。

(六)《淳熙会要》(一作《至尊寿皇圣帝会要》,第一次进本称《乾道会要》)368卷,起绍兴三十二年(1162年)孝宗即位,至淳熙十六年(1189年)正月,赵雄、王淮、光宗分别三次奏进。

(七)《嘉泰孝宗会要》200卷,孝宗一朝,删润《淳熙会要》等三书而成,邵文炳请修,杨济、钟必万总修。

(八)《庆元光宗会要》(一作《圣安寿仁太上皇帝会要》)100卷,起淳熙十六年(1189年)二月二日光宗即位,至绍熙五年(1194年)七月禅位,京镗奏进。

(九)《宁宗会要》150卷,起绍熙五年(1194年)宁宗即位,至嘉定十七年(1224年)闰八月宁宗崩,史嵩之奏进。

(十)《嘉定国朝会要》(一作《总类国朝会要》、《国朝会要》、《经进总类会要》)588卷,起建隆元年(960年)至乾道九年(1173年),张从祖纂辑。

(十一)《国朝会要总类》(一作《十三朝会要》、《经进总类国朝会要》、《经进续总类会要》)588卷,起建隆元年(960年)至嘉定十七年(1224年),李心传续修。

② 《宋史·理宗纪》于淳祐十一年(1251年)二月乙未、宝祐二年(1254年)八月癸巳、五年(1257年)闰四月己丑、景定二年(1261年)三月戊寅、四年(1263年)六月庚午,分别有五次进《理宗会要》的记载。《度宗纪》:咸淳四年(1268年)八月壬寅,奉安《理宗会要》。

因而漏泄,并当军令。凡投下文字及纳贴子、整会事节人,并于所门外计会把门人转入;系整会文字,如呼叫,听入。国史院申明:辄入本院及漏泄,虽有断罪,未有告赏之法。有旨:立赏钱三百贯。

所修本朝会要,编入大量档案节文,为了保密,宋政府限制传抄和刻印本朝会要,并制定有关法条。《辑稿》刑法2·38载元祐五年(1090年)七月二十五日礼部上言称:

凡议时政得失、边事军机文字,不得写录传布。本朝会要、实录,不得雕印。违者,徒二年,告者赏缗钱十万。

《庆元条法事类》卷17《给纳印记·雕印文书杂敕》:

诸雕印御书、本朝会要及言时政边机文书者,杖捌拾,并许人告,即传写国史、实录者,罪亦如之。(同书同卷《私有禁书杂敕》亦载此条)

《庆元条法事类》卷17《给纳印记·雕印文书赏格》:

诸色人告获私雕印时政边机文书,[赏]钱伍拾贯,御书、本朝会要、国史、实录者,[赏]钱壹佰贯。

宋朝虽禁止传写、刻印本朝会要,但因为臣僚需要参考论事,实际上少数官员家中也偶有藏本,所以北宋亡时,图籍不存,南渡后,国史、实录、会要,仍可从私家藏书中寻到。《辑稿》崇儒4·21载,绍兴元年(1131年)右金吾卫上将军张楙妻王氏,"以亡夫家藏六朝实录、会要、国史志等书计二百二十二册来上","处州缙云县若澳巡检唐开,上王珪《重修国朝会要》三百卷"。陈振孙《直斋书录解题》卷5《政和重修国朝会要》条下解题云:

绍兴间,少蓬程俱申请就知桂州许中家借抄之。许中尝与崇宁修书,故存此本,得以备中禁之采录。

禁止刻印本朝会要之法令虽严,有时亦有变通。《直斋书录解题》卷5《国朝会要总类》条下解题中提到此书"刻于蜀中,其板今在国子监"。尽管如此,宋代的本朝会要,是不可能广泛流传的。兼以累次进书,卷帙浩繁,得书及收藏皆非易事,所以宋朝诸家书目著录既不完备,亦欠准确,即如包括宋太祖至宁宗十三朝,并有刻本的《总类国朝会要》,也多有歧异,不作进一步研究是难以确切了解的。

二

陈振孙《直斋书录解题》卷五典故类，著录"《国朝会要总类》五百八十八卷"，解题云：

> 李心传所编，合三书为一。刻于蜀中，其板今在国子监。

马端临《文献通考》卷201，仅录陈氏所记，不及其他。

《郡斋读书志》赵希弁《附志》卷上，著录"《总类国朝会要》五百八十八卷"，解题云：

> 右《总类国朝会要》，由建隆而至乾道也。始，仁宗命章得象编，起建隆，止庆历，为一百五十卷。神宗又命王珪续编庆历四年以后至熙宁末，凡三十四年，通前为三百卷。徽宗诏王觌、曾肇续编元丰至元符。寻，又诏，起治平四年，止崇宁五年，凡四十二年。然二书皆弗克成。政和末，有司独上吉礼三类，总一百五十卷，盖通章得象、王珪所编者，益以熙宁后事也。绍兴九年，诏馆职续编，至三十一年，又降趣旨。孝宗命宰相提举，阅再岁乃成。自神宗之初，至于靖康之末，凡六十年，总三百卷。厥后中兴、乾道踵而成之。此集则合十一朝为一书也。然中多节略而始末不全者。

王应麟《玉海》卷51《典故·会要》著录《嘉定国朝会要》称：

> 淳熙七年十月九日，秘书少监[赵]汝愚言："《国朝会要》、《续会要》、《中兴会要》、《今上会要》分为四书，去取不同，详略各异，请合而为一，俾辞简事备，势顺文贯。"从之。将作少监张从祖，类辑会要，自国初至孝庙为一书，凡二百二十三册，五百八十八卷。嘉定元年四月十六日，诏秘省写进，三年六月十六日上之。

《宋史》卷207《艺文六》著录"《国朝会要》五百八十八卷"称："张从祖纂辑。"

今将上述5种书目之异同表列如下：

书目名称	会要名称	卷数	作者	起迄时间	备注
《直斋书录解题》	《国朝会要总类》	588	李心传	缺	

续表

书目名称	会要名称	卷数	作者	起迄时间	备注
《文献通考》	《国朝会要总类》	588	李心传	缺	
《郡斋读书志·附志》	《总类国朝会要》	588	缺	建隆至乾道	
《宋史·艺文六》	《国朝会要》	588	张从祖	缺	
《玉海》	《嘉定国朝会要》	588	张从祖	国初至孝庙	

以上5种书目,其中《文献通考》全文转录《书录解题》,实际为4种书目,所载会要名称各不相同,卷数皆是588卷,而作者则分别是李心传或张从祖。至于起迄时间,书张从祖修者,《玉海》称"国初至孝庙",与《郡斋读书志·附志》所记"建隆至乾道"是一致的;《宋志》虽缺载,既为张从祖所修,其起迄时间亦应属于这一范围。《直斋书录解题》谓李心传修,据《宋史》卷438本传:

  迁著作佐郎,兼四川制置司参议官。诏无入议幕,许辟官置局,踵修《十三朝会要》,端平三年成书。

既是十三朝,则应是太祖至宁宗,但《宋志》书"张从祖纂辑",《传》谓"李心传踵修",《志》、《传》又有不同。

  张从祖所修《总类国朝会要》,《玉海》卷51作《嘉定国朝会要》。此书在淳熙七年(1180年)十月,由赵汝愚请准,合四书为一。按赵汝愚在淳熙七年(1180年)九月除秘书少监,同年十月即请准合修太祖至孝宗朝会要,八年(1181年)三月权吏部尚书①。在他任秘书少监的半年中,修书工作应当已有起步,但因史乏明文,难以确知。张从祖于嘉泰四年(1204年)至开禧三年(1207年),先后为秘书省正字、校书郎、秘书郎、著作郎、将作少监兼国史院编修官、实录院检讨官②。开禧三年(1207年)十月,任将作少监,嘉定元年(1208年),张从祖即已去世,所修《国朝会要》,由他的儿子张幼公奏请上进。《南宋馆阁续录》卷4,"嘉定三年六月十六日,秘书省缮写张从祖纂《国朝会要》五百八十八卷,目录二卷投进"条下注云:

  先是嘉定元年三月,尚书省札子备张幼公札子:切念先父将作少监从祖,尝撰《国朝会要》,纂辑成书,上自国初至于孝庙,凡五百八十八卷,望朝廷特赐敷奏,付秘书省缮写上进。奉圣旨令

---

① 《南宋馆阁续录》卷7。
② 《南宋馆阁续录》卷8、卷9。

> 秘书省取索誊写进呈,至是书写装褫毕备,得旨就令会要所承受官传进,其副本藏于史库。

由上可知,张从祖类辑《国朝会要》,应是嘉泰、开禧中,在秘书省任职期间完成的,所修止于孝宗,实际上执行了赵汝愚请准的计划,将《国朝会要》、《续会要》、《中兴会要》、今上《会要》四书"合而为一"。赵汝愚请准修书的时间在淳熙七年(1180年),《淳熙会要》的第一次进本是淳熙六年(1179年),因此所云"今上《会要》"即是指此第一次进本。《南宋馆阁续录》卷4,"嘉泰元年七月十一日,奉安总修《孝宗皇帝会要》二百卷于秘阁"条下注云:

> 先是庆元六年闰三月,秘书丞邵文炳等言:"本省昨来进呈寿皇圣帝会要,先于淳熙六年七月进一百五十八卷,起自嗣位,至乾道九年;淳熙十三年十一月进一百三十卷,起自淳熙元年,至十年;绍熙三年十一月进八十卷,起自淳熙十一年,至十六年;三书计三百六十八卷。事虽备载而首尾未曾贯穿,至遇检寻典故,前后纷错,殊失会要之义。乞差省官一二员,专一兼总,统为一书,内有可并可删者,从长修润,庶使一朝大典得以成书,仍乞以《孝宗皇帝会要》为名。"诏从之。

《淳熙会要》三书,因为存在缺陷,故有进一步统加删润之必要。其第一次进书,在淳熙六年(1179年),所修至乾道九年(1173年),淳熙七年,赵汝愚开始合四书为一时,尚无第二次进本,所以下限只能修到乾道九年。张从祖所修《国朝会要》即止于乾道九年,符合准旨初修之下限。如果张从祖于嘉泰四年(1204年)初入秘书省时即开始修纂,则此时不仅《淳熙会要》三书早已完成,连《孝宗会要》也业已于嘉泰元年(1201年)奏上①,则所修理应包括孝宗一朝,而不应止于乾道九年。因此,可以设想,张氏所修是在赵汝愚等初修的基础上进行的。《玉海》将赵汝愚请修之文与张从祖类辑会要连书,很难说两事没有关系。但是张氏之书,是本人去世后由其子申请奏进,书稿似在家中,蔡崇榜博士《宋代修史制度研究》以为:"张从祖纂辑会要实属私修,否则书成之后,不可能藏于私家。"此说虽不无道理,却难言周密。

《直斋书录解题》称《国朝会要总类》为李心传编。《宋史·李心传传》云:"踵修《十三朝会要》",应是继前续修,但所继何书,止于何

---

① 《玉海》卷五一《淳熙会要》、《嘉泰孝宗会要》条。

时,是否存于今世等,皆需作进一步考查。

宋代历次所修本朝会要,皆已散佚。现在只有徐松辑自《永乐大典》之残本,见于《辑稿》及1988年补印的《宋会要辑稿补编》(以下简称《补编》),大体上可以反映出一些《总类国朝会要》的状况。

后人称宋朝修本朝会要为《宋会要》,《永乐大典》所采亦用红字标明《宋会要》。明正统六年(1441年)杨士奇所编《文渊阁书目》,著录"《宋会要》一部,二百三册,缺"。是明中期文渊阁尚藏有一部残书,永乐年间修《永乐大典》时采入,清嘉庆十四年(1809年),徐松在全唐文馆,乘机抄出,使《宋会要》辑本得以幸存。徐辑原稿先后编为《辑稿》和《补编》影印出版。在徐辑原稿比较完整的篇幅中,可以了解到《宋会要》底本的一些状况。

第一,存有《宋会要》原本的书名。《永乐大典》编者虽将底本书名改作《宋会要》,但由于出自众手,体例不一,亦有依原书名抄入者。今将这一部分简况排列如下:

《帝系》5·1—37,《宗室杂录》门,1页首行书名为《经进总类会要》,记事始于元丰元年(1078年)至绍兴元年(1131年),篇尾注"以上《中兴会要》"。

《帝系》6·1—33,《宗室杂录》门,1页首行书名为《经进总类会要》,记事起绍兴二年(1132年)至三十二年(1162年)。

《帝系》7·1—12,《宗室杂录》门,1页首行书名为《经进总类会要》,记事起隆兴元年(1163年)至乾道九年(1173年)。

《帝系》7·16—17,《宗室袭封》门,记事起庆元元年(1195年)至嘉定十二年(1219年)。

《帝系》7·17—19,《宗室换授》门,记事起绍熙五年(1194年)至嘉定十四年(1221年)。

《帝系》7·19,《宗室补官》门,记嘉定十四年(1221年)事。

《帝系》7·19—21,《宗室请给》门,记事起绍熙五年(1194年)至嘉定六年(1221年)。

《帝系》7·21,《宗室恩赐》门,记嘉定十四年(1221年)事。

《帝系》7·21—22,《宗室卹孤》门,记事起开禧元年(1205年)至嘉定六年(1221年)。

《帝系》7·22—27,《宗室训名》门,记事起嘉定八年(1215年)至十六年(1223年)。此门将有关宗室诸事分类列于一门中,其篇首16页首行书名为《经进续总类会要》。

《食货》18·8—31,《商税》门,篇首书名为《经进续总类会要》。记事起淳熙元年(1174年)至嘉定十七年(1224年)。史文淳熙十五年(1188年)条下注"以上《孝宗会要》",绍熙条下注"以上《光宗会要》",嘉定十七年条下注"以上《宁宗会要》"。

《食货》62·47—52,《义仓》门,其47页20行注文"以上《乾道会要》"下,大字所题书名为《经进总类国朝会要》,记事起绍熙元年(1190年)至嘉定十四年(1221年)。史文于绍熙条下注"以上《光宗会要》",嘉定条下注"以上《宁宗会要》"。

前文已经论及张从祖所修会要,起建隆至乾道,即《淳熙会要》的第一次进本,这一部分在《辑稿》及《补编》中,称为《乾道会要》,各门多于乾道末年记事下注"以上《乾道会要》"。如《辑稿》崇儒4·30,《职官》43·118,《选举》8·15,《食货》28·29,《补编》19页上,67页上,74页上,80页下等,为数众多,足以说明张从祖采用《淳熙会要》第一次进本称为《乾道会要》。上列《帝系》5·1、6·1、7·1《宗室杂录》门各段篇首所标书名,皆是《经进总类会要》,记事止于乾道九年(1173年)以前,属张从祖所修范围。《帝系》7·16有关宗室诸项一门篇首,及《食货》18·8《商税》门篇首书名,皆作《经进续总类会要》,记事起淳熙元年(1174年)至嘉定间,属李心传续修范围。由此可知,李氏续修部分的名称为《经进续总类会要》。此外,《食货》62·47《义仓》门篇首所标书名是《经进总类国朝会要》,所记为绍熙迄嘉定间史事,属李心传续修范围,但不加"续"字,这一现象与陈氏书目著录《国朝会要总类》不加"续"字是相同的,因此可以判断,合十三朝为一书后的总书名仍是《经进总类国朝会要》。另外,此处书名接于"以上《乾道会要》"注文之下连书,则说明续修文字即置于前书同门之后,并未单独成书,《永乐大典》即按底本原书名采入。正因为续修是分门增入,总书名仍旧,故诸家书目,所据为续前之本,即称张从祖纂辑,所据为续后之本,则谓李心传修。又徐辑稿本中之书名,有作《经进总类会要》者,有作《经进总类国朝会要》者,当是《永乐大典》编者或省略"国朝"二字,或照录全书名,《宋志》著录则只作《国朝会要》。再则如无"国朝"二字,就不能表明是宋代本朝之会要。对后世来讲,改为《宋会要》就更加简明了。准确的著录应是《经进总类国朝会要》588卷,张从祖编,李心传续。

第二,徐辑《宋会要》原稿中注明宋修本朝会要的状况,各门篇首一般有《宋会要》或某种会要名称,史文中于所据某种会要末条下,注明"以上××会要",从中可以看到所有十一种会要。

在庆历三年(1043年)以前,注"以上《国朝会要》"者,如《帝系》

1·1—2，共3处注于大中祥符条下，《礼》9·38，注于太平兴国条下，《补编》21页上，注于庆历三年（1043年）条下等，均为《庆历国朝会要》。

庆历四年（1044年）至熙宁十年（1077年）诸条下，注明"以上《国朝会要》"者，如《崇儒》4·9，嘉祐七年（1062年）条下；《礼》37·33，治平元年（1064年）条下；《仪制》13·9，嘉祐四年（1059年）条下；《兵》2·1—3，熙宁八年（1075年）条下，《补编》339页下，治平二年（1065年）条下，604页下嘉祐五年（1060年）条下等，皆有此注，即是采自《元丰增修五朝会要》。

《礼》11·4，崇宁元年（1102年）条有引自《政和会要》之文。

凡在治平四年（1067年）神宗即位后，至靖康二年（1127年）四月以前，注"以上《续国朝会要》"或"以上《续会要》"者，如《帝系》1·1—2共4处，《崇儒》5·29及《补编》22页上，78页上等处，分别在大观、熙宁、元祐、崇宁、靖康条下等皆有此注；《礼》62·42、62·47，《崇儒》2·1等篇首题《续宋会要》，皆采自《乾道续四朝会要》。

凡高宗朝记事，篇首题《中兴会要》，如《礼》20·46，《崇儒》5·30，《食货》52·41等；注文称"以上《中兴会要》"，如《职官》43·109、60·7，《补编》73页下、367页下等，皆采自《乾道中兴会要》。

《淳熙会要》仅见于《食货》11·30，淳熙十六年（1189年）条下，应属李心传续修保留之原注。大量史文在乾道末年条下注"以上《乾道会要》"，如《选举》8·15，《补编》800页下、737页上等皆是，所指为《淳熙会要》之第一次进本。

《孝宗会要》在徐辑原稿中只于淳熙元年（1174年）至十六年（1189年）正月诸条下被采用。如《瑞异》2·26，《崇儒》4·32，《食货》28·29，《补编》47页上等，分别于淳熙十五年、十六年条下注"以上《孝宗会要》"。

自淳熙十六年（1189年）二月光宗即位，至绍熙五年（1194年）七月退位，在徐辑原稿中，属于这一时期记事之末条，凡注出处者，皆作"以上《光宗会要》"。如《帝系》7·15，《崇儒》5·43，《食货》32·39，《补编》46页下等皆有此注。

自绍熙五年（1194年）七月宁宗即位，至嘉定十七年（1224年）闰八月去世，在徐辑原稿中，凡属这一时期的记事末条下，注"以上《宁宗会要》"者，如《帝系》8·45，《职官》47·58，《食货》18·31，《补编》47页上等皆采自《嘉泰宁宗会要》。

至于《经进总类国朝会要》、《经进续总类国朝会要》,已见上文。

宋修 11 种本朝会要,虽皆见于徐辑原稿,却不是《永乐大典》所收《宋会要》的底本为 11 种。因为这些书名除合修后的总名外,皆为合修时的原注。以张从祖《总类国朝会要》为例,该书是将《元丰增修五朝会要》、《续会要》、《中兴会要》及《淳熙会要》的第一次进本《乾道会要》四书合并编成。每门于所采会要之末条下注"以上《××会要》"。由于各种会要所设之门并非全同,所以在注明出处的同时,遇此有彼缺的情况,则加注说明。如《辑稿》选举 11·43,12·37,《职官》4·44 等处注云:"以上《续国朝会要》,国朝、中兴、乾道《会要》无此门";《选举》26·7 等处注:"以上《乾道会要》,《国朝会要》、《续国朝会要》、《中兴会要》无此门";《选举》18·25、《补编》348 页下等处注"以上《乾道会要》,前三书无此门";《选举》18·2 等处注"以上《国朝会要》,后三书无此门",如此之类,为数颇多。这些注文说明其所合编之书为《国朝会要》、《续国朝会要》、《中兴会要》、《乾道会要》共 4 种,也就是《玉海》卷 51 所载赵汝愚上书中所要合编的 4 种会要。这些注文只能是张从祖合编的原注,也说明李心传续修时未作改动。

至于庆历三年(1043 年)以前的记事下所注"以上《国朝会要》",则应是《元丰增修五朝会要》的原注。《政和会要》既非张氏所据之书,故只能在引用时见到。《淳熙会要》非李心传所据之书,应属《孝宗会要》的原注,在《续总类会要》中保留下来,据徐辑原稿中显示李心传所据之书是《孝宗会要》、《光宗会要》和《宁宗会要》三种,所采《孝宗会要》只取淳熙元年(1174 年)以下部分,其续修部分置于张氏所修同门之后,另标《续总类国朝会要》,全书仍用原名,卷数亦仍其旧。所谓《十三朝会要》,孝宗乾道以前十朝半属张从祖所编,淳熙以后两朝半是李心传所续。

三

《总类国朝会要》包括太祖至宁宗十三朝,于端平三年(1236 年)成书,此时《宁宗会要》尚未全部奏进,这是一个需要讨论的问题。

关于《宁宗会要》进书的情况,《玉海》卷 51《嘉泰宁宗会要》条称:

嘉泰三年八月二十一日,进《今上(原注宁宗)会要》一百十五卷。嘉定六年闰九月二十七日,进一百卷。七年五月十六日,诏二年一具草缴进。十四年五月壬辰(原注九日),进改正会要一百十五卷及续修一百一十卷。淳祐二年,上《宁宗会要》。

《宋史》卷42《理宗二》、卷414《史嵩之传》,皆有淳祐二年(1242年)正月进《宁宗会要》的记载。《南宋馆阁续录》卷4,于前三次进书条下,皆注有起讫时间:第一次进本"起自绍熙五年七月登极,至嘉泰元年十二月"①。第二次进本"自嘉泰二年正月纂修,至嘉定四年十二月终"②。第三次进本"将重修甲寅(绍熙五年)以后七年会要、日历,并嘉定五年至十二年已修未进会要之稿,各成一书,誊写进呈。"③这三次进本止于嘉定十二年(1219年),尚有嘉定十三年(1220年)至十七年(1224年)闰八月宁宗去世,共四年九个月未修。这一部分第四次进书在淳祐二年④(1242年)正月甲申,不详卷数。《宁宗会要》全部上进,已晚于李心传端平三年(1236年)修成《十三朝会要》五年时间。故李氏在成都修书时,所据《宁宗会要》自当包括已修未进之稿。

吴泳在端平元年(1234年)入秋以后,写给李心传的信中提到:

> 朝廷见行下馆中,令尽以《宁宗会要》三百沓发付,以待鸿笔纂修次第,悉如大著之请也⑤。

由此可知,李心传在成都"踵修《十三朝会要》"之初,曾向朝廷申请《宁宗会要》,朝廷从所请,随即命秘书省发往成都,所以在《宁宗会要》全部奏进之前即可使用。

李心传于绍定四年(1231年)正月,以将作监丞兼国史院编修官、实录院检讨官,专修中兴四朝帝纪。六年(1233年)二月,所修四朝帝纪,甫成其三,因言者罢,添差通判成都府⑥。端平元年(1234年)正月,除著作佐郎,十一月"诏李心传修《国朝会要》"⑦。《宋史》本传云:"许辟官置局,踵修《十三朝会要》,端平三年成书",所辟修

---

① 《南宋馆阁续录》卷4,嘉泰三年"八月二十一日,秘书省上《皇帝会要》一百一十五卷"条下注文。
② 《南宋馆阁续录》卷4,嘉定六年闰九月二十七日,"秘书省上《宁宗皇帝会要》一百卷"条下注文引陈武上言。
③ 《南宋馆阁续录》卷4,嘉定十四年五月九日,"秘书省上《宁宗皇帝会要》一百一十卷并上改正宁宗皇帝绍熙甲寅登极以后七年会要一百一十五卷"条下注引张攀上言。
④ 据《玉海》卷51,《宋史》卷42《理宗二》。
⑤ 吴泳:《鹤林集》卷31《答李微之书》。
⑥ 《南宋馆阁续录》卷9,《宋史》卷438《李心传传》。
⑦ 《宋季三朝政要》卷1。

书官,有高斯得、牟子才。《宋史》卷 409《高斯得传》称:

> 高斯得,字不妄,利州路提点刑狱、知沔州稼之子也……李心传以著作佐郎领史事,即成都修《国朝会要》,辟为检阅文字。端平二年九月,稼死事于沔,时大元兵屯沔,斯得日夜西向号泣。会其僮至自沔,知稼战没处,与斯得潜行至其地,遂得稼遗体,奉以归,见者感泣。服除而哀伤不已,无意仕进。

《宋史》卷 411《牟子才传》云:

> 嘉定十六年举进士,对策诋丞相史弥远,调嘉定府洪雅县尉,监成都府榷茶司卖引所……改辟总领四川财赋所干办公事。诏李心传即成都修《四朝会要》,辟兼检阅文字。

李心传续修《总类国朝会要》,从端平元年(1234 年)十一月受命,至端平三年(1236 年)成书,只有两年多的时间。所辟官员中,高斯得在端平二年(1235 年)九月,其父死于战事后,寻尸、守丧、哀伤不已;牟子才本是兼任,皆难以全力修书。书局又远在成都,所需依据之书也要向朝廷申奏,特别是端平二年(1235 年)以后,蒙古军攻入四川,并于三年(1236 年)十月,一度陷成都。在这样的条件下,用不足三年时间,修成包括孝宗后半期及光宗、宁宗两朝,共 588 卷的《续总类会要》,按照宋代修本朝会要的常规,是难以办到的。此次命李心传修《会要》之诏书已散佚,从转述文字中仍可以反映诏书对修会要的部分要求。如《宋史》本传云:"踵修《十三朝会要》",即续修补足 13 朝之意。宋代"从来修书,必有程限"①,李氏承诏修书,亦当不例外,这就迫使李心传在简陋条件下,匆匆完成续修工作。

四

《总类国朝会要》被采入《永乐大典》,由徐松的辑本得以传世。《辑稿》虽经初步整理,仍然存在不少问题。

首先是残缺。《辑稿》中有很多残文断简和不完整的篇幅。有的史文中断,注云"原本残缺"。有些注明"详见××门",书中并无所示之门。拙撰《宋会要辑稿研究》第五章,有专题论述②。

---

① 《南宋馆阁续录》卷 1,《耻堂存稿》卷 2 引李焘奏章。
② 《宋会要辑稿研究》,河南师大学报增刊,1984 年出版。

其次，有大量重出篇幅。《永乐大典》是按韵字次第分编的类书，字下设事目，即"用韵以统字，用字以系事"①，事目下博采群书有关文字，分别冠以书名。所采《宋会要》多者整门，少者数句，原书体例已被打乱，同一内容往往收入不同事目中，造成重复。徐辑原稿已经被嘉业堂抽出"复文"达一千七百余页，后来影印称为《补编》，但在《辑稿》中仍存在大量复文，甚至一门三见，并有羼入的广雅书局清稿。详见拙撰《宋会要辑稿重出篇幅成因考》②。

第三，附入了南宋晚期乃至元朝、明初的书籍。《永乐大典》所采《宋会要》虽是照录原文，有时也附入他书作注，或为他书作注。因而《辑稿》中存在大量附入的非《宋会要》文字。拙撰《永乐大典本宋会要增入书籍考》③，有专门论述。

因此，《辑稿》除残缺不全外，还存在重新编排、校订讹误和清理他书文字等问题。《辑稿》影印已七十多年，为宋史研究提供了大量史料，但对本书的研究尚不够深入，即如《永乐大典》所收《宋会要》之底本，还存在不同意见。第一种意见，将《辑稿》中所见宋修本朝会要名称，皆视为《永乐大典》所收《宋会要》之底本④。第二种意见认为，《永乐大典》所收《宋会要》是《十三朝会要》，即张从祖修、李心传续《总类国朝会要》⑤。第三种意见认为，"两种说法都有道理，也都有不能讲通的地方，这个问题还有待研究"⑥。

王德毅教授在《两宋十三朝会要纂修考》⑦中，就宋修11种会要作了系统研究，并将《郡斋读书志·附志》著录的《总类国朝会要》和《直斋书录解题》著录的《国朝会要总类》联系起来，但却提出了如下问题：

《直斋书录解题》卷五说："李心传所编，合三书为一，刻于

---

① 明成祖：《永乐大典序》。
② 《宋会要辑稿重出篇幅成因考》，见《史学月刊》1980年第三期。
③ 《〈永乐大典〉本〈宋会要〉》增入书籍考》，见《文献》1980年第三辑。
④ 汤中：《宋会要研究》，上海商务印书馆1932年出版。齐成：《宋会要稿略说》，见《图书季刊》1936年第3卷1~2期。
⑤ 王云海：《宋会要两议》，见《河南师大学报》1982年第四期；《宋会要辑稿研究》，河南师大学报增刊，1984年出版。日本学者山内正博：《册府元龟与宋会要》，载《史学研究》103号，1968年版。青山定雄：《宋会要研究备要序》，东洋文库1970年版；《宋会要辑稿·食货索引·人名·书名篇序》，东洋文库1982年版。伊原弘：《宋会要研究的现状和展望》，载《东方学》1986年第72辑。
⑥ 陈智超：《宋会要辑稿的前世现世和来世》，《历史研究》1984年第4期。
⑦ 王德毅：《两宋十三朝会要纂修考》，《宋史研究集》第11辑。

蜀中,其版今在国子监。"……所谓合三书为一,未知指哪三书,张从祖是合四书为一的,仅至孝宗,尚有光宗、宁宗两朝会要。如将这两朝史事按门类归入张氏之书中,而不必再厘正卷第,亦极易为,而且方便,正符合所谓合三书为一之说。然心传是南宋继李焘而起的史学大家,当不至如此因陋就简。那么这一问题,就颇费考了。

"《宋会要》是宋代史料的渊薮,其价值同于实录"①,研究和整理此书,对宋史学界,是责无旁贷的。本文提出一些粗浅意见,是希望引起宋史学界注意,以便共同努力,将这部重要史籍作进一步研究,并加以整理,共同为推动学术发展作出贡献。

《辑稿》中还存在一些理宗宝庆以后的记事。日本已故学者青山定雄,在《宋会要辑稿·食货索引·人名·书名篇》序言中,已经提到并列出6处。本人在编制《宋会要辑稿篇目索引》时,曾注意到这一问题,共发现二十余处,其中一部分已查明,分别出自《宋史》、《玉海》、明初方志及元朝记事,皆属修《永乐大典》时所附入,②尚有少数待查,今条列如下,以便共同探索。

《辑稿》中有关理宗宝庆以后的记事:

1.《后妃》1·9

　　宝庆三年正月缺日

　　绍定元年正月缺日

　　四年正月缺日

　　五年十二月七日

　　六年二月二十三日

　　四月二十八日

　　五月十三日

2.《乐》6·20

　　理宗明堂朝献(见《宋史》卷135《乐十》)

3.《乐》7·19—20

　　绍定三年寿明仁福慈睿皇太后册宝[乐章]九首(见《宋史》卷139《乐十四》)

4.《乐》7·27—29

　　宝祐二年皇子冠二十首(见《宋史》卷一三九《乐十四》)

---

① 王德毅:《两宋十三朝会要纂修考》,《宋史研究集》第11辑。
② 王云海:《〈永乐大典〉本〈宋会要〉增入书籍考》,《文献》1981年第3辑。

5. 《乐》8·28

   宝庆三年奉上宁宗徽号导引一首

   庄文太子薨导引一首

   景献太子薨导引一首（以上见《宋史》卷141《乐十六》）

6. 《礼》20·47

   张孝子祠〔所记为元至元"二十三年"（1286年）以后事〕

7. 《礼》20·166

   辅教神祠〔记"淳祐戊申"八年（1248年）事〕

8. 《礼》30·86—95

   宝庆元年正月四日,礼部太常寺言

   九日,又言

   十六日,臣僚言

   同日,礼部太常寺言

   十七日诏

   同日,礼部太常寺言

   十九日,又言

   二十日,又言

   二十七日,又言

   二十八日,少傅右丞相史弥远率文武百僚

   二月二日,检察宫陵所言

   二十一日,都省言

   二十四日,梓宫启攒

   同日,礼部太常寺言

   二十七日诏,灵驾发引

   同日,诏令封椿库

   同日,诏梓宫发引

   三十日,灵驾发引

   同日,内出御制挽诗五首

   三月四日诏

   十二日,仁文哲武恭孝皇帝掩攒宫

   十七日,皇帝于皇城门外迎奉虞主

   二十五日,祔庙前二日遣官奏告

   二十六日,诏

   二十七日,神主祔庙

   四月二日,内降德音

二十七日诏

　　六月二十六日,攒宁毕

　　七月十六日,诏都大提举丧事所

　　八月二十四日,殿前司言

　　二年正月一日,皇太后、皇帝诣几筵殿

9.《礼》49·97

　　宝庆元年三月十二日

　　三年九月

10.《礼》54·20—21

　　理宗嘉熙四年十月癸巳

　　淳祐十二年九月壬午

　　咸淳十年七月癸未

　　德祐二年五月乙未朔

　　景炎元年四月戊辰

11.《仪制》10·11—13

　　赵汝愚……理宗诏配享宁宗庙庭

　　游似……淳祐七年特授观文殿大学士

　　吴潜……淳祐十一年入为参知政事

　　程元凤……淳祐元年迁礼、兵二部架阁

　　(其他如董槐封许国公,赵葵进少保,杨石曾上疏言"宝庆垂帘事"等,据《宋史》本传亦在理宗以后)

12.《瑞异》2·13

　　理宗绍定三年十一月丁酉(见《宋史》卷56《天文九》,无"理宗"二字)

13.《瑞异》2·16

　　理宗绍定四年二月己巳

　　六年三月壬子

　　端平元年二月癸丑

　　二年三月乙未

　　嘉熙二年二月乙未

　　淳祐六年二月壬申

　　宝祐元年二月壬子

　　二年三月戊子

　　六年二月

　　开庆元年二月("月"原误作"年")

景定五年二月辛亥(以上见《宋史》卷62《五行一下》。绍定四年条无"理宗"二字。端平元年二月"癸丑"作"癸酉")

14.《瑞异》2·30

度宗咸淳六年

十年庐州旱(以上见《宋史》卷66《五行四》,无"度宗"二字)

15.《瑞异》3·47

理宗绍定三年

端平元年五月

嘉熙四年

淳祐二年五月

景定三年八月(此门篇首书名为《宋史·五行志》,各条下多摘《会要》为注,正文皆见《宋史》卷62《五行一下》,《会要》之注文,止于嘉定元年)

16.《食货》34·36—37

端平三年敕曰(见《宋史》卷185《食货下七》。敕文中"废作"发","再"作"并")

17.《方域》3·29

淳祐七年正月诏

景定东宫讲堂(见《玉海》卷129《储官·嘉定御书居仁堂》)

18.《方域》8·29

泰定三年二月六日,枢密院臣火沙王等奏,甘肃省言(此条为元朝事)

19.《方域》9·21—23

[永州]府城始建于宋(原作"宗")咸淳癸亥,历元因之,洪武元年恢复以来,屡加修葺(此条见明洪武十六年刻,虞自铭修、胡链等纂《永州府志》)

20.《蕃夷》7·56

理宗淳祐三年

十一年

景定三年六月

度宗咸淳元年二月

二年复上表,进贡礼物

21.王德毅教授补遗:《礼》58《王谥》、《群臣谥》中有不少宝庆以后逝世得谥之臣僚,如史弥远、郑清之、史弥忠等。

(原载《河南大学学报》(社会科学版)1998年第1期)

《宋会要辑稿》校补

凡　　例

一、校补内容，以中华书局影印残本《永乐大典》所保存的《宋会要》为限。

二、校补资料共分下列诸项：

1.《辑稿》残缺部分之补充。

全篇残缺，《大典》尚存者，全文补入。

部分残缺，则以《大典》补其缺漏，校其复文。

附《大典》误标《宋会要》之事目。

2.《大典》与《辑稿》并存部分之校勘。

三、上列诸项，均以《大典》原标事目为题，分别依《大典》原序排列先后。其同一事目散见数篇者，乃以(1)(2)……相区别。

四、各事目下，皆以小字注明原注书名，如《宋会要》、《续宋会要》，标题《两朝国史志》文后注《国朝会要》、《续会要》等。其全文补入部分，则将原注书名按《大典》原来体例置于篇首。

各篇原在《大典》之韵、字、卷、页，亦注于事目之后。其有复文者，并注明见《辑稿》之类、卷、页及其原在《大典》卷数。无复文者，则注明应补入《辑稿》之类、卷。

五、《辑稿》本卷残缺，却于别卷存有复文者，则根据具体情况，分别处理。

与《辑稿》别卷部分重出，《大典》另作一篇者，仍加辑补。

与《辑稿》别卷全门大部分重出,仅据《大典》校其异同,补充缺漏。

六、校勘以对校法为主,本校、他校和理校为辅。于不同卷之复文,一般不改动原文,只分列其不同字句,或于按语中指出"当作某"、"疑作某",以供参考。出于同卷,除分列其不同字句外,间或附以按语。通用字、假借字、俗体字、简体字等一般不出校。

对于《大典》原文中的问题及两书兼误者,一般均加注说明,其中重要的问题,则提出根据,作必要的考证。其未能确定者,存疑。

校补中凡属对勘部分,均纳入表格,以清眉目。表下如有按语,则所按为表中末条校记。补文不入表格。

七、《辑稿》中的昏、残、缺字,亦据原书加以补正。凡昏字作⬚昏、残字作⬚残。

一、《辑稿》残缺部分之补充

1. 全篇残缺,以《大典》全文补入

(一)美人　　沿革《大典》《九真》人字,卷2 972,页7。(补入后妃3·21。)

"《宋会要》皇后之下有美人。"

(二)牙门　　《大典》《九真》门字,卷3 525,页8。(补入舆服3·4。)

"《事物纪原》:《宋会要》曰:古者天子出建大牙,今制错彩为神人象,中道前后各一,左右道五门,门二旗。盖取周制立旌表门及天子五门之制。"

(三)马黄弩桩　　《大典》《十八阳》桩字,卷6 524,页14。(补入兵26·33。)

"《宋会要》神宗元丰六年六月,上批付刘昌祚,所进器械具悉,今于京师见作军仗赐卿枪刀弓甲等备,并透蝎尾马黄弩桩一,以备出入,卿更省阅,具便否以闻。"

(四)丧礼①　　《大典》《十八阳》丧字,卷7 378,页7。《中兴礼书》孝宗"安恭皇后"丧礼,附《宋会要》注文。(补入礼34篇尾"宪圣慈烈皇后"下。)

"《宋会要》[乾道三年]七月二日,诏:以岳阳军节度使、开府仪同三司、充万寿观使居广为总护使,刑部侍郎史正志为顿递事(按据下文,"事"当为"使"),礼部尚书周执羔为按行使,贾竑为按行副使。

故事,园陵当差五使。昭慈圣献、显仁皇后攒宫,止差总护、顿递二使。又园陵按行使故事差内侍,正副二员,显仁皇后攒宫,差侍从官为使,内侍副之。故今皆遵用之。"

(五)丧礼②　《大典》《十八阳》丧字,卷7 378,页8。《中兴礼书》"安恭皇后"丧礼,附《宋会要》注文。(接前条,补入礼34。)

"《宋会要》[乾道三年七月]九日,中书舍人兼权直学士院洪迈言:窃以国家多事,费用百出,凡所施为,当节以制。今大行皇后丧事,一切引用显仁皇太后旧例,略以裁减为名,总护使官属至三十九人。夫以十里之间,一日之事,内有都大主管治其目,外有两浙漕臣供其费。而所置僚属,虽宰执出使开置军府,盖未尝有此数。且周执羔为按行使,史正志为顿递使,其所差官,比之前例,十去其八。三使一也,或多或寡,于理安在。揆之事理,总护一司,官属不宜过十人。欲望特赐裁处,仍自今有所陈请,皆从朝廷审处具奏。从之。"

(六)丧礼③　《大典》《十八阳》丧字,卷7 378,页9。《中兴礼书》"安恭皇后"丧礼,附《宋会要》注文。(接前条,补入礼34。)

"《宋会要》[乾道三年]七月一日,臣僚上言:臣窃见自大行皇后上仙,陛下首差内使省(疑当作内侍省)押班贾玹为都大主管官,付以一切丧事,可谓简而得其要矣。然臣窃见差玹之次日,又置承受官一员;其次日,又置主管支费官二员;其次日,又置主管事务官一员。各置司开局,辟置官属无虑二十员。各支破请给驿券至于逐料银绢、日给食钱,下及吏卒差次而支,虽名比旧三分减一,总而会之,已不可胜计。欲乞并省,止从诸司见任官内选差兼领,以免添破请受之费,痛裁吏卒人数,制为日限,庶免亡益妄费。从之。二日,诏:以主管侍卫步军司公事郭振为修奉总管,入内内侍省押班林肇为都监,睿思殿祗候刘庆祖为承受。故事,园陵有监修官及钤辖都副。至昭慈圣献皇后攒宫,止差修奉总管、都监各一员;显仁皇后攒宫,又有承受内臣一员,故今遵用之。"

(七)丧礼④　《大典》《十八阳》丧字,卷7 378,页18。《中兴礼书》"安恭皇后"丧礼,附《宋会要》注文。(接前条,补入礼34。)

"《宋会要》[乾道三年七月]九日,左右金吾街仗司言:将来大行皇后发引,严更徼场,合差押当官一员、职掌二人、兵八十八人,前期教习唱和警场。从之。"

(八)丧礼⑤　《大典》《十八阳》丧字,卷7 379,页7。《中兴礼书》"安恭皇后"丧礼,附《宋会要》注文。(接前条,补入礼34。)

"《宋会要》[乾道三年]闰七月八日,梓宫进发,百官常服黑带,奉辞于城外。是日申时掩攒宫,百官常服赴后殿门进名奉慰,总护使率应在攒宫官进表奉慰。梓宫进发,亲王宗室、本宅亲属并随从;余行事官侍中已下,并俟遣奠陪位讫,先赴攒宫。梓宫至攒宫并掩攒各前一日,合奏告于安穆攒宫,以发引掩攒。同日,乃一就奏告。"

(九)惠民仓 《大典》《十八阳》仓字,卷7 513,页5。(补入食货53"广惠仓"前)

"《宋会要》真(应为"太"字)宗淳化五年十月,令诸州惠民仓,故(《通考·市籴》作"如")谷遇籴稍贵,即减价粜与贫民。人不过一斛。

咸平二年十月,库部员外郎成肃请于福建路置惠民仓。从之。先是三司言:福建不须置仓,肃以远俗尤宜存恤,故有是诏。是月敕:先诏诸州惠民仓,如在市斛斗价高,人户阙食,速具闻奏,当差官往彼减价出粜。深虑申奏迟延,自今止委知州通判幕职官吏互监开仓,比市价减钱零纽出粜。

咸平二年十月十七日,诏令诸路转运司,管内有惠民仓处,置(《续资治通鉴长编》卷四十五作"岁")丰熟则增价以籴,歉则减直而出之。"

(十)僧隶 《大典》《十九庚》僧字,卷8 706,页10(补入道释1。)

"《宋会要》咸平五年十月诏:天下有窃买祠部牒冒为僧者,限一月隶军籍陈首,释其罪,违者论如律,少壮者隶军籍。"

(十一)僧衣 《大典》《十九庚》僧字,卷8 706,页12—13。(补入道释1。)

"《宋会要》乾德三年十二月,沧州僧道圆诣西域还,表献贝多叶梵经四十二夹。道圆晋天福中往,在途十二年,住天竺六年,还经于阗与其使偕至。太祖召问所历山川道里,赐紫衣器币,馆于京寺。

开宝七年,知郢州王龟从表上中天竺摩加陀国僧法天、河中府梵学僧法进所译圣无量寿尊胜二经,七佛赞。诏法天等赴阙,召见慰劳,赐紫衣。

雍熙二年诏:应西天僧有精通梵语可助翻演者,悉馆于传法院,自是梵僧至者,悉召见,赐以紫服束帛,华僧自西域还者,亦如之。

太平兴国三年三月,开宝寺僧继从等自西天回,献所得梵夹经等,诏赐继从等紫衣。自是每献者,多诏赐方袍焉。《山堂考索》:太宗崇尚释教,得西域僧法天及息天灾、施护等,取所献梵夹翻译焉。息天灾等,赐紫袍师号,皆至朝散大夫、光禄鸿胪卿以卒。

五年,北天竺迦湿弥罗国僧自天灾,乌填国僧施护至京。诏赐紫衣。

天禧二年正月诏:应圣节后求诸州奏到僧道正及五周年者,其西川、广南,特与师号,余俟次年无过犯,结罪保明以闻。诸州道正僧正,亦须众所推许而任之。宫寺纲首,亦有诏补者,旧皆五周年第赐紫衣师号,后诏加为七年。"

(十二)禁私度僧 《大典》《十九庚》僧字,卷8 706,页21—22。(补入道释1。)

"《宋会要》天禧元年十月,河北缘边安抚使刘承宗言:僧人有从北走来者,自今望令勘会,如不系两地供输人,及近里州军因房到北界为僧,过来即令结罪保明,委无虚诳,试经申奏,给与祠部。从之。时边民有私度为僧,隐于村院,妄称自北界走来,求给祠部牒者,故条约之。"

(十三)枢密院都副承旨① 《大典》《二纸》旨字。卷10 116,页1。《文献通考》附《续会要》注文。(补入职官6"枢密院承旨司"后)

"《续会要》初,[李]评受命(按正文:"熙宁二年,始以东上阁门使李评为枢密都承旨,李绶为之副,不用院吏而用士人,自评始也。"),文潞公为枢使,以旧制见,不为礼。评诉于上,命检故事不获,乃诏:都承旨、副承旨见枢密使副,并如阁门使礼。"

(十四)枢密院都副承旨② 《大典》《二纸》旨字,卷10 116,页1。(补入职官6"枢密院承旨司"后)

"《宋会要》五代枢密有承旨,以诸卫将军充,国朝始有枢密都承旨、副承旨,又别置诸房副承旨也。"

(十五)抚州府 建置沿革 《大典》《六姥》抚字,卷10 949,页10。《舆地纪胜》附《宋朝会要》注文。(补入方域5"诸路节镇升降)

"《宋朝会要》云:伪吴为昭武军节度。开宝八年,降为军州事。"

(十六)燕享二 《大典》《十八养》享字,卷11 849,页12—16。(补入礼45"宴享"后)

"《宋会要》太祖建隆元年四月十六日,帝御广政殿,宴中书门下,端明、翰林、枢密直学士,文武常参官,见任前任节度、观察、防御、团练使,刺史,诸军将校,诸道进奉使,外国蕃客,酒九行而罢。

八月二十三日,大宴广政殿。《玉海》:八月庚午,宴近臣于广德殿,江南吴越朝贡使皆预。九月辛丑,宴近臣于万春殿。后九日,又宴于广德殿,皆曲宴也。凡曲宴无常,惟上所命。

四年八月十一日,宴广政殿。乾德三年九月十九日,开宝三年九月十七日、五年九月六日、六年九月十三日、七年九月五日、八年九月一日,并宴大明殿。太祖朝,以长春节在二月,故止设秋宴。二年九月,以昭宪皇太后丧罢。三年九月,以修大内,十月十九日大宴广政殿。四年九月十一日,大宴广政殿,始奏乐,昭宪皇太后丧制终也。

乾德元年十一月二十三日,以南郊礼成,大宴广政殿,谓之饮福宴。三年三月一日,大宴广德殿,时长春节后,未赐宴,会孟昶降表使至,故缓。《玉海》:四年八月九日辛丑,宴紫云楼。

开宝元年七月二十日,河东旋师,大宴大明殿,赐宰臣、枢密使、翰林学士、节度、观察袭衣金带。四年五月一日,受刘𬬮降,大宴大明殿。𬬮及江南、两浙、泉州、占城、三佛齐进奉使皆预。九月以郊祀近罢。十二月三日,以南郊礼成,大宴大明殿。九年四月六日,西京南郊礼成,大宴广寿殿,赐亲王近臣列校袭衣金带鞍勒马器币有差。《贾氏谈录》:太祖大宴,雨暴作,上不悦。赵普奏曰:外面百姓正望雨,官家大宴何妨,只得(是)损得夥(些少)陈设,湿得夥(些少)乐官衣裳(以上改字均见《丁晋公谈录》)。但令雨中作杂剧,更可笑。此时雨难得,百姓快活时,正好饮酒宴乐。大(当是"太"字)祖大喜,宣令雨中作乐,宣劝满饮,尽饮而罢。

太宗《玉海》:太平兴国进士赐宴。二年正月戊辰,御讲武殿试进士,赐吕蒙正以下及第,始分甲次。庚午,试诸科,赐禄袍靴笏,锡宴开宝寺,为诗二章赐之。唐时,礼部放榜后,醵饮曲江,号闻喜宴。五代多于佛舍名园。周显德中,官为主之。上命中使典领,供帐甚盛。三年九月甲申朔,试进士,加论一首,自是以三题为准,赐胡旦以下及第,又赐禄袍靴笏,自此为定制。乙酉,赐诸科及第,始赐宴于迎春苑。八年三月丙子,赐王世则等及第。四月辛卯朔,始就琼林苑赐宴。舍法行,改赐于辟雍,宣和复旧。中兴士子申免赐,绍兴十七年十一月,礼部侍郎周执羔请举行旧制,赐闻喜宴于礼部贡院。十八年六月三日就宴赐御书儒行篇。

二年十一月九日,帝御大明殿,宴亲王及中书门下,翰林学士,文武常参官,节度、观察、防御、团练使,刺史,诸军将校,诸州进奉使,吴越国、契丹、西南蛮、渤泥国使,酒九行而罢。时始许群臣举乐,会冬至受朝,特设此宴。三年三月二日,大宴大明殿。五年三月七日、六年三月十一日、七年三月十一日、八年三月十日、九年三月二日,雍熙二年三月二十八日、三年三月五日、四年三月四日,端拱元年二月五日,并宴大明殿。淳化元年三月一日、二年三月七日、三年三月十日、五年三月十二日,至道元年三月二十六日、二年二月五日,并宴含光殿。太宗朝,以乾明节在十月,故止设春宴。十一月二十三日,以南郊礼成,大宴大明殿。四年二月,以新征太原罢。六年十二月九日,以南郊礼成,大宴大明殿。端拱二年三月诏罢。淳化四年正月二十四日,以南郊礼成,大宴含光殿。

真宗咸平二年九月十一日,帝御含光殿,大宴群臣。三年九月十日、四年九月十一日、五年九月二十二日、六年九月十五日,景德三年九月七日,大中祥符元年八月十七日、二年九月六日、五年九月十九日、七年九月十三日,并宴含光殿。八年九月十日,天禧三年九月十四日、四年九月四日,并宴大明殿。十一月十一日,以南郊礼成,大宴含光殿。三年二月十一日,大宴含光殿。四年三月十六日、五年三月六日、六年三月十四日,大中祥符五年三月十七日、六年三月九日、八年三月十九日,并宴含光殿。九年三月七日,天禧二年三月六日、三年三月六日,并宴大明殿。真宗朝,始备设春秋宴。五年十一月十四日,以南郊礼成,大宴含光殿。

　　景德元年春,以明德皇太后丧罢。二年二月二十四日,大宴含光殿,以明德皇太后丧,不举乐。九月十一日、三年二月二十三日,亦如之。十一月十六日,以南郊礼成,大宴含光殿,不举乐。是后南郊罢宴,唯赐福酒而已。三年七月二十五日,大宴含光殿,始用乐,明德皇太后丧再期也。四年九月三日,大宴含光殿,以章穆皇后丧,不举乐。大中祥符元年二月,以赐酺罢。十二月八日,以东封还,大宴含光殿。二年三月,以赐酺罢。三年闰二月二十五日,大宴含光殿。前一日大风,夜漏未尽,微雨,及旦,景色和霁。亭午,有黄赤晕珥云如葩聚为五色,鹤数只飞翔,群臣在席,莫不瞻叹。九月十三日,以雨罢,文武百官,诸军将校,并赐酒食,诸司赐与如例。四年三月十三日,车驾驻西京,大宴大明殿。四月十三日,祀汾阴礼成,大宴含光殿,帝作庆成开宴七言诗,群臣皆和。六年九月十三日,以雨罢。七年八月五日,以奉祀礼成,大宴含光殿。九年八月十七日,诏以愆雨罢。天禧元年二月,以赐酺罢。九月十三日,诏以蝗灾罢。二年九月,以赐酺罢。四年三月十八日,大宴会庆殿,内出牡丹花,分赐群臣。帝作紫牡丹花赐花七言诗,命近臣和。

　　仁宗天圣二年九月十八日,帝御会庆殿,大宴群臣。三年九月二十三日、四年九月二十五日、五年九月二十六日、六年九月二十三日、七年九月二十日、八年九月二十九日、九年九月二十一日,并宴会庆殿。景祐三年九月二十四日、四年九月二十三日、五年九月二十二日,宝元二年九月二十三日,康定元年九月二十五日、二年九月二十三日,庆历二年九月二十九日、三年九月二十三日、四年九月二十一日、五年九月二十四日、六年九月二十二日,皇祐元年九月二十七日、三年九月十八日、四年九月二十五日,至和元年九月十八日、二年九月二十四日,嘉祐二年九月二十九日、二年九月二十六日、五年九月二十八日、六年九月二十四日,并宴集英殿。十一月二十三日,以南郊礼毕,大宴会庆殿。三年正月十一日,大宴会庆殿。四年正月九日、五年正月九日、六年正月九日、七年正月九日、八年正月九日、九年正月九日、十年正月九日，并宴会庆殿。明道二年正月十日，景祐三年三月九日、五年三月二十七日，庆历二年三月三十日、三年三月十七日、六年三月七日，皇祐二年三月十八日、四年三月十九日，至和二年三月二十四日，嘉祐二年三月二十三日、三年三月十八日、四年三月二十一日、五年三月二十六日，并宴集英殿。十年九月，以大内火罢。

明道二年三月二日，以耕籍礼成，大宴集英殿。九月，以章宪明肃皇太后丧罢。

景祐元年，以章宪明肃皇太后丧，罢春秋宴。二年九月十三日，始大宴集英殿，以雨，午时罢。四年二月十七日，诏以庄惠皇太后祔庙方毕，罢。宝元二年三月，以魏国夫人丧罢。康定元年三月二十三日，以风霾罢。二年二月二十二日，诏以豫王丧罢。庆历四年三月，以燕王丧罢。五年三月四日，诏以安国夫人在殡罢。七年三月十三日，诏以岁旱罢。九月七日，诏以河北水灾罢。八年三月二日，以雨罢。八月二十三日，诏以河北、京东西水灾罢。皇祐元年三月六日，诏罢。二年八月十三日，诏以明堂礼近罢。十月十二日，以明堂礼成，大宴集英殿。五年三月十三日，诏以三圣御容进发罢。九月八日，诏以郊社近罢。六年三月十三日，诏以日食罢。至和三年三月二十四日，以帝不豫罢。八月三日，诏以恭谢近罢。

嘉祐元年九月十八日，诏恭谢礼成，以十月五日赐饮福宴。后以来诣神御殿恭谢罢。四年八月十五日，诏以祫飨近罢。十月二十六日，以祫飨礼成，大宴集英殿。六年三月十七日，以宰臣富弼母（疑为"母"）丧罢。七年三月十七日，诏以久旱罢。七月八日，诏以明堂礼近罢。十月十三日，以明堂礼成，大宴集英殿。

英宗治平二年九月二十二日，以霖雨罢。三年九月二十七日，帝御集英殿，大宴群臣。

神宗熙宁二年八月四日，以两朝实录成，宴近臣于垂拱殿。修纂检讨官预。九月二十四日，上御集英殿，大宴群臣。三年九月十五日、五年九月十三日、六年九月二十六日、七年九月二十二日、八年九月十九日、九月（疑为"年"字）九月二十八日、十年九月十九日，元丰元年九月二十九日、二年九月二十二日、六年九月二十二日，并宴集英殿。闰十一月五日，以皇子生，大宴集英殿。二年二月二日，大宴集英殿。五年三月二十二日、六年三月二日、七年三月二十二日、八年三月十三日、十年三月十七日，元丰元年阙，二年三月六日、五年三月六日、六年二月十八日、七年三月十八日，并宴集英殿。四年三月十七日，诏以陕西出师，罢春宴。十月三日，以明堂礼成，大宴集英殿。《玉海》：五年七月二十八日，两朝国史成，宴垂拱殿。七年三月丁巳，大燕群臣于集英殿。皇子延安郡王，年九岁（按"年九岁"，《玉海》作注文），立侍于御座之侧。左仆射王珪，率百官延贺。及升殿，上命珪与王相见。久之，王乃退。王未出阁，上特令侍宴，以见群臣。九年二月十三日，诏以南方出师，罢春宴。元丰三年，以慈圣光宪皇后丧，罢春秋宴。四年亦如之。五年九月，以帝不豫，罢秋宴。七年九月十四日，大宴集英殿，以帝服药，酒五行罢。

哲宗元祐二年九月十八日，大宴集英殿。五年九月十四日、七年九月十九日，并宴集英殿。三年二月十二日，以雪久阴，罢春宴。八月二十二日，以魏王出殡，罢秋宴。四年三月十六日，以时雨稍愆，罢春宴。十月八日，以明堂礼成，大宴集英殿，饮福酒也。五年三月十八日，以时雨未足，罢春宴。六年二月十二日，以三月集英殿试举人，罢春宴。秋阙。七年三月十日，大宴集英殿。八年三月二十三日，绍圣四年三月二十五日，元符元年三月二十三日、二年三月二十日，并宴集英殿。八年九月，以宣仁圣烈皇后丧，罢秋宴。绍圣元年、二年春秋宴亦如之。三年三月二日，以尚书省火、嗣濮王宗绰丧，罢春宴。九月十三日，以邠国公主未葬，罢秋宴。四年九月，以彗出西方，罢秋宴。元符元年五月十一日，以受宝毕，宴紫宸殿。九月二日，以霖雨，罢秋宴。二年八月二十二日，以皇子生，宴集英殿。

徽宗政和元年三月十七日，大宴集英殿。七年三月一日、八年三月八日，宣和二年三月十七日、四年三月十日、五年三月六日、七年三月九日，并宴集英殿。余并阙。三年二月二十八日，诏罢春宴。是月九日，崇恩太后崩。五年九月八日，宴集英殿。宣和二年八月二十八日、三年八月二十五日、七年八月二十七日，并宴集英殿。余并阙。

孝宗乾道元年四月二十六日，宴宰执以下及金国报问使副于紫宸殿。二年正月五日，宴宰执以下及金国贺正旦使副于紫宸殿。自此至九年同。《玉海》：淳熙二年五月辛卯，赐辅臣燕于澄碧。在苑中（按"在苑中"三字，《玉海》原为注文）。上曰：朕尝观《无逸》篇，真后世龟鉴。又语及君臣相遇之难，又汎论用人，不可分别党与，须当尽公。又曰：朕常日所行，乃执其两端用其中于民。上曰：今日所谓坐而论道，岂不胜丝竹管弦。叶衡等各起谢。夏启钧台之会，周武在镐之饮。《易》著需云之象，《书》纪稿饫之篇。周歌宴镐，汉乐横（按《玉海》作"横"）汾。尧樽禹膳，五岳为豆，四溟为杯。肴驷连镳，酒驾方轩，千钟电酹，万燧星繁。汤鼎舜壶，天开黼幄，日丽缯峰，冠盖云集，樽俎星陈，需云上覆，湛露下滋。置酒乎颜天之台，张乐乎瞵（《玉海》作"胶"）葛之寓。撞千石之钟，立万石之虡。族居递奏，金敦迭起。铿枪闛鞈，洞心骇耳。阴阳为庖，造化为宰。浪元气,酌太和,云油雨霈,恩鸿溶而泽汪渉。葆俤陈阶,金匏在席,戚奏翘舞,籥动郊诗。上膺万寿,下禔百福。五筵之堂,九凡(《玉海》作"几")之室,大小定位,左右有秩。禽牢饩馈,交错文质。缛有嘉乐,宴有庭实。登降好赐,牺象毕出。犒劳赠贿,率礼无失。翠凤栖梧,丹鱼在藻。为俎孔硕,或燔或炙。为豆孔庶,为宾为容。献酬交错,礼仪卒度。笾豆有楚,湆核维旅。钟鼓既设,举醻逸逸。庭燎晰晰,璧玉华光。皇慈雾洽,圣渥天浮。百末旨酒,酌彼金罍。亦既醉止,于胥乐兮。惠过加笾,恩优置醴。天锡难老,如岳之崇。含和吐气,蹈德咏仁。外飨百品,酒正六物。台鼎资庖,天星奉酒。群后庆止,有来雍雍。丰肴万俎,旨酒千钟。礼仪卒度,物有其容。晰晰庭燎,喤喤鼓钟。礼充乐备,箫韶九成。恺乐饮酒,酣而不盈。宾之初筵,蔼蔼济济。既朝乃宴,以洽百礼。观颐养正,降福孔皆。"

(十七)宋太祖九 《大典》《一送》宋字,卷12 306,页13。"李焘《续通鉴长编》"附《会要》注文。(补入职官6。)

"《会要》云:时[开宝五年九月庚午]枢密使沈义伦一人。六年义伦作相,以楚昭辅为副传,亦止一人在院。"

(十八)宋太祖十一 《大典》《一送》宋字,卷12 308,页4。"李焘《续通鉴长编》"开宝九年二月庚戌条附《会要》注文。(补入职官38"节度使杂录")

"会要云:[曹]彬以平江南故,不罢旌越(按《长编》开宝九年二月庚戌作"旌钺"),才九月而罢。"

(十九)太常寺主簿 《大典》《六暮》簿字,卷14 607,页3。(应补入职官22"太常寺"后)

"《宋会要》宋皇祐中,宋祈乞增置一员,勾检在寺文书及掌出纳,遂除胡瑗。后省不置。元丰正名,初除王子奇。建炎三年省。绍兴十年复置。绍兴十二年,太常少卿王赏言:本寺主簿刘珹,强记洽闻,文深礼乐。所有讨论文字,欲令共同讨论。从之。"

(二十)大理寺主簿 《大典》《六暮》簿字,卷14 607,页10。(补入职官24"大理寺"后)

"《宋中兴会要》宋元丰正名,初除二员,建炎三年省,后廷尉听狱弊讼,凡目见于簿书。"

(二一)司农寺主簿 《大典》《六暮》簿字,卷14 607,页12。(补入职官26"司农寺"后)

"《宋会要》治平三年,置主簿一员。熙宁中,新法行,诏增一员。后置六员,仍与丞轮出按察逐年保甲。元丰四年,罢三员,建炎罢,绍兴复置。"

(二二)国子监主簿 《大典》《六暮》簿字,卷14 608,页3。(补入职官28"国子监"后)

"《宋会要》宋置主簿一人,以京官或选人充。掌文簿,或勾考其出入焉。元丰元年诏省主簿。三年罢书库官,复置主簿。"

(二三)将作监主簿　《大典》《六暮》簿字,卷14 608,页6。(补入职官30。)

"《宋会要》元丰正官名,置一人,掌宫室、城郭、桥梁、舟车营缮之事。凡出纳籍帐,岁受而会之,上于工部。"

(二四)军器监主簿　《大典》《六暮》簿字,卷14 608,页15。(补入职官16。)

"《宋会要》建炎三年并归工部,绍兴三年复置。"

(二五)县主簿　《大典》《六暮》簿字,卷14 609,页3—5。(补入职官48上"县丞"门后。)

"《宋会要》淳熙五年十二月四日,诏楚州山阳县复置主簿一员。从守臣翟畋请也。

十九日诏:"南平军隆化县主簿员阙,破格差注,日后从转运司使阙,任满不许推赏。"

六年十一月三日,臣僚言:百姓输纳苗税,官置簿籍,以防猾吏之奸。县置主簿,专掌勾稽。今所在县道,人户输纳既足,为簿者多不即对与钞勾销,率至再被追呼,重叠监纳。乞诏监司郡守,应主簿秩满之日,在任内所掌簿书,责令勾销了毕,方许放行,批书仍专委通判稽考核实。从之。

八年十二月三日,诏临安府昌化县置主簿一员。从知临安府王佐言,昌化县县令外,止有武尉一员,请增置县丞,故命置簿焉。

十一年五月十六日,诏改鄂州蒲圻县主簿,置西尉,以县丞兼主簿。

十二年七月二十五日,诏置岳州华容县主簿一员。知岳州张溥,以县无丞簿,乞增改故也。以上孝宗朝。

绍熙三年七月十一日,新权知房州章骃言:官司递年旋造版簿,而租簿漫不加省,旧簿不存,其有科敷差役,或民交争,吏胥因而变易,无从考正。乞行下州县,根刷旧籍,常存二十年二税版簿,委逐县主簿交管封钥。或有替移,为交割之数,方许去官。户部看详,欲行下诸路转运司,令拘收十年版簿,封锁在县,以备勾稽。所有十年以前者,如皆存在,亦仰拘收。从之。以上光宗朝。

庆元三年二月二日,诏今后诸县主簿,并不许差出。以臣僚言:国家之财,取之于总漕,总漕取之于州,州取之于县。则县者,财赋之根柢也。总一县之簿籍,凡税赋之推收,夏秋之输纳,簿实主之。使为簿者而怠其事,则稽考之无法,而税额或至于走失;销注之不时,而税赋或至于乾没。或使之催督纲运、推鞫刑狱,兼摄他职。三考之间,居官者月日无几,间有材干之强敏、知虑之精明者,尤不得一日安于其职。而不知簿职既阙,亦不过委之丞尉而已。丞尉既非已职,则亦视为不急。奸吏得以走弄,奸民得以请求,而赋税为之暗失,此则簿职差出之所由致也。故有是命。

嘉泰元年十二月十八日,知巴州冯图南奏:所管化城、曾口两县,乃县令兼簿,而加以入衔,其于民事,大为不便。且簿书勾稽、民户销钞、招(疑是"推"字)排家业、收支官钱,县令一身,催科之外,何能一一更能办此。以此簿书有时而不明,户钞有时而不销,家业有时而不改,收支有时而难考。县尉又自以非职,不预县事。此两邑几于废事,帐籍率多不明。访闻军兴之初,以本州迫近金、洋边界,偶差武臣县尉,所以令兼簿职。其后改差文臣已久,不应尚令县令兼簿,而尉不警捕,反为闲局。乞行下吏部,并利路漕司,如遇铨选,仍旧令化城、曾口两县尉司兼簿,例与入衔,县令得专一邑之事。从之。

开禧元年闰八月七日。臣僚言:州县之间,视版籍为不急之务,而销注之不明。夫以销注为先,催科为后,则其权在官。急于催科,缓于销注,则其权在吏。权在官,则民受其惠;权在吏,则民受其害者可胜言耶!未(据下文,疑是"朱"字)钞之不销注,是为主簿而不任职也,乞行下州郡觉察,或主簿不即销注,岁取之不为霍(疑为"虐"字),而穷乡细民,未免有愁恨叹息之声。何哉?销注不时,已纳而复催者,不胜追呼之扰。手执赤钞,而名挂交引者,捶门叫呼,莫能自脱。有力者或能辩诉(疑为"诉"字),厥费已倍;无力者吞声饮恨,质鬻重纳,求宽目前。乃有至于再至于三而未已者,民力安能不困。臣尝推求其故,此县主簿之责也。县有主簿,专以销注朱墨为职。今癃老者不得作尉,故特恩进士,率多注簿,年事既高,苟得寸禄,岂复以职事为意。而才力隽伟者,又不安职守。或摄职于郡幕,有终三年不曾在任者。官赋版簿,悉付于乡书之手,弊端百出。乞申严法禁,行下监司郡守,不得容令主簿营求摄职,日就县厅销注官簿。仍仰监司郡守,不时取索诸县版簿点阅,视其勤惰,以为举刺,仍不许差出,俾各安厥职,尽心销注,以革重复追纳之扰,以销愁恨叹息之声,天下幸甚。从之。

九月二十九日,权发遣盱眙军陈师文奏:盱眙县主簿,从来系是县尉兼领。昨因边境调发,一时申明添创,遂蒙省部接续出阙,今已三政。照得本军天长县,较之盱眙,颇为地广事繁,犹且以尉兼簿。盱眙比之天长,职事绝简,地分甚狭,并无簿书可以勾稽,委是不须添置主簿。于理只今照本县从来不差簿职旧例，并照天长、招信两邑事体，止令县尉兼领。乞下省部，将盱眙县主簿窠阙省罢，今后不许使阙，或有已差下人，许令别注一等差遣，庶几少革冗滥之弊。从之。

十二月一日，广西诸司奏：梧州苍梧一县户口虽不满万，而予决民事，全赖县官。夏秋二税，既违省限，及至点追，有钞者常是三分之二，实缘县事繁冗，无暇销注。今虽名县尉兼簿，然尉职在巡警，差出不时，则销注有阙，势所必至。使已纳之人，被追呼之扰，其弊坐此。乞将苍梧县许令长官申闻上司，任满批书，亦比类县尉捕盗之法。从之。

二年正月二十九日，诏减罢盱眙军沿边巡检一员，更不差人。增置盱眙县主簿一员，堂差一次，日后却令吏部使阙。从前后守臣之请也。

三年三月二十八日，权发遣池州韩茂卿奏：管下东流县，县境频江，最为僻陋。如沿江商贩往来，已有雁汊监官专主征榷。至于本县，相去既近，已不可得而再征矣。日得税钱，不过取之于居民服食之间。户口萧条，艰于趁办。稽之版籍，一岁所入，仅足以了监官之俸，岂非有名而无实乎？照得本县无丞，以尉兼簿，缓急之际，乏官差使。乞省罢税官，将其俸给添置主簿一员。所有征税一事，却委县令自行措办。从之。

嘉定五年三月二十八日，臣僚言：臣闻赋役之不均，皆由簿书之不正，簿书之不正，皆由销注之不职。盖主簿之官虽卑，而系百里休戚甚大，不可忽也。臣见二广诸邑，销丁有钱、割产有钱、销钞又有钱，主簿多掩为己有，视省簿为职租。往往端坐簿厅，私行销割，而县多不预。长官庸懦，则唯唯退听，然而漫不知之，桀猾则互申取簿，有如聚讼。又有主簿之昏老，为吏所侮，处己不正，为吏所持者。其簿书又归于吏人之私舍，或自花销而无官司印押者。或与奸民措改，而簿扇不全者。或有当质钱物而全簿去失者。如此则追呼重叠，骚扰百出，赋役何由而均。乞下监司郡守，将诸色省簿，并照条置柜封锁于长官厅事之侧。主簿日诣长官厅取簿批销讫，则封锁于柜，不得携归簿厅。上件批销等钱，并与除罢。其主簿并免差出，专一在县销注。如有怠惰不职之人，不亲书押，而令吏辈用手记销注省簿者，并以违制论。从之。

五月二十三日，臣僚言：赋敛之害，惨于兵戈，追呼之扰，甚于寇盗。今之夏秋租税，循用常制。虽置主簿一员，通差摄官以助县司勾稽之劳，俾县尉得专意警捕。从之。

六年二月三日，四川制置大使司奏：广安军先据守臣奏请，以管下新明县封疆阔远,繁剧难治,乞分三乡,增创和溪一县。已准朝廷从所请施行。所有本县县官,系依仿渠州分创大竹县体例,减新明县丞一员充知县。移本军驻泊,兼本县簿尉。有分县之利,而无增员之费。大凡县道有词讼簿书等件,非县令一身所能办集,全籍(疑为藉)佐官得人。今来本军驻泊,多是离军右选,往往目不识字,不能销注簿书,又不谙晓民事。乞将上件驻泊员阙废罢,改左选一员,充和溪县簿尉。许于本路漕司差注,将驻泊合得之俸,就支作簿尉俸给。庶几左选通晓销注簿书等件,诚为利便。从之。

(二六)令葺画像 《大典》《十八漾》像字,卷18 223,页9。(补入崇儒6。)

"《宋会要》大中祥符元年十二月二十三日,令江州葺唐白居易所居旧第画像。"

(二七)太乙像 《大典》《十八漾》像字,卷18 224,页9。(补入礼12。)

"《宋会要》高宗绍兴十七年十月十三日,礼部太常寺言:准诏讨论太一典故,今所属踏逐吉地,随宜修建太一宫,塑十神太一神像。俟宫成,择日奉安。遇四立日,就本宫行礼。诏依,令两浙转运司画图,申尚书省取旨。初,司天监楚芝兰言:按太一有五福、君棊、大游、小游、天一、地一、四神、臣棊、民棊、直符凡十。太一凡行五宫,四十五年一移。自雍熙(脱"元"字)年入黄室巽宫,在吴分苏州,请(脱"于"字)其地预筑宫祀之。"

(二八)问宗戚大臣疾 《大典》《二质》疾字,卷20 311,页17—21。(补入礼47。)

"《宋会要》国朝之制,诸王、公主、宗室将军以上,每疾,皆乘舆临问;如小疾在假,或乘舆幸其第,有至三四者;其官邸在禁中,多不时而往。惟宰相、使相、驸马都尉疾,亟幸其第,或赐荣加礼,及非此例者,皆备载之。

太祖建隆元年五月八日,幸宰臣魏仁浦第视疾。七月十四日,幸宰臣范质第视疾,赐黄金器二百两、银器千两、绢二千匹,八月八日,再临视,赐钱百万。

乾德四年四月二十五日,幸驸马都尉高怀德第,问燕国长公主疾。

六年四月一日,建雄军节度使赵彦徽来朝有疾,帝幸其第临问,赐钱五百万。

开宝二年二月二十一日,幸侍卫亲军马军都虞侯、彰国军节度使张廷翰第视疾。

十一月三日,镇宁军节度使张令铎来朝被疾,帝幸其第临问。赐帛五千匹、银五千两,又赐其家甚厚。

十二月十日,幸中书视宰臣赵普疾。三年三月十九日,幸赵普第视疾,赐银器五千两、绢五千匹。又赐其妻和氏银器二千两、衣着二千匹。先是正月,幸普第视疾,至是再幸焉。

四年四月六日,幸永兴军节度使吴廷祚第视疾。

七月三十日,以建武军节度使何继筠来朝疽发背,帝幸其第,赐赍甚厚。

五年十二月十二日,幸皇弟开封尹光美第,以足疾临视。十三日,再临视。

太宗太平兴国三年五月二十一日,以殿前指挥使杨信久病瘖忽能言,帝异之,遽幸其第,厚加赐赍。

四年八月二十七日,幸武功郡王德昭第视疾。

五年八月二十五日,幸淮海国王钱俶第视疾。赐俶白金万两、钱百万、绢万匹、黄金千两,子惟濬、惟治白金各万两。

六年八月一日,彰德军节度使、沧州总管李汉琼被病,召还京师。帝亲视之,赐白金万两。

十一月八日,枢密使楚昭辅以足疾请告。帝幸其第临问之。观所居湫溢,赐白金万两,令以市宅。昭辅被病,周岁家居,亦不求解职。会郊祀,罢为左骁卫上将军。

八年四月三十日,幸枢密使石熙载第视疾。

端拱二年四月二十一日,幸宰相赵普第视疾。

淳化元年三月二十一日,以西京留守赵普被疾,不任朝谒,帝临省之。

十一月十五日,幸泾国公元偁宫视疾。

十八日幸许王元僖宫视疾。

三年六月六日,天雄军节度使刘延翰被病,表求解官,肩舆还京师。帝临幸其第抚问之,赐白金万两。

至道二年三月一日,幸晋国公主第视疾。

〔真宗〕咸平元年六月九日,幸驸马都尉王承衍第视疾。

十二月五日,幸许国长公主第视疾。二年闰三月四日,再临视。

二年闰三月四日,幸左武卫将军德愿第视疾。

五月二十四日,幸枢密使曹彬第视疾,赐白金万两,手和药以赐之。

十二月二十四日,车驾驻天雄军,幸宣徽北院使周莹屯所视疾。

三年正月六日,幸枢密副使宋湜所居视疾。湜扈从驻天雄军得疾,特尤(疑为"优"字)恤之,仍令先还京师。赐御衾褥一副。又遣内侍护送,供帐优厚,至澶州而卒。

三十日,幸太子太保吕端第视疾。端以久疾罢相,居京师,帝思之,故临问焉。

十月十七日,幸雍王元份宫视疾。十二月十二日,四年四月二十四日,六年三月十八日,景德元年十二月二十四日,二年正月七日,三月十八日,五月十二日,六月七日,七月二日、七日、二十四日、二十九日、三十日,八月一日,再临视。

四年正月八日,幸殿前都指挥使、河西军节度使范廷召第视疾。

六年二月十九日,幸北宅右羽林将军德闰院视疾。

三月二十五日,幸安定郡公惟吉宫视疾。大中祥符元年九月二十日,二年七月十六日,十二月十五日、二十四日,三年五月一日,再临视。

四月十九日,宰臣吕蒙正暴中风眩,帝即时临问,赐白金五千两。

真宗景德元年六月六日,幸鲁国长公主第视疾,赐钱百万、缯采二千匹。又幸北宅视右羽林将军德钦疾,赐白金三百两。

七月四日,幸宰臣李沆第视疾。

二年正月二十四日,幸山南东道节度使李继隆第视疾。

三年二月一日,幸北宅视乐平郡公德恭疾。五月十六日,再临视。

九月二十三日,幸宁王元偓宫视疾。大中祥符元年九月十一日,四年四月二十二日,八年三月五日,天禧二年二月二十一日、二十九日,四月二十四日,闰四月十一日、十四日、二十日,五月一日,再临视。

十二月二十四日,幸北宅视右羽林将军德均疾。

四年五月二十三日,幸舒王元偁宫视疾。九月二十四日,大中祥符元年四月十日,十二月二十四日,三年六月十八日,八月六日,四年四月九日,五年正月十四日,六年四月二十四日,九月一日,十一月二十四日,七年三月十九日、二十六日,再临视。旧制,每岁三月金明池习水嬉,以备游豫,帝以元偁疾,特罢临赏。

大中祥符元年五月十八日,幸南宫视右羽林将军惟能疾。

二年九月二十四日,幸晋国公主第视疾。十月十七日、十一月十八日,再临视。

三年闰二月二十八日,幸韩国长公主第视疾。三月四日、九月六日,再临视。

三月十六日,幸驸马都尉石保吉第视疾。前一日,保吉疾亟,帝将临视之。会翌日大忌,辅臣言,于礼非便,遂遣内侍以谕保吉,至是始临省焉。

六月二十五日,幸翰林侍讲学士、礼部尚书邢昺第视疾,赐白金千两、帛千匹、名药一奁。又召其子太常博士知东明县仲宝、国子博士知信阳军仲恩视疾,并许驰驿赴阙。昺以旧恩,故特用此礼,儒者荣之。

九月二十日,幸资圣院视吴国公主疾。

四年五月十八日,幸北宅视右羽林将军德存疾,赐白金五百两,钱五十万。

八月五日,幸南宫,视左千牛卫将军惟叙疾。

九年四月二十七日,枢密使、同中书门下平章事陈尧叟,以足疾屡请告,帝临视之。

五月十日,幸南宫视资州团练使惟宪疾。

天禧元年七月二十三日,幸驸马都尉魏咸信第视疾。

九月十一日,幸太尉旦第视疾,赐白金五千两。旦命家人还献所赐,作奏毕,自益四句云:益惧多藏,况无所用,见谋散施,以息咎殃。亟令昇至,内阁有诏,不许及门,旦已薨云。

二年四月二十四日,宣徽南院使、知枢密院马知节以病足,久在假。帝临视,赐白金五千两。

三年七月十三日,幸殿前都指挥使、忠武军节度使曹璨第视疾。

仁宗天圣七年正月二十七日,幸参知政事鲁宗道第视疾,留赐白金三千两。

八年九月十五日,幸枢密副使姜遵第视疾,赐钱帛有差。

九年八月二十八日,幸冯翊郡公德文第视疾,赐钱百万、绢五千匹。

明道二年七月十三日,幸驸马都尉柴宗庆第,视楚国大长公主疾。

景祐五年八月三日,幸驸马都尉李遵勖第视疾。

庆历三年十二月八日,荆王元俨疾,帝幸其第,亲临卧内,手自调药,屏人语久之,所对多忠言,赐白金五千两,辞不受,再三敦谕,又固辞。曰:臣羸惫不能支,且死,重废国家不为少。帝嗟泣,从之。

六年五月二十二日,东平郡王德文有疾,帝临视,亲以太医所调药进之。

八年六月二十六日，参知政事明镐疽发背。帝谓镐忠亮有劳，欲及其未乱，一往见之。既至，恻然曰：方赖卿谋国事而遽有此疾。镐气已索，犹能顿首称谢。

十月六日，幸彰信军节度使、同中书门下平章事李用和第视疾。皇祐二年七月十一日，再临视。

皇祐三年正月十二日，幸魏国大长公主第视疾。初，主病，日遣内侍挟太医诊视，为祷禬之法无不至。自皇后贵妃以下偕至第候门进拜，用家人礼奉药进主甚恭。车驾临幸，侍者掖主迎立，帝命主先坐，设御座于西，主固辞，乃移榻东南向。因亲舐主目，左右皆感泣，帝亦悲恸。复顾问子孙所欲。主曰：岂可利母病而邀赏邪！赍白金三千两，辞不受。帝因谓从臣曰：太主之疾傥可移于朕，亦不避也。因命寝门垂簿，使从臣问候。又募天下能医者，授以官秩。赐御书金字大悲千手千眼菩萨，又赐玉石金字太宗谥，皆以祝疾祈福也。

嘉祐元年五月七日，幸枢密使王贻永第视疾。时贻永以疾求退，手诏存问，遣太医诊视，车驾临问，颁禁中珍药，及面取糜粥以食之。贻永自言宠禄过盛，愿罢枢密使兼侍中，还第。帝冀其愈，乃听罢侍中，改彰德军节度使、同平章事，而枢密使如故。

神宗熙宁二年四月九日，幸参知政事唐介第视疾。

闰十一月四日，幸楚国大长公主第视疾。

哲宗绍圣元年二月十四日，幸徐王第视疾。

徽宗崇宁五年十一月十一日，幸隶华宅视陈王疾。

真宗景德三年七月十一日，忠武军节度使高琼病亟，将幸其第省视。辅臣曰：琼虽入掌禁兵，备守宿卫，然未尝临戎破敌，非威名将也。且车驾临问，国家异礼，所以待功臣也。施之于琼，恐无以视甄别。乃止。

仁宗庆历四年五月十六日，汝南郡王母、润王夫子（疑是"人"字）李氏病甚，车驾欲临省之。诏问礼官，以夏至大祠致斋，不宜问病，乃止。

神宗熙宁七年十二月十八日，诏颁新式，凡临幸问疾者，赐银绢，宰臣及枢密使带使相者使侍中充枢密使、同平章事二千五百两匹，枢密使、使相二千两匹，知枢密院事、参知政事、枢密副使、同知枢密院事一千五百两匹，签书枢密院事、同签书枢密院事、宣徽使七百五十两匹，殿前都指挥使一千五百两匹，驸马都尉任使相以下者二千五百两匹、任节度观察留后以下者一千五百两匹，并入内侍省取赐。

高宗皇帝绍兴二十五年十月二十一日，车驾幸太师、尚书左仆射、益国公秦桧第问疾。

（二九）郡县社稷① 《大典》《二质》稷字，卷20 424，页6—8。（补入礼21）

"《宋会要》真宗景德四年四月八日，判太常礼院李维言：按开宝通礼，诸州祭社稷，刺史致斋三日，从祭之官，斋于公馆。祭日，刺史为初献，上佐为亚献，博士为终献。令（疑为"今"字）诸州长吏多不亲行，恐非为民祈福之道也，请今（疑为"令"字）礼官，申明旧典，颁之天下。诏太常礼院检讨以闻。礼院言，按五礼精义，州县刺史、县令初献，上佐、县令丞亚献，州博士、县簿尉终献。如有故，以次官摄祭社稷。请诏天下州县，并用此礼。若长吏职官少处，即许通摄，或别差官。从之。

十月十一日，诏春秋祭社诸县合用礼料，三司支系省钱收买供应。

大中祥符二年正月八日，诏太常礼院定诸州县祭社稷礼器数以闻。礼院请正配座，樽各二，笾、豆各八，簠、簋各二，俎三；从祀，笾、豆各二，簠、簋、俎各一，从之。仍画其状，模印分给。

七月十四日，通判淄州石中孚上言，州县祭社稷，所用祭器祭服，请颁立制。诏太常礼院详定以闻。礼院言：按典礼，诸州县祭社（《长编》卷七十二作"祭社稷"），虽载祭官服祭服三献，又缘用八笾八豆八礼料（《长编》卷七十二无此三字，下文"与"前有"礼"字），与在京诣（《长编》作"诸"）小祠同。小祠献官，止以公服行事，请依小祠例。从之。

十月十日，知白州曾世南请定诸州祭社稷仪。诏太常礼院约开宝通礼定仪注，雕印颁下诸路。

三年二月十九日，诏开封府诸县祭社稷礼料，并从官给。

四年十月十三日，诏曰：访闻天下州县，祭社稷坛，多不如礼，而蹂践无禁，祭之日始加完饰。宜令太常礼院检定高下丈尺制度，颁之天下，依礼修筑，务令严护。

仁宗天圣七年九月八日，屯田员外郎杜曾上言：诸州祭社稷仪注所载祝文，稷云以后稷弃配。伏以弃者，后稷之名，今于神座之前，名呼以飨，正辞致祝，理所未安。今请除去弃字。诏太常礼院参酌以闻。礼院上言：勾龙，后土之名，弃，后稷之名。对社稷尊神故称名以配飨，皆是正礼旧礼。又按《春秋左氏传》曰：共公氏有子曰勾龙为后土，后土为社稷田正也。有烈山氏之子曰柱，为稷，自夏以上祀之。

周弃亦为稷,自商以来祀之。且柱与弃,皆尝为后稷,不称弃何以别于柱。望且如旧。从之。

英宗("应是"神宗")元丰七年诏,诸州社稷于坛侧建斋厅三楹,以备望祭。

八年二月十六日诏:州县社坛用石为主。先是州县社稷,不用石主,礼部以谓社稷不屋而坛,当受霜露风雨,以达天地之气,则用石为主,取其坚久。今太社以用石主,长五尺,方二尺,剡其上,方其下,埋其半。又按礼制,天子社坛方五丈,诸侯半之。州县社坛石主尺寸、广长,谓宜半太社之制。于是下太常寺修入礼仪。

哲宗元祐七年四月十二日,礼部言:请诸州长吏到任,亲诣社稷坛壝检视,及春秋祈报,非有故不得委官。从之。

七月五日,礼部言:朝廷奉祀郊庙社稷最为重事。按诸司斋宫坛壝,冕服祭器牲牢,礼部皆以措置外,今具为令:诸祠坛壝及斋宫,每岁春秋二季,丞、博士分行检视。应修葺者,报将作监关到,限三日,令人作司(疑是"八作司")检计工料,仍差官覆视,限五日支差物料人匠。功毕遣官按视,及申太常寺。从之。

徽宗崇宁("崇"字原误作"从")二年九月二十二日诏:自京师至于郡县,春秋祈报,遍于天下者,唯社稷为然。今守令不深推其故,以是为不急之祀,坛壝不修,民得畜牧种艺于其间。春秋行事,取具临时。乃或器用弗备,粢盛弗蠲,斋祓弛懈,祼献失度,甚不副称秩祀典之意。其令监司,戒敕郡县,遵奉诏条,祗肃祀事。巡历所至,察不如仪者以闻。

大观元年七月十七日,议礼局言:国家祈报社稷,上自京师,下逮郡邑,以春秋社日行事。然太社献官、太祝、奉礼,皆以法服。至于郡邑,则用常服,因习既久,未之建明。望诏有司,降祭服于州郡,凡行事官,各服其服,以尽事神之仪。诏以衣服制度颁之,使州郡自制,弊则听其改造,庶简而易成。

政和元年四月十三日,权发遣提举江东路常平等事沈延嗣奏:恭维皇帝陛下,昨降诏旨,崇修祭祀社稷之制,令州县监司同行检察,仰见上契天心,下恤黎庶,诚为万世之休,元元之幸也。伏望圣慈,特诏有司按式作图,镂板颁行。仍于坛壝之外,别为大墙,墙围之外建一门,常加封锁,以绝秽迹。被受之日,限一月了当,仍于斋厅立石刊刻,增立法制。守令上之三日,躬诣社稷坛,按图修治。监司随分定州县检视,岁终具所历去处申奏。从之。

六月,知襄州俞㮚言:准敕州县坛壝,多不如法,社稷风师雨师坛,皆画图付有司增损。今所画图,其饰以青,不随五方之色。所谓直以白茅,羹以黄,图中皆不载,与古义未合,乞赐裁定。议礼局、礼部、太常寺言:诸州社稷坛饰,各随方色,实合典礼。从之。

2. 全篇残缺,但别卷尚存复文之校勘

(三十)**城池** 《宋会要》《大典》《二支》池字,卷1 056,页1,乾德三年一条,与卷7 699复。复文见《辑稿》方域1·11。

本篇已见复文,兹校其不同如后:

方域1		辑 稿	大 典
页	行		
11	版口	卷七千六百九十九	卷"一千五十六"
11	16	"乾德三年四月十三日"	"乾德三年四月"
11	17	"导五夫河水,通皇城为池"	"导五夫河水,通皇□为池"

(按《宋史》太祖纪二,作"导五丈河,通皇城为池"。)

(三一)**月桩** 《宋会要》《大典》《十八阳》装字,卷6 524,页12—13,绍兴七年一条,与钱字韵月桩钱条复。复文见《辑稿》食货64·79。

本篇已见复文,校其相异如后:

食货64		辑 稿	大 典
页	行		
79	版口	(原缺卷数,补作"六千五百二十三")	"卷六千五百二十四"

(按《大典》卷6 523并无此篇内容。又据卷6 524绍兴七年条下注"详见钱字",可知此篇系出自《大典》钱字韵,而卷6 523并无钱字。所补卷数误。)

79	6	"实有槖名者几何"	"实有槖民者几何"
79	7	"合认发岳飞军月桩钱"	"……月桩钱详见钱字"

(三二)**常平仓** 《宋会要》《大典》《十八阳》仓字,卷7 506,页9—26。与卷17 541复。复文见《辑稿》食货53·6—19。

兹就两篇互异及堪供补充内容,逐条依次排列如后:

食货53		辑　　稿	大　　典
页	行		
6—19	版口	"卷一万七千五百四十一"	"卷七千五百六"
6	7注	"唯沿边州郡则不置"	"……㐭（疑作"皆"）不置"
6	8	"小州或三二十贯,付司农寺系帐"	"小州或二三千贯,付司农寺系帐"
6	9	"每岁夏加钱收籴"	"每岁秋夏加钱收籴"
6	9	"遇贵减减价出粜"	"遇贵减价出粜"
6	10	"凡收籴北市价量增三五文"	"比市价量增三五文"
6	11	"止委本等专掌"	"止委本寺专掌"
6	12	"御史知杂王济"	"御史知杂事王济"
6	13	"开封府浚议县"	"开封府浚仪县"
6	14	"从判司农寺王济等所举也"	"判司农寺王济等所举也"
6	17	"官吏敢今后令提举官体受行人请求高其价直者"	"官吏敢受行人请求高其价值者"
6	17—18	"许诸人纠告"	"许人纠告"
6	21	"所置七场粜粮米"	"所置七场分粜粮米"
6	背3	"或许人中"	本卷同。疑当作"入中"
7	1	"六月三司农言"	"六月三司言"
7	2	"及诸支遣"	"及诸友遣"

　　同卷(食货53)7页17行"诸路转运施行"下脱《九朝纪事本末》注文16行,兹据《大典》卷7506补之如后:

　　"《九朝纪事本末》景祐元年七月,天下常平仓置已久,领于司农寺,至是月壬子,始诏诸路转运使与州长吏举所部官专主常平钱粟。既而淮南转运副使吴遵路言:本路丁口百五十万,而常平钱粟才四十余万,岁饥不足以救恤,愿自经画,增为二百万,它无得移用。许之。枢密直学士杜衍,亦尝建议曰:岁有丰凶,谷有贵贱,计本量委,散滞取赢,宜究其术。若官以法平之,则农人有利,粟有所泄。今豪姓蓄贾,乘时贱收,而拙业之人,旋致罄竭。水旱则稽伏而不出,须其翔踊,以牟厚利,而农民贵籴。九谷散于穰岁,百姓困于凶年。虽劝课官家至日见,亦奚益于事哉!盖常平仓制度不立,有名而无实。谓量州郡远近,户口众寡,时其饥熟,取贱出贵,严以赏罚,课责官吏,出纳无壅,增损有宜。公粜未充,则禁争粜以规利者。粜毕而储之,则察其以供军为名而借假者。夫香象珠玑,久藏府库,非衣食之急。若州郡阙母钱,愿斥卖以赐之,补助其乏。《杜衍传》常平议在衍为中丞后,今摭出附见。衍为中丞,乃明年二月也。康定元年十二月丙戌,诏司农寺以常平钱百万缗助三司给军费。自景祐末不许移用常平,数年间有余积矣,而兵食不足,故降是诏。庆历二年八月壬申,诏河南府、孟、郑、滑、陈、许、颍、蔡、邓、唐、随等州发常平仓粟以赈贫民。"

7 页 18 行"减价以市贫民"下,脱《九朝纪事本末》注文 10 行。据《大典》卷 7506,补之如后:

"《九朝纪事本末》庆历四年正月,陕西谷价翔贵。丁丑,诏转运司出常平仓米贱粜贫民。七月,先是范仲淹以灾异数见,请行数事,其三曰:今诸道常平仓,司农寺管辖,官小权轻,主张不逮。逐处提点刑狱,多不举职,尽被州府借出常平仓钱本使用,致不能及时聚籴。每有灾沴,及遣使安抚,虽民委沟壑,而仓廪空虚,无所赈发。徒有安抚之名,而无救恤之实。又国家养民之政,本在务农,因民之利而利之,则朝廷不劳心,而民自养。臣请选辅臣一员,兼领司农寺。力主天下常平仓,使以时聚籴,以防灾沴。并诏诸路提点刑狱,今后得替上殿,并先进呈本路常平仓斛斗数目,方得别奏公事。移任者,亦须依此发奏后,方得起离。仰司农寺常切纠举,及委辅臣等速定劝农赏罚条约,颁行天下。"

7	21	"下逐路转运司"	"下逐路转运使"
7	25	"川中,国初无常平仓"	"川峡中,国初无常平仓"
7	26	"州县收籴,多是约栏入场"	"州县收籴,多为约栏入场"
7	末	"置场差官,收籴积贮,铺衬折耗,费用不少"	"废用不少"

8 页 2 行"依原籴价出粜"下,脱《九朝纪事》注文 2 行。据《大典》卷 7506,补之如后:

"《九朝纪事》皇祐三年十二月癸巳,诏天下常平仓其依元籴价粜,以济贫民,毋得收余利,以希恩赏。"

8	3	"卖到户绝庄田价钱"	"卖户绝庄田价钱"
8	4	"四路转司"	"四路转运司"
8	4	"并依此"	"并令依此"
8	11—12	"并乞不许卖"	"并乞不计卖"
8	14	"常平仓广惠仓,移那出纳"	"常平、广惠仓,移那出纳"
8	20	"及系省钱斛"	"及系省钱"
8	22—23	"务在忧民"	"务在优民"

8页25行"并从之"下,脱《宋续通鉴长编》注文3行。据《大典》卷7506,补之如后:

"《宋续通鉴长编》神宗熙宁三年己未,条例司言,天下常平仓谷元价贵者,乞令入中省仓,易钱以充青苗支用。从之。"

8	26—27	"已籴下者,即兑充军粮"	"已籴下者兑充军粮"
8	背3	"河北、河东、陕四三路"	"河北、河东、陕西三路"

8页末行"只留本处"下脱《能改斋漫录》注文4行。据《大典》卷7506,补之如后:

"《能改斋漫录》神宗熙宁二年,天下常平钱谷,见在一千四百万贯石。诸路各置提举常平广惠仓,相度农田水利差役利害二员,以朝官为之,管干一员,以京官为之,路共置二员(按《能改斋漫录》卷13《置天下常平官》"路"前有"小"字),开封府界一员,凡四十一人。"

8	末	"访闻河北……"	"访问河北……"
9	3	"会恤贫乏"	"惠恤贫乏"
9	10	"公家无所利于人"	"国家无所利于人"
9	11	"今豫俵青苗价钱"	"今如俵青苗价钱"
9	13	"所以防遏纳时价贵"	"所以防遏纳时价贵"
9	15—16	"况近今若遇物价极贵……"	"况近令若遇物价极贵……"
9	16	"赊贷之息"	"振贷之息"
9	18	"不免为贫户代倍"	"不免为贫户代陪"
9	20	"即别行遣"	"即别作行遣"
9	22	"河内每保……"	"河北每保……"
9	25	"急于功刮"	"急于功利"
9	26	"若有官吏故坏新法"	"若有官吏或设新法"
9	26—27	"抑勒百姓,自当按劾,言者谓……"	"抑勒百姓,首言者谓……"
9	27	"又生此一重"	"又生出一重"
9	28	"逐此承例科敛"	"逐路承例科敛"
9	29	"乃济其难急"	"乃济其艰急"
9	背2	"躬行节俭,当节浮费"	"……撙节浮费"
10	1	"朝廷但有徭役加之"	"朝廷但有徭役加之"
10	2	"弃数百里为汙莱"	"弃数百里为汙莱"

续表

10	13	"□□案,常平旧法"	"本司案,常平旧法"
10	5	"以供暴令"	"以供暴令"
10	7	"令常平千馀万缗散在民间……"	"今常平三十万缗散在民间……"
10	8	"但以旧法广储蓄抑兼并"	"但以旧法储蓄抑兼并"
10	13	"亦㬅与坊郭之人"	"亦㮰与坊郭之人"
10	17	"御史张戬、程颢□等皆言"	"御史张戬、程颢等皆言"(无空格)
10	18	"或谓且召刮利"	"或谓且召□□"
10	18—19	"付置司令申明法意"	"付制置司令申明法意"
10	21	"一十八日诏"	"十八日诏"
10	23	"如愿分两料请者"	"如愿分作两料请者"
11	13—14	"将合擬河东……"	"将合拨河东……"
11	14	"河北提点刑狱王广兼"	"河北提点刑狱王广廉"
11	16	"仍许自京召入供抵当赊买,于本路送纳见钱"	"仍许自京召入供抵当赊买,于本路送纳见钱"
11	18	"诏二司"	"诏三司"

11页19行"或借支用"下,脱《续通鉴长编》注文1条。据《大典》卷7 506,补如后:

"《续通鉴长编》神宗熙宁七年,司农寺请下广西安抚司,依泾原等五路,置常平仓。从之。"

11	24—25	"自来未有明降令画一职守"	"自来未有明降著令画一职守"
12	4	"乞别立法条"	"乞别立条法"
12	10	"以备赈籴"	"以备赈粜"
12	14	"分夏秋纳"	"分秋夏纳"
12	19	"常平钱四万缗"	"借常平钱四万缗"
12	20	"……提举常平仓司,所散滨□沧州饥民食,至五月止"	"……提举常平仓司,依散□沧州饥民食至五月上"

(按《辑稿》食货57,又食货68"赈贷"门,俱作"所散滨棣沧州饥民食,至五月止")

12	22	"岁计军食二十七万余硕"	"……一十七万余缗"
12	23	"权法遣司农寺都丞……"	"权发遣司农寺都丞……"
12	24—25	"如向去价稍高"	"如后去价稍高"
12	28	"六月十二日"	"六月十三日"
13	1—2	"连岁稔稔"	"连岁丰稔"
13	2	"昨尝⑮存留扬州……"	"昨尝乞存留扬州……"
13	2	"充淮浙常平都仓"	"充浙淮常平都仓"
13	3	"转运粮斛"	"转般粮斛"
13	5	"据米平等所奏"	"据朱平等所奏"
13	23—24	"提举京东路常平等事"	"提举京东常平等事"
13	24	"州县积欠钱斛对移今佑催督看详"	"……令佐催督看详"
13	27	"洺州水灾,籴料不足"	"洺州水灾,粮料不足"
13	背2	"常平仓息钱"	"常平仓积剩钱"
13	背2	"二百九十二万缗"	"二百三十二万缗"
13>14	末>1	"减磨勘年月有差"	"减磨勘年有差"
14	9—10	"自今后常平钱谷,令州县依旧法籴粜"	"自今后常平钱,令州县……"
14	12	"止将常平斗兑籴"	"止将常平斛斗兑籴"

14 页 14 行"从之"下"二年"上,脱《九朝纪事本末》注文 44 行。据《大典》卷 7 506,补之如后:

"《九朝纪事本末》哲宗元祐元年八月丁亥,司马光札子:勘会熙宁之初,执政以旧常平法为不善,更将籴本作青苗钱,散与人户,令出息二分,置提举官以督之。丰岁则农夫粜谷,十不得四五之价,凶年则屠牛卖肉,伐桑卖薪,以输钱于官。钱货愈重,谷直愈轻。朝廷深知其弊,故罢提举官,令将累年蓄钱积谷财物(按《长编》作'蓄积钱谷财物'),尽桩作常平仓钱物,委提点刑狱交割至管(按《长编》作'主管'),依旧常平仓法施行。今岁诸路除有水灾州军外,其余丰熟处多。今欲特降指挥,下诸路提点刑狱司,乘有此籴本之时,委丰熟州县官员,体察在市斛斗实价,多添钱数,广行收籴。如阙少仓敖之处,以常平仓钱添盖,仍令少籴麦豆,多籴谷米。其南方及川界卑湿之地,有斗斛难以久贮者,即委提点刑狱相度逐州县合销数目,抛降收籴。才候将来市物货价比元籴价稍增,即行出粜,不得令积压损坏。仍令州县各勒行人,将十年以来在市斛斗价例比较,立定贵贱,酌中价例,然后将逐名(按《长编》作'逐色')价分为三等,自几钱为中等价钱,几钱以上为上等价钱,几钱以下为下等价钱,令逐处临时斟酌加减,务在合宜。既约定三等价,仰自今后州县每遇丰岁,斛斗价贱至下等之时,即比市价相度添钱开场收籴。凶年斛斗价贵至上等之时,即比市价相度减钱开场出粜。若在市见价只在中等之内,即不籴粜,更不申取本州及上司指挥,免有稽滞失时之患。仍委提点刑狱常平(《司马光集》作'切')提举觉察。若州县斛斗价及下等而不收籴,价及上等而不出粜,及收贮不如法,变转不以时,致有损坏,并监官不逐日入场,致雍滞籴粜人户,并取勘施行。若州县长吏及监官,能用心及时籴粜,至得替时酌中价钱,与斛斗通行比折,与初到任时增剩及十分中一分以上,许批书上历子,候到吏部日,与升半年名次。及二分以上,许指射家便差遣一次。所贵官吏各各用心,州县皆有储蓄,虽遇荐饥,民无菜色。又得官中所积之钱,稍稍散在民间,可使匆货流通。其河北州县,有籴司(按《长编》作'籴便司')斗斛见多,缘边州县转运司见籴军粮处,更不籴常平仓斛斗。若今来指挥内有未尽未便事件,委提点刑狱司逐旋擘划,申奏施行。从之。其后王岩叟言:臣伏睹昨降朝旨,文虽详而未通,四方来者更言其未便。臣按常平旧法,但遇年丰物贱,即于市价上添钱收籴,如年歉物贵,即相度在市实直价例特减钱出粜,此所以为常平。今既限以价贱,至下等方许收籴,贵至上等始得出粜,乃是必待丰歉十分而后行法。稍不及等,即官司拘文,束手坐视,而不敢粜籴。臣恐久之天下救灾之备寡,而为农之患深,失常平本意远矣。臣乞依旧法,不分立三等,仍更不申取本州及上司指挥外,余约新降朝旨,别行修定颁降。户部尚书李常建言:伏见今常平、坊场、免役积剩钱共五千余万贯,散在天下州县贯朽不用,利不及物。切缘泉货流通,乃有所济,平民作业,常苦币重。方夏蚕毕工,秋稼初敛,丝帛米粟,充满廛市,而坐贾富家,巧以贱价取之,曾不足以酬其终岁之勤,而未免寒饥之患,良可悯也。臣愚欲乞命有司议于天下州县,各置平籴一司,以选人领之,县欲只今(按《长编》作'欲令')主簿兼管,仿古常平粜籴之法,于夏蚕秋稼之时,就其直加数分而敛之。及其价腾也,裁数分而出之。但无亏元价,靡有赢息,无事酬赏,唯以利农桑之民为务,庶乎泉货流通,四海蒙福。三代之仁泽也。十一月辛巳,臣僚上言:朝廷罢俵青苗钱,今诸路提刑司委丰熟州县广行收籴,意欲常有储蓄,而户部乃请转运司更不收籴年计。止将常平斛斗兑籴,失朝廷养民之意。欲乞诸路转运司合籴年计并先籴(按:'籴'字据《长编》补),次令常平籴买。若转运司不予备本钱,过时占籴,与常平仓有妨者,委提刑司觉察以闻。从之。"

14	15	"常平谷价比市价不毁"	"常平谷价比市价不亏"
14	15	"通计不及二分者"	"通计不及一分者"
14	16	"或指二税听人户从便纳钱"	"或止二税听人户从便纳钱"
14	17	"晓谕人户,愿者听"	"……愿请者听"
14	17	"仍随夏秋税纳"	"仍随夏秋纳"

14页18行"从之"下"三年"上,脱《九朝纪事本末》注文42行。据《大典》卷7 506补之如后:

"《九朝纪事本末》四年七月丙申,右司谏刘安世言:臣闻国无九年之蓄,曰不足;无六年之蓄,曰急;无三年之蓄,曰国非其国。盖先王之制,三年耕必有一年之食,以三十年之通,则可以有十年之备。故尧汤之水旱至于累岁,而无捐瘠之民者,用此道也。三代而下,井田废缺,利民之法无善于常平,由汉迄今,莫能变易。唯自近世有名无实,凡所以养民之具,月计不足,岂议三年蓄哉!是以岁或不登,民辄菜色,强者转而为盗贼,弱者不免于饿殍。保民之术,如此其疎。臣等窃谓:自罢青苗钱,后来天下州县皆有积镪,朝廷虽更立常平之制,条目甚详,而上下因循,未尝留意,既无统属以纠其乖缪,又无赏罚以为之劝沮。加之转运司苟纾目前之急,多端借贷,日朘月削,殊无偿足之期。非有惩革,将不胜弊。伏望圣慈,特赐睿旨,取今日以前应干常平敕令,严责近限,专委户部删为一书,付之有司,悉俾遵守。仍先行指挥,将天下见在常平钱,乘今秋丰稳之时,令五路籴粟一色,其余路分,并相度逐处可以久留斛斗,广行收籴,仍以本司钱修盖合用仓廪,将一路所有钱衮同应副。一路之中,不得偏聚一州,一州之境,不得偏聚一县。各随户口之多寡,以制籴之大数。每遇凶歉,依法出粜。籴粜之法,常比市价增减。如此,则官本常存,而物价不能翔踊,或遇旱干水溢之灾,则民有所济,不致流散,朝廷之惠泽可继,而无乏绝之患。相因日久,渐至九年之蓄。太平之策,莫大于此。惟陛下推至诚恻怛之意,明诏执政,协力施行。所有官吏殿最,亦乞参酌修定。将来颁降之后,或有违犯,州县委监司,监司令户部、御史台觉察奏劾,庶使二圣恤民之仁,不为徒善之政。传之万世,天下幸甚。诏户部指挥诸路提刑司,下丰熟州县,依条量添钱,广行收籴,仍觉察违慢。六年七月辛巳,御史中丞赵君锡言:伏睹元祐编敕文,诸常平钱斛,州县遇价贱量添钱籴,价贵量减钱粜,仍申知提刑司。又条诸州县长吏及监籴官,任内如能用心及时收籴,据用过钱本,等第酬奖。臣切谓,元祐初年,惩散敛常平钱斛之弊,专用籴粜为常平法,然自更制之后,州县官吏多熟视诏条,恬不奉行。故自二圣临御,虽恤民深切,蠲除赋敛尤多,以理论之,当渐苏息。然比岁以来,物力雕弊,甚于熙宁元丰之间,至人心复思青苗之法行而不可得,岂非诸路钱货在官者,大抵亡虑数千万贯,钱常雍滞不发。旧法虽未尽善,逐年犹有钱货千百(《长编》此处有"万"字)贯流布民间。籴粜之法虽善而不行,则民间钱货,无从而得。所以艰难困匮,反甚于前,无足怪也。欲望圣慈指挥尚书户部下诸路提刑,令州县先次计置仓敖,今后每遇物斛收成日,广行收籴,逐年终具本并支出籴到色额数目、价例高下,画一申尚书户部,点检类聚闻奏。仍关牒御史台照会,内有丰熟州县,当职官不能用心收籴,致谷贱伤农,并阙食之际,无以备出粜,济助人户者,并从本台纠奏,严赐黜责施行。仍乞下有司,改修元条赏格,务令优厚;及添入纠奏黜责一节,所贵劝沮两立,上下尽心。如此,则泉货流布,民力纾缓,仓廪充实,公私皆获利济,可以副圣政敦本厚生,富而后教之意。取进止。绍圣元年正月辛丑,户部言:淮东提刑司奏,乞于本路户部封桩并续收到坊场钱内,拨赐五十万贯,充常平钱,应副乘时收籴斛斗。欲依所乞,拨三十万缗,充常平籴本支用。除助役钱外,于所乞坊场钱内拨赐。从之。"

14 页 18 行—22 行"三年"至"从之"五行 3 条。本卷脱此 3 条。

14 页 26 行"准此"下,"元符"上,脱《续长编》注文 6 行。据《大典》卷 7 605,补之如后:

"《续资治通鉴长编》元符二年五月辛亥,淮南两浙察访孙傑言:被命按察两浙路监司职事,体访得偏远州县,多有提举常平官不曾到处。臣详提举司所总常平、免役、农田、保甲等,乃先朝复古之法,所以为民之意至厚。条令委曲纤悉,在提举官躬亲讲究,开谕州县,以次推行,姑(按《长编》作"始")可布宣惠泽。乞自今提举官,虽与监司互分巡历,并虽(按《长编》作"须")本司官二年,遍所部州县。"

15	3	"以待乃用"	"以待那用"
15	8—9	"籴本阙处,时许借支"	"籴本阙处,即便借支"
15	11	"甚非我神考立法之本意"	"甚非神考立法之本意"
15	13	"三万硕"	"三万石"
15	26	"加倍收粜"	"加倍收籴"

续表

15	背 5	"今将籴折到斛斗"	"今持籴折到斛斗"
16	8	"责限拨运"	"责限拨还"
16	8	"按劾以闻"	"按罪以闻"
16	12	"知汝州慕容彦[昏]奏……"	"……慕容彦达奏……"
16	13	"逐岁于今佐印纸"	"逐岁于令佐印纸"
16	14	"[昏]或偷惰"	"罔或偷惰"
16	15	"所籴二麦,倍斛斗"	"所籴二麦,加倍斛斗"
16	19	"更交一倍"	"更加一倍"
16	21	"人户有苗钱"	"人户青苗钱"
16	21—22	"其余斛提刑司封桩"	"其余斛斗,提刑司封桩"

17页2行"以大不恭论"下"宣和"上,脱八年1条。据《大典》卷7 506,补之如后:

[政和]"八年御笔,常平敛散法,利天下甚博。而比年以来,诸路欠阙,至未及散,而遽收之,甚失神考制法之意。今常平司恪遵条令,敛散必时,违者以大不恭论。"

17	3	"诏曰神考常平之政,以年之上下制谷价"	"诏神考常平之政,一年之上下制谷价"
17	4	"兼并[残]所牟大利"	"兼并无所牟大利"
17	4	"他司殆用殆尽"	"他司移用殆尽"
17	12	"并桩留旧雇耆户长壮丁剩钱"	"并桩留旧顾耆户长壮丁剩钱"
17	14	"即许逐族以常平钱……"	"即许逐旋以常平钱……"
17	18—19	"任其人"	"任非其人"
17	25	"给受纳乞"	"给受纳讫"
17	背 5	"比年借支"	"比来借支"
18	5	"今年限满"	"今年限已满"
18	13	"提举潼州府路……"	"提举潼川府路……"
18	15—16	"未得归着数日,令常平司疾速根究"	"未得归着数目令常平司疾速根究"
18	18	"当依重行黜责"	"当议重行黜责"
18	19	"意在侵鱼"	"意在侵渔"
18	26 注	"谓如以本同钱物献纳之类"	"谓如以本司钱物献纳之类"
18	背 2	"灼见稽弊"	"灼见积弊"

19 页 2 行篇末"申尚书省"下,脱建炎至乾道 3 条。据《大典》卷 7 506,补之如后:

"高宗建炎二年,臣僚言:常平和籴,州县视为文具。以新易旧,法也,间有损失蠹腐,而未尝问。不许借贷,法也,间有悉充他用,而实无所储。诏委官遍行按视。

绍兴九年,宗丞郑禹言:乞以常平钱,于民输赋未毕之时,悉数和籴,即诏行之。上因谕宰执曰:常平法不许他用,惟时赈饥。取于民者,还以予民也。

孝宗乾道八年,知台州唐仲友言:鳏寡孤独老幼疾病之人,乞依例取拨常平义仓赈给。上以常平米低价出粜,以义仓米赈济。"

(三三)广惠仓　《宋会要》《大典》《十八阳》仓字,卷 7 513,页 15。与《大典》卷 17 514,义仓门后所附广惠仓复,见《辑稿》食货 53·24。故仅校其异同而不录原文。

食货 53		辑　稿	大　典
页	行		
34	版口	卷一万七千五百四十一	卷七千五百十三
34	1	"仁宗嘉祐二年八月二十三日,诏置天下广惠仓,枢密使韩琦……"	"嘉祐二年八月丁卯,置天下广惠仓,初,枢密使韩琦……"
34	2	"给在城老幼贫乏疾不能自存者"	"给在城老幼贫乏疾不能自存者"
34	3	"仍诏逐路提点刑狱司专领之"	"乃召逐路……"
34	3—4	"十万户已上留一万硕"	"十万户以上留一万石"
34	4—5	七处"硕"字	本卷七处皆作"石"
34	5	"四年二月十一日诏……"	"四年二月诏……"
34	6	"应系户绝纳官田土未出卖者"	"应户绝纳官田土未卖者"
34	6	"并拨肆广惠仓"	"并拨隶广惠仓"
34	8	"别差官检视老幼残疾不能自给之人"	"分差官检视老幼贫疾不能自存之人"
34	8—9	"人给米一升"	"给米一升"
34	9—10	"三日一给至(下空半行)明年二月尚有余,即量诸县大小而均给之"	"三日一给,至明年二月止,馀即量大小均给之"

（三四）度僧①　《宋会要》《大典》《十九庚》僧字，卷8 706，页17—18，其至道元年六月一条，与《辑稿》道释1·15—16复，复文缺原在《大典》卷数。兹据《大典》卷8 706，其有复文部分仅校其异同，残缺部分补录如后：

道释1		辑　　稿	大　　典
页	行		
15—16	版口	（缺原在《大典》卷数）	"卷八千七百六"
15	背6—5	"应衷私剃度及买伪滥文书为僧者"	"……及买得伪滥文书为僧者"

"《宋会要》至道元年……故立此制（详见道释1·15—17）

太平兴国七年九月，诏曰：朕方隆教法，用福邦家，眷言度之人，颇限有司之制，俾申素欲，式表殊恩。应先系帐沙弥，长发未剃度者，并特与剃度，祠部即给牒。今后不得为例，不得将不系帐人夹带充数，犯者当行决配。

咸平三年二月，福州言：两浙伪命，首僧二千九十四人，准诏试经，合格者给公凭为僧，不者还俗。欲望更不比试，止蒙会见在数给公凭，仍旧为僧。从之。

景德三年八月，诸王府侍讲孙奭转对，请减修寺度僧。真宗曰：（疑脱"佛"字）道二门有助世教，人或偏见，往往毁誉。假使僧道辈时有不检，安可即废也。

四年七月，诏西京永昌禅院，今后逐年许剃度行者五人。仍勘会的实系帐日月编排，并逐年依上名下次剃度募越，候度到行者，并旧管僧人，共五千人为额，更不在此限。若今后额内有阙，逐年遇承天节，即时剃度行者充填。不得过五人，兼依例逐年具帐，通计人数以闻。不得将本院差出及游礼诸处僧人，便为阙额。

大中祥符二年十月诏：天下寺观曾赐得太宗御书处，自今除承天节比试额定数外，于见在童行外，从上名特度一人。

三年五月，诏怀安军云顶山大中祥符寺，每承天节特与度行者三人。

五年六月诏：开宝寺灵感塔福圣禅院主绍宠、知塔沙门守愿，除逐年依例拨放七人外，每年承天节，绍宠特与度行者五人，守愿特与度行者一人。

九月，诏泗洲（疑为"州"字）僧正文秘，每年承天节特与度行者一人。

天禧元年五月诏：应今年闰四月终以前，在京住房僧及五年以上者，各与弟子一人系帐，俟至来年承天节，依例试验经业，后不得为例。

八月十五日，诏昇州蒋山太平兴国寺，岁度行者二人，给米百石。
《山堂考索》：天禧二年八月诏普度道士女冠僧尼。凡度二十六万二千九百余人。

天圣二年十二月，尚书右丞、集贤学士马亮言：天下僧徒数十万，多游惰凶顽，隐迹为僧，结为盗贼，污辱教门。欲望今后除额定数剃度外，非时更不放度。及常年聚试之际，先委僧司看验保识，如行止不明，身有雕刺，及犯刑宪者，并不得试经。仍于逐年试帐前，榜此条贯。从之。"

（上条所补内容部分散见于《大典》卷14 706，见《辑稿》道释1·17—37。与其他有关诸门间，个别事条之重复情况同。其"度僧"应专列一门。以下诸篇同）

（三五）度僧② 《宋会要》《大典》《十九庚》僧字，卷8 706，页19。散见《大典》卷14 706，见《辑稿》道释1·17—37。（补入道释1）

"《宋会要》熙宁八年六月十六日，诏增河南府超化寺岁增度僧二人，赐紫衣一人。以上批寺乃释迦佛舍利所在，于畿内最为灵迹，两祷雨随获嘉应，闻岁止度僧一人，颇缺人修奉故也。

元丰元年四月二十一日，河州请慈济院依太原府例，二年度僧一人。从之。

七月九日诏，故西天译经三藏试鸿胪卿日称，依法护例，遗恩度僧七人，慧辨院岁增度僧一人。"

（三六）度僧③ 《宋会要》《大典》《十九庚》僧字，卷8 706，页19。部分内容散见卷14 706，见《辑稿》道释1·17—37。（补入道释1。）

"《宋会要》元丰七年五月十一日诏：皇后父祖坟寺，左街资福禅寺，可除每年拨放外，遇同天节，度僧二人、紫衣一人。

七月十六日诏：雍王颢乳母孙氏，葬报先禅院，每岁同天节，度僧一人。

崇宁二年十月九日，诏崇宁寺观，并依十方住持，其披剃并紫衣，自崇宁二年天节为始。如未有童行，即仰所差主管僧道，保的手下童行披剃。崇宁三年以后，即依此施行。

大观二年十月三十日诏：大相国寺慧林禅院祐持长老元正坐化，赐绢三百疋、钱三百贯。赐寂照之塔看塔人间岁度僧一名。

乾道元年六月六日，诏以上天竺观音院祈祷感应，赐空名度僧牒二道。

九年闰正月十八日，诏昭慈永祐（原作"佑"）陵泰宁寺每岁度僧一人。绍兴初，以本寺焚修殡宫香火，诏度僧二人，后罢度牒，本寺因不复有请,至是自言。事下礼部,乃引绍兴七年应臣僚恩例,许本部执奏指挥,持之不决。本寺复言,系崇奉陵寝之所,岂臣僚恩例事体可比。特有是命。

三月五日(按《大典》卷14706作"十五日")诏敍州男子郭惠全,给赐度牒一道,披剃为僧。以本州言惠全自少出家,母死负土成坟,孝节感著,故有是命。

凡僧道童行,每三年一造帐上祠部,以五月三十日至京师。童行念经百纸,或读五百纸;长发念七十纸,或读三百纸合格。每诞圣节,州府差本州判官、录事参军,于长史厅试验之。宋初,两京诸州僧尼六万七千四百三人,岁度千人。平诸国后,籍数弥广,江、浙、福建尤多。"

(三七)汰僧 《大典》《十九庚》僧字,卷8706,页28。散见于卷14706,见《辑稿》道释1·33—34。(补入道释1)

"《宋会要》绍兴六年四月九日,尚书省言:近年僧徒猥多,寺院填溢,冗滥奸蠧,其势日甚。诸州每年经试,其就试者,率不过三四十人,经业往往不通,州郡姑息,惟务足额。盖降度牒许人进纳,官中旧价百二十贯,民间止卖三十千。稍能营图,便行披剃,谁肯勤苦试经。显见此科,亦是虚设,权住三分之二(按《大典》卷14306,作"三分之一")。

十三年六月八日,三省言:寿星寺乞每年拨放,有碍昨降权住指挥。上曰:既有指挥权住,且休放行。朕观昔人有恶释氏者,欲非毁其教,绝灭其徒。有喜释氏者,即崇尚其教,信奉其徒。二者皆不得其中。朕于释氏,但不使其太盛耳!献言之人,有欲多卖度牒,以资国用者。朕以为不然。一度牒所得不过一二百千,而一人为僧,则一夫不耕,其所失岂止一度牒之利。若住拨放,十数年之后,其徒当自少矣。"

(三八)光禄寺主簿 《大典》《六暮》簿字,卷14607,页9。部分内容与卷13337重复,见《辑稿》职官21。(补入职官21"光禄寺"后)

"《宋会要》宋元丰官制行,置主簿一人。政和六年,监察御史王桓言:祭祀牲牢之具,掌于光禄,而寺官未尝临视。请大祠以长贰,朔祭及中祠以丞簿,监视宰割,礼毕颁胙,有故及小祠听以其属摄。从之。"

(三九)奉迎圣像 《宋会要》《大典》《十八漾》像字,卷18224,页1—2,与《辑稿》礼51·13—14重复,原属《大典》卷17302。仅校其异同如后:

礼51		辑　　稿	大　　典
页	行		
13—14	版口	卷一万七千三百二	卷一万八千二百二十四
13	23	"营缮将就,请命良工铸造尊像"	"营缮将就,命良工铸造尊像"
13	28	"北作坊使"	"作作坊使"
13	背3—2	"宰臣王旦为迎奉像大礼使"	"宰臣王旦为迎奉圣像大礼使"
13	末	"参知政事丁谓为桥道顿递使"	"……为桥道顿迎使"
14	4	"用申近奉之仪"	"用伸迎奉之仪"
14	15—16	"有司奉安于彩殿"	"有司奉安于练殿"

(四十)奉安圣像　《宋会要》《大典》《十八漾》像字,卷18 224,页6。与《辑稿》礼51·14—16重复,原属《大典》卷17 302。仅校其异同如后:

礼51		辑　　稿	大　　典
页	行		
14—16	版口	卷一万七千三百二	卷一万八千二百二十四
14	18 标题	"玉清和阳宫奉安圣像"	"奉安圣像"
14	20—21	"元天太圣后"	"元天大圣后"
14	25	"克礼仪使"	"充礼仪使"
14	26	"克都大主管官"	"充都大主管官"
14	26	"科素馔"	"料素馔"
15	3	"左有十二笾,右有十二豆"	"左十有二笾,右十有二豆"
15	5	"捧盘内侍在执匦内侍之西阶,北向"	"捧盘内侍在执匦内侍之西,皆北向"
15	7	"良酝令人实尊罍,乐工师工人二舞以次入……"	"良酝令人实尊罍乐罍,乐正帅工人二舞以次入……"
15	8	"㝵殿庭北向"	"诣殿庭北向"
15	16	"执元圭诣神像前,北向跪"	"执元圭诸神像前,北向跪"
15	17	"皇帝受币"	"呈帝受币"

续表

礼51		辑　稿	大　典
页	行		
15	19	"盥匜"	"盥悦"
15	20	"奉爵官诣尊所,良酝今酌酒"	"奉爵官奉爵诣尊所,良酝令酌酒"
15	21—22	"内侍举祝版"	"内侍奉祝版"
15	22—23	"诣次位行礼"	"诣诸次位行礼"
15	24	"宫架乐止一成止"	"宫架乐作一成止"
15	背4	"……恭谢各二昼夜"	"……恭谢各三昼夜"
15	背3	"冬至年节"	"冬年节"
15	背2	"皇帝行酌献之理"	"皇帝行酌献之礼"
16	2	"登东阶"	"升东阶"
16	3	"皇帝盥帨"	"皇帝盥悦"
16	6	"摄太官"	"摄大官"
16	10—11	"仍令本宫一月前检举以闻"	"仍今本宫一月前检举以闻"

3. 部分残缺之校补

（四一）僧官　《宋会要》《大典》《十九庚》僧字,卷8706,页7—8。见《辑稿》道释1·11—12,原属《大典》卷数缺。

道释1		辑　稿	大　典
页	行		
11	2	（标题）"僧道官"	"僧官"
11—12	版口	（缺《大典》卷数）	"卷八千七百六"

12页1—6行空格5行系脱元丰三年1条。据《大典》补之如后：

"元丰三年十月九日,详定官制所言:译经僧官,有授试光禄、鸿胪卿者,今除散阶已罢外,其带卿少官名,实有妨碍。欲乞以授试卿者,改赐译经三藏大法师。试少卿者,改赐译经三藏法师。其师号及请俸之类并依旧。诏试卿者,改赐六字法师,试少卿者四字,并冠译经三藏,余依旧。"

（四二）僧籍　《宋会要》《大典》《十九庚》僧字,卷8706,页14。见《辑稿》道释1·15。原属《大典》卷数缺。

道释 1		辑　　稿	大　　典
页	行		
15	版口	（缺《大典》卷数）	"卷八千七百六"
15	8	（无标题）	"僧籍"

15 页 7 行《山堂考索》注文前，脱卷首一段。兹据《大典》补之如后：

"《宋会要》景祐元年，僧三十八万五千五百二十人。庆历二年，僧三十四万八千一百八。熙宁元年，僧二十二万七百六十一人。"下接"山堂考索……"（注文）

按前补僧数已散见《大典》卷14 706，见《辑稿》"披度普度度牒"门序文，疑为前人理整《辑稿》时有意删除者。但删后残文上下不接，而且《大典》关于《僧籍》原专作一篇，故仍补为完篇。

（四三）宋漕六　《宋会要》《大典》《九震》运字，卷15 948，页 1—14。见《辑稿》食货 45·8—19，属《大典》卷15 948。

食货 45		辑　　稿	大　　典
页	行		
8	1	标题"纲运令格"	（无此题）
8	8	"所失官物准给价三分"	"所失官物准价给三分"
8	20	"诸以私钱贸易纲运所盘钱监上供钱者"	"……所般钱监上供钱者"
8	背4注	"受赃重者亦从重"	"受赃重者自从重"
9	11注	"州县兑及官钱"	"州县兑支官钱"
9	背7注	"私充见钱"	"私兑见钱"
10	16	"水手大下……"	"水手火下……"
10	25	"诸押纲部纲兵级梢工……"	"诸押纲人部纲兵级梢工……"
10	背6注	"杖罪两大同"	"杖罪两火同"
11	4	"至罪正应配者"	"至罪止应配者"
11	5	"应干罪赏置"	"应干罪赏条制"
11	9	"今来车驾驻□"	"今来车驾驻跸"
11	13	"或□不足者"	"或偿不足者"
12	4	"篙子减一等"	"篙手减一等"
12	18	"去官不兑"	"去官不免"

续表

食货45		辑　稿	大　典
页	行		
12	18	"虽会恩不充"	"虽会恩不免"
12	18—19注	"不觉㊞者非"	"不觉盗者非"
12	背6注	"等截批㊞有纲可㊞者附纲"	"等截批书有纲可附者附纲"
13	13	"……申明照用——押纲赏诈伪敕"	"……申明照用　押纲赏诈伪敕"
13	15	"虽会典原免……"	"虽会恩原免……"
13	18	"俟获到内足"	"俟获到纳足"
13	21	"诸人因事故别差人……"	"诸人因事故别差募人……"
13	背10注	"谓如钱帛与军㊞之类"	"谓如钱帛与军器之类"
13	末	"减磨勘一年——全纲……"	"一年"下为空格
14	8注	"准某州㊞押"	"准某州差押"
14	9	"合行㊞并推赏"	"合行专并推赏"
14	背4—3	"二二千四百里……"	"二千四百里"
16	2—3	"减三千半磨勘"	"减三年半磨勘"
16	9	"三百里支赐绢六疋"	"三伯里支赐绢六匹半"
16	末注	"如止一千贯以上"	"如止及一千贯以上"
17	17—18	"转一官减一年名次"	"转一官升一年名次"
18	4	"六千里百里"	"六千五百里"
18	17—18	"如无欠损违㊞"	"如无欠损违程"
18	背5	"镇江府总领所"	"镇江总领所"
18	背4—3	"在朝奉郎"	"左朝奉郎"
19	3	"及外路总领所缺纳"	"及外路总领所卸纳"
19	9	"往由平河纲运"	"经由平河纲运"
19	11	"如违更不推行"	"如违更不推赏"
19	16	"计缘路催纲司……"	"及沿路催纲司……"

19页18行"亦次第行之"后脱原引《中书备对》一段。补之如后：

"《中书备对》发运。三门白波并广济河辇运、蔡河拨发司年额斛斗、行运纲船造船数。并发运司水脚工钱。斛斗六百九十四万六千九百石。纲七百五十五。水脚工钱三十三万贯，米九万石。造船三千三百八十九只。发运司斛斗六百二十万石。六百万石正额。二十万石补填抛失破拜。每年截卸二十万石与南京，二十万石与咸平、尉氏县下卸，并充军粮；陈留、雍丘、襄邑、太康县，每年旋准三司指挥支截万数不足。两浙一百五十万石。淮南路一百五十万石。江南东路九十九万一千一百石。江南西路一百二十八万一千一百石。荆湖北路三十五万石。荆湖南路六十五万石。水脚工钱米发运司起发全额斛斗，淮南转运司出办水脚工钱口食，计四千二万贯石。钱三十三万贯。米九万石。纲六百八十九。见管四百三十五纲。二百五十四纲见门圆。

四排岸。在京四排岸司，熙宁八年、九年、十年，三年诸路纲船并船（疑为"般"）到斛斗数。纲船：汴河纲、淮南监纲、江东、江西、湖南、湖北纲并为监粮纲外，两浙只运粮。八年，七千九百一十二只。九年，三千九百七十三只。十年，一万二千七百一十三只。景德四千九百三十一只。皇祐一万五千二百二十三只。治平一万九千九百三十五只。斛斗：八年，二百七十六万二千二百二十二石四斗五升五合三夕（疑作"勺"）一抄。九年，一百三十万二百六十一石六斗五升。十年，五百六十二万一千六十二石三斗四升一合。折会、收籴、透堵、纳价钱、破拜、抛失并见欠，各不在此数。八年，四万四千二百六十石。九年，四千三百一十三石。十年，八万二十（疑作"千"）五百二十一石。皇祐四百六十二万六千九百二十八石，治平七百二十六万六千七十八石。东排岸司汴河纲：八年，船七千五十六只，斛斗二百五十四万七千七百二十九石九斗五升五合三夕（疑作"勺"）一抄。收籴、透堵、纳价钱、破拜、抛失并见欠四万三千五百六十石一升四合九勺一抄。九年，船二千三百七十五只，斛斗八十七万三千八百三十石九斗三合八勺。折会、收籴、见欠二千五百八十九石七斗六合一合五勺。十年，船一万一千二百九只，斛斗四百七十八万八千六百四十七石。抛失少欠八万二百六十五石。西排岸司黄河纲：八年，船四十四只，斛斗一万三千四百四十四石二斗五升。九年，船九十二只，斛斗三万四千六百三十二石。少欠九十石六斗四升。十年，船三十一只，斛斗七千五百七石五斗五升。少欠一百一十八石四斗七升。南排岸司蔡河纲：八年，废罢本司。九年，七月复置行运。船七百只，斛斗一十九万一千九百三十三石二斗一升七合二勺。透堵少欠一十二石七斗五升。十年，船七百只，斛斗六十一万九千三百五十九石四斗八升一合。抛失少欠九百三十九石七斗六升五合。"

（四四）公服 《宋会要》《大典》《一层》服字，卷19792，页2—4。见《辑稿》舆服4·28—29，原属《大典》卷19792。

舆服4		辑　　稿	大　　典
页	行		
28	5—6	"太平兴国二年二月三日"	"太平兴国二年二月八日"
28	背3	"自赐出身人起理"	"自赐出身日起理"
29	7	"乞下吏部（改作"礼"）部参酌施行"	"乞下礼部参酌施行"
29	11	"九年十二月十名"	"九年十二月十日"
29	14	"三品转使使"	"三品转运使"

29页末行"并改转服色"后，脱淳熙以下11条。兹据《大典》补如后：

"淳熙七年三月四日，诏新知明州范成大朝见许服系昨赐笏头金带。以成大曾任参知（疑为"政"字）事，今赴阙奏事，上系黑带佩金鱼。有司取旨，故有是命。

九年九月十七日，诏赵伯圭除少保封郡王，乃赐玉带。

十年十月十六日诏，权侍郎以上，罢任不带职名，许服红鞓排方黑犀带。

十二年二月二十三日诏，武臣知州军，官未升朝者，可依文臣守倅借服色例，许权系红鞓角带，候回日依旧。

十三年二月四日，诏新授太傅、保宁军节度使致仕魏国公史浩，赐玉带，令系赴朝参。

淳熙十六年七月十一日，诏阁门宣赞舍人、带玉器械（按《大典》卷15 226作"带御器械"是）霍汉臣，昨在殿陛应奉日久，所有左藏库元关借到金带一条，特令就赐。绍熙元年正月，阁门宣赞舍人张进之，十月，阁门宣赞舍人潘师稷，二年六月，阁门宣赞舍人、带玉器械（按《大典》卷15 276作"带御器械"是）郭扴，并以应奉日久，亦有是赐。

十六日，诏成忠郎吴睨特除阁门祗候，令祗候库关金带一条，许令服系，仍与家便差遣。

绍熙二年正月一日，宰臣进呈四川制置使京镗因任上曰，且与加宝文阁侍（当作"待"）制令再任，特赐带。

嘉定二年十一月十一日，枢密院札子：勘会已降指挥，镇江军统制冯榯、卢彦，各特赐金腰带一条，许令服系，所合具申，取自指挥。诏令左藏封桩库证应取拨给付。

四年三月十五日，枢密院奏：检会已降指挥，镇江都统司统制官卢彦特赐金束带一条。诏令封桩库于见管金束带内支拨给赐。

七年二月十一日，枢密院奏：勘会镇江都统司统制蒋世显，赴都堂禀覆职事讫。诏蒋世显特改差楚州驻扎御前武锋军统制,填见阙。特赐金束带一条,许令服系。仍于封桩库日下支给盘缠钱二千贯,付蒋世显起发归司,疾速前去本州管干军马。各具知禀申枢密院。

十二年正月十九日,枢密院关检会已降指挥节文:李全特赐金腰带一条,许令服系。诏令封桩库日下取拨给赐,具知禀申枢密院。

十二月二十六日,诏郑庄孙昨任阁门看班祇候,曾于户部关借金腰带一条,可特与就赐,许令服系。

十四年五月二十三日,奉直大夫、直宝谟阁、主管建康府崇禧观赵不慭,诏以不慭行尊年高,中外屡更事任,自为司农卿,今已十二年,理宜优异。可特换授保康军承宣使,提举佑神观,仍奉朝请。赐金带一条,许令服系。"

4.附《大典》误标为《宋会要》之事目

（一）常平仓　　《宋会要》　《大典》《十八阳》仓字,卷7 507,页24。
为元世祖至元六年、八年、二十三年事。误文略。

（二）河阳仓　　《宋会要》　《大典》《十八阳》仓字,卷7 513,页3。
为唐咸亨元年事。误文略。

（三）渭桥仓　　《宋会要》　《大典》《十八阳》仓字,卷7 513,页3。
为唐咸亨三年事。误文略。

（四）柏崖仓　　《宋会要》　《大典》《十八阳》仓字,卷7 513,页3。
为唐咸亨三年事。误文略。

按前条误入材料,汤中在《宋会要研究》一书中,曾提到《辑稿》中"渭桥仓,栢（原作柏）崖仓"的问题,知最初曾被辑出,后因非宋事而被删除。

二、《大典》与《辑稿》并存部分之校勘

（一）御史台二①　　《中兴会要》　《大典》《七皆》台字,卷2 607,页2—3。见《辑稿》职官55·1,原属《大典》卷2 607。

职官55		辑　稿	大　典
页	行		
1	6	"以尚书省郎中员外充"眉批"大字居中"	"郎中员外"四字原为小字旁书

(二)御史台二②　（标题《两朝国史志》，文后注"以上《中兴会要》"，系《会要》采《国史》文。）《大典》《七皆》台字，卷2 607，页3。见《辑稿》职官17·1—2，原属《大典》卷数缺。

职官17		辑　稿	大　典
页	行		
1	14—15	"凡文武尝参……"	"凡文常参……"
1、2	版口	（缺《大典》卷数）	"卷二千六百七"

(三)御史台二③　（标题《神宗正史》，文中注"以上《续国朝会要》"，文后注"以上《国朝会要》"，系《会要》采《国史》文。）《大典》《七皆》台字，卷2 607，页3—4。见《辑稿》职官17·3—4，原属《大典》卷数缺。

职官17		辑　稿	大　典
页	行		
3	11	"非吏察官司亦如之"	"非隶察官司亦如之"
3、4	版口	（缺《大典》卷数）	"卷二千六百七"

(四)御史台二④　（标题为《两朝国史志》，文中注"以上《续国朝会要》"、"以上《国朝会要》"，系《会要》采《国史》文。）《大典》《七皆》台字，卷2 607，页4—5。见《辑稿》职官17·38—40，原属《大典》卷数缺。

职官17		辑　稿	大　典
页	行		
38	2	（缺篇目）	"御史台二"
38—40	版口	（缺《大典》卷数）	"卷二千六百七"

(五)御史台二⑤　《宋会要》《大典》《七皆》台字，卷2 607，页5—20。见《辑稿》职官55·2—8，原属《大典》卷2 607。

职官55		辑　稿	大　典
页	行		
2	2	（缺标目）	"御史台二"
3	3—4	"真宫监视"	"直官监视"
4	9	"推真宫七千"	"推直官七千"
4	9—10	"二月（旁改"年"字，原字未删）闰三月诏"	"二月闰三月诏"

（按此条在咸平元年十月条后。）

职官 55		辑　　稿	大　　典
页	行		
5	4	"须令剖柝"	原本同,疑是"析"字之误
5	4	"母致有抑屈"	原作"母",疑是"毋"字之误
6	4—5	"五品已下宫"	"五品已下官"
10	16—17	"所有被察宫司"	"所有被察官司"
12	6—7	"乞依元丰四月以前指挥"（按此条系元符元年事）	《大典》同。
12	背3—2	"不沽激以徼名"	"不沽激以徼名"
13	11—12	"有以一道德言（"言"已校改为"严"）分守者"	"有以一道德严守分者"
13	15	"非职千预"	"非职干预"
14	12—13	"广行营救,以及其罪"	"广行营救以反其罪"
15	背4—3	"苟有势援凭（补一字 藉）"	"苟有势援凭藉"
16	8	"治忽所击"	"治忽所系"
16	13	"殿中御史许景衡"	"殿中侍御史许景衡"
16	背6	"母惮大吏"	"毋惮大吏"
17	12	"关报御史台"	"阙报御史台"
18	16	"可上簿藉"	"可上簿籍"
19	12	"吏部书令吏"	"吏部书令史"
21	16	"二曰右正言张修请刊圣诏"（疑"曰"字为日字之误）	大典同
23	7	"叶顒（旁改作"颙"）奏曰……"	"叶颙奏曰……"
26	3	"姓阎人傅意"	"姓阎人传意"
26	14—15	"今来御御史张叔椿"	"今来侍御史张叔椿"
27	12	"百官之脚也"	"百官之脚色"

（六）贵人　《宋会要》《大典》《九真》人字,卷2972,页2。见《辑稿》后妃3·26,原属《大典》卷2972。

后妃3		辑　　稿	大　　典
页	行		
26	1	标题"顺容"	"贵人"

（七）才人　《宋会要》《大典》《九真》人字，卷2 972，页4—5，见《辑稿》后妃3·24—25，原属《大典》卷2 972。

后妃3		辑　　稿	大　　典
页	行		
24	背5—4	"大观三年"	"太观三年"

（八）美人　事实①　《宋会要》《大典》《九真》人字，卷2 972，页9。见《辑稿》后妃3·21，原属《大典》卷2 972。

《辑稿》后妃3·21，标目为"美人"。原题"美人"下则注明"事实"，以与前条之"美人沿革"相区分。

本文校无讹。

（九）美人　事实②　《宋会要》《大典》《九真》人字，卷2 972，页11。见《辑稿》后妃3·22—23，原属《大典》卷2 972。

后妃3		辑　　稿	大　　典
页	行		
22	1(标题)	"美人"	"美人事实"
22	2	补"张美人"	（原无此三字）
22	13	"赐名㊟非"	"赐名格非"
22	13—14	"建中靖国元正月"	"建中靖国元年正月"
22	14	"……追复美人朱美人……"	"朱美人"上当空一格。别为一条（《大典》此处置提行，未空）

（十）斗门①　《宋会要》《大典》《九真》人字，卷3 526，页9。见《辑稿》食货8·51，原属《大典》卷3 526。

《辑稿》眉批标题，当移入第二行。

（十一）斗门②　《乾道会要》《大典》《九真》门字，卷3 526，页9。见《辑稿》食货8·52，原属《大典》卷3 526。

食货8		辑　　稿	大　　典
页	行		
52	2	（无标题）	"斗门"
52	9	"以沙扳安闸"	"以沙板安闸"

（十二）斗门③　《宋会要》《大典》《九真》门字，卷3 526，页23。《辑稿》食货8·51，原属《大典》卷3 526。

食货8		辑　稿	大　典
页	行		
51	8	（无标题）	"斗门"

（十三）坤道人门　《宋会要》《大典》《九真》人字，卷3 527，页6。见《辑稿》礼12·16，缺《大典》卷数。

礼12		辑　稿	大　典
页	行		
16	7	（脱标题）	"坤道人门"
16	版口	（缺《大典》卷数）	"卷三千五百二十七"

（十四）郊祀神位①　《宋会要》《大典》《十四爻》郊字，卷5 453，页5—6。见《辑稿》礼25·64，原属《大典》卷5 453校无讹。

（十五）郊祀神位②　《续宋会要》《大典》《十四爻》郊字，卷5 453，页15。见《辑稿》礼25·69—70，原属《大典》卷5 453。

礼25		辑　稿	大　典
页	行		
70	2	"太社太（旁补"系"字）稷四腰捍匣"	"系"字在"稷"字后

（十六）郊祀神位议论①　《宋会要》《大典》《十四爻》郊字，卷5 453，页8—9。见《辑稿》礼25·65—67。原属《大典》卷5 453（？）。

礼25		辑　稿	大　典
页	行		
65	2（标题）	"郊祀神位"	按《大典》卷首虽仅标"郊礼神位"，但第三页三行，另标"议论"二字，故当为"郊祀神位议论"
65—66	版口	"卷五千四百五十三"	"卷五千四百五十四"
65	3	"元丰（二字补）四年"	原无"元丰"二字，系据前此《九朝长编纪事本末》元丰四年条推补
65	3	"礼运曰"	"礼运曰"

续表

礼 25		辑　　稿	大　　典
页	行		
65	6—7	"青圭礼东方,圭璋礼南方"	"青圭礼东方,赤璋礼南方"
65	11	"……此五行之礼也"	"……此五行之神也"
65	18	"崇庆元年"	《大典》同

（按"崇庆"为金卫绍王年号,本条下文有3处提到"神宗皇帝"；此条之上接元丰条,似当为"崇宁元年"）

65页末行"虽从享于祇……"　　"虽从享于大祇……"

（十七）郊祀神位议论②　《宋会要》《大典》《十四爻》郊字,卷5 453,页9—10。见《辑稿》礼25·67—68,原属《大典》卷5 453（?）。

礼 25		辑　　稿	大　　典
页	行		
67	版口	"卷五千四百五十三"	"五千四百五十四"

（十八）郊祀神位议论③　《宋会要》《大典》《十四爻》郊字,卷5 454,页13。见《辑稿》礼25·68,原属《大典》卷5 454。

校无讹。

（十九）郊祀神位议论④　《宋会要》《大典》《十四爻》郊字,卷5 454,页15。见《辑稿》礼25·71—72,原属《大典》卷5 454。

礼 25		辑　　稿	大　　典
页	行		
71	1	（缺标题,补批于书眉）	"郊祀神位议论"
71	9	"又增设郊礼坛壝……"	"又增设郊坛壝……"

（二十）沙州　《宋会要·蕃夷志》　《大典》《十六麻》沙字,卷5 770,页19—21。见《辑稿》蕃夷5·1—3,原属《大典》卷5 770。

蕃夷 5		辑　　稿	大　　典
页	行		
1	2—4	"大中言刺史张义□以州归顺,诏建沙州为归义军,以义军以义潮为节度使"	大典同。文义不通。《宋史·沙州传》作"大中五年,张义潮以州归顺,诏建沙州为归义军,以义潮为节度使"
1	8—9	"遣使贡至勒勒马"	"遣使贡至鞍勒马"

续表

蕃夷 5		辑　稿	大　典
页	行		
1	15	"散官勋如<u>残</u>"	"散官勋如故"
1	16	"封□□□"	"封谯县男"
2	1	"爪州刺史涎（改作"延"）瑞"	"瓜州刺史涎瑞"。按"涎"《宋史》作"延"，本篇下文亦作"延"
2	2	"母进封奏（改作"秦"）国太夫人"	"母进封奏国大夫人"
2	3	"八年遣都领令<u>残</u>愿德入贡"	"八年遣都领令孤愿德入贡"
2	7	"赐僧圆通紫依衣"	"赐僧圆通紫衣"
3	13—14	"又表金字藏经"	"又表乞金字藏经"

（二一）封桩　《宋会要》　《大典》（《十八阳》裴字，卷6 524，页1—6。见《辑稿》食货64·70—78，原属《大典》卷6 523？）

食货 64		辑　稿	大　典
页	行		
70—78	版口	"卷六千五百二十三"	"卷六千五百二十四"
70	3	"未招简（原改作"拣"）人充填者"	原作"简"，但下文元祐二年枢密院奏文所引此条则作"拣"。按"简"、"拣"二字通
70	4	"母得移用"	"毋得移用"
70	15	"即今三司以细色粮充"	"即令三司以细色粮充"
71	4	"河北籴使司"	大典同。按《大典》卷1 118（见《辑稿》职官44）作"籴便司"
71	5	"河北籴使司"	同前条
71	11	"……马甲乞免熙河路封桩"	"……马申乞免熙河路封桩"
72	18	"不得一例借支（改作"支借"）"	原作"借支"
75	1	"恢复丙军兵经过州县"眉批"丙疑误"	原为"丙"字
77	15	"已展元至绍兴三十一年终"眉批"元疑限"	原为"元"字

（二二）挽郎　《宋会要》《大典》《十八阳》郎字,卷7 327,页18。见《辑稿》职官22·21,原属《大典》卷7 327。

校无讹。

（二三）京诸仓　《宋会要》《大典》《十八阳》仓字,卷7 511,页1—10。见《辑稿》食货62·1—17,原属《大典》卷7 511。

食货62		辑　　稿	大　　典
页	行		
1	10注	"大中祥符三年"	"大中祥符二年"
1	背5注	"大中符元年年改"	"大中祥符元年改"
2	3	"殿中侍御史王仲"	"殿中侍御史王伸"
2	14	"张若纳（改作"讷"）"	"张若讷"
3	16	"不许多少"	"不计多少"
5	9	"今所给已（"已"字点去）多"	"今所给已多"
6	3	"往本家或邻仓抄出"	"往本家或邻仓抄上"
6	4	"不得颜情私衷"	"不得颜情衷私"
6	13	"平须均平受纳"	"并须均平受纳"
6	背3	"神（改作"仁"）宗天圣二年"	原作"神宗"
7	5—6	"开州刺□王应昌"	原作"刺史"
7	7	"勾当转副所由斗子等"	"勾当专副所由斗子等"
7	11	"切缘军储事大"	"切缘军储事火"
9	10—11	"自今古入亲民举差者"	"自今合入亲民举差者"
10	6	"至元和二年"	"至和二年"
13	末	"本院使臣（补"兼"字）充兼（改作"监"）门"	"本院使臣充兼门"
16	9	"仓敖基止"	"仓敖基趾"
16	11	"今岁后秋成……"	"今岁候秋成……"

(二四)诸州仓　《宋会要》《大典》《十八阳》仓字,卷7 512,页1—13。见《辑稿》食货62·53—75,原属《大典》卷7 512。

食货62		辑　稿	大　典
页	行		
53	2	诸州仓库	诸州仓
54	10	"十一月"上删去"大中祥符六年"六字	原有此6字。又《大典》17 542(见《辑稿》食货54)无此6字
55	背3—2	"淮南浙荆湖制置发运使"	《大典》同。又《大典》卷17 542(见《辑稿》食货54)作"淮南江浙荆湖制置仓"
55	末	"不得批上残理为劳绩"	"不得批上历□为劳绩"按《大典》卷17 542(见《辑稿》食货54)作"不得批上历子理为劳绩"
56	1—2	"支装发沿江巡检司排岸司多有勾索纲运……"	"支装□沿江巡检司排岸司多有勾索纲运……"按《大典》卷17 542作"装发"
56	4	"逐年和籴斛斗"	"逐年和籴□□"按《大典》17 542作"逐年和籴斛斗"
56	5	"就近收籴"	《大典》同。又《大典》卷17 542(见《辑稿》食货54)作"就近收籴之"
56	5—6	"九月臣僚言……"	《大典》同。又据《大典》卷17 542(见《辑稿》食货54),此上脱三年、四年、七年共3条,此"九月"之上,当补"七年"
56	10—11	"其支使不尽斗子钱"	"其支使不尽头子钱"
56	背4—3	"除名给与……"	"除合给与……"
57	1—2	"当初罪严断"	"当劾罪严断"
57	2	"……十年九月四日"	《大典》同。又据《大典》卷17 542(见《辑稿》食货54)此上脱熙宁七年一条,故"十年"上当补"熙宁"
57	2—3	"至次年支纳"	"至次年支给"
57	10	"河北东西路体量安抚塞周转乞……"	原作"骞周辅"。又《大典》卷17 542亦作"骞周辅"。"骞"当作"塞"

续表

食货62		辑　稿	大　典
页	行		
58	7	"不取情愿而擅(改作"抑")令坐仓"	原作"而擅□坐仓"。又《大典》卷17 542(见《辑稿》食货54)作"抑令"
58	10	"政和(二字删)三年"	原有"政和"二字。按前条为政和元年,二字可略。又《大典》卷17 542无"政和"二字
59	12—13	"略行古剥"	原作"估剥",又《大典》卷17 542同此
60	9—10	"除诸州封桩钱物……"	"除诸司封桩钱物……"
61	7	"八月十七日……"	《大典》本卷同。又据《大典》卷17 542(见《辑稿》食货54)"八月"上脱建炎三年九月、绍兴十一年、十二年、十五年、十九年七月、十一月、二十一年、二十二年、二十六年共九条,此条应隶"绍兴二十六年"
62	5—6	"令本路转运司相度施行,相度(二字删)以上中兴会要"	注中"相度"二字原本如此。原校据《大典》卷17 542复文删去
62	16	"仰勒坐仓"	"抑勒坐仓"。又《大典》卷17 542同此
62	背4	"合转置官吏"	"合专置官吏"。又《大典》卷17 542同此
63	11	"因(改作"从")中书门下省请也"	"因中书门下省请也"。又《大典》卷17 542作"从"
64	2—3	"在所不(空格中补"论距和州")则下水九十里至裕溪口"	"在所不原本缺则下水……"。按《大典》卷17 542复文,同《辑稿》所补
64	3	"至裕溪口合(中补"九江水路")之间"	"至裕溪口,合原本缺之间"。按《大典》卷17 542同《辑稿》所补
64	3—4	"冬干则成下水春水生则为上水则快而易进,上水则急而难溯"	"春水生则为原本缺则快而易进"。所补系据《大典》卷17 542之复文,然细察文意"则所补上水"下疑当增"下水"二字

续表

食货62		辑　　稿	大　　典
页	行		
64	5—6	"几上下水一百七十五里"	"凡上下水一百七十五里"
65	9	"淮东总理钱良臣言"	"淮东总领钱良臣言"
66	2	"不得于诸仓安顿"	"不得于诸处安顿"
66	9、17末	"捲"	并为"桩"
67	2、7、8、13、14、17	"捲"	并为"桩"
67	2	"并守臣抱□□□臣除目下……"	"并守臣抱原本缺臣除日下……"
67	3	"候秋热日	《大典》同。疑为"秋熟日"
67	11	"照元价出粜,候秋成收籴捲管外诏黄州日后……"	"捲"原作"桩",又"外"下疑有脱文
67	背2	"不得仍前就般支遣"	"不得仍前就船支遣"
68	3、8、10、18	"捲"	并为"桩"
68	9	"有误将来又遣"	"有误将来支遣"
68	14	"尝充积粟所在"	"尝究积粟所在"
68	背5	"若⑤积粟……"	"若更积粟……"
69	7、10、12、14、16、20、末	"捲"	并为"桩"
70	1、2、5、11、12、20、21	"捲"	并为"桩"
70	4—5	"且有重山复河(改为"湖"原字未删)之险"	原作"湖"字,误字应删去
71	13、14、18	"捲"	并为"桩"
71	3	"令诸路州军大率隐而不申者……"	"令"原作"今"

续表

食货62		辑　稿	大　典
页	行		
74	5	"专委知录主人"	"专委知录主之"
74	1、14	"撺"	并为"桩"

(二五)司农仓　《宋会要》《大典》《十八阳》仓字,卷7 513,页10。见《辑稿》食货53·35,原属《大典》卷7 513。

食货53		辑　稿	大　典
页	行		
35	3 书眉批	"上缺"	原本如此,上不缺

(二六)折中仓　《宋会要》《大典》《十八阳》仓字,卷7 514,页18。见《辑稿》食货53·36,原属《大典》卷数缺。

食货53		辑　稿	大　典
页	行		
36	版口	(缺《大典》卷数)	"卷七千五百十四"
36	3—4	"今执券抵江淮,给其茶盐"	《大典》同,疑"今"为"令"字

(二七)南京　《宋会要》《十九庚》京字,卷7 701,页1。见《辑稿》方域2·1,原属《大典》卷7 701

方域2		辑　稿	大　典
页	行		
1	8	"楚丘(改作"邱")"	原作"丘"
1	10	"商丘(改作"邱")"	原作"丘"
1	15	"二日一日"	"二月一日"

(二八)北京　《宋会要》《大典》《十九庚》京字,卷7 702,页1。见《辑稿》方域2·1—2,原属《大典》卷7 702。

方域2		辑　稿	大　典
页	行		
2	背2	"宜(又补一"宜"字)春"	原无所补"宜"字

(二九)南昌府城　《宋会要》《大典》《十九庚》城字,卷8 091,页3。见《辑稿》方域9·14,原属《大典》卷8 091。

校无讹。

（三十）赣州府城　《宋会要》《大典》《十九庚》城字,卷8 093,页1。见《辑稿》方域9·15,原属《大典》卷8 093。

校无讹。

（三一）饶州府城　(《鄱阳志》附《宋会要》注文) 《大典》《十九庚》城字,卷8 093,页8。见《辑稿》方域9·16,原属《大典》卷8 093。

方域9		辑　稿	大　典
页	行		
16	1	"宋会要"	原为《鄱阳志》附《宋会要》注文,据稿本体例,应加注明

（三二）僧号　《宋会要》《大典》《十九庚》僧字,卷8 706,页11·12。见《辑稿》道释1·7—9,原属《大典》卷数缺。

道释1		辑　稿	大　典
页	行		
7	1标题	"大师禅师杂录"	"僧号"
8	1	"大慧禅师宗杲"	原本同。按下文三处皆作"宗杲"
8	10	"又一岁再造"	"又一岁再召"
8	14	"特封妙德大法"	"特封妙德大师"
7—9	版口	(缺《大典》卷数)	"卷八千七百六"

（三三）市籴粮草三　《宋会要》《大典》《十四巧》草字,卷11 598,页1—9。见《辑稿》食货40·40—56,原属《大典》卷11 598。

食货40		辑　稿	大　典
页	行		
40	背6	"有余则令项桩积"	"有余则今项桩管"
40	背4	"隆兴子(改作"二")年"	"隆兴子年"
41	5、13、14、17	五处"渐"字	原均作"浙"
41	背4	"江西湖外和籴"眉批"外疑北"	原本作"外"
41	背2—1	"量米则有使用,请钱则有糜费"	原作"粮米则有使用……"
42	7	"提举常平宫"	"宫"原作"官"

续表

食货40		辑　稿	大　典
页	行		
42	15—16	"……奏曰:恐亦可用,容更商议奏陈"	"……奏曰:恐亦可行,客更商议奏陈"
43	10	"无至亦(改作"益")增其价"	"无至亦增其价"
43	13	"令项如法桩管"	"今项如法桩管"
43	14	"中书舍人王晒(改作晔",原字未删)"	原作"晔",误字当删
43	14—15	"陈良人(改为"祐")言准御封附(改为"付")下看详……"	"陈良又言准御封附下看详……"
44	11—12	"今新马约度关(改为缺)少草数浩翰"	"今新马约度关少草数浩翰"
45	1	"被得以迓去支请"	"彼得以迓去支请"
45	4	"借数料本钱"	"措数料本钱"
45	6	"及取拨常(添平字)等诸司斛斗"	"及取拨常等诸司斛斗"
45	17	"于内揞留六十万硕"	"于内指留六十万硕"
46	3	"曾米数月"	原本同。疑"米"为"未"字之误
48	2—3	"建康府二十万贯(改作石)计率(改为本)钱五十万贯"	"建康府二十万硕计率钱五十万贯"
48	12	"诏两浙转运司"	"诏两浙转运司"
48	13	"从本司玄(改为元)委逐州官置场依市价收籴"	"原作"玄"
49	8	"两淛"	"两淛"
49	10	"众重置典宪"	原本同。疑"众"字衍
49	16	"今秋合降之数"	"令秋合降之数"
49	背3	"窃虑难为(改为"于")收籴"	"窃虑难为收籴"
50	7	"以稻草干荄人草相兼收买"	"以稻草干共人草相兼收买"
51	5、7	"两淛"	"两淛"
51	11	"窃虑有误军(添"马"字)支用"	"窃虑有误军支用"
51	背4—3	"并赴建康府总领所(补"交"字)纳(补"讫"字)"	"并赴建康府总领所纳"

续表

食货40		辑　稿	大　典
页	行		
52	9	"浙东"	"浙东"
52	背2	"儒者㿟知体国"	"儒者宜知体国"
53	2	"若无抛欠"	"若无他欠"
53	8	"籴㿟本钱"	"籴米本钱"
54	背5	"自旧即每（改为"无"）上件价例"	原作"每"
55	12—13	"而乃（添"依"字）收籴客米之例"	原无所添"依"字
55	末	"前未中籴"	"前来中籴"
56	12—13	"尽是籼（改作"山"）禾小米"	原作"籼"

（三四）备御四　《宋会要》《大典》《五御》御字。卷14 464，页2—7。见《辑稿》兵29·31—39，原属《大典》卷14 464。

兵29		辑　稿	大　典
页	行		
31	1	（缺标题）	"备御四"
31—36	书眉	（将各条分隶他门之眉批15处）	（原书既专为一门，所批不当）
32	16	"与补义进校尉"	"与补进义校尉"
32　33	末至1	"除梢工榷手招头外，其遇敌人兵五千四百人"	原本同。疑"遇敌"当作"御敌"
33	8	"委自通知令佐"	"委自知通令佐"
34	12	"臣僚清……"	"臣僚请……"
34	16	"常切整㿟军马"	"常切整龊军马"
37	1	"陈康伯等州"	"陈伯康等奏"
37	8	"未始自由淮西"	"未始不由淮西"
37	15	"暂往指挥㿟托"	原作"防托"
38	1	"肤众溃散"	"虏众溃散"
38	11	"可令范荣"	"可令范荣"

(三五)急递铺①　《宋会要》《大典》《六暮》铺字,卷 14 574,页 1—32。见《辑稿》方城 10·18—53、方域 11·1—26,原属《大典》卷 14 574。

方域 10		辑　　稿	大　　典
页	行		
18	背 5	"慢乘进发"	"慢程进发"
18	背 3	"更乞置借"	"更乞支借"
19	14	"增置自京至宣州马递铺"	"宣州"原作"宜州"
19	16	"多令斋特物色……"	原本同。疑"特"为"持"字
19	末	"置梓州至锦州地铺"	"置梓州至绵州递铺"
20	2	"令郡牧司……"	"令群牧司……"
20	6	"遣市使小车"	"遣使市小车"
20	7	"仍为增葺补屋"	"仍为增葺铺屋"
20	8	"制置发运司"	"制置发运使司"
21	5	"奏进院"	"进奏院"
21	6	"……非次实有故事"	"……非次实有事故"
21	10—11	"多即便为非"	"多接便为非"
21	13	"部辖役使使诏转运使相度……"	"部辖役使诏转运司相度……"
21	17	"任便偷拆"	"任便偷折"
22	3	"……具文状"	"……具公状"
22	3	"或到役下处"	"或到投下处"
22	末	"……三时半半……"	"……三时辰半……"
23	4	"京朝官差出峡勾当"	"京朝官差川峡勾当"
23	背 5	"赵纳之言……"	"赵约之言……"
24	10	"速具折置以闻"	"速具措置以闻"
24	13	"八月十二日,诏内省……"	"八月十二日,诏入内省……"
24	14	"可选充急脚递铺兵"	"选可充急脚递铺兵"
24	背 6—5	"京西左藏库副使邓断宣"	原作"邓继宣"
24	背 4	"逐日搜山"	"日逐搜山"
24	背 3	"驻扎将官……"	"驻扎官将……"

续表

方域·10		辑　　稿	大　　典
页	行		
25	背3	"例皆缺额"	"例皆额阙"
26	3	"量增价和价递马"	"量增价和籴马"
26	7—8	"并无遇赦降不与原减不法"	"并无遇赦降不与原减之法"
26	14—15	"盖自来年未有立定罪名"	"盖是自来，未有立定罪名"
26	背2—1	"……及逐县作料次预先请领封桩缺额递铺厢军请受钱"	"……及遂县作料次预先请领封桩缺额递铺厢军请受钱"
26	末	"准备文遣"	原本同。疑"文"为"支"之误
27	5	"及应付荆路额衣赐纲运"	"及应副别路额衣赐纲运"
27	11—12	"……诸色人打䦆"	"……诸色人打过"
28	7	"擅发急脚"	"擅发急递"
29	3	"乞令其弛慢不职因依"	"乞令具弛慢不职因依"
29	3	"重行点责"	"重行黜责"
29	17	"湖北路除潭衡邵州军……"	"湖南路除潭衡邵州军……"
30	6	"京东路五千九百余里"	"京东路五千九十余里"
30	7	"利州路四千一百余里"	"利州路四千一百二里"
30	11	"县丞主簿同共管辖巡察"	"县丞主簿同共管辖检察"
31	12	"行下䦆属"	"行下所属"
31	18	"铃辖"	"钤辖"
32	3	"铃辖"	钤辖
31	背3	"请领依粮"	"请领衣粮"
32	9	"与职职官"	"与当职官"
32	9	"令来正月颁朔布政诏书……"	"今来正月颁朔布政诏书……"
32	13	"诏书以御笔指挥，日行五百里，当急程递，日行四百里"	"诏书依御笔指挥，日行五百里，常程急递，日行四百里"
32	背4	"……文字，往来失期会会"	"……文字，往来有失期会"
33	1	"驿舍亭辅相望于道"	原本同。"辅"疑为"铺"

方域10		辑 稿	大 典
页	行		
33	2	"梁角挠拆"	"梁桷挠折"
33	5—6	"各行修残"	"各行修整"
33	背2	"所止不肯即时交割"	"所至不肯即时交割"
34	1—2	"所主无故不即时交割"	"所至无故不即时交割"
34	5	"八月利州路……"	"八日利州路……"
34	14	"辄欧缚曹级铺兵者,加斗欧罪一等"	"辄欧缚曹级铺兵者,加斗殴罪一等"。"欧"并当作"殴"
34	18	"方免稽迟"	"方免稽滞"
34	19	"本路巡察使臣"	"本路巡辖使臣"
35	10	"有司唐行灭裂"	"有司奉行灭裂"
35	14	"遂与奏报交措,是致以一画夜……"	"遂与奏报交错,是致以一昼夜……"
35	17	"人力易申,诏急递所传文字……"	"人力易胜,诏急脚递所传文字……"
36	7	"经略安抚司"	"经略安抚使"
36	末	"与罪免"	"与免罪"
37	2	"如委非紧连……持免推究"	"如委非紧速……持免推究"
37	10	"逐路管马递铺"	"逐路所管马递铺"
38	4注	"因损失而妄诈阙失"	"因损失而妄诈阙人"
38	6	"罪处非本路者"	"犯罪处非本路者"
38	7—8	"诸军州军"	"诸路州军"
38	12	"令中尚书省"	"令申尚书省"
38	12	"九月十九日"	"七月十九日"
38	13	"以私役禁军法"	"依私役禁军法"
38	背6	"修缮营补,补足兵马。廉访司核实以闻"	"修缮营铺,补足兵马。廉访司核实以闻"
39	8	"疾速修葺"	"疾速修盖"
39	11	"往往不过三两人"	"往往不过两三人"

续表

方域10 页	行	辑　稿	大　典
39	12	"诚有有误"	"诚恐有误"
40	6	"令授铺兵……"	"今后铺兵……"
40	8	"应许郡缘应付边事"	"应诸郡缘应付边事"
40	11	"……言尚书省奏……"	"……尚书省言……"
40	14	"常切提举按察"	"常切检举按察"
40	背3	"昨兴军兴"	"昨因军兴"
41	9—10	"若于兵卒差补不足"	"若兵卒差补不足"
41	背2	"差与权免诸般差使"	"并与权免诸般差使"
42	5	"画时发遣"	"画时遣发"
42	10	"故所在多有出额"	"故所在多有阙额"
43	8	"访闻诸处兵马出入"	"访闻诸处军马出入"
43	11—12	"合差递兵铺兵,权行住罢"	"合差递马铺兵,权行住罢"
43	15—16	"擅折东京留守司递角事"	"擅拆东京留守司递角事"
43	背6	"开拆窥察之人"	"开拆窥看之人"
44	6	"知委州通专切检点"	"州委知通专切点检"
44	8—9	"……知县、县委"	"……知县、县尉"
44	9—10	"最为紧切处处"	"最为紧切去处"
45	4—5	"仍令沿路县尉差残手传递前来"	"仍令沿路县尉差弓手连传递前来"
45	6	"其怜州"	《大典》同。疑是"邻州"之误
45	背5	"海道要之地"	"海道要害之地"
46	7	"使臣到铺分日月"	"使臣到铺分月日"
46	背3—2	"缘官司将寻常闲慢文字……"	"缘诸官司将寻常闲慢文字……"
47	5	"提马递铺官吏"	"提举马递铺官吏"
47	5	"与擅发斤堠铺官吏同罪"	"与擅发斥堠铺官吏同罪"
47	8	"送委县尉巡辖"	"专委县尉巡辖"
47	9	"平江府常熟县探报,通秦金人已回"	原作"……通泰金人已回"

续表

方域 10		辑　　稿	大　　典
页	行		
47	17—18	"专委巡尉差拨兵巡船探报"	"专责巡尉差拨弓兵巡船探报"
47	背 2—1	"尚虑稽滞"	"尚虑稽迟"
48	6—7	"不得昼夜"	"不以昼夜"
48	8—9	"即于一月照填敷额"	"即限一月招填敷额"
48	11	"遇发到递铺"	"遇发到递角"
48	15	"不住往来检点铺兵"	"不住往来点检铺兵"
48	17	"仍许被兵级……"	"仍许被差兵级……"
49	10	"往来检点"	"往来点检"
49	11	"别无稽迟"	"别无稽滞"
49	12	"监司递下州县"	"监司遍下州县"
49	16—17	"秋防是时"	"防秋是时"
49	17	"是时斥堠正当严谨,不可少夫措置"	原本同。疑当为"不可少失措置"
49	背 5—4	"务要作备"	"务要足备"
50	9	"无为军宣抚大使"	"无为军宣抚使"
50	14	"押摘调发"	"抽摘调发"
50	18	"太平慈湖"	"太平州慈湖"
51	10	"六日,枢密院言……"	"六日,枢密院奏……"
51	末	"上仲递角"	"上件递角"
53	13	"或有一二人"	"或有一两人"

方域 11		辑　　稿	大　　典
页	行		
2	11	"专差措使一员"	"专差指使"
2	14	"金字牌又书"	"金字牌文书"
2	15	"不系探保事宜"	"不系探报事宜"

续表

方域11		辑　　稿	大　　典
页	行		
3	3	"依诸州请给"	"依诸军请给"
3	9—10	"今来专委逐路帅臣"	"今来欲专委逐路帅臣"
3	17	"并诏依"	"诏并依"
4	14	"日食食钱"	"日给食钱"
5	3	"今后如有应入斥堠文字"	"今后如有合入斥堠文字"
5	6	"并官官承受斥堠铺递角"	"并官司承受斥堠铺递角"
5	17	"并专差人赍回申指挥"	"并专差人赍发回申指挥"
6	3	"皆是稽滞累月"	"皆是稽迟累月"
6	8	"并一面专委所属知通"	"并一面专委所属知县"
7	4	"却置骚扰"	"却致骚扰"
7	11	"除房元送严州……"	"除房仲元送严州……"
7	背3	"按劾以闻"	"接劾以闻"
7	背3	"六月十六日"	"六月十五日"
8	1	"兵更更与犒设一次"	"兵级更与犒设一次"
8	4	"枢密言"	"枢密院言"
8	5	"盗折递角"	"盗拆递角"
8	17	"人兵一二人"	"人兵一两人"
8	背3	"猝有惊"	"猝有警"
8	背1	"悉从州县……"	"悉从近制……"
9	1	"委田师十、刘锜……"	"委田师中、刘锜……"
9	15	"或常非盗窃"	"或非常盗窃"
9	背2—1	"将排铺废罢"	"将摆铺废罢"
10	2	"且具逐路提举马递铺……"	"且委逐路提举马递铺……"
10	10	"庶无稽迟"	"庶无稽滞"
10	背4	"合躬亲前去路巡"	"合躬亲前去路分"
11	4	"令佐失察"	"令佐失觉察"

续表

方域11 页	行	辑　稿	大　典
11	12、13	"若能如前项告首促获"	"若能如前项告首捉获"
11	14	"其巡辖使臣"	"其巡转使臣"
12	2—3	"若有违例"	"若有违戾"
12	3—4	"总总四川赋……"	"总领四川赋……"
12	6	"愈长偷柝藏匿之弊"	"愈长偷拆藏匿之弊"
12	11	"稽迟之弊"	"稽滞之弊"
12	16—17	"逐月具开所发进奏递角角"	"逐月开具所发进奏院递角"
12	背4—3	"语及令兵部检坐条法行下"	"语令兵部检坐条法行下"
12	背2	"令委催促"	"令尉催促"
13	6	"按月支按"	"按月支散"
13	背4	"所务培取蚕食而已"	"所务掊取蚕食而已"
14	3	"多有出额"	"多有阙额"
14	9	"有无籍迟不任职之人，尚尚书省"	"有无稽违不任职之人，申尚书省"
14	背6	"更轮使使臣二员"	"更轮差使臣二员"
14	背3	"三省枢密院呈通"	"三省枢密院通呈"
15	5	"委专官体究得实"	"已委官体究得实"
15	6	"诏张显先，先次……"	"诏张显祖，先次……"
15	背4—3	"支次年四月一日日依旧……"	"支次年四月一日依旧……"
15	背3—2	"接得淮南递角"	"接传淮南递角"
16	3	"令令后如敢擅拆窥看传缘文字"	"今后如敢擅拆窥看传录文字"
16	5	"于本州厢军内选差"	"于本州厢军内差选"
16	6	"米一升"	"米一胜"
16	16	"又作作名色克减"	"又多作名色减克"
17	4—5	"近诣诸军自兴州之行在"	"近旨诸军自兴州至行在"
17	8	"第降罪论指挥"	"第降论罪指挥"

· 213 ·

续表

方域11		辑　稿	大　典
页	行		
17	11—12	"尚书省、枢院"	"尚书省、枢密院"
17	背4	"军期安平"	"军期平安"
17	末	"亦不递千余里"	"亦不翅千余里"
18	5	"……马铺递官"	"……马递铺官"
18	7—8	"比之战士"	"此之战士"
18	11	"……承传递角滞迟"	原作"迟滞"
18	背2	"名具以闻"	"具名以闻"
19	15	"支米一升半"	"支米一胜半"
19	末	"近指诸路州军斥堠铺兵选拣健卒谨审铺兵"	"近指诸路州军斥堠铺兵拣选健步谨审铺兵"
20	2	"给降黑滕白粉牌"	"给降黑漆白粉牌"
20	3	"盱眙军光滠州"	"盱眙军光濠州"
20	5	"军期切紧"	"军期切务"
20	7	"诸处乞切文字"	"诸处要紧文字"
20	7—8	"乞置雌黄滕青字牌"	"乞置雌黄漆字牌"
20	13—14	"令欲委自巡辖马递铺使臣"	"今欲委自巡辖马递铺使臣"
21	6	"置立罢铺"	"置立摆铺"
21	8—9	"提举官递铺官"	"提举马递铺官"
21	9	"及都督州军"	"及督责州军"
21	15	"摆铺军卒"	"摆铺军兵"
21	16	"提诸马递铺官"	"提举马递铺官"
21	背4	"并本院发出批回……"	"并本院发去批回……"
22	3	"提举常平公盐公事翟被言"	"提举常平茶盐公事翟绂言"
22	背3	"汪立乃自首行阵"	"汪立乃自行陈首"
23	1	"置巡辖马递官一员"	"置巡辖马递言一员"
23	2	"令月三日,发遣江南东路转副副使"	"令月三日,权发遣江南东路转运副使"
23	4—5	"更不经官更究"	"更不经官根究"

续表

方域 11		辑　稿	大　典
页	行		
23	9	"如或告获"	"如告获"
24	8	"第一第二等分"	"第一第二等人"
24	16	"逐铺给示"	"逐铺揭示"
24	背 2	"邵说沿沿路州县……"	"邵说言沿路州县……"
25	8	"……前后条旨"	"前后条指"
25	9	"提举马递铺兵"	"提举马递铺官"
25	13	"以桐城县铜山驿铺兵收匿递角光铺不察"	"以桐城县界铜山铺兵收匿递角光铺不觉察"
25	背 4	"负犯盗卒"	"负犯逃卒"
26	1	"巡辖使臣与曹级相连"	"巡辖使臣与曹级相通"
26	8	"两铺才去十里"	"两铺相去才十里"
26	9	"见置摆处"	"见置摆铺处"
26	15	"机密切要文字"	"机密要切文字"

（三六）急递铺② 《续宋会要》《大典》《六暮》铺字,卷 14 575,页 1—7。见《辑稿》方域 11·27—39,原属《大典》卷 14 575。

方域 11		辑　稿	大　典
页	行		
27	2	"续宋会要"	"宋续会要"
27	12—13	"过界月日时劾"	"过界月日时刻"
27	14	"不过五人"	"不过五员"
27	15	"并作点检稽滞递角官称呼"	"并作点检稽察递角官称呼"
27	背 4	"……降一员,令逐路提举官……"	"……降一员及令逐路提举官……"
27	末	"二年十月十八日"	"二年十月八日"
28	5	"给赏库"	"激赏库"
28	7—8	"将牌子即时缴还,若住迟时刻……"	"将牌子即时缴回,若住滞时刻……"
29	13	"给降黑漆字牌"	"给降黑漆白字牌"

续表

方域11 页	行	辑　稿	大　典
29	17	"南陵县叶铺"	"南陵县叶铺"
30	7	"诸或有距州三四百里者"	"诸铺或有距州三四百里者"
30	背6	"却客逃军游手承填名缺"	"却容逃军游手承填名缺"
31	5	"支给铺兵衣粮"	"支给铺兵依粮"
31	6	"诏差都进奏院王厚之"	"诏差监都进奏院王厚之"
31	7	"军器兼主簿"	"军器监主簿"
31	12—13	"铺兵愿便就便者"	"铺兵愿就便者"
31	18—19	"近来摆斥埭省递混而为一"	"近来摆铺斥省递混而为一"
32	背4	"诏令后递角稍有欺弊……"	"诏今后递角稍有欺弊……"
32	背3	"次第责罚"	"次等责罚"
32	背2	"州郡循"	"州郡因循"
33	11—12	"缓急之之处"	"缓急之处"
34	4	"铺兵使臣"	"使臣铺兵"
34	8	"令先次约束州郡……"	"今先次约束州郡……"
34	9	"牌子糠置"	"牌子样制"
34	14—15	"即具出界入界日时文状……"	"即具入界出界时日文状……"
34—35	末1	"乞别给粉牌十一面"	"乞别给牌一十面"
35	3	"应铺兵须作额"	"应铺兵须足额"
35	5	"躬亲点检"	"躬亲检察"
35	6	"递铺兵给"	"递铺兵级"
35	8	"将当职官刻按以闻"	"将当职官按劾以闻"
35	14	"兼稽察本州界内三方递角"	"兼机察本州界内三方递角"
35	15	"曾枭"	"曾枭"
35	16	"置邮传令"	"置邮传命"
35	17—18	"私役之人"	"私役于人"
36	1	"州县将铺兵合得钱米,并不按月支散,其致逃窜"	"州军将铺兵合得钱米,并不按月支散,致其逃窜"

续表

方域11		辑　　稿	大　　典
页	行		
36	2	"依旧铺分守管"	"依旧铺分收管"
36	5	"知宣州颜必先"	"知宣州颜必先"
36	7	"或支拆他物"	"或支折他物"
36	8	"招置壮健之人"	"招置强壮之人"
36	9	"不得以他物拆占"	"不得以他物折估"
36	11	"中枢密院"	"申枢密院"
36	12	"襄阳去行约三千里"	"襄阳去行在约三千里"
36	背3	"少壮枪排手"	"少壮枪牌手"
36	背2	"臣僚置邮传命……"	"臣僚言置邮传命……"
37	7	"兴五军"	"兴国军"
37	9	"不能铃束故也"	"不能钤束故也"
37	12	"不得稍有稽迟"	"不得稍有稽滞"
37	17	"并与厢军禁军同日支散"	"并与厢禁军同日支散"
37	18	"知峡州翟俊言本州田分……"	"知峡州翟畯言本州地分……"
37	背4	"制置江陵"	"置司江陵"
37	背3	"边惊戒严"	"边警戒严"
37	背3—2	"正在江陵陕州两路之要冲"	"正在江陵峡州两路之要冲"
38	2	"访多有拖欠不支"	"访闻多有拖欠不支"
38	7	"有路两相邻之州"	"有两路相邻之州"
38	15	"不独广福建两路而然"	"不独广东福建两路而然"
38	17	"两相邻之州"	"两路相邻之州"
39	1	"自来系自就县支请"	"自来系是就县支请"
39	5	"见皆人数"	"见管人数"
39	6—7	"日来事未宁"	"日来边事未宁"
39	7	"所有递角文字"	"所是递角文字"
39	9	"合于本司……"	"各于本司……"

(三七)御史台主簿　《续宋会要》《大典》《六暮》簿字,卷14 607,页1。见《辑稿》职官43·39,眉批属《大典》卷1 117。

职官43		辑　稿	大　典
页	行		
39	书眉	补批作"卷一千一百十七"	"卷一万四千六百七"

(三八)五运　《宋会要》《大典》《九震》运字,卷15 951。见《辑稿》运历1·1—4,原属《大典》卷15 951。

运历1		辑　稿	大　典
页	行		
1	4	"上承唐统为全德"	"上承唐统为金德"
1	9	"天造皇宇"	"天造皇宋"
1	10	"为惑生于金"	"为感生于金"
1	13	"且五代运迁"	"且五运代迁"
1	19	"晋氏称全德"	"晋氏称金德"
1	背4—3	"申明其残"	"申明其事"
2	7	"迩年京师露降"	"迩年京师甘露降"
2	9—10	"残镇星是主"	"而镇星是主"
2	10	"及陛下升中之日"	"及陛下升中之次"
2	14	"残于汉德甚矣"	"敏于汉德甚也"
2	18	"政教礼乐之质增杀"	"政教礼乐文质增杀"
2	19	"在昔黄帝兼三林（改作"材"）而统天下"	"在昔黄帝兼三林而统天下"
2	21	"守其德而守其统"	"修其德而守其统"
2	背5	"故德始乎木"	"故德始于木"
2	背3—2	"木以生人"	"木以生火"
2	背2	"上以生金"	"土以生金"
3	1	"陛下造（改作"绍"）天统"	"陛下绍天统"
3	6—7	"尊黄帝于清庙"	"尊皇帝于清庙"
3	9	"祀白帝于西昏"	"祀白帝于西畤"
3	背6	"及统正统"	"及序正统"
4	2	"率兹常典"	"率兹典常"
4	10	"戍为太阳"	"戍为太阳"
4	12	"炎暑施行"	"炎暑施化"

(三九)亲庙 淮安懿王园庙 《宋会要》《大典》《十三啸》庙字,卷 17 085,页 10—23。见《辑稿》礼 40·6—12,原属《大典》卷 17 085。

礼40		辑 稿	大 典
页	行		
6	2	濮安懿王园庙	"亲庙"
6	23	"考之今古"	"考之古今"
6	末	"㊙请如王珪等所议"	"固请如王珪等所议"
7	15 注	"马端临曰:先时……"	原本同。《通考》作"先是……"
7	16 注	"谯国太夫人王"	"谯国太夫人王氏"
7	19 注	"取㊙后世"	"取讥后世"
7	20 注	"贾谙之议同"	"贾黯之议亦同"
7	21 注	"所生父母改称伯"	"所生父改称伯"
7	背 3 注	"不知如何主文"	"不知如何立文"
7	背 2 注	"皆不㊙大理也"	"皆不识大理也"
8	1 注	"㊙王莽"	"诛王莽"
8	8 注	"宣帝为昭帝后"	"宣帝为昭帝后"
8	17	"裁置奉议皆应径义"	"裁置奉邑皆应经义"
8	25	"手诏之书"	"手诏之出"
8	26	"今及以称亲为非"	"今反以称亲为非"
8	背 2	"濮安懿王西四面地步窄狭"	"濮安懿王园四面地步窄狭"
9	5	"西京司礼院"	"西京留司礼院"
9	11	"诏奉安濮懿王神主"	"诏奉安濮懿王神主"
9	13 注	"知㊙令出纳神主"	"知园令出纳神主"
9	17	"诸侯王皆得称㊙"	"诸侯皆得称园"
10	1—2	"丹祔太宗皇帝庙室"	"升祔太宗皇帝庙室"
10	2	"三夫人神生"	"三夫人神主"
10	11—12	"濮安懿王园域作三冗"	"濮安懿王园域作三穴"
10	16	"导引仪仗内挽歌人"	"导引仪仗内有挽歌人"
10	20 注	"主奉同事"	"主奉祠事"
10	21 注	"园庙㊙火一员"	"园庙香火官一员"

· 219 ·

续表

礼 40		辑　稿	大　典
页	行		
10	22	"濮安懿王夫人迁户使"	"濮安懿王迁护使"
10	背 6	"濮安懿王神生"	"濮安懿王神主"
10	背 3	"知太宗正事……"	"知大宗正事……"
11	9	"充亚献官"	"充亚终献官"
11	11	"作尝修造"	"昨尝修造"
11	背 5	"绍兴府太宗正行司"	"绍兴府大宗正行司"
11	末注	"改久嗣王"	"故久阙嗣王"
12	3—4 注	"其香火官吏出入㊋别门，㊋令一人……"	"其香火官吏出入由别门，园令一人……"

（四十）亲庙　秀安僖王园庙　《宋会要》《大典》《十三啸》庙字，卷 17 085，页 33—34。见《辑稿》礼 40·13—14，原属《大典》卷 17 084（?）。

礼 40		辑　稿	大　典
页	行		
13	3	"绍兴元年三月十三日……"	原本同。按《宋史·孝宗纪》，秀王偁乃孝宗生父，绍兴"十三年九月，殁于秀州"，绍熙元年三月，诏"置园庙"。又据下文"在乾道淳熙欲举而未遑"语，知当为绍熙间事。帝系 2·56"秀邸置园立庙"，亦作"绍熙"
13、14	版口	"卷一万七千八十四"	"卷一万七千八十五"
13	11	"食实（改作"实食"）封二千九百户"	"食实封贰千玖伯户"
13	17	"情洽（旁添"棣"）华"	"情洽□华"
13	18	"与国咸修"	"与国咸休"
13	背 2	"通判湖州朱撰"	"通判湖州朱僎"
14	2	"即无国音并无妨碍"	"即与国音并无妨碍"
14	18	"内庙内吻"	"内庙用吻"

礼 40		辑　　稿	大　　典
页	行		
14	20—21	"戟门挟屋八门"	"戟门挟屋八间"
14	背 6	"本身请给僆□"	"本身请给僆粮"
14	背 5	"于经□制钱内支给"	"于经总制钱内支给"

（四一）休沐　《宋会要》《大典》《一屋》沐字,卷 19 636,页 5。见《辑稿》职官 60·15,原属《大典》卷 19 636。

校无讹。

（四二）诸局沿革四　裕民局　《宋会要》《大典》《一屋》局字,卷 19 781,页 1。见《辑稿》职官 3·49,原属《大典》卷 19 781。

职官 3		辑　　稿	大　　典
页	行		
49	1 标题	"裕民局"	"诸局沿革四裕民局"
49	8	"上曰非卿不能闻此"	"上曰非卿不能闻此言"
49	16—17	"然议去之初"	"然议法之初"
49	23	"官吏勒停永不叙,为以贵为贱……"	"官吏勒停永不叙,若以贵为贱……"
49	25—26	"职位姓民"	"职位姓名"

（四三）诸局沿革四　编估打套局　《宋会要》《大典》《一屋》局字,卷19 781,页 8—9。见《辑稿》官职 27·70,原属《大典》卷 19 781。

职官 27		辑　　稿	大　　典
页	行		
70	2 标题	"编估局"	"诸局沿革四编估打套局"
70	8	"所编估局官"	"所有编估局官"
70	15—16	"指挥日下依此行下"	"指挥下日依此行下"
70	20 注	"《乾道会要》残编估打套句"	"《乾道会要》并编估打套局"
70	背 2	"从大理正晋残请也"	"从大理正晏浸请也"

（四四）诸局沿革四　军器局　《宋会要》《大典》《一屋》局字,卷 19 781,页 19。见《辑稿》职官 16·22—23,原属《大典》卷 19 781。

职官 16		辑　　稿	大　　典
页	行		
22	背3标题	"军器局"	"诸局沿革四军器局"
23	14—15	"十一月照军器局废罢,并归军器所"	原本同。疑"照"为"诏"

(四五)天子服　《宋会要》　《大典》《一屋》服字,卷19 785,页6。见《辑稿》舆服4·1,原属《大典》卷19 785。

舆服 4		辑　　稿	大　　典
页	行		
1	4	"准少府监准少府监牒"	"准少府监牒"
1	10	"元组,双大绶六彩元黄赤……元质"	"元"字《大典》俱作"玄"

(四六)皇太子服　《宋会要》　《大典》《一屋》服字,卷19 785,页9—11。见《辑稿》舆服4·1—3,原属《大典》卷19 785。

舆服 4		辑　　稿	大　　典
页	行		
1	21	"受册册谒庙"	"受册谒庙"
1	25—26	"十二月二十五日"	"十月二十五日"
1	背5	"元衣纁裳"	"玄衣纁裳"
2	4	"四裳在裳"	"四章在裳"
2	7	"远游[冠]"	"远游冠"
2	17	"貂笼巾"	"貂蝉笼巾"
2	18	"绯罗袜履"	"绯罗履袜"
2	19	"……龙兴二年……"	"……隆兴二年……"
2	19	"诏王子"	"诏皇子"
3	8	"……见令解制"	"……见今解制"
3	12	"三月七十……"	"三月七日……"
3	13	"将来王太子"	"将来皇太子"
3	末	"所服依故典即无该载"	"所服依典故即无该载"

(四七)后妃服①　《宋会要》　《大典》《一屋》服字,卷19 786,页

17—18。见《辑稿》舆服 4·4,原属《大典》卷 19 786。

舆服 4		辑　稿	大　典
页	行		
4	1	"皇后服"	"后妃服"
4	4	"按典礼具有明堂(改作"文")"	"按典礼具有明文"
4	8	"宴见宾客之"	"宴见宾客则服之"

　　(四八)后妃服②　《宋会要》《大典》《一屋》服字,卷 19 786,页 19。见《辑稿》舆服 4·4,原属《大典》卷 19 786。

　　原书另作一篇,《辑稿》不分。

舆服 4		辑　稿	大　典
页	行		
4	26	"内头官合用珠子"	"内头冠合用珠子"

　　(四九)朝服　《宋会要》《大典》《一屋》服字,卷 19 790,页 11—16。见《辑稿》舆服 4·11—15,原属《大典》卷 19 790。

舆服 4		辑　稿	大　典
页	行		
11	7	"依宫品支给"	"依官品支给"
11	21	"大仆、大理、……"	"太仆、大理……"
11	背 2	"两朝冠"	"两梁冠"
12	1	"衣有单单"	"衣有中单"
12	8—9	"殿中侍御左右司谏"	"殿中侍御史左右司谏"
12	13	"实有高高品卑"	"实有官高品卑"
12	14	"至给残事"	"至内给事"
12	16—17	"详定正日御殿仪注所言"	"详定正旦御殿仪注所言"
12	21	"今冬正大朝会"	"今冬至大朝会"
13	7	"冠以祭之多少别贵贱"	原本同。据上文当作"以梁之多少别贵贱"
13	8	"古者制礼上物不过十二,天理之数也"	"古者制礼上物不过十二,天之数也"
13	背 2	"至诸寺监簿主"	"至诸寺监主簿"

续表

舆服4		辑　稿	大　典
页	行		
14	2—3	"宜纯用锦锦"	"宜纯用红锦"
14	3	"后汉制……"	"后汉志……"
14	7	"……从之按周礼……"眉批:"按字上疑有阙佚"	"……从之按周礼……"
14	16—17	"天子服祭服诸侯服朝服"	"天子服祭服群臣服朝服"
14	20注	"班殿侯门"	"班殿门外"
14	24	"车驾亲[残]中外戒严"	"车驾亲戎中外戒严"
14	背5—4	"尤为所据"	"尤无所据"

(五十)祭服① 《宋会要》《大典》《一屋》服字,卷19791,页8—11。见《辑稿》舆服4·15—18,原属《大典》卷19791。

舆服4		辑　稿	大　典
页	行		
15	1—7	删去七行	原书系《唐会要》,因误入而删去
15	3	"平巾绩"	"平巾帻"
15	5	"金吾[图]稍"	"金吾犦稍"
15	6	"骑具装锦[图]"	"骑具装锦韝"
15	10	"及前马内执旗人"	"及前马队内执旗人"
16	11	"大口袍"	"大口袴"
16	背6	"太常铙大黄吹"	"太常铙大横吹"
16	背5	"……抹额袜带绯列官……"	"……抹额抹带排列官……"
16	背2	"尚辇奉御直长黄……"	"尚辇奉御直长乘黄……"
17	3	"六军以孔[残]"	"六军以孔雀"
17	8	"平巾青服"	"平巾青绩"
17	17	"服袴诸衣"	"服袴褚衣"
17	23	"谓依今制又按今文……"	"请依今制又按今文……"
17	背2	"如今文之制"	"如令文之制"
18	4	"每寸以珠玉填"	"每寸以珠玉瑱"
18	5	"又按今文"	"又按令文"

(五一)祭服② 《宋会要》《大典》《一屋》服字,卷19791,页12—15。见《辑稿》舆服4·18—21,原属《大典》19791。

舆服4		辑　稿	大　典
页	行		
19	2	"绡上刺为绣文谓之绡黼也"	"绡上刺为绣文谓之绡黼也"
19	9	"色以紫擅"	"色以紫檀"
19	11	"衣裳亦无常"	"衣裳亦无章"
19	12	"又色以紫擅"	"又色以紫檀"
19	14	"至汉史以御史监祠"	"至汉始以御史监祠"
19	23	"玉皆十有二"	"玉十有二"
20	7—8	"天子祭祀"	"天子祭服"
20	20	"以为前后属也"	"以为前后触也"
20	24	"……谓之铃,而佩铃"	"……谓之衿,而佩衿"
21	3	"有粉末"	"有粉米"
21	4	"粉米各一章"	"粉米亦一章"
21	7	"于今文祀仪有……"	"于令文祀仪有……"
21	14	"人礼之异礼"	"人神之异礼"
21	16	"且侍祠及分献者"	"其侍祠及分献者"

(五二)祭服③ 《宋会要》《大典》《一屋》服字,卷19791,页15—16。见《辑稿》舆服4·21—22,原属《大典》卷19791。

校无讹。

(五三)祭服④ 《宋会要》《大典》《一屋》服字,卷19791,页16。见《辑稿》舆服4·22,原属《大典》卷19791。

舆服4		辑　稿	大　典
页	行		
22	9	"窃以国家祈殁社稷"	"窃以国家祈报社稷"
22	11	"因习已久"	"因习日久"

(五四)祭服⑤　《宋会要》《大典》《一屋》服字,卷 19 791,页 19—22。见《辑稿》舆服 4·22—24,原属《大典》卷 19 791。

舆服 4		辑　稿	大　典
页	行		
22	21	"看详制造之"	"看详制造。从之"
23	14	"今则方圆俯俯几于无辨"	"今则方圆俯仰几于无辨"
23	背 2	"为纁而大过者也"	"为纁而太过者也"
24	5	"大车中单"	"大带中单"
24	6—7	"前明景灵宫……"	"前期景灵宫……"
24	9	"前朝景灵宫……"	"前期景灵宫……"
24	14	"前明景灵宫……"	"前期景灵宫……"
24	23	"紫坛冕四旒,服紫坛衣"	"紫檀冕四旒服紫檀衣"
24	25	"节镇防团军士"	"节镇防团兵事"

(五五)祭服⑥　《宋会要》《大典》《一屋》服字,卷 19 791,页 22—27。见《辑稿》舆服 4·24—27,原属《大典》卷 19 791。

舆服 4		辑　稿	大　典
页	行		
25	2	"王皆五色"	"玉皆五色"
25	8	"天子玉藻下有二旒"	"天子玉藻十有二旒"
25	13	"大戴礼曰"	"大载礼曰"
25	20—21	"以组为绶"	"以组为缨"
25	23	"以黼为领舄如金饰"	"以黻为领舄加金饰"
26	9	"明民见善改[昏]也"	"明民见善改恶也"
26	22	"……[残]其体卑故没其正体"	"……嫌其体卑故没其正体"
27	14	"……朱裏终辟"	"……朱裏终裨"
27	背 2	"牧行改正"	"特行改正"

(五六)章服　《宋会要》《大典》《一屋》服字,卷 19 792,页 18—19。见《辑稿》舆服 4·30—32,原属《大典》卷 19 792。

舆服4		辑　　稿	大　　典
页	行		
31	9	"遇赦改遇章服"	"遇赦改叙章服"
32	5—6	"敷文阁直学士韩产直"	"敷文阁直学士韩彦直"
32	10注	"以宋尹系思平郡王长女夫"	"以宗尹系思平郡王长女夫"
32	背2	"嘉定十三年十月五诏……"	"嘉定十三年十月五日诏……"

（五七）郡县社稷②　《宋会要》《大典》《二质》稷字，卷20 424，页10。见《辑稿》礼23·14，原属《大典》卷20 424。

礼23		辑　　稿	大　　典
页	行		
14	1标题	"社稷"	"郡县社稷"

本文校无讹。

（五八）内职　《宋会要》《大典》《二质》职字，卷20 478，页8—23。见《辑稿》后妃4·1—29，原属《大典》卷20 478。

后妃4		辑　　稿	大　　典
页	行		
1	版口	"卷三万四百七十八"	"卷二万四百七十八"
1	背3	"婉客"眉批"婉客原本如此"	"婉容"
1	背2—1	"内命妇品"眉批"内外命妇品"	"内命妇品"
3	背3—2	"真宗景德二年"	"贞宗景德二年"
3	背1	"诏置太（改作"大"）仪以赠"	原作"太仪"。又据《通典》"太仪"为公主母称号，始于唐
4	1	"公主母为太（改作"大"，原字未删）仪"	同上条
7	书眉补	"十四日诏东郡夫人"	"十四日诏东阳郡夫人"
8	14	"六月八日"	"六日八日"
10	背2—1注	"视史部职事"	"视吏部职事"
11	10	"内命妇告告身"	"内命妇告身"
12	背4	"婕妤王氏隆诞亲属"	"婕妤王氏降诞亲属"
13	16	"……刑氏吴氏……"	"……邢氏吴氏……"

后妃 4		辑　　稿	大　　典
页	行		
14	背 2	"红霞披赵氏与（旁补"赐"）掌衣"	"红霞披赵氏与转掌衣"
15	9	"十（旁补）四日诏"	原本无所补"十"字。然本条在绍兴二十二年九月十一日后，或系原本脱字，待考
18	2	"才人刘氏第舜卿"	"才人刘氏弟舜卿"
18	背 5—4	"十一月二十八日诏张氏封平乐郡夫人，依禄式支破诸般请给"	原本无此条。按该条年月与下条同。"诏张氏"以下十八字则与前条复，当系因错简而衍出一条。当删去
21	背 3—2	"主管太内公事"	"主管大内公事"
22	5	"张氏特高平郡夫人"	"张氏特封高平郡夫人"
25	14 注	"三月改封永嘉郡夫人"	"五月改封永嘉郡夫人"
26	8—9 注	"……柔嘉㊣肃夫人成氏加㊣温国柔㊣庄顺雍穆……夫人"	"……柔嘉婉肃夫人成氏，加封温国柔惠庄顺雍穆……夫人"
26	13	"……张氏特转㊣夫人"	"……张氏特转国夫人"
28	14—15	"曹氏与陛两字"	"曹氏与升两字"

（五九）牙职　《宋会要》《大典》《二质》职字，卷 20 479，页 1—7。见《辑稿》职官 48·94—106，原属《大典》卷 20 479。

职官 48 下		辑　　稿	大　　典
页	行		
97	4—5	"来牒西京会问留府两衙分析到……"	"来牒西京会问留守两衙分析到……"
98	12	"幽州人社清"	"幽州人杜清"
98	13	"雄州（下添一字㊣）刺事宜"	"雄州探刺事宜"
99	14	"百姓因事到宫则群肆乞觅"	"百姓因事到官则郡肆乞觅"
103	14	"一切不㊣"	"一切不问"
104	11	"李庚"	"李庚"
104	12	"申常平司具录元犯……"	"申常平司□录元犯……"

续表

职官48下		辑　稿	大　典
页	行		
104	背5	"委州之主官官"	原本同。疑为"主管官"
104	背4	"即行勤罢"	"即行勒罢"
104	背2	"指其[昏]犯"	"指其元犯"
105	7	"七月十七日"	"七月十九日"
106	4	"及日后阙少[残]司许指名……"	"及日后阙少诸司许指名……"

（原载《宋会要辑稿考校》，
上海古籍出版社1986年8月版）

《宋会要辑稿》校补（续）
——附关于藤田本《宋会要》"食货·市舶"底本的探讨

一

1960年，中华书局影印的残本《永乐大典》中，所存《宋会要》引文107篇，除去非宋代事而《大典》误标《宋会要》书名的4篇外，其余103篇，本人已据以写成《〈宋会要辑稿〉校补》一文，收在《〈宋会要辑稿〉考校》中，共补佚文44篇，校舛误者59篇。1984年，中华书局又将搜集到的残本《永乐大典》67卷影印出来，因得接续取校。共得《宋会要》引文18篇，其中17篇见《宋会要辑稿》，1篇虽不见于《宋会要辑稿》，但《辑稿》中却有出自《永乐大典》他卷更详细的复文，所以没有辑补的必要。这次校勘的主要收获，除校正一些文字上的舛误外，还搞清了《辑稿》中存在的几个问题。

明初所修《永乐大典》，是一部规模宏大的类书，它汇集了先秦至明初的大量古籍，特别是宋元人的著作最多，清代学者法式善，在"校大典记"中说，"苟欲考宋元两朝制度文章，盖有取之不尽，用之不竭者焉"①。由于汇集的古籍数量很大，其中保存了不少明中叶以后散

---

① 《存素堂文续集》卷2。

佚的古籍。乾隆年间修《四库全书》，从中辑补佚书四百多种①，但是还有不少有价值的佚书没有辑出整理，《宋会要》就是其中的一种。

《宋会要》是宋政权设立专门机构，调集档案资料分类汇编的大型典籍，在宋代，统治者将此书看是"祖宗故事之统辖"②，往往用作处理政务的依据。原书佚于明朝中期，幸赖《永乐大典》采入，尤幸《永乐大典》尚残缺不多的时候，徐松于嘉庆十四年（1809年）从中辑出《宋会要》，使这一珍贵文献大部分得以流传。徐松的辑稿几经转手，至1936年才由北平图书馆影印发行，这就是当前通行的《宋会要辑稿》。

《永乐大典》的编纂体例，是"用韵以统字，用字以系事"③，按《洪武正韵》排列字序，字下列事目，再按照事目备录诸书。《四库提要》评论说，"其书割裂庞杂，漫无条理，或以一字一句分韵，或析取一篇，以篇名分韵，或全录一书，以书名分韵，与卷首凡例多不相应，殊乖编纂之体"④。《永乐大典》所采诸书，有些是整篇或全书采入的，辑出后就容易整理，过于分散的，整理的难度就要大一些。从《宋会要辑稿》和残本《大典》中所反映的情况来看，虽然有一些是被《大典》整门采入的，但也有很多是零散的，最小的篇幅，只有一两句。特别是《辑稿》中有些篇幅，没有按照在《大典》中的原篇录出，而将数篇混在一起，使人难以理出头绪。因而用现存不足八百卷的残本《永乐大典》，对《宋会要辑稿》加以校勘，不仅可以辑补一部分佚文，校订一些讹误，而且可以解决一些辑录或后人整理时造成的问题。此项工作，对于进一步整理《宋会要辑稿》，是必不可少的。

二

中华书局续印的残本《永乐大典》67卷中，所存《宋会要》共18篇。今按所在《大典》中的次第编排，并将校勘记附于每篇之下。

1. 验尸

《永乐大典》二支，尸字，卷914，页21—25。见《宋会要辑稿》刑

---

① 据赵万里《〈永乐大典〉内辑出之佚书目》，《北平北海图书馆月刊》二卷三、四合刊，1929年。
② 王应麟：《玉海》卷51。
③ 明成祖：《永乐大典序》。
④ 《四库全书总目》卷137子部类书类存目一。

法6·1—8。

刑法6

页	行	辑　稿	大　典
（版心）		（缺《大典》卷数）	九百十四
1	3（标题）	检　验	验　尸
2	15	即以前敕	即依前敕
2	18	提刑点狱	提点刑狱
3	8	本县今佐	令佐
5	2—3	如在三百外	三百里外
5	4	在近固未必躬亲审问	在近者

2. 祖宗配侑㊀

《永乐大典》十四爻,郊字。卷5455,页8。见《宋会要辑稿》礼25·75行2—8。

3. 祖宗配侑㊁

《永乐大典》十四爻,郊字。卷5455,页8—9。见《宋会要辑稿》礼25·73—74。

礼25

页	行	辑　稿	大　典
73	2（标题）	郊祀配侑（《大典》事目）	祖宗配侑（前条《宋会要》下之标目
73	7（注文）	九武之南顿	光武
73	21—22	侑神主之尊	侑神作主之尊
74	10	商周之际	商周

4. 祖宗配侑㊂

《永乐大典》十四爻,郊字,卷5455,页9—10。见《宋会要辑稿》礼25·75—77。

礼25

页	行	辑　稿	大　典
75	8	（脱书名）	宋会要
75	13	今南来郊	今来南郊
75	13	复加旧礼	复如旧礼
77	8	圜丘	圜坛
78、80 82(4处)		商	商

5. 郊祀配侑议论㈠

《永乐大典》十四爻,郊字,卷5 456,页1—3。见《宋会要辑稿》礼25·77—82。

礼25

页	行	辑　稿	大　典
77	10	(缺《大典》事目及书名)	郊祀配侑议论　宋会要
80	4	高祖氏	高阳氏
81	1—2	袭天天之讨	袭天之讨
81	14	尧厌典礼	克厌典礼
81—82	22·1	此垂拱开元之间	比垂拱开元之间

6. 郊祀配侑议论㈡

《永乐大典》十四爻,郊字,卷5 456,页4—5。见《宋会要辑稿》礼25·82—84。

礼25

页	行	辑　稿	大　典
82	20	(脱书名)	宋会要
83	7	宣宗宰臣	宣示宰臣

7. 郊祀配侑议论㈢

《永乐大典》十四爻,郊字,卷5 456,页8—12。见《宋会要辑稿》礼25·87—94。

礼25

页	行	辑　稿	大　典
87	6	(脱书名)	宋会要
88	11	始配之代	当始配之代
89	22	吕晦	吕海
90	8	以光光配明堂	光武
92	12	与旷代典礼	与旷代之典礼
92	14—15	并为为万世不迁之庙	并为万世不迁之庙
92	16	具礼不由天降	且礼不由天降
93	12	谨孝孝经	谨按孝经

8. 郊祀配侑议论④

《永乐大典》十四爻,郊字,卷5 456,页14—15。见《宋会要辑稿》礼25·94—97。又重出于礼25·84—87。今以重出的后一篇为准,校其舛误。

礼25

页	行	辑 稿	大 典
94	22	元吴纳款	元昊
95	4	奉为万世不易之礼	本为
95	13	窃为太祖皇帝	窃惟
96	4	皇祐诏	皇祐诏书

9. 故幽州城

《永乐大典》十九庚,城字,卷8 089,页5。见《宋会要辑稿》方域8·30。

10. 延安故城

《永乐大典》十九庚,城字,卷8 089,页6—7。见《宋会要辑稿》方域8·30。

11. 金汤古城

《永乐大典》十九庚,城字,卷8 089,页8。见《宋会要辑稿》方域8·30。

12. 绥德州城

《永乐大典》十九庚,城字,卷8 089,页10—11。见《宋会要辑稿》方域8·30—32。

方域8

页	行	辑 稿	大 典
31	11—12	重修绥州利□	重修绥州利害

13. 王家城

《永乐大典》十九庚,城字,卷8 090,页8。见《宋会要辑稿》方域8·32。

14. 笼竿城

《永乐大典》十九庚,城字,卷8 090,页8。见《宋会要辑稿》方域8·32。

方域8

页	行	辑 稿	大 典
32	10	(脱《大典》事目及书名)	笼竿城　宋会要

15. 羊牧隆城

《永乐大典》十九庚,城字,卷8 090,页8。见《宋会要辑稿》方域8·32。

方域8

页	行	辑　稿	大　典
32	13	(脱《大典》事目及书名)	羊牧隆城　宋会要

16. 统万城

《永乐大典》十九庚,城字,卷8 090,页10。见《宋会要辑稿》方域8·32。

方域8

页	行	辑　稿	大　典
32	14	(脱《大典》事目及书名)	统万城　宋会要

17. 银川城

《永乐大典》十九庚,城字,卷8 090,页13。见《宋会要辑稿》方域8·32。

方域8

页	行	辑　稿	大　典
32	22	(脱《大典》事目及书名)	银川城　宋会要

18. 杂录诸僧五　法天

《永乐大典》十九庚,僧字,卷8 782,页1。

按此篇前一段是《宋会要辑稿》道释2·5"传法院"门的一条节文。《辑稿》此门,出自《大典》卷16 697。后一段乃《元一统志》录自《续资治通鉴长编》太平兴国七年六月末条的节文,并无辑补价值,为了解《宋会要》在《大典》中的状况,辑录如下:

杂录诸僧五

法天　《宋会要》(红字)开宝七年。法天,姓刹地利,遍通三藏,与其兄达理摩荜义多、西印度僧尼啰南、中印度僧尼没驮计哩帝等四人,同造中国。惟法天与其兄得达,余皆殁于路。《元一统志》(黑字),鄜州法天者,本中天竺摩伽陁国僧也。唐自元和后,不复译经。江南始用兵之岁,法天来至鄜州,与河中梵僧法进共译经义,始出无量寿·尊胜二经·七佛赞,法进援笔缀文。知州事王龟从润色之,遣法天同法进献经阙下。太祖召见慰劳,赐以紫方袍。法天请游名山。许之。

235

三

在中华书局续印的残本《永乐大典》67卷中,所存上述18篇《宋会要》残文与《宋会要辑稿》对勘的结果,可以分为4种不同的类型。

第一种类型:文字相同,标题互异。

《大典》事目"验尸"一篇,与《辑稿》"刑法"类的"检验"一门,文字相同,但《辑稿》此门,漏录《大典》卷数。虽然单从史文来看,似乎可以认为"检验"门即是出于《大典》卷914"尸"字韵下的一篇,但如果参照标题不同的情况加以分析,出自《大典》他卷的可能更大一些。《辑稿》标题的字迹与史文相同,不像是后人批补的。《大典》此篇标题,乃是《大典》尸字韵下的一个事目,并非《宋会要》原有标题,因此将《辑稿》"刑法"类的"检验"一门,看做是出自《大典》其他卷中的复文,还是比较合适的。故《辑稿》此门标目,在没有其他根据之前,以不改为宜,《永乐大典》卷数自当补入,但须说明此卷事目为"验尸"。

第二种类型:《辑稿》不依《大典》体例。

《宋会要辑稿》礼25·74—97,有关"郊祀"的3篇,在《永乐大典》中,原是7篇,辑录时不仅次序颠倒,且有重复,其合在一起的6篇,在《大典》中也不属一个小目,以致杂乱无章,漫无头绪。

《永乐大典》卷5 455、5 456"郊祀配侑"事目下,存《宋会要》7篇文字,即上文所列的第2至8篇。卷5 455的《大典》事目为"郊祀配侑",下面有小目"郊祀配侑事实"。小目下,按朝代顺序,摘取历代有关郊祀事实的文字。所引书有《易》、《玉海》、曾巽申《郊祀礼》、《文献通考》、《左氏传》、《书》、《孝经》、《公羊传》、《西汉书》、《东汉书》、《南宋书》、《晋书》、《隋书》、《旧唐书》、《宋会要》等。在《宋会要》书名下,有"祖宗配侑"的标题,当属《宋会要》本门原有的门目。史文是宋初及太祖建隆四年的记事。其下采曾巩《元丰类稿》开宝元年记事。再后太宗、真宗、仁宗朝,又录《宋会要》之文,即上文所列"祖宗配侑"㈠,此篇本无标题,因与前篇相接,当属原《宋会要》同一门中的史文。按照《大典》中《宋会要》的各篇次第及时间顺序,均应接在"祖宗配侑"㈠之后,但《辑稿》却置于前,补批的标题则采用《大典》事目"郊祀配侑",这样一来,就使原《宋会要》的"祖宗配侑"一门的史文,在《辑稿》中分属不同标题的两门。从版口原辑编页的顺序来看,"祖宗配侑㈢"(即《辑稿》礼25·73—74"郊祀配侑")在前。这说明原辑者已将顺序颠倒了。

"祖宗配侑"㈢,记仁宗至高宗朝事,在《辑稿》中,既不录《宋会要》书名,也没有标题,而是与"祖宗配侑"㈠接续抄出。《永乐大典》在此篇之下,皆元、明史事,"郊祀配侑事实",小目的内容,到此就结束了。下一个小目的标题是"议论"(见《大典》卷5 455第11页),当是"郊祀配侑议论"的简称,也是按朝代顺序引书叙事,《宋会要》在这一小目下的引文共4篇,皆属《大典》卷5 456,按朝代顺序与前卷相接。第一篇即"郊祀配侑议论"㈠,起建隆迄景祐。第二篇即"郊祀配侑议论"㈡,起康定迄嘉祐。第三篇即"郊祀配侑议论"㈢,载治平年间记事。第四篇即"郊祀配侑议论"㈣,载绍兴年间记事。

《宋会要辑稿》将上述4篇"郊祀配侑议论",与《大典》前卷"祖宗配侑"中的㈠㈢相接,不录《宋会要》书名,也不录《大典》事目。又将记绍兴事的第四篇,置于第三篇之前,篇尾还重出一次,在重出的第四篇前,有《宋会要》书名,但没有事目。据版心原辑所编页码,从1—25并不错乱,这说明原辑就是如此,并非后人编排的失误。

由于辑书者,未能严格按照《永乐大典》的体例,分篇抄写,又将初辑遗漏的"祖宗配侑"㈠(《辑稿》礼25·73—74)补于前,遗漏的另一篇"郊祀配侑议论"㈢(《辑稿》礼25·87—94)置于后,下面又重录了"郊祀配侑议论"㈣(《辑稿》礼25·94—97)1篇。中间的6篇,除"祖宗配侑"㈠录有《宋会要》书名及门目外,其余4篇皆将《宋会要》书名及两个不同的标题省去,连成1篇,这就造成了下列问题:

1.《辑稿》将《大典》中的"祖宗配侑"㈢置于篇首,脱《宋会要》门目,仅录《大典》事目"郊祀配侑",使原《宋会要》同一门中的史文,成为两门。

2.《辑稿》将《大典》中的"祖宗配侑"㈠㈢和"郊祀配侑议论"㈠至㈣两个不同标题下的6篇《宋会要》文字,混在一起,后5篇不录《宋会要》书名和标题,篇次又有颠倒,造成年次错乱、门目难分的问题。

3.《辑稿》将《大典》中的"郊祀配侑议论"㈣误辑2篇因而重出。

4.《辑稿》将出于《大典》5 455、5 456两卷不同小目下的6篇《宋会要》文字连在一起,成为1篇,而版口所录两个《大典》卷数,使人难以理解,或误认为必有一个卷数是错误的。

以上问题,如果没有《永乐大典》残本相对勘,是难以理出头绪的。

第三种类型：只录《宋会要》书名，不录《大典》事目。

《永乐大典》8 089、8 090 两卷中，存《宋会要》9 篇有关修城的文字，由于节取甚短，都没有注明《宋会要》门目，辑录者亦省去《大典》事目，经与《大典》对勘之后，方知道眉批草书，即是批补的《大典》事目。

第四种类型：《宋会要辑稿》的佚文。

在中华书局 1960 年影印的 730 卷《永乐大典》残本中，本人曾辑补过《宋会要辑稿》的佚文 44 篇。1984 年续印的 67 卷中，也保存 1 篇佚文，在《永乐大典》卷 8 783 "杂录诸僧五"事目下面，以僧名为小目，"法天"即其中一个小目，所引《宋会要》书名，用红字书写。史文前一段，见《宋会要辑稿》道释 2·5，是"传法院"门中的一条，而且此条比较详细。后一段是录《元一统志》的文字，虽有书名，不用红字。由此可以帮助我们了解，《宋会要辑稿》中的非《宋会要》文字，除一部分是辑录者的错误外，大都和《永乐大典》本来的状态有关。像这样一篇《辑稿》的佚文，实在没有辑补的必要，影印本《辑稿》之所以不存此篇，或者就是前人整理时有意删去的。

第五种类型：《永乐大典》不同卷中有重复采用《宋会要》的文字。

《辑稿》中除有现存《大典》同卷中的《宋会要》文字外，还有他卷中的《宋会要》复文。如《大典》卷 5 456 "郊祀配侑议论"㈢，见《辑稿》礼 25·87—94。此外《辑稿》礼 24·23—42，尚有出自《大典》卷 7 199、7 200 的复文，分属于"明堂御札"、"明堂议论"两门中，这是《大典》编者，根据不同事目的需要，重复摘录《宋会要》的结果，这种现象在《宋会要辑稿》中很多，我在《宋会要辑稿重出篇幅成因考》一文中，曾作过系统的考察，本文亦收入《宋会要辑稿考校》中，这里就不再赘述了。

附 关于藤田本《宋会要》"食货·市舶"底本的探讨

日本学者藤田丰八博士，于 1916 年在中国曾手录《宋会要》"食货·市舶"一门，写本今藏于日本东洋文库。关于藤田写本所根据的底本，在中国和日本学者中，都有两种不同的说法。

一种说法是抄自徐松从《永乐大典》中抄出的原稿。这种说法最早见于 1932 年汤中所著《宋会要研究》①。1936 年日本学者江田忠

---

① 汤中：《宋会要研究》卷 1 附注 3。

在《徐辑宋会要稿本目录》①的序言中,也提出了同样的看法。

另一种说法是抄自刘承幹嘉业堂编定的《宋会要》清本。这种看法,最早是日本学者石田幹之助于1932年提出的②。1935年仁井田升在《永乐大典本宋会要稿本二种》③一文中,从徐松原稿本、刘氏编定本的板式上论证了与藤田写本的关系,肯定了藤田本是从刘本抄出的。此文并将"徐松稿本附笺"及"徐松稿本"、"刘氏编定本"中"食货一"首页影印附后。这篇文章产生了较大的影响,此后如田村实造④、青山定雄⑤等都是这样的看法。

多年以来,由于缺乏资料,对上述两种看法难以作出判断。近年来出版了《艺风堂友朋书札》,发现了刘氏嘉业堂的编定本,及其作为复文剔除的三种零散稿本(徐松原稿、广雅书局清稿、刘氏嘉业堂清稿)。加以国内、国际的学术交流,使研究《宋会要》诸稿本的资料增加了。我目前虽然没有机会系统阅读刘氏编定的清本,但承中国社会科学院郦家驹先生代为复印了有关部分。又承日本学者梅原郁先生代为复印日本学者研究《宋会要》的论文,伊原弘先生代为复印的藤田本《宋会要》食货·市舶10页,从而增加了对上述问题作出判断的根据。

藤田本的版式,首行小题在上,顶格书"食货三十八"。大题在下,书"宋会要卷二百十八"。第二行低一格,书"大兴徐松辑大典本",下方是"吴兴刘承幹编定"。第三行低二格书标题"市舶"。第四行顶格为记事史文,以下每段皆提行,第一段末小字双行注"大典卷一万七千五百五十二",以下各段末并注"同上"。记事时间,起太祖开宝四年(971年),迄孝宗乾道九年(1173年),与影印本徐稿"职官"44,出自《永乐大典》卷1 124的"市舶司"重出,而缺淳熙元年(1174年)至嘉定六年(1213年)诸条⑥。

关于徐松所抄,出自《永乐大典》卷17 552的"市舶"一门的原稿,

---

① 江田忠:《徐辑宋会要稿本目录》,见《京城大学史学会志》9—14号,1936,6—1939,4。

② 石田幹之助:《三松盦读书记》,载《史学杂志》43—9,1932。

③ 仁井田陞:《永乐大典本宋会要稿本二种》,载《东洋学报》22卷3号,1935。

④ 田村实造:《我所见到的宋要会辑本及其他——四十年前在北平的回忆》,《汉语教室》87,1968。

⑤ 青山定雄:《宋会要研究备要》序,东洋文库宋代史研究委员会,1970。《宋会要辑稿食货索引·人名书名篇》序,东洋文库宋代史研究委员会,1982。

⑥ 据浅海正三:《宋会要中有关宋会要编修的记载》,见《斋藤先生古稀纪念文集》,1937年。

尚存北京图书馆，批有"此卷与职官提举市舶司全重，存目不录"的编排意见，是属于被嘉业堂剔除的复文。这一部分徐辑原稿，也和影印的其他徐稿格式相同，全篇不分段，《永乐大典》卷数是写在版心的。

影印的徐辑稿底本，现藏北京图书馆。这个底本每册篇首，皆有嘉业堂的版式贴签，这就是仁井田陞氏《永乐大典本宋会要稿本二种》一文所载的"附笺"。此签第一行小题在上，顶格书类名及本类卷数，大题在下书"宋会要卷×××"。第二行低两格题"大兴徐松辑永乐大典本"，以下距行末四格题"吴兴刘〇〇编定"。但上述被剔除的复文是无此贴签的。尽管这一部分徐稿与藤田本都是出于《永乐大典》同一卷的文字，但徐本的版式却和藤田本差别甚大，因而徐本不应是藤田本的底本。

刘氏嘉业堂编定本的版式，与初拟的版式又有所改变。定本首行顶格书"宋会要卷第×××"。第二行低两格题"大兴徐松辑大典本"，距行末两格题"吴兴刘承幹编定"。第三行低三格是本门标题。以下记事文字分段，每段提行顶格，段末双行注《永乐大典》卷数。藤田本的首行版式与初拟的贴签相同，而不同于定本，记事史文分段，与刘氏编定本及广雅书局屠寄的清稿都是相同的。

刘氏编定本"卷三百四十食货六十"，有"市舶"一门标题，题下双行注云："已见职官提举市舶司，存目不录"，与汤中《宋会要研究》中所附刘承幹编定本"宋会要目录"是一致的。刘本既然删去此门，藤田氏就不可能从刘本中抄录，这是显而易见的。同时两本的总卷数和食货类卷数也都不一致，刘本将此门存目于"卷三百四十食货六十"，藤田本所录则是"卷二百十八食货三十八"，两本的编排次第也相去甚远。

如果假定刘氏初编时，曾经编入此门，由于与"职官·市舶司"门重出，后来才抽出史文，只存目录，而又调整了编次。但这种假定，在时间上也难以解释。刘承幹自王秉恩处购买徐松及广雅稿本，是在"民国四年（1915年）冬"①，藤田氏借抄是在"民国五年（1916年）"②，相去不足一年。在这样短的时间内，也难以把食货类整理出清稿来。同时现存嘉业堂清本，也并非如此。因此，把刘氏编定本看做是藤田本的底本，也是难以成立的。

那么，剩下来的就只有广雅书局屠寄整理的清稿了。

广雅清本的职官一类，已编入刘氏的定本中，影印本礼类也存在9

---

①② 汤中：《宋会要研究》卷3《刘氏得徐抄宋会要稿本之由来》。

门,北京图书馆藏有重复部分的帝系、后妃、礼类多门,其余皆不知下落。但从屠寄与缪荃孙的信件中,还可以看到一些线索。《艺风堂友朋书札》屠寄十五云:"顷编《宋会要》,五礼、职官二门已毕,余食货门最繁杂,然日日疏理,已略有头绪矣"。屠寄从事整理《宋会要》的工作,有"抄胥四人,长年写《会要》不停手"①。因而食货类应当有部分清稿。刘氏嘉业堂将这一部分广雅清稿,在初编时,像对徐辑稿本一样,加进最初拟定的版式贴签,也是在情理中的事情。因而藤田氏从嘉业堂借去的《宋会要》"食货·市舶",有更大的可能是广雅书局屠寄的清稿。

[附图]　1. 东洋文库藏藤田丰八写本宋会要版式
　　　　2. 北京图书馆藏徐松稿本宋会要贴签
　　　　3. 北京图书馆藏徐松稿本宋会要版式
　　　　4. 浙江省图书馆藏刘氏嘉业堂编定本宋会要版式
　　　　5. 浙江省图书馆藏刘氏嘉业堂编定本宋会要食货市舶门存目

(原载《刘子健博士颂寿纪念宋史研究集》〈日〉同册舍1989年9月版。其中《关于藤田本〈宋会要〉"食货·市舶"底本的探讨》曾以《藤田本〈宋会要·食货·市舶〉考源》为名刊登在《中州学刊》1990年第2期)

---

① 《艺风堂友朋书札》屠寄18。

《宋会要辑稿》重出篇幅成因考

　　前北平图书馆和中华书局两次影印的《宋会要辑稿》(以下简称《辑稿》)，是嘉庆十四年(1809年)徐松在全唐文馆任职期间，从《永乐大典》中抄出的原稿。徐松生前曾经根据《玉海》有关《宋会要》分类的记载，进行过一些排次和校订。其后，广雅书局的屠寄等人，又对帝系、后妃、礼、职官4类作了整理，并誊出清稿。民国以后，稿本归嘉业堂，聘刘富曾等，在广雅稿的基础上，编成《清本宋会要》。由于刘氏未打算保存原稿，"将全部徐氏原稿痛加删并"[①]，且有所丢失。后由前北平图书馆叶渭清先生审查，认为"改编本分类隶事，颇多失检"[②]，所以仍将徐氏原稿排整校订，并从改编本中查补一部分丢失的原稿，影印发行。在影印本《辑稿》中，存在着不少整门或较大段落的重出篇幅，对于这些重出篇幅的形成原因加以考察，不仅有利于使用，亦将对该书的进一步整理、校订，提供方便。

　　兹将目前所查获的重出各门简况，表列如后，并据以分析造成重出的原因。

----

①② 《影印〈宋会要辑稿〉缘起》。

《宋会要辑稿》重出篇幅简况表

重出组次	册	类	辑卷	稿页	篇 目	原在《大典》卷数	备 注
一	1 36	帝系 礼	1 49	1—3 1	僖祖至太祖 僖祖至宣祖	12 300 17 287	僖祖至宣祖重出，前一门文字较详。
二	8	乐	5	38—39	钧容乐附东西班	21 692	互有详略。
	72	职官	22	31—33	钧容乐附东西班	6 133	
三	8	乐	5	39	元丰六年	21 692	元丰以下互见。
	72	职官	22	33	乾德四年至元丰六年	6 133	
四	14	礼	11	1	配享功臣	17 064 11 853（朴）	
	14	又礼	11	1—2	配享功臣	17 064 11 853	
五	14	礼	11	1—12	配享功臣杂录	17 064 11 853（朴）	三门并互见，后一门六至十七页脱绍熙至嘉定四条，又篇尾脱绍熙至嘉定四条。
	14	又礼	11	2—10	咸平二年至嘉定十四年	17 064 11 853	
	41	礼	59	12—19	原批"册命亲王大臣"咸平二年至乾道五年	3 184	

续表

重出组次	册	类	辑卷	稿页	篇目		原在《大典》卷数	备注
六	17	礼	17	2—9	朝享太庙	绍兴十三年修行礼仪注	17 060	后一门脱篇首二十四字。
	17	礼	17	43—56	时享	附朝享太庙行礼仪注	11 846	
七	17	礼	17	10—11	亲享庙杂录	太祖朝至宁宗朝	17 059	
	17	礼	17	82—84	("时飨"门附)亲享庙	太祖朝至宁宗朝	11 846	
八	21	礼	21	7	孚佑王庙	淳熙十六年	6 773	
	21	礼	21	8	西岳别庙	淳熙十六年	17 140	
九	22	礼	24	33—42	明堂御札	治平元年至四年	7 199 7 200	治平元年至四年互见,后一门脱《通考》注文一处。
	23	礼	25	75—97	祖宗配侑	序、建隆四年至绍兴二年	5 455(疑误) 5 456	
十	23	礼	25	1—14	郊祀赏赐	(熙宁定制)	5 504	
	23	礼	25	28—48	郊祀赐例	(熙宁定制)	13 719	
十一	27	礼	31	1—53	后丧(一)	建隆二年至大中祥符六年	7 365 7 366	
	27	又礼	31	1—38	后丧(一)	建隆二年至大中祥符六年	7 365 7 366	

续表

重出组次	册	类	辑卷	稿页	篇 目		原在《大典》卷数	备 注
十二	28	礼	32	1—44	后丧（二）	明道元年至元丰四年	7 365 7 367	
	28	又礼	32	1—31	后丧（二）	明道元年至元丰四年	7 365 7 367	
十三	29	礼	33	1—50	后丧（三）	至和元年至崇宁二年	7 367 7 369	
	29	又礼	33	1—35	后丧（三）	至和元年至崇宁二年	7 367 7 369	
十四	32	礼	40	1—5	濮安懿王园陵	治平元年至元丰四年	6 762	元丰四年以上互见，前一门中间脱五条并注文二处，篇尾脱绍兴至乾道十三条并注文一处
	32	又礼	40	6—12	濮安懿王园庙	治平元年至乾道七年	17 085	
十五	34	礼	43	1—16	景献太子攒所	嘉定十三年至十五年	3 994	
	34	又礼	43	1—11	景献太子攒所	嘉定十三年至十五年	3 994	
十六	34	礼	43	17	吊仪	乾兴元年至淳熙十四年	缺	后一门补入卷数，系依此上"攒所"门推测。
	34	又礼	43	11—12	外夷人吊之仪	乾兴元年至淳熙十四年	（3 994）	
十七	34	礼	43	18—19	吊祭	淳熙三年至七年	缺	后一门补入卷数，系依此上"攒所"门推测。
	34	又礼	43	12—13	吊祭	淳熙三年至七年	（3 994）	

· 245 ·

续表

重出组次	册	类	辑卷	稿页	篇目		原在《大典》卷数	备注
十八	35	礼	47	1—14	优礼大臣	太祖受禅至隆兴二年	3 187 10 454	
	35	又礼	47	1—10	优礼大臣	太祖受禅至隆兴二年	3 187 10 454	
十九	50	仪制	10	1—5	官诰	淳化二年至乾道七年	17 308 (17 108)	淳化二年十月,绍兴二年,绍兴诸条皆重出,乾道三、四年较完整。
	66	职官	11	60—75	官诰院	乾德四年至嘉定六年	14 615(补)	后一门完整。
二十	66	职官	11	79	甲库	至道三年至大中祥符七年	14 615	食货"甲库"门脱大中祥符五年一条,"七年"条当系大中祥符。
	146	食货	52	7	甲库	至道三年至大中祥符七年	14 788	
二一	70	职官	18	110—111	钟鼓院	序,绍兴三年至淳熙七年	16 665(补)	前一门完整,后一门脱序文及淳熙四年、七年两条。
	75	职官	31	9	钟鼓院	绍兴二年至隆兴元年	19 514	
二二	70	职官	18	112	刻漏所	绍兴三年至二十七年	10 940	后一门完整。
	75	职官	31	9	测验浑仪刻漏所	绍兴二年至隆兴元年	19 514	

续表

重出组次	册	类	辑稿卷	页	篇目	原在《大典》卷数	备注
二三	91	职官	53	1—6	提举德寿宫 绍兴三十二年至乾道九年	10 945	绍兴三十二年至乾道九年诸条互见。
	91	职官	54	1—26	宫观使 大中祥符七年至绍熙五年	13 323 (13 322)	熙宁二年至九年互见。
二四	91	职官	54	1—26	宫观使 大中祥符七年至绍熙五年	13 323	
	91	职官	54	27—42	外任宫观 序,熙宁二年至绍熙五年	16 251	
二五	107	职官	78	61—63	罢免(下) 淳熙十六年至嘉定十四年	17 595	
	107	职官	78	64—68	罢免(下) 淳熙十六年至嘉定十四年	11 425	
二六	121	食货	1	1—14	检田杂录 建隆二年至乾道九年	4 750(4 350)	
	151	食货61(上)	1	71—78	检田杂录 建隆二年至乾道九年	17 539	
二七	121	食货	1	15—47	农田杂录 建隆三年至乾道九年	缺	乾道九年以前互见,前一门脱淳熙以下十条。
	155	食货63(下)	1	161—225	农田杂录 建隆三年至嘉泰三年	4 748 4 749	

续表

重出组次	册	类	辑卷	稿页	篇目	原在《大典》卷数	备注
二八	121 122	食货 食货	2 3	1—21 1—21	营田杂录 (上下)序、端拱二年至乾道九年	缺	乾道九年以前互见,后一门多出注文七处及《朝野杂记》、《宋史》,正文七处,又淳熙至嘉定十三条。
	154 155	食货63 (上) 食货63 (下)		67—108 109—160	营田杂录 (上下)序、端拱二年至嘉定十七年	4765 4775 4776	
二九	122	食货63	4	1—6	屯田杂录 淳化四年至政和六年	缺	政和六年以前互见,前一门脱误较多。
	154	食货63 (上)		37—66	屯田杂录 淳化四年至嘉定十七年	4769 4770	
三十	122	食货	4	7—15	方田 熙宁五年至宣和三年	4751	
	163	食货70 (下)		114—123	方田杂录 熙宁五年至宣和三年	17533	
三一	123	食货	5	19—37	官田杂录 建炎元年至乾道九年	缺	乾道九年以前互见,前一门一二五页有残文,后脱熙宁淳熙以下十五条。
	151	食货61 (上)		1—46	官田杂录 建炎元年至嘉定十一年	4784	
三二	123	食货	6	1—10	限田杂录 绍兴元年至庆元五年	4750	乾道八年以前互见,后一门脱淳熙乾道以下十五条。
	151	食货61 (上)		73—80	限田杂录 绍兴元年至乾道八年	17539	

续表

重出组次	册	类	辑卷	页	篇 目	原在《大典》卷数	备 注
三三	123	食货	6	11—34	垦田杂录 绍兴二年至嘉定十六年	4 750	乾道九年以前互见,后一门脱淳熙以下二十三条。
	152	食货61（下）		81—88	垦田杂录 绍兴二年至乾道九年	17 539	
三四	123	食货	6	36—52	经界 绍兴十二年至二十八年	17 533	绍兴十二年至二十八年互见,前一门绍兴以下三条并注文一处。
	163	食货70（下）		124—134	经界杂录 绍兴十二年至嘉定十五年	15 076	
三五	124 125	食货 食货	7 8	1—57 1—17	（上下）淳化四年至乾道九年 水利	11 106 11 107 11 108	前一门二、七,三一页有脱文,后一门脱绍兴三十二年二月一条,并《文献通考》正文四页。
	152	食货61（下）		89—122	水利杂录 （上）淳化四年至乾道九年	17 540	
三六	126	食货	9	1—11	受纳 绍兴三年至乾道七年	4 687	乾道七年以前互见,前一门脱淳熙至嘉定一卷。
	159	食货68（上）		1—27	受纳 绍兴三年至嘉定十四年	17 544 22 669	
三七	126	食货	9 10	12—31 1—31	赋税杂录 （上下）政和二年至乾道九年	15 422	政和二年以下互见,前一门缺序文反建隆至政和元年一卷。
	162	食货70（上）		1—67	赋税杂录 （上）序 建隆四年至乾道九年	17 533（44 页以前缺卷数）	

· 249 ·

续表

重出组次	册	类	辑卷	稿页	篇目		原在《大典》卷数	备注
三八	127	食货	11	10—25	版籍	建隆四年至乾道六年	17 531	乾道六年以前互见,前一门脱淳熙以下十七条。
	161	食货	69	16—34	版籍	建隆四年至嘉定十四年	20 359	
三九	127	食货	11	26—30	户口总数	开宝九年至淳熙十六年	缺	乾道九年以前互见,前一门中间有脱淳文十一处,后一门脱淳熙诸条。
	161	食货	69	70—77	户口总数	开宝九年至乾道九年	17 531	
四十	127	食货	12	1—7	户口杂录	开宝四年至乾道七年	缺	前一页六门脱二条。
	161	食货	69	77—81	户口杂录	建炎元年至乾道七年	17 531	
四一	127	食货	12	8—22	身丁	建炎三年至乾道九年	17 544	乾道九年以前互见,前一门脱开禧二、十三条。
	158	食货	66	1—20	身丁钱	建炎三年开禧三年	4 687 7 879	
四二	128	食货	13	1—37	免役钱	(上、副本下)元祐元年至乾道九年	4 685 4 686	三门并互见,前一门脱治平至元丰元一卷。
	157	食货	14	1—48	免役	(一)(二)治平四年至乾道九年	20 725 20 726	
	158	食货	65	1—102	免役	治平四年至乾道九年	17 549 17 551 17 550	
		食货	66	32—89				

续表

重出组次	册	类	辑卷	页	篇目		原在《大典》卷数	备注
四三	138	食货	35	1—18	钞旁印帖	崇宁三年至乾道九年	15 434	
	163	食货70（下）		135—152	钞旁定帖杂录	崇宁三年至乾道九年	17 534	
四四	138	食货	35	19—29	经总制钱	建炎二年至乾道八年	缺	乾道八年以前互见，前一门脱淳熙至嘉定二十一条。
	156	食货	64	84—113	经总制钱	建炎二年至嘉定十七年	4 682	
四五	138	食货	35	30—31	无额上供钱	建炎元年至绍兴二十九年	4 688	
	156	食货	64	63—65	无额上供	建炎元年至绍兴二十九年	17 544	
四六	138	食货	35	31—45	上供钱	建炎三年至乾道九年	4 688	前一门脱绍兴三十一年诸路上供钱数一段。
	156	食货	64	45—60	上供	建炎三年乾道九年	17 544	
四七	141	食货	40	45—53	市籴粮草（三）		11 598	史文小异。
	142	食货	41	3—9	（无标题）		20 787	
四八	142	食货	41	22—25	均籴	政和元年至宣和七年	20 791 20 792	
	163	食货70（下）		152—155	均籴杂录	政和元年至宣和七年	17 534	

续表

重出组次	册	类	辑卷	稿页	篇目	原在《大典》卷数	备注
四九	142	食货	41	27—35	量衡	建隆元年至绍兴二十二年	8 633	绍兴二十二年以前互见，前一门中间及篇尾皆有脱文，共十一条，并残文二处。
	161	食货	69	1—13	宋量	建隆元年至绍兴三十二年	5 213（补）8 633（补）	
五十	147	食货	53	19—33	义仓	建隆四年至乾道九年	17 541	乾道九年以前互见，前一门中间有脱文四处，后一门绍熙至嘉定七条，中间脱嘉定五条。
	153	食货	62	18—52	义仓	建隆四年至嘉定十四年	7 509	
五一	147	食货	54	1—10	诸州仓库	建隆四年至乾道九年	17 542	乾道九年以前互见，前一门脱淳熙至嘉定一门，中间脱嘉定一段，后一门中间脱嘉定二十八条。
	153	食货	62	53—75	诸州仓库	建隆四年至嘉定十四年	7 512	
五二	147	食货	55	15—19	杂买务	序，太平兴国八年至隆兴二年	14 990	后一门脱序文。
	156	食货	64	40—44	和买	太平兴国八年至隆兴二年	缺	
五三	149	食货	57	1—21	赈贷（上下）建隆元年至乾道九年		10 898 15 239	前一门（下）十三页脱二条，后一门二八页脱正文一条，注文二条。
	159	食货68（上）	58	1—12				
				28—73	赈贷（上）建隆元年至乾道九年		缺	

续表

重出组次	册	类	辑卷	稿页	篇	目	原在《大典》卷数	备注
五四	150	食货	59	1—52	恤灾	熙宁元年至乾道九年	2 633 20 899	前一门十三页附人副本因下页重出，又本门文二十余条与二门脱一百余条，并注文二处。后一门注文二条。
	160	食货68（下）		112—127	[恤灾]	熙宁元年至乾道九年	17 543	
五五	150	食货	60	3—17	恩惠	（二）(副本)熙宁二年至嘉泰三年	20 900 11 621	乾道二年以前互见，后一门脱淳熙以下五条。
	160	食货68（下）		128—152	恩惠	熙宁二年至乾道二年	17 544	

上表所列55组重出篇幅,可分三种类型

第一种类型:原在《永乐大典》卷数相同。计有第4、5三门重出,后一门与前二门卷数不同、11、12、13、15、16、17、18 共九组。其中16、17两组,皆是前一门缺《大典》卷数,后一门带"( )"的卷数,则是后人整理原辑稿时,据前此"景献太子攒所"门推测补入的,实际上都是属于漏录卷数的部分。在这9组中,具有下列特点:

1. 有关重出各门,原在《大典》同一卷中,或同属漏录卷数部分。
2. 有关重出各门,都在礼类,而且大体上皆前后相连。
3. 在页次编排上,重出的后一门都加上一个"又"字,单独编排。
4. 在书写格式上,凡编类前加"又"字的各门,与徐抄原稿迥然不同,并且有些地方还附有屠寄的按语。

从第一个特点,可以知道这种类型的重出,是辑出以后造成的。但究竟是怎样造成的,还需要作进一步的考察。

徐辑原稿,是徐松在全唐文馆时,利用全唐文馆书吏,以《全唐文》的名义私下抄出的。汤中先生在嘉业堂曾经对原稿、广雅清稿及嘉业堂清本进行过比较研究,并写出《宋会要研究》一书,书中记载原稿的格式云:"(原)稿本式样分两种,均朱丝直格;一种每半页十一行,每行二十一字;又一种每半页八行,每行二十八字,双行。每册第一行顶格,有写《全唐文》三字,亦有在版心鱼尾之上,写《全唐文》三字者。每节标题,写《宋会要》三字,低本文三格,亦有写《中兴会要》、《续宋会要》、《十朝纲要》、《乾道会要》、《中兴礼书》者。又有在《宋会要》三字下,注明标目者。版心上方有写《永乐大典》卷数,亦有不著卷数者。版心下方,有记页数,亦有不记者。缮写工整,纸墨古雅,迥非时下钞本可比。"①影印本《辑稿》除纸及直格颜色无法识别外,其他格式一般都是符合的;但礼类重出各门中,凡是在编排上加"又"字者,就不同了。

汤中记录广雅清稿的格式云:"广雅稿本:红格,阔栏;版心鱼尾下书'要'字;每半页十四行,行二十五字;每卷十余页、数十页不等;每页首行,小题在上,顶格。大题在下,距行末两格。凡遇某年号,某年,某月,提行;每条下注《永乐大典》卷数,如无卷数者,即注《永乐大典》不注卷数,其注均双行缮写。"②影印本《辑稿》,礼类重出的,在编类中加"又"字的九门中,其书写格式,除"红格"颜色无法辨认外,其余皆与上述广雅清稿相合。如上表11组,又礼31·

---

①② 汤中:《宋会要研究》卷3。

1—38"后丧"门;15 组,又礼 43·1—11"景献太子攒所"门,每页版心鱼尾下皆有"要"字。有关各门,每半页行数、每行字数,年号、年、月提行,每条下注《永乐大典》卷数,其卷数相同者,注"同上";注文均双行缮写,都符合广雅稿的特征。特别是有不少地方,如又礼 11·5、11·7、11·8(二处)、11·9,及又礼 47·8—9 等处的注文,都有屠寄的按语;这些按语,又全是夹在正文中间,与在原稿上书眉、篇尾等处批入的按语完全不同。这就清楚地反映了,在编排上加"又"字的各门,全是附入的广雅清稿,只是在《影印宋会要辑稿缘起》中未作交代而已。所以因附入九门广雅清稿,就成为《辑稿》整门重出的一个原因。

第二种类型:原在《永乐大典》卷数不同。上表下列各组有关重出各门,皆出自《大典》不同卷中,计有:1、2、3、5 三门重出,前两门属第一种类型、6、7、8、9、10、14、19、20、21、22、23、24、25、26、30、32、33、34、35、36、37、38、41、42 三门重出、43、45、46、47、48、49 补批两个卷数中前一个不同、50、51、54、55,共 38 组。在这 38 组中,有关重出各门,原稿所录《大典》卷数,皆不相同;个别地方如四九组"宋量"一门篇尾所批两个卷数,其后一个与复文相同的卷数,实系据"量衡"门复文补入的,前一个与"量衡"门不同的卷数,才是属于本门的。在《辑稿》中,有很多被删去及存留的复文,其《大典》卷数被校订者补入了有关重出的篇幅中;"宋量"一门,就是属于保存下来,既校补了本门卷数,又批入了复文卷数的一部分。

另一种情况是,编入了少量的原辑稿副本。像上表所注明的食货 13"免役钱"篇首、食货 60"恩惠"门篇首,皆注明为"副本"。但从所录《大典》卷数来看,与有关重出各门,皆不相同。这就说明:编入少量副本,并不是造成重出的原因,只是由于正本的这一部分残阙了,才采用副本加以补充。虽然在极个别地方,也有因附入副本造成的重出,如食货 59·13,附入"恤灾"门副本宣和元年正月二十七日条,而造成与本门及重出另一门的重出;但却只是一条,是与整门重出的现象无关的。从而可以肯定,上述 38 组,在《永乐大典》中,本来就是重出的部分,而不是抄出以后因其他原因造成的。

《永乐大典》中所收《宋会要》的重出篇幅,较《辑稿》现存的部分,实际上还要多一些。从《辑稿》来看,有些由于辑录时发现重出而被省略了。如《辑稿》选举 22·1,"宋考课",原批"与职官全同,存目不录"。选举 23·1"吏部",原批"详见职官";"审官东院",原批"与职官同,存目不录"。选举 24·1"审官西院",原批"与职官全同,存目不录"。选举 30·29"自代",原批"与职官同,存目不录"等皆是。

从影印残本《永乐大典》来看,有不少《宋会要》的文字,在《辑稿》中残阙了,但《辑稿》却保存了《大典》另一处的复文。兹将有关这方面的情况附表如后:

中华书局影印本《永乐大典》现存《宋会要》中
《辑稿》残阙,仅存别卷复文简表

《永乐大典》		《宋会要辑稿》				原在《大典》卷数	备 注
篇 目	卷数	类	卷	页	篇 目		
城 池	1 056	方域	1	11	东京杂录	7 699	
月 桩	6 524	食货	64	79	月桩钱	(钱字)	《辑稿》所补卷数现存《大典》该卷无此文。卷 6524 复文注"详见钱字"。
常平仓	7 506	食货	53	6—19	常平仓	17 541	《辑稿》缺政和一条并注文九处。
广惠仓	7 513	食货	53	34	广惠仓	17 541	
奉迎圣像	18 224	礼	51	13—14	徽号二	17 302	
奉安圣像	18 224	礼	51	14—16	徽号二	17 302	

中华书局影印本《永乐大典》,虽只有全书的百分之三强,但与《辑稿》现存的原稿相校,仍可反映出《宋会要》在《大典》中的重出篇幅是不少的;同时也说明原辑稿丢失和删除的复文,也有相当的数量,其中有的较现存篇幅还要完整些,上表"常平仓"一门,就是如此。

这就证明:《辑稿》中整门及较大篇幅的重出部分(包括两门互见及三门互见,如42组"免役"三门),绝大部分是在《永乐大典》中本来就重出的。

第三种类型:原辑稿存在着漏录《大典》卷数的部分。计有:27、28、29、31、39、40、44、52、53 共9组。(礼类16、17组,已在前面作了考察,不计在内)在这9组中,虽然只有一门漏录卷数,但既未注明是副本,校勘结果,又都存在着文字上的差异,和此脱彼存的现象,参照《大典》中所收《宋会要》存在着不少重出篇幅的事实,看做是《永乐大典》本来就存在的复文,还是有根据的。

根据以上诊断,可以得出如下结论,在影印本《宋会要辑稿》中,整门及部分较大篇幅的重出问题,是由两种原因造成的:一种是礼类附入了九门广雅清稿,另一种是在《永乐大典》中本来就重出的。

(原载《宋会要辑稿考校》,
上海古籍出版社 1986 年 8 月版)

《宋会要辑稿》篇目索引

凡　例

一、本索引为校订与检阅《宋会要辑稿》两次影印本（即前北平图书馆线装本及中华书局精装本）的工具书。

二、本索引按照原书顺序，分列册、类、卷、门各项，录出各门原在《大典》中的卷数及在《辑稿》中的页数，并根据各门不同特点，分别在标题下注明本门条目、特点及起迄时间等。其中不分条目、不载时间，但在标题中已能显示本门特点者，则缺而不注。

三、本索引除对原书卷首《影印缘起》、《目录》等排印部分，因页次不同而并录页数外，对于影印部分，则只录前北平图书馆原编页次，因为原编页次对两种印本都能适用。

四、凡是因为篇幅较长，原书将一卷分装为两册者，均析为上、下卷，全书原分366卷，其中礼、职官、食货、刑法四类，共10卷有上、下卷之分，如把上、下卷各作为一卷计算，全书共为376卷。

五、原书一门分在数卷，原批标题不统一，不排次序，或虽有统一标题而排次错乱者，本索引则将标题统一，并用（上）、（下）或（一）、（二）、（三）……加以排列。其中夹有另外标题者，则依原编顺序排列；先后倒置者，则以（上）（下）标明。

六、本索引对于目前已发现的大篇幅重出（不包括个别事条）、分散各门的相互衔接，以及羼入的广雅清稿，误入的非宋代史料等，均分别注于有关标题之下。

七、所有注明重出各门，多有此存彼脱、彼正此误之处，尚须相互勘补。

本索引对此将基本状况分别注于有关重出各门标题之后，如：
食货54

| 〔诸州仓库〕 | 建隆四年至乾道九年（与食货62"诸州仓库"门互见，本门脱淳熙至嘉定一段）17 542 | 1—10 |

其中17 542为《大典》卷数，1—10为《辑稿》页数。又如：
食货62

| △诸州仓〔库〕 | （《大典》原无"库"字）建隆四年至嘉定十四年（乾道九年以前与食货54"诸州仓库"门互见，本门53—62页脱28条）7 512 | 53—75 |

八、原书无标题、标题不完整和夹在正文中间及补批标题，均根据不同情况加以补正。其中存于影印本《永乐大典》者，则参考《大典》原题，酌情补正，不存于影印本《永乐大典》者，则据本门内容、文中所夹标题或前人校语加以补正。凡属于补正部分，均用〔 〕与原有标题相区分，并注明原题（采用批补标题者不注），以便寻检。

九、原书所录《大典》卷数缺、误之处，凡能据影印本《大典》补正者，则加以补正。书中前人校勘补批的《大典》卷数，多是根据复文，往往与原在《大典》卷数不合，故属于批补的卷数，均加注明。

十、凡影印本《永乐大典》现存部分，均在标题前冠以△符号。存于影印本《大典》而《辑稿》散佚的部分，则不增标题。

第一册 影印宋会要辑稿缘起 宋会要辑稿目录 帝系一至二

影印宋会要辑稿缘起	（精）一至四
	（线）一至七
宋会要辑稿总目（线装本总目排次与原书不合，中华书局精装本缺此）	（线）一
宋会要辑稿目录（线装本总类排次与原书次序不合）	（精）五至一四
	（线）一至九

（一）帝系类　共5册11卷

第1册　帝系1—2

帝系1

标　目	内　容　及　大　典　卷　数	页
〔帝号〕（一）	僖祖　顺祖　翼祖　宣祖　太祖（僖祖至宣祖与礼49"尊号"门互见，本门较详） 12 300（第二页版口为卷11 200，按其内容与前后页相连，而所录卷数独异，疑误）	1—3
〔帝号杂录〕	太祖朝 12300	3
〔帝号〕（二）	太宗　仁宗　孝宗（太宗、仁宗朝正文为《十朝纲要》） 12 215（仁宗以下缺《大典》卷数）	4—7
〔帝谥〕	孝宗　光宗 13 350	8
〔太子谥〕	昭成太子元僖　悼献太子祐　献愍皇太子茂　壮文皇太子愭　景献皇太子询 13 350	8
庙号追尊	太祖朝　真宗朝　仁宗朝　神宗朝　哲宗朝　徽宗朝　高宗朝　孝宗朝 17 055　17 056　17 289	9—20
〔历朝宰臣〕	太祖朝　太宗朝　（太祖朝"三司使"以上残缺） 12 315	21—23
太子诸王	宣祖诸子附魏王廷美子　太祖诸子附燕王德昭子　秦王德芳子　太宗诸子附魏王元佐子　鲁王元份子　韩王元偓子　吴王元俨子　真宗诸子（在59页）　仁宗诸子　英宗诸子附吴王颢子　益王頵子　神宗诸子附吴王佖子　燕王俣子　越王偲子　徽宗诸子　宁宗诸子（本门部分内容重出） 373　370　6 762　6 763　6 761	24—60

· 260 ·

帝系 2

标　　目	内 容 及 大 典 卷 数	页
皇子诸王杂录	开宝六年至淳熙十六年 125　6 761　6 738　6 763	1—27
〔皇孙〕	皇孙谌　皇孙惜（愉）　恺　惇　皇孙挺　扩　摅　柄 3 551　3 552	28—33
濮秀二王杂录	熙宁二年至嘉定十七年（俱在36页，又礼40有"濮安懿王园陵"、"濮安懿王园庙"、"秀安僖王园庙"三门） 6 762　125　6 761	34—58

第 2 册　帝系 3—4

帝系 3

标　　目	内 容 及 大 典 卷 数	页
〔宗室封建〕	廷美十子　德昭五子　德芳三子　元佐四子　元僖二子　元份四子　元杰四子　元偓一子　元俨六子　颢三子（原作"四子"，据"太子诸王"门校改，又"孝纪"系"孝纯"之误）　頵十子　似三子　侯三子　似一子　偲三子 16 629　373（补）　370（补）　6 761（补）　6 771（补）	1—8
宗室追赠	赠皇太子　赠王　宗室诸王　追封王等　宗室诸追赠　宗室文臣　建隆三年（13页）至乾道五年（27页）　19 125	9—39

帝系 4

标　　目	内 容 及 大 典 卷 数	页
宗室杂录（一）	雍熙元年至熙宁十年 125　126	1—36

第 3 册　帝系 5—6

帝系 5

标　　目	内 容 及 大 典 卷 数	页
宗室杂录（二）	元丰元年至绍兴元年 127	1—37

帝系 6

标　　目	内 容 及 大 典 卷 数	页
宗室杂录（三）	绍兴二年至三十二年 128	1—33

第 4 册　帝系 7—8

帝系 7

标　　目	内　容　及　大　典　卷　数	页
宗室杂录（四）	隆兴元年至乾道九年 128	1—12
〔宗室杂录（五）〕	（原作"绍熙宗室杂录"）淳熙十六年至绍熙四年 122	13—15
宗室袭封	（濮秀二王各见本门）庆元元年至嘉定十二年 223（？）（18 页以下均作 123）	16—17
〔宗室换授〕	绍熙五年至嘉定十四年 123（16、17 页作 2 230）	17—19
〔宗室补官〕	嘉定十四年 123	19
〔宗室请给〕	绍熙五年至嘉定十六年 123	19—21
〔宗室恩赐〕	嘉定十四年 123	21
〔宗室卹孤〕	开禧元年至嘉定六年 123	21—22
〔宗室训名〕	嘉定八年至十六年 123	22—27
〔宗室赐名〕	庆元六年至嘉定十四年 123	27
〔宗室承继〕	嘉泰三年至嘉定十四年 123	27—28
〔宗室杂录（六）〕	绍熙五年至嘉定十二年 123	28—32

帝系 8

标　　目	内　容　及　大　典　卷　数	页
公主（帝姬）	序文、政和三年至建炎元年 10 728	1—2
〔公主册礼〕	序文、嘉祐二年册兖国公主礼 10 728	2—5
〔驸马都尉尚主礼〕	10 728	5—7

续表

标　目	内容及大典卷数	页
〔公主封赠〕	建隆元年至乾道七年 10 728　10 729　10 730	7—43
〔宗女　宗妇〕	淳熙十六年至开禧三年 10 788	44—45
〔驸马都尉杂录〕	开宝三年至绍兴三年 缺	46—58
〔进马〕	太祖朝 缺	59

第5册　帝系9—11

帝系9

标　目	内容及大典卷数	页
〔帝治〕	（原批"经筵"、"观赏"、"却贡"、"罢贡"、"存先代后"、"录诸国后"、"出宫人"诸门，并见崇儒7。"优礼大臣"见礼47，"赐功臣字"见礼59）	1
诏群臣言事	太平兴国六年至乾道六年 13 396（第1页版口作3 396疑误）	1—33

帝系10

标　目	内容及大典卷数	页
〔观赏三元灯〕	序文　上元　中元　下元 建隆二年（2页）至宣和七年（2页） 8 666	1—8

帝系11

标　目	内容及大典卷数	页
守法	止内降　以中制法　以例决事　不以私废公法贵力行　官吏奉法　当虔　用法之公恩法并用　责守法惩依违　用法不用例　旧无条法不可创　止增官人俸　乾道新书　祖宗法度　改法宜审于初　侥幸之门自上启上下坚守法度　淳熙法册　不轻变法　改正罪名　按劾违法者　不开幸门　违戾当行遣高宗朝、孝宗朝 21 304（第1—2页版口为卷21 302，内容与下文相接，疑误）	1—14

(二)后妃类 共1册 4卷

第6册 后妃1—4

后妃1

标　目	内　容　及　大　典　卷　数	页
〔皇后、皇太后〕	僖祖崔后　顺祖桑后　翼祖刘后　宣祖杜后　太祖宋后　太宗尹后、符后、李后、李后　真宗潘后(在三页篇尾)、郭后、刘后、杨后、李后　仁宗郭后、曹后、张后　英宗高后　神宗朱后、陈后(原批作"哲宗"据《十朝纲要》改)　哲宗刘后　徽宗王后、郑后、韦后、刘后、刘后(原在钦宗后,据《东都事略》移前)　钦宗朱后　高宗邢后　孝宗郭后、夏后、谢后　光宗李后　宁宗韩后、杨后 19 305　19 306　19307　19 309　19 311	1—9
〔皇太后皇后杂录(上)〕	咸平二年至靖康二年(原作"咸平一年闰三月",据《宋纪》闰三月在二年) 19 310	10—25

后妃2

标　目	内　容　及　大　典　卷　数	页
〔皇太后皇后杂录(下)〕	建炎元年至乾道九年 19 310	1—15
〔皇太后杂录〕	淳熙元年至庆元四年("皇太后皇后杂录"乾道以前合编,淳熙以下分编为两门) 19 311	16—20
皇后杂录	淳熙元年至嘉定八年 19311	21—29

后妃3

标　目	内　容　及　大　典　卷　数	页
贵妃	太平兴国二年至庆元六年 1 225　1 265	1—11
〔淑妃〕	〔大中祥符〕七年(原作"景德"误,据下条及后妃一校改)至淳熙七年　1 266	12
〔德妃〕	淳化二年至元丰元年 1 266	12—14

续表

标　　目	内　容　及　大　典　卷　数	页
贤妃	太平兴国二年至〔绍兴〕十二年（原作"十二年"，隶上文"建炎"。《宋史·张贤妃传》同，则"十二年"不误，疑脱"绍兴"年号） 1 266	14—17
昭仪	元丰八年至政和六年 1 304	18
淑仪	太平兴国四年至庆历四年 1 304	18
充仪	景祐元年至绍圣二年 1 304	18
贵仪	元丰八年至政和元年 1 304	18—19
婉仪	绍兴十四年 1 265	20
△美人	太平兴国四年至绍兴十六年 2 972	21—23
△才人	太平兴国二年至绍兴二十二年 2 972	24—25
△〔贵人〕	（原作"顺容"。改用《大典》原题）庆历四年 2 972	26
〔郡夫人〕	序文，熙宁十年至乾道九年 2 968	27—28
乳母	太平兴国二年至绍熙三年 10 811	29—35

后妃 4

标　　目	内　容　及　大　典　卷　数	页
△内职	序文　内命妇品　宫人女官职员　内职杂录 景德二年至嘉定十六年 30 478（？）　20 478 2 168（补）　1 264（补） 1 296（补）　24 288（补）	1—29

（三）乐类　共3册8卷

第 7 册　乐 1—3

乐 1

标　　目	内　容　及　大　典　卷　数	页
〔律吕〕（上）	乾德四年至景祐二年 20 916　21 679	1—23

乐 2

标　　目	内　容　及　大　典　卷　数	页
律吕（下）	景祐三年至崇宁三年 20 916　5 464	1—32

乐 3

标　　目	内　容　及　大　典　卷　数	页
详定乐律	序文，太祖至神宗（有残阙） 21 679　21 680	1—15
宋乐	至和元年至大观二年 21 681　21 682	16—28

第 8 册　乐 4—6

乐 4

标　　目	内　容　及　大　典　卷　数	页
乐器　乐舞	大观四年至乾道四年 21 683	1—8
郊祀乐（上）	建隆元年至皇祐二年 5 464	9—22

乐 5

标　　目	内　容　及　大　典　卷　数	页
郊祀乐（下）	皇祐三年至宣和四年 5 465	1—26
诗乐	（系《宋史》"诗乐"文） 21 691	27—28
教坊乐	（系《宋史》"教坊乐"，"队舞之制"以下全文，前脱"自唐以来……拍板"一节） 21 692	29—37
〔云韶部乐〕	（系《宋史》"云韶部"全文，又篇首一段与职官22"云韶部"门互见） 21 692	37—38

续表

标　　目	内　容　及　大　典　卷　数	页
〔钧容直〕	太平兴国三年至绍兴三十年（系《宋史》"均容直"文，又大中祥符五年前及绍兴三十年条与职官22"均容"门互见） 21 692	38
附〔东西班乐〕	（系《宋史》"东西班乐"文，又本门与职官22"东西班乐"互见） 21 692	38—39
〔四夷乐〕	元丰六年（系《宋史》"四夷乐"文，又前4行与职官22"四夷乐"门互见） 21 692	39—39

乐6

标　　目	内　容　及　大　典　卷　数	页
郊社群祀乐歌	郊祀及郊祀前朝献　圜丘　方丘　祈谷　雩祀　五方帝　感生帝　明堂 5 470　248　8 860　21 614　11 684（？）　21 684	1—15
祠祭朝献〔乐章〕	宁宗朝　理宗朝 248	16—20
〔诸祀乐章〕	皇地祇　神州地祇　祀汾阴 5 471	21—26

第9册　乐7—8

乐7　庙祀并各典礼乐歌

标　　目	内　容　及　大　典　卷　数	页
太庙乐章	明道、嘉祐 17 065	1—2
御楼〔乐章〕	建隆、咸平、乾兴、明道、嘉祐（正文皆《宋史·乐志》） 5 471　21 689	3—6
〔登门肆赦乐章〕	绍兴，宁宗（《宋史·乐志》） 21 689	6
〔皇帝上尊号〕	21 689	6
〔皇太后、太上皇帝、后朝会册宝上尊号乐章〕	治平四年至绍定三年（正文皆《宋史·乐志》，又"绍兴十一年"条，与后乐7·32"绍兴册宝"互见） 21 689	6—20

续表

标　　目	内容及大典卷数	页
〔册立皇后乐章〕	哲宗至宁宗嘉泰三年（《宋史·乐志》） 21 689	20—26
〔皇帝恭膺天命之宝乐章〕	嘉定十五年（《宋史·乐志》） 21 689	26
〔册皇太子乐章〕	至道元年至嘉定二年（《宋史·乐志》） 21 689	26—27
〔皇子冠乐章〕	宝祐二年（《宋史·乐志》） 21 689	27—29
〔乡饮酒乐章〕	淳化间（《宋史·乐志》） 21 689	29—31
〔皇太后册宝乐章〕	绍兴十〔一〕年（与前"恭上皇帝皇太后尊号乐章"门9—10页互见，正文皆《宋史·乐志》） 17 293	32

乐 8

标　　目	内容及大典卷数	页
鼓吹导引乐歌	（正文皆见《宋史》乐十五、十六）郊祀　封禅　天书　迎奉圣像　太庙　帝后发引、祔陵、虞主附庙　奉安御容等乐章 太祖建隆二年至理宗宝庆三年，又五至八页绍兴"五曲"，据《宋志》当在20页"乾道"前 5 471　11 186　21 690　21 691	1—32

（四）礼类　共33册62卷（卷20分上下卷）

第10册　礼1—2

礼1　吉

标　　目	内容及大典卷数	页
〔郊祀职事〕	（原作"郊祀仪注职事"，仪注见下门）序文、乾德六年至庆元三年 5 485　5 486	1—27
郊祀仪注	乾德元年至淳熙十二年 5 490　5 495	28—39

礼 2 吉

标　目	内容及大典卷数	页
〔郊祀坛殿大小次〕	序文、元祐九年至淳熙十二年（绍兴二年以下为《中兴礼书》） 5 487（补）　5 488（补）	1—14
〔郊祀位次〕	庆历元年至隆兴二年（绍兴十三年以下为《中兴礼书》） 5 487（补）　5 488（补）	14—16
郊祀奏告	（《中兴礼书》）绍兴十二年至乾道五年 5 487（补）　5 488（补）	16—27
〔郊祀陈八宝〕	（《中兴礼书》）绍兴十三年至淳熙十二年 5 487（补）　5 488（以上6门卷数俱补批于卷末）	27—33
郊祀卤簿	〔乾德元年〕至淳熙三年（首条"八月"据礼28·1补年次） 5 479　5 480	34—37
郊祀冕辂冠服	乾德元年至隆兴二年 5 476	38—40
〔南北郊坛〕	序文、景德至绍兴（景德三年条重出） 5 451　4 366	41—44

第 11 册 礼 3—5

礼 3 吉

标　目	内容及大典卷数	页
〔郊祀议论〕	乾德元年至嘉定五年（元祐八年以下原题均作"郊祀"） 5 448　5 488　5 451　5 449（19页一条缺卷数）	1—32

礼 4 吉

标　目	内容及大典卷数	页
朝日夕月	（《中兴礼书》）绍兴三年至二七年 17 054	1
〔祀荧惑星〕	（《中兴礼书》）绍兴七年至乾道五年 缺	2—14
〔祈雨雪〕	乾道四年（此门可补礼18"祈雨"门之阙） 16 019	15—17
风伯雨师雷神坛	淳熙七年 923	18
五龙祠	建隆三年至大观二年（误入汉事二条、唐事一条） 523	19

礼 5 吉

标　　目	内　容　及　大　典　卷　数	页
〔祠宫观庙〕	鸿庆宫　凤台山宫　上清宝箓宫　龙德宫　神霄玉清万寿宫　开元宫　景灵宫　太极观　天授观　至道观　旌忠观　寅威观　醴泉观　崇宁寺观　通元观　妙元观　天庆观　集禧观　万寿观　天宁观　寿观　崇宁寺观（接前）　宁寿观　白云昌寿观　恭顺将军庙 大中祥符二年（在18页）至嘉定十六年 249　234　262　259　16 229　16 224 17 130（补）（其中12篇漏录《大典》卷数）	1—25

第 12 册 礼 6—7

礼 6 吉

标　　目	内　容　及　大　典　卷　数	页
亲飨先农耕耤	（《中兴礼书》）绍兴间 11 854	1—38

礼 7 吉

标　　目	内　容　及　大　典　卷　数	页
禘祭	（《中兴礼书》）绍兴间 11 854	1—2
帝后祔庙	（《中兴礼书》）绍兴间　钦宗、显仁皇后、懿节皇后祔庙 17 063	3—21
〔加上徽宗皇帝谥号册宝〕	绍兴间（《中兴礼书》） 17 056	21—31
〔进圣政记〕	乾道间 28 054	32—36
告礼	淳熙三年至嘉定十七年（此门兼叙诸典礼与"郊祀奏告"专叙郊祀不同） 17 325	37—40
太庙朔祭及四孟荐飨祝版	（《中兴礼书》）孝宗朝（卷首残阙） 10 007	41
礼器	（《中兴礼书》）绍兴间 10 947	42

第 13 册　礼 8—10

礼 8　嘉　（卷首夏桀、唐尧等三条系误入）

标　　目	内容及大典卷数	页
圣节	大中祥符五年 22	1
〔元旦朝贺〕	淳熙十二年（接礼57"元旦冬至朝贺"门） 22	1
朝贺〔仪〕	（《中兴礼书》）冬至群臣朝贺仪　正旦群臣朝贺仪 17 464	2—3
朝会	（《中兴礼书》）建炎四年至淳熙十五年（礼56另有"朝会"门） 15 225	4—20
追封先世名臣谥	大中祥符间（误入"玉璜"一条） 162	21
旌表孝妇	淳熙间 14 914	22

礼 9　军

标　　目	内容及大典卷数	页
田猎	建隆二年至庆历七年 22 818	1—4
大阅讲武	序文、建隆三年至开禧元年 11 008　21 527	5—34
兵捷献俘	开宝四年至宣和三年 22 812　22 818	35—38

礼 10　吉

标　　目	内容及大典卷数	页
后妃庙	建隆三年至淳熙十五年 17 086	1—13

第 14 册　礼 11—13

礼 11　吉

标　　目	内容及大典卷数	页
配飨功臣	太祖朝至宁宗朝（与本卷此下"配享功臣"门互见） 11 853（补）　17 064	1

标 目	内 容 及 大 典 卷 数	页
〔配飨功臣杂录〕	咸平二年至嘉定十四年（与此下及礼59"配享功臣杂录"门并互见，本门较完整） 17 064　11 853	1—12
配飨功臣	太祖朝至宁宗朝（与本卷此前"配享功臣"门互见，又此门为广雅清稿） 11 853（补）　17 064	又礼11· 1—2
〔配飨功臣〕杂录	咸平二年至嘉定十四年（与此前及礼59"配飨功臣杂录"门并重出，又此门为广雅清稿） 11 853　17 064	又礼11· 2—10

礼 12　吉

标 目	内 容 及 大 典 卷 数	页
群臣士庶家庙	庆历元年至嘉定十五年 17 090	1—14
九宫太乙祠	序文、咸平四年至大中祥符元年 2 935	15—16
△〔坤道人门〕	（标题据《大典》补入） 3 527（原缺卷数，据《大典》补入）	16

礼 13　吉

标 目	内 容 及 大 典 卷 数	页
〔神御殿〕	太平兴国初（2页）至嘉定二年 16 562（25页诸条与前不接，缺《大典》卷数）	1—25
祭名臣茔庙	绍兴间 17 092	26

第 15 册　礼 14

礼 14　吉

标 目	内 容 及 大 典 卷 数	页
〔群祀〕一	序文、建隆四年至治平二年（注文至绍兴三十一年） 缺	1—39　又 39
〔群祀〕二	熙宁四年至宣和二年（注文至四年） 缺	40—74
〔群祀〕三	建炎四年至嘉定十四年 缺	75—108

续表

标　　目	内容及大典卷数	页
〔祀祭行事官〕	淳熙三年至嘉定十一年 缺	108—120
〔祭器〕	太平兴国四年至绍兴十八年 5 411　5 461	121—124
〔郊祀杂物〕	崇宁五年至（乾道）六年（据礼26·2—3"乾道六年闰五月十四日"复文补） 5 461	124—126

第 16 册　礼 15—16

礼 15　吉

标　　目	内容及大典卷数	页
缘庙裁制	太平兴国二年至嘉定十四年（礼37另有"缘庙裁制上下"） 17 054	1—22
庙议	建隆元年至绍熙五年 17 065	又22—64

礼 16　吉　（按清本《宋会要》以下四门皆隶"崇儒"类）

标　　目	内容及大典卷数	页
〔释奠〕	淳熙四年至绍熙三年 16 574	1
〔颁先圣〕祝文	崇宁四年 19 862	2
〔幸太学〕	端拱元年至淳熙四年 21 997　21 999	3—5
〔幸武学〕	建隆二年至开宝二年（附论幸太学） 21 999　21 997	5—7

第 17 册　礼 17

礼 17　吉

标　　目	内容及大典卷数	页
〔宗庙〕	咸平三年至大中祥符三年 缺	1
朝飨太庙	绍兴十三年所修仪注（与后"时飨"门43—56互见） 17 060	2—9

续表

标 目	内容及大典卷数	页
亲飨庙	太祖朝至宁宗朝（与後"时飨"门互见） 17 059	10—11
〔亲飨庙〕杂录	乾德元年至庆元二年（在 21 页 22 行） 17 059	11—29
时飨〔亲享太庙仪注附〕	乾德六年至嘉定十四年（篇首原作乾道，据《宋史》校改。43—56 页与前 2—9 页"朝飨太庙"门互见，又 82—84 页与前"亲飨庙"门互见） 17 057　11 846	30—85
荐新	雍熙二年至绍兴十九年 17 058	86—91

第 18 册　礼 18—19

礼 18　吉

标 目	内容及大典卷数	页
〔祈谷〕	景祐、绍兴 19 603	1
祈雨	序文、建隆二年至嘉定十四年（缺乾道一段见礼 4） 10 600	2—31
〔祈雪〕	绍兴元年至嘉定五年 21 548	32—33
〔祈晴〕	淳熙四年至嘉定七年 8 542	34—35
〔祈晴〕	乾道八年 8 544	36
禜灾异	绍兴三十一年至淳熙三年（38 页崇宁至建炎，为淳熙三年礼部"检照《国朝会要》"所引文字） 11 612	37—38
祈祷禁屠	淳熙八年 11 612	38
末岛	（有关边防事项） 11 612	38
〔酺祭〕	绍兴三十二年至嘉定八年 2 942	39—40

礼 19　吉

标　　目	内容及大典卷数	页
〔司中司命司民司录坛、风师雨师雷师坛〕	政和三年 7 872	1
〔祀九宫贵神〕	序文、咸平四年至大观四年 7 873	1—9
〔祀大火星〕	康定元年至崇宁四年 7 874	9—13
〔祀荧惑星〕	崇宁三年至绍兴十八年 4 371　7 874（补）　1 855（补）　1 874（补）	14—15
〔星变〕	长星　流星　飞星　陨星 7 866　7 867	16—17
〔黄帝坛〕	太平兴国八年 4 371	18
〔先农坛〕	雍熙四年至明道元年 4 371	19
〔先蚕坛〕	景德中 4 371	20
〔四望坛〕	元丰二年 4 372	21
〔蜡腊〕	建隆元年至乾道四年（年次有错乱。又篇首建隆元年条下页重出） 22 665　17 717	22—24

第 19 册　礼 20 上

礼 20（上）　吉

标　　目	内容及大典卷数	页
〔山川祠〕	开宝四年至乾道六年（体例不一，年次错乱） 1 203　1 204	1—20
〔诸祠庙（上）〕	舜帝祠　夏禹祠　魏武帝祠　文孝行祠　五代汉高祖祠　吴泰伯祠　唐叔虞祠　楚令尹子文祠　介子推祠　吴季札祠　郑子产祠　狐突祠　赵盾祠　茅焦祠　李冰庙　萧相国祠　曹参祠　樊哙祠　卓茂祠　霍光祠　卢文台祠　张大夫行祠　二伏波祠　崔瑗祠　方储祠　梁松祠　鲍盖祠　程婴、公孙杵臼、韩厥祠　廉颇祠　屈原祠　伍子胥祠　诸葛武侯祠　蜀汉寿宁侯祠　蜀将张飞祠　关平祠　邓艾祠　甘宁祠　张华祠　卞壸祠	21—83

续表

标　目	内　容　及　大　典　卷　数	页
	陈寿祠　张宽祠　沈约祠　李冲祠　姚景祠　韩擒虎祠　张遁祠　李靖祠　尉迟恭祠　狄仁杰祠　颜鲁公祠　杨晟祠　柳宗元祠　裴度祠　王元晡祠　刘谏议祠　韦处厚祠　陈明府祠　刘全祠　花惊定祠　李回祠　汪华祠　欧阳祐祠　二顾节度使祠　苏孝祥祠　李元则祠　夏鲁奇祠　朱辰祠　赵普祠　韦皋祠　陆弼祠　王韶祠　种世衡祠　范文正公祠　寇莱公祠　苏缄祠　王承伟祠　张兵部祠　李继和祠　萧元礼祠　王吉祠　王太尉祠　陈瓘祠　何李二公祠　杨邦乂祠　谢晦祠　赵师旦祠　曹覠祠　孙冕祠　刘沪祠　张太守祠　彦仙祠　严颜祠　李光祠　萧中一祠　陈摅祠　刘位祠　张觷祠　种师道祠　张玘祠　周渭祠　卢太尉祠　宋皇祠　陈规祠　陈晓祠　池天夫祠　袁王祠　曹都衙祠　邵宏渊庙　董孝子祠　张孝子祠(四七页张孝子祠涉及至元前後事)　孝子蔡顺祠　姜诗孝感祠　吴玠祠　唐琦祠　姚兴祠　张叔夜祠　赵立祠　马俊祠　张玘祠　项羽祠　汉河间献王祠　长江王祠　焦公祠　隐士卫大经祠　邵知祥祠　周朴祠　廉若水祠　张天师祠　赵柄祠　诸仙祠　麻源第三谷祠　江陵岑叟祠　神仙厈续祠　孙思邈祠　李相公祠　荣隐先生祠　晋范长生祠　魏子骞祠　严君平祠　诸真人祠　赤松子祠　句曲真君祠　赵君祠　梓桐帝祠　真武祠　舜二妃祠　诸夫人祠　诸圣母祠　神母祠　诸龙母祠　葛姥祠　太姥神祠　慈姥祠　班姬祠　神女祠　诸龙女祠　诸仙女祠　诸龙祠　诸洞、泉、渊、泽、涧、穴、宫、浦、湫、渡、岭、岩、窟祠　五龙王祠　张龙公祠　龙子祠 1 205　1 206　1 207　1 208　1 209　1 210　1 211　1 214　1 215　1 219　1 229　1 230　1 231　1 232　1 233　1 234	

第 20 册　礼 20 下

礼 20（下）　吉

标　　目	内　容　及　大　典　卷　数	页
〔诸祠庙（下）〕	诸山神祠　石瓮神祠　诸海神祠　诸江神祠　诸河神祠　诸水神祠　诸湖神祠　诸溪神祠　诸湫神祠　诸潭神祠　诸池神祠　诸沼井神祠　诸泉、源、滩、洞神祠　应灵侯神祠　望帝祠　水帝祠　诸王祠　诸公祠　诸侯祠　诸夫人祠　诸将军祠　诸府君祠　邓明君祠　诸长官祠　诸郎祠　诸圣祠　诸神祠　杨班祠　郭成祠　折御卿祠　汉符嘉祠　古灵鳌祠　昭显后祠　造父祠　巴子祠　史崇祠　陈亨祖祠　范旺祠　陈胜祠　应氏祠　周德威祠　白马祠　辅教神祠　（166 页，淳祐戊申条） 1 235　1 232　1 236　1 237　1 238　1 239	84—171

第 21 册　礼 21—23

礼 21　吉

标　　目	内　容　及　大　典　卷　数	页
〔四镇〕	乾德六年至绍兴七年 15 488	1—2
〔岳渎诸庙〕	大中祥符元年至乾道四年 2 945　17 302（补）	3—5
〔祭西岳〕	元祐元年 4 161	6
〔八神祠〕	4 161	6
孚佑王庙	淳熙十六年（与下条复） 6 773	7
西岳别庙	淳熙十六年（与上条复） 17 140	8
〔诸庙〕	海神庙　淮渎庙　诸王公侯妃太子庙　诸真人庙　二股河龙女庙　蘩藜山太阴庙　后土庙　诸夫人庙　孚济庙　协济庙　诸庙赐额　嘉泽庙钱镠碑文（在 42 页）　重修义灵庙　李光褒烈庙　郑骧愍节庙　光武庙　忠节庙　褒忠庙　杨存中昭忠庙　钟绍庭愍忠庙　诸真君庙等　（23 页"峻灵王庙"、"忠烈王庙"与下页重出） 11 048　2 488　9 249　267　17 127　17 160 　　17 129　17 102　17 157　17 101　17 162 17 139　17 149　17 150　17 155　17 147 17 148　17 153　17 151　17 152　17 156 17 144　17 137　17 099　17 095　17 098 17 132　13 809（补）　17 302	9—64

礼 22 吉

标 目	内 容 及 大 典 卷 数	页
〔封禅〕	太平兴国九年至政和四年 16 849	1—19

礼 23 吉

标 目	内 容 及 大 典 卷 数	页
〔社稷〕	天圣十年至淳熙四年（4页以后为《中兴礼书》） 20 422　20 423	1—13
△〔郡县社稷〕	（标题据《大典》补）绍熙三年至？（原作"十年"，按绍熙无十年，待考） 20 424	14

第 22 册 礼 24

礼 24 吉

标 目	内 容 及 大 典 卷 数	页
明堂御札	皇祐二年至治平元年（33页英宗治平元年以下至42页治平四年条，与礼25之"祖宗配侑"门互见。本门治平四年前多《通考》注文一段） 7 199　7 200	1—41
〔明堂议论〕	治平四年至宣和七年 7 200	42—68
〔明堂制度〕	政和五年至七年 7 200	68—83
〔明堂颁朔〕	政和三年至靖康元年 7 201	84
〔明堂大礼〕	绍兴元年至嘉定十四年 7 201	84—110

第 23 册 礼 25

礼 25 吉

标 目	内 容 及 大 典 卷 数	页
郊祀赏赐	序文、熙宁定制（与后"郊祀赐例"门互见） 5 504	1—14
〔郊祀赏赐杂录〕	庆历二年至嘉〔泰〕（原作"太"）三年 5 504	14—27
郊祀赐例	序文、熙宁定制（与前"郊祀赏赐"门互见） 13 719	28—48

续表

标　目	内容及大典卷数	页
〔郊祀杂赐、敕〕	大中祥符元年至嘉泰三年 13 719	48—49
郊祀恭谢	大中祥符五年至乾道六年 5 503	50—59
郊祀祭器	景德三年至政和四年 5 457	60—62
〔郊祀祝词〕	大中祥符四年祀汾阴后土册文 5 472	63
△郊祀神位	绍熙二年至嘉泰三年 5 453	69—70
△郊祀神位	淳化二年 5 453	64
△郊祀神位〔议论〕	（"议论"二字据《大典》补入）元丰四年至绍兴十三年 5 454（原作卷5 453，据《大典》改正）	65—68
△〔郊祀神位议论〕	元丰间 5 454	71—72
△〔郊祀〕配侑	序文、太平兴国三年至景祐二年 5 455	73—74
祖宗配侑	序文、建隆四年至绍兴十三年（77页）（年次错乱。87页治平以下至94页绍兴以上，与礼24"明堂御札"门复，本门缺《通考》注文一处，又94—97页与84—87页复） 5 455　5 456	75—97

第 24 册　礼 26—28

礼 26　吉

标　目	内容及大典卷数	页
〔郊祀〕	景德三年至嘉泰四年（排次错乱） 5 459	1—7
〔郊祀牲牢〕	序文、建隆四年至政和八年（10页〔元丰〕五年至"大观"上，与本门13—14页复） 5 460	7—15

礼 27　吉

标　目	内容及大典卷数	页
大礼五使	淳熙三年至嘉定十四年 13 325　13 326	1—16

礼 28　吉

标　　目	内容及大典卷数	页
郊祀御札	乾德元年至嘉定五年（31页注有《存心录》。1—28 缺《大典》卷数）5 439	1—40
〔郊祀事务（一）〕〔后土〕	开宝元年至宣和五年 5 439　5 440	40—62
〔郊祀事务（二）〕〔五方帝 感生帝〕	序文、乾德元年至绍兴三年 5 440	62—65
〔郊祀事务（三）〕〔祈谷〕	景德三年至隆兴二年 5 483	66—69
〔郊祀事务（四）〕〔宿斋〕	乾德元年至绍〔熙〕二年（原作"光宗绍兴二年"） 5 483	69—76
〔郊祀事务（五）〕〔大礼五使〕	序文、建隆四年至绍兴四年 缺	76—87
〔郊祀事务（六）〕〔差官、南郊家事库、法物库〕	大中祥符六年至绍〔熙〕二年（87页原作"光宗绍兴"，误） 缺	87—88

第 25 册　礼 29

礼 29　凶

标　　目	内容及大典卷数	页
历代大行丧礼（上）	太祖　太宗　真宗　仁宗　英宗　神宗　哲宗 开宝九年至崇宁元年 7 346　7 347　7 348	1—83

第 26 册　礼 30

礼 30　凶

标　　目	内容及大典卷数	页
历代大行丧礼（下）	孝宗　光宗　宁宗 绍熙五年至宝庆二年 7 363　7 364　7 324（在 64 页，疑为 7 364 之误）	1—96

第 27 册 礼 31

礼 31 凶

标　目	内容及大典卷数	页
〔后丧〕（一）	宣祖昭宪杜后　太祖孝明王后、孝惠贺后、孝章宋后　太宗元德李后、明德李后　真宗章怀潘后、章穆郭后 建隆二年至大中祥符六年（27页。又与后一门互见） 7365　7366（8页作"7356"疑误）	1—53
又〔后丧〕（一）	宣祖昭宪杜后　太祖孝明王后、孝惠贺后、孝章宋后　太宗元德李后、明德李后　真宗章怀潘后、章穆郭后 建隆二年至大中祥符六年（19页）（此门为广雅清稿，与前一门互见） 7365　7366	又礼31· 1—38

第 28 册 礼 32

礼 32 凶

标　目	内容及大典卷数	页
〔后丧〕（二）	真宗章献明肃刘后、章懿李后、章惠杨后　仁宗张后、废后郭氏、慈圣光献曹后 明道元年（15页）至元丰四年（与后一门互见） 7365　7367	1—44
又〔后丧〕（二）	真宗章献明肃刘后、章懿李后、章惠杨后　仁宗张后、废后郭氏、慈圣光献曹后 明道元年（10页）至元丰四年 （此门为广雅清稿，与前一门互见） 7365　7367	又礼32· 1—31

第 29 册 礼 33

礼 33 凶

标　目	内容及大典卷数	页
〔后丧〕（三）	仁宗温成张后　英宗宣仁圣烈高后　神宗钦圣宪肃向后、钦慈陈后、钦成朱后 至和元年至崇宁二年（与后一门互见） 7367　7368　7369	1—50
又〔后丧〕（三）	仁宗温成张后　英宗宣仁圣烈高后　神宗钦圣宪肃向后、钦慈陈后、钦成朱后 至和元年至崇宁二年 （此门为广雅清稿，与前一门互见） 7367　7368（7369）（24页8行注"同上"误，据前一门补）	又礼31· 1—35

第 30 册 礼 34—36

礼 34 凶

标　目	内　容　及　大　典　卷　数	页
〔后丧〕（四）	哲宗昭怀刘后　徽宗显恭王后、显仁韦后、明达刘后、明节刘后　高宗宪圣慈烈吴后 大观二年（4页）至庆元四年 7 369　7 375　7 380	1—39

礼 35 凶

标　目	内　容　及　大　典　卷　数	页
〔请听政御殿〕	淳熙十四年至嘉泰元年（注文至嘉定二年。上接礼55"听政"后） 16 572	1—2
请举乐	建隆四年至淳熙十六年 21 717	3—16

礼 36 凶

标　目	内　容　及　大　典　卷　数	页
〔丧服〕	斩衰服　齐衰服　齐衰杖期　齐衰不杖期　缌麻服　杂服制　追行服　成服　短丧 19 797　19 798　19 799　19 800　19 803 19 809　19 812　19 808　19 805	1—22
〔展日视事〕	淳熙十五年（据《宋纪》高宗崩于淳熙十四年，其小祥当在十五年） 13 395	23

第 31 册 礼 37

礼 37 凶、吉

标　目	内　容　及　大　典　卷　数	页
〔山陵〕	宣祖安陵　太祖永昌陵　太宗永熙陵　真宗永定陵　仁宗永昭陵　英宗永厚陵　神宗永裕陵　哲宗永泰陵　徽宗永祐陵　钦宗永献陵　高宗永思陵　孝宗永阜陵（篇首"绍熙"为绍兴之误）　光宗永崇陵　宁宗永茂陵 乾德元年至嘉定十七年 8 189	1—27
缘陵裁制（上）	建隆元年至治平元年（礼15另有"缘庙裁制"门） 8 189	27—33

续表

标 目	内 容 及 大 典 卷 数	页
缘陵裁制（下）	治平四年至乾道九年 8 189	33—46
〔后陵〕	宣祖昭宪杜后　太祖孝章宋后　太宗元德李后、明德李后　真宗章怀潘后、章穆郭后、章懿李后、章献明肃刘后、章惠杨后　仁宗张皇后、郭皇后、温成张后、慈圣光献曹后　英宗宣仁圣烈高后　神宗钦圣献肃向后、钦成朱后　徽宗显仁韦后　高宗献圣慈烈吴后 建隆二年至庆元四年（末十一日、十二日条当在四年） 8 192	47—75

第 32 册　礼 38—40

礼 38　凶

标 目	内 容 及 大 典 卷 数	页
〔守陵〕	乾德四年至建炎四年 8 198	1—3
〔修陵〕	开宝三年至建炎元年 8 198	3—5
〔发陵〕	大中祥符六年 8 198	5—6

礼 39　凶

标 目	内 容 及 大 典 卷 数	页
拜扫	景德四年至绍熙二年 11 585　11 584（文字相连，疑误其一）	1—2
〔命公卿巡陵〕	序文、建隆二年至孝宗朝（原作"隆兴八年"，按隆兴无八年，待考） 8 197	3—15
〔改卜陵〕	乾德元年至大中祥符四年 7 346	16—20

礼 40　凶

标 目	内 容 及 大 典 卷 数	页
濮安懿王园陵	治平元年至元丰四年（与下一门互见，本门中间脱 5 条并注文二处，篇尾脱绍兴至乾道 13 条并注文一处。又帝系 2 有"濮秀二王杂录"一门） 6 762	1—5

· 283 ·

续表

标　目	内容及大典卷数	页
△濮安懿王园庙	（《大典》原隶"亲庙"） 治平元年至乾道七年（元丰四年以前与上一门互见，本门较完整） 17 085	6—12
△秀安僖王园庙	（大典原隶"亲庙"）绍熙元年至三年（原作"绍兴"误，《大典》同，据《宋史·光宗纪》及下文"在乾道淳熙欲举而未遑"句改） 17 085（原作卷17 084误，据《大典》改正）	13—14

第33册　礼41

礼41　凶

标　目	内容及大典卷数	页
亲临宗戚大臣丧	7 382	1
〔发哀〕	皇伯祖　皇叔祖　皇伯　皇叔　皇伯母　皇叔母　皇兄　皇弟　皇兄弟之妻　皇姑　皇姊　皇子　皇子妇　皇女　皇侄　皇侄妇　皇侄女　皇从兄　皇从弟　皇从侄　皇妃　皇外祖母　皇舅　皇舅妻　皇从母　外戚　乳母　诸国　宰臣　使相　前宰相　执政　前执政 开宝三年至开禧二年 7 382	1—6
〔丧服杂录〕	淳化四年至淳熙七年 7 382	6—10
〔外国发哀〕	序文、大中祥符二年至建中靖国元年 7 382	10—14
〔临奠〕	序文、乾德四年至乾道七年 16 590	15—22
〔临奠杂录〕	乾德四年至绍兴二十七年 16 590	22—23
〔辍朝〕	诸皇亲大臣丧辍朝日数诸国奉使附 建隆元年（44页）至乾道九年（36页） 缺	24—55
〔辍朝杂录〕	开宝二年至乾道三年（《中兴会要》无此门） 缺	55—60

第 34 册 礼 42—44

礼 42 凶

标　　目	内　容　及　大　典　卷　数	页
国忌	建隆元年至嘉定九年 14 019	1—17

礼 43 凶

标　　目	内　容　及　大　典　卷　数	页
〔景献太子〕攒所	嘉定十三年至十五年（原作"十五日九月十五日"，据《宋史·礼志》校改。与后"景献太子攒所"门互见） 3 994	1—16
〔外夷入吊之仪〕	乾兴元年至淳熙十四年（与后"外夷入吊之仪"互见） 缺	17
〔吊祭〕	淳熙三年至七年（与后"吊祭"门复） 缺	18—19
景献太子攒所	嘉定十三年至十五年（此门为广雅清稿，与前"〔景献太子〕攒所"门互见） 3 994	又礼43·1—11
外夷入吊之仪	乾兴元年至淳熙十四年（此门为广雅清稿，与前"〔外夷入吊之仪〕"门互见） 3 994（原注"同上"）	又礼43·11—12
吊祭	淳熙三年至七年（此门为广雅清稿，与前"吊祭"门互见） 3 994（原注"同上"）	又礼43·11—13

礼 44 凶

标　　目	内　容　及　大　典　卷　数	页
赙赠（一）	熙宁定制 14 909　19 233（补）　又 19 132（补）	1—12
〔赙赠〕（二）	特恩加赐 建隆二年至乾道九年 14 909　19 132（补）　19 133（补）	12—23
赙赠杂录	建隆元年至乾道五年（30 页两段，按原批补入 25、27 页） 14 909　又 19 233（补）　19 133（补）	24—30

第 35 册 礼 45—48

礼 45 宾

标　目	内　容　及　大　典　卷　数	页
宴享	建隆元年至绍熙元年 16 746　16 747	1—21
〔杂宴〕	序文　习射宴　喜雪宴　喜雨宴　观稼宴　元旦宴　清明宴　社日宴　下元宴（原作"下元节"，又与后"下元宴"条互见）　重阳宴（与后"重阳宴"条互见）　下元宴（与前"下元宴"条互见）　冬至宴　曲宴　重阳宴（与前"重阳宴"条互见）　春宴　见辞赐宴　见辞免宴　坤成节宴　大祀庆成宴　进士宴　修书宴　讲书宴　观书宴　赏花钓鱼宴 16 753　16 754　16 755　16 751　16 761	22—39
宴钱	序文、大中祥符五年至八年 缺	40—41

礼 46 宾

标　目	内　容　及　大　典　卷　数	页
〔乡饮酒礼〕	绍兴十三年至二十六年 12 070	1—5

礼 47 宾

标　目	内　容　及　大　典　卷　数	页
优礼大臣	太祖受禅至隆兴二年（与下一门互见） 3 187　10 454（补）　11 87（5 页，疑误）	1—14
优礼大臣	太祖受禅至隆兴二年（此门为广雅清稿，与前一门互见） 3 187　10 454	又礼 47· 1—10

礼 48 军

标　目	内　容　及　大　典　卷　数	页
祃祭	太平兴国五年至绍兴三十一年 16 597	1
〔受降〕	太平兴国四年受太原刘继元降 7 670	2

第36册 礼49

礼49 嘉

标 目	内容及大典卷数	页
尊号	僖祖 顺祖 翼祖 宣祖（与帝系1"帝号"门互见，本门较略） 17 287	1
〔册尊号杂录附〕（一）	序文（原批"他处复出"，检未获） 太祖 太宗 真宗 仁宗 英宗 神宗 哲宗 徽宗 钦宗 17 287　17 288	1—23
〔册尊号杂录附〕（二）	高宗 孝宗 光宗 17 288　7 764（？）　7 664　17 291	23—56
〔附奉上祖宗徽号〕	淳熙十四年至绍熙五年 17 291	56—67
〔册尊号杂录附〕（三）	宁宗（91页载宝庆元年、三年事） 17 291　17 292	67—97

第37册 礼50—52

礼50 嘉

标 目	内容及大典卷数	页
后妃尊号	建隆元年至嘉泰二年 17 297	1—14
〔后妃尊号杂录康寿宫附〕	绍熙五年至嘉泰二年 17 297	14—18

礼51 嘉

标 目	内容及大典卷数	页
徽号（一）	〔朝谒太清宫、上玉皇圣祖徽号、上皇地祇徽号〕 大中祥符五年（6页）至政和七年 17 302	1—13
△徽号（二）	〔迎奉圣像〕大中祥符五年至六年 17 302　又 18 224（据《大典》补入）	13—14
△〔徽号（三）〕	〔奉安圣像〕政和三年至七年 17 302　又 18 224（据《大典》补入）	14—16
〔徽号（四）〕	〔宣读天书　朝谒上帝祖宗圣容　祭鼐鼎　奉安神霄　飞云鼐〕 咸平五年（19页）至绍兴十九年（22页） 17 302	16—24

· 287 ·

礼 52 嘉

标　目	内　容　及　大　典　卷　数	页
〔巡幸〕	序文、建隆元年至嘉定八年 18 586	1—18

第 38 册　礼 53—55

礼 53 嘉

标　目	内　容　及　大　典　卷　数	页
〔册后〕（一）	建隆元年至宣和七年（钦宗即位未改元） 19 318	1—8
〔册后〕（二）	（原批作"后礼"）淳熙十六年至嘉泰三年 19 319	9—14
册命皇太子妃	政和五年至乾道七年 1 267	15—17
亲王娶	（礼品） 1 268　2 268（文字相连，疑误其一。）	18—19

礼 54 嘉

标　目	内　容　及　大　典　卷　数	页
〔改元诏〕	建隆至祥兴（阙宝庆、绍定、端平、嘉熙、开庆、景定、咸淳诸改元诏） 5 149　5 150　16 924	1—21

礼 55 嘉

标　目	内　容　及　大　典　卷　数	页
〔听政〕	建隆二年至绍兴三十一年（接礼 35"请听政御殿"前） 缺	1—4

第 39 册　礼 56—57

礼 56 嘉

标　目	内　容　及　大　典　卷　数	页
〔朝会〕	序文、建隆元年至绍兴三年（礼 8 另有"朝会"门） 5 351	1—12
皇帝朝德寿宫	淳熙元年至十年 5 356	12—13
命妇内朝	大中祥符二年至元祐元年 5 356	13—15

礼 57　嘉

标　　目	内　容　及　大　典　卷　数	页
朝贺	〔天圣〕七年至宣和六年（"天圣"原缺,据下门复文补） 17 464	1
〔元旦冬至朝贺〕	建隆元年至绍兴十二年（下接礼8"元旦朝贺"门） 14	2—4
上寿	德寿宫太上皇帝庆寿　太上皇后庆寿　慈福宫庆寿　会庆节上寿　重明节上寿　太上皇后生辰 绍兴元年至庆元五年 19 252	5—13
诞圣节	序文,建隆元年至乾道九年 16 749	14—19
节	〔重明节〕〔瑞庆节〕〔兴龙节〕〔天宁节〕〔乾龙节〕〔上元节〕天庆节　天祺节　天贶节　先天节　天应节　长春节　乾明节　寿宁节　承天节　乾元节　寿圣节　长宁节　坤成节 建隆元年至嘉定十四年（22页） 2 550　5 231　21 415　4 454（补）　21 416　21 430	20—38

第 40 册　礼 58

礼 58　嘉

标　　目	内　容　及　大　典　卷　数	页
〔历代大臣谥〕	序文、太平兴国八年至乾道九年 13 347	1—10
历代帝谥	建隆元年至政和三年 13 348　13 349	11—65
〔后谥〕	僖祖文懿崔后　顺祖惠明桑后　翼祖简穆刘后　宣祖昭宪杜后　太祖孝惠贺后、孝明王后、孝章宋后　太宗淑德尹后、懿德符后、明德李后、元德李后　真宗章怀潘后、章穆郭后、章献明肃刘后、章懿李后、章惠杨后　仁宗慈圣光献曹后、温成张后　英宗宣仁圣烈高后　神宗钦圣宪肃向后、钦成朱后、钦慈陈后　哲宗昭慈圣献孟后、昭德刘后、昭怀刘后（在77页,据《东都事略》为哲宗后）　徽宗显恭王后、明达刘后、明节刘后　钦宗仁怀朱后　〔孝宗〕（据《宋史》）成穆郭后、成恭夏后　光宗慈懿李后 13 352　13 353	66—78

续表

标　目	内容及大典卷数	页
〔王谥〕	13 354	79—85
〔群臣谥〕	13 360	86—114
处士谥	缺	115
僧益	咸平三年至大中祥符六年 缺	115

第 41 册　礼 59—61

礼 59　嘉、吉

标　目	内容及大典卷数	页
册命亲王大臣	序文、淳化五年至乾道九年 3 187	1—8
〔样官仪制〕	淳熙元年至开禧三年 3187	9—11
〔配飨功臣杂录〕	（原作"册命亲王大臣二"）咸平二年至乾道五年（卷首十八年当补"绍兴"二字，接 19 页二十七年上。又此门与礼 11 及又礼 11 "配享功臣杂录"门并重出，本门脱绍熙至嘉定四条） 3 184	12—19
〔章颖上刘、岳、李、魏四人传表〕	（刘锜、岳飞、李显忠、魏胜） 3 185	20—21
〔赐功臣字〕	序文、建隆二年（23 页）至乾道六年（25 页） 3 185　3 115（？）	21—26

礼 60　嘉

标　目	内容及大典卷数	页
〔赐酺〕	雍熙元年至天禧五年 2 134　2 135（据卷末补批卷数）	1—9

礼 61　嘉

标　目	内容及大典卷数	页
〔旌表〕	开宝七年至嘉定七年 15 548（？）　11 548	1—15

第 42 册　礼 62

礼 62　嘉

标　　目	内 容 及 大 典 卷 数	页
赉赐（一）〔附公用钱〕	建隆元年至绍兴二十七年（"公用钱"见 23 至 30 页） 13 723　13 724　13 725　13 250（？）	1—54
赉赐（二）	序文、建炎元年至嘉定十四年 13 725　13 726	54—85
〔赐衣服〕	（原批作"赉赐"）天圣三年至七年（仪制 9 另有"赐服"门） 13 728	86—87
〔宗室赐、差遣赐〕	（原作"赉赐"）庆历元年至嘉祐五年（年次错乱） 13 728	88—89
〔不赐〕	（原作"赉赐"）治平四年 13 728	90
滥赐、〔密赐、辞赐〕	治平元年至绍熙元年（年次错乱） 13 730	91—93

（五）舆服类　共 3 册 6 卷

第 43 册　舆服 1—2

舆服 1

标　　目	内 容 及 大 典 卷 数	页
大驾五副辂	熙宁七年至政和三年 1 687　1 688	1—2
皇后车辇	序文、政和三年定制 1 689	3—4
皇太子车辂	至道初至乾道九年 1 689　14 760　14 761（后两卷文字相连，疑误其一）	4—6
皇帝仪卫	元丰元年至淳熙十五年（年次错乱） 18 256（部分篇幅缺卷）	7—12
皇太后仪卫	天圣元年至绍圣元年 15 312	13—14
皇太妃仪卫	哲宗朝 15 312	14
常行仪卫	仁宗朝 18 256	14—15
卤簿杂律仪仗	建隆四年至绍熙二年（原作"绍兴"误。又绍兴十二年条重出） 18 256　18 205（？）　14 587	16—43

291

舆服 2

标　目	内　容　及　大　典　卷　数	页
大驾卤簿	序文、政和、宣和 14 586	1—5
〔中道卤簿〕	政和、宣和 14 586（13 页作"14 568"，疑误）	5—22
〔大驾外仗〕	政和、宣和 14 586	22—34
〔立仗〕	14 586	34—35
〔小驾卤簿〕	14 586	35—37

第 44 册　舆服 3—4

舆服 3

标　目	内　容　及　大　典　卷　数	页
卤簿杂录	旗　盖　旐　氅　幢　钲　角　中鸣　弩 刀　金节　盾　棒　班剑　导驾象 1 497　15 040　1 500　11 837　6 526　8 018 　21 813　8 137　11 209　2 024　19 585 18 216	1—15
〔鼓吹〕	序文、建隆四年至乾道九年 缺	16—24

舆服 4

标　目	内　容　及　大　典　卷　数	页
△天子服	太祖建隆元年 19 785	1
△皇太子服	序文、至道元年至乾道七年 19 785	1—3
△〔后妃服〕	序文、天圣二年至大观四年（原作"皇后服"，据《大典》改） 19 786	4
臣庶服	太平兴国七年至淳熙二年（篇尾有误入唐事一条，又本门年次错乱） 19 815	5—10
△朝服	景祐三年至元丰六年 19 790	11—14
△祭服	序文、建隆四年至绍兴十六年（卷首误录《唐会要》一条，已删） 19 791	15—27

续表

标　　目	内容及大典卷数	页
△公服	序文、太平兴国二年至乾道九年（脱淳熙以下11条，尚存于影印本《大典》，又本门年次错乱） 19 792	28—29
△章服	嘉祐三年至嘉定十三年 19 792	30—32

第 45 册　舆服 5—6

舆服 5

标　　目	内容及大典卷数	页
衮冕	咸平五年至元丰元年 11 429	1—4
冕冠	建隆元年至元丰四年（年次错乱） 3 927　3 928	5—6
诸臣冕	元祐元年至政和三年 11 429	7—13
诸色袍	黄袍　绛纱袍　履袍　靴袍　仪仗锦袍　文绫袍　高鬓青袍　绯袍　绣袍　绯绣袍　紫绣袍　紫绝绣袍　黄绣袍　绿绣袍　青绣袍　五色绣袍　绯绣对凤袍　瑞鹰袍　飞麟袍　瑞马袍　瑞马大袍　白泽袍　紫绣白泽袍　狮子袍　赤豹袍　紫罗绣辟邪袍　紫绝绣辟邪袍　紫绣辟邪袍　绿绣苣文袍　绯苣文袍　青苣文袍　青绣苣文袍　黄雪花袍　黄绣雪花袍　绯绣宝相花袍　绯绝绣宝相花袍　青绝绣宝相花袍　青绣宝相花袍　紫绣宝相花袍　皂衣白袍　赐进士袍　释褐赐袍　戎服大袍　绯销金袍 5 514	14—27
带制	序文、开宝元年至嘉定十四年（开宝条在31页） 15 016（30页作"15 061"，疑误）　19 792	28—32

舆服 6

标　　目	内容及大典卷数	页
尊号宝	序文、大观元年至绍熙四年（大观2条在卷末） 11 574	1—6

· 293 ·

续表

标　目	内容及大典卷数	页
〔宝〕	传国宝　承天受命之宝　天下合同之宝　御前之宝　书诏之宝　恭膺天命之宝　天下同文之宝　昭受乾符之宝　钦崇国祀之宝　定命宝　大宋受命中兴之宝　皇后之宝　皇太子宝　亲王之宝 11 572　11 573	7—13
鼎	崇宁三年至重和元年（重和元年条下"十年月己卯"疑衍年字，隶重和元年之十月） 11 965	14—17
〔洗制〕	（《中兴礼书》） 11 421	18
百官配绶	元丰二年 19 250	19
鱼袋	序文、雍熙元年至政和元年（《中兴》、《乾道会要》无此门） 1 618	20—21
〔旌节〕	熙宁五年至孝宗绍兴三十二年（未改元） 缺	22
〔卫士帽〕	17 275	23
〔鸣鞭〕	序文、绍兴十三年至十五年 4 722	24
〔马珂〕	5 626	25
〔伞〕	序文、大中祥符五年至淳熙十六年 11 419	26—27
〔甲〕	用毛饰甲　朱红马甲　三色甲（元丰元年至乾道四年） 22 686	28—29

（六）仪制类　共6册13卷

第46册　仪制1—2

仪制1

标　目	内容及大典卷数	页
垂拱殿视朝	〔讲武殿、崇政殿、崇德殿、承明殿、长春殿附〕 序文、乾德六年至嘉定十二年 5 352　1 681	1—18
文德殿视朝	〔紫宸殿、崇元殿附〕 序文、建隆元年至绍兴十二年 5 352	19—36

仪制 2

标　　目	内 容 及 大 典 卷 数	页
常参起居	序文、乾德二年至淳熙九年（原作"九月正月二十五日"） 5 352	1—24
德寿宫起居	序文、淳熙十二年（乾道元年一条在 22 页） 1 681	25

第 47 册 仪制 3—4

仪制 3

标　　目	内 容 及 大 典 卷 数	页
〔朝仪班序〕	建隆三年至乾道七年 缺	1—54

仪制 4

标　　目	内 容 及 大 典 卷 数	页
正衙	（文德殿朝仪） 5 353　5 352（？）	1—3
〔正衙杂录〕	乾德二年至元丰四年 5 353　5 352（？）	3—8
门戟	元丰五年、政和八年 20 734	9
〔朱衣吏引〕	序文、淳化四年至〔庆元〕四年（原作"庆历"误） 11 186	10—11
〔导从〕	序文、淳化四年至绍熙元年（年次错乱） 13 227	12—21
得替官送还公人	乾德二年至隆兴元年 缺	22—29
〔接送〕	淳熙元年至开禧元年 12 210	30—33

第 48 册 仪制 5—6

仪制 5

标　　目	内 容 及 大 典 卷 数	页
群官仪制	乾德二年至绍熙四年 13 573	1—36

仪制 6

标　　目	内 容 及 大 典 卷 数	页
群臣奏事	序文、开宝九年至嘉定八年 13 396	1—31

第 49 册　仪制 7—8

仪制 7

标　目	内　容　及　大　典　卷　数	页
拜表例	序文、乾德二年至淳熙十六年 11 496	1—13
拜表仪	序文、乾德二年至乾道七年 11 496	13—18
〔查奏条贯〕	雍熙二年至绍熙二年（33 页绍兴、淳熙四条当移前） 19 343	19—34

仪制 8

标　目	内　容　及　大　典　卷　数	页
集议	序文、乾德二年（在 8 页）至淳熙十五年（15 页前年次错乱） 13 949	1—24
弹劾	序文、太平兴国五年至乾道八年 4 382	25—42

第 50 册　仪制 9—10

仪制 9

标　目	内　容　及　大　典　卷　数	页
告谢	序文、景德元年至乾道七年 5 356	1—5
辞谢	序文、乾德二年至乾道七年 缺	6—23
赐服	（礼 62 另有"赐衣服"门） 19 817	24—31
〔赐服杂录〕	建隆元年至天圣七年 19 817	31—33

仪制 10

标　目	内　容　及　大　典　卷　数	页
〔官诰〕	淳化二年至乾道七年（淳化二年十月，绍兴二年，乾道三、四年诸条与职官 11"官告院"门互见） 17 308　17 108（？）	1—5
臣僚恩庆封赠	序文、建隆元年至熙宁十年（年次错乱） 19 130	6—9
勋臣封赠	後梁至度宗咸淳三年 370	10—13

续表

标　目	内　容　及　大　典　卷　数	页
陈请封赠	淳化四年至绍兴二十八年 19 131	14—21
宗室、外戚、内外臣僚、伪国王、外臣等叙封母妻	序文、开宝九年至乾道九年 365	22—41

第 51 册　　仪制 11—13

仪制 11

标　目	内　容　及　大　典　卷　数	页
宰相追赠	太平兴国六年至乾道四年 19 127	1
三公追赠	建隆元年至元丰元年 19 127	2
使相追赠	建隆三年至宣和五年 19 127	2—3
东宫官僚追赠	乾德二年至明道二年 19 127	3
尚书丞郎追赠	建隆三年至乾道九年 19 127	3—11
正郎以下特赠	明道二年至乾道八年 缺	11—12
从官赠职	绍圣二年至乾道八年（12 页后 7 行系本门卷首复文） 19 128	13—14
武臣追赠	建隆二年至乾道九年 19 128	14—24
观察使追赠	乾德四年至乾道九年 19 128	24—29

仪制 12

标　目	内　容　及　大　典　卷　数	页
〔外戚追赠〕	开宝三年至嘉定二年（年次错乱） 19 126	1—15
〔再赠官〕	建隆元年至乾道九年 19 126	15—19

仪制 13

标　　目	内　容　及　大　典　卷　数	页
内侍追赠	雍熙四年至乾道九年 19 128	1—6
〔伪国主追赠〕	孟昶　李煜　刘鋹　钱俶　刘继元 19 128	6—7
〔前朝臣、外臣追赠〕	韩保正　韩通　李彝兴　潘罗支　黎桓　王承美　李公蕴　赵德明　折惟忠　李德政　李日尊　李乾德　刘彦升 建隆元年至绍兴五年 19 128	7—8
〔隐逸追赠〕	魏野　李渎　孔旼　邵雍　魏汉津 天禧四年至崇宁五年 19 128	8
〔追赠杂录〕	淳化三年至乾道四年 19 128	8—11
帝讳	大中祥符九年至绍圣元年 15 251	12—13
〔庙讳〕	大中祥符二年至嘉定十三年 15 251	13—19
群臣名讳	雍熙二年至淳熙三年 15 251	19—23
家讳	（因犯祖讳改名） 15 251	24
改地避讳	（除官地名因犯祖讳而改） 15 251	24—25
辞官避讳	（因所除官名犯祖讳而辞） 15 251	25—28
犯讳	（任官地名犯祖讳不辞被罪） 15 252	29
不讳	15 252	29—30
私忌	开宝九年至熙宁四年 缺	31—32

(七)瑞异类 共1册3卷

第52册 瑞异1—3

瑞异1

标　　目	内　容　及　大　典　卷　数	页
〔天瑞〕	寿星　含誉星　客星　庆云　瑞雪 乾德三年至淳熙八年 7 861　7 862　3 209 22 547　21 547(后两卷文字相连,疑误其一)	1—5
〔物瑞〕	芝草　瑞龟 雍熙中至绍熙元年 685　2 705(?)	6—7
祥瑞〔杂录〕	建隆二年至淳熙六年(注文至八年) 15 396　15 397	8—28
天书	真宗朝　大中祥符元年至天禧元年 1 758	29—34

瑞异2

标　　目	内　容　及　大　典　卷　数	页
〔日食〕	建隆元年至绍兴十三年 20 097	1—5
〔日中异象〕	隆兴元年至乾道九年 20 094	6
慧	端拱元年至绍兴二十六年 7 864	7—12
孛	淳熙二年、绍定四年 7 865	13
星变	建隆二年至淳熙十四年 7 863	14
虹异	靖康元年(丙午)至淳熙五年(误入两条) 152	15
〔雪异〕	赤雪　雪丝(与17页复) 庆历四年至靖康元年 21 549	16
〔诏奏雪〕	熙宁元年 21 549	16
〔春雪〕	咸平四年至景定五年 21 549	16—17

续表

标　目	内容及大典卷数	页
〔雪灾〕	元祐二年至绍熙二年（靖康元年条见前 16 页） 21 550	17
雷震	咸平六年至嘉定十二年 2 720	18—19
旱	建隆二年至咸淳十年 16 019（27 页庆元以下缺卷数）	20—30
火灾	建隆二年至嘉定四年（40 页篇首有缺文，本门年次错乱） 11 643　11 942　11 941（？）	31—45

瑞异 3

标　目	内容及大典卷数	页
水灾	太平兴国二年至嘉定十七年 11 121	1—33
地震	嘉祐二年至淳熙十二年 缺	34—38
地坼	熙宁五年、元丰八年 缺	38—39
地生毛	绍熙四年 缺	39
〔蝗灾〕	（正文《宋史·五行志》，注文为《会要》） 天禧元年至景定三年（《会要》文至开禧三年） 7 666	40—47

（八）运历类　共 1 册 2 卷

第 53 册　运历 1—2

运历 1

标　目	内容及大典卷数	页
△五运	建隆元年至政和八年 15 951	1—4
历法	建隆二年至开禧三年 20 829　20 879？（12 页）	5—14
修日历〔圣政记附〕	乾兴元年至乾道七年（职官 18"国史日历所"门，可接此门后） 20 845	15—28

续表

标　目	内容及大典卷数	页
〔修实录〕	太祖实录　太宗实录　哲宗实录 太平兴国三年至大观四年（《国朝》、《中兴》、《乾道会要》无此门） 19 702	29—30
诸儒论三家异同	1 298	31—33
〔铜仪〕	太平兴国至熙宁七年（原已删去） 1 298	33

运历 2

标　目	内容及大典卷数	页
铜仪	大中祥符三年至熙宁八年 1 302	1—3
〔沈括三议〕	（《宋史·天文志》）　浑仪议　浮漏议　景表议 1 302	3—13
〔浑天仪〕	元丰浑仪木样　元祐浑天仪　绍兴浑天仪 2 302	13—26
节候	绍兴三十二年至嘉定十七年 290	27—36
禁火	11 639（？）	37

（九）崇儒类　共 4 册 7 卷

第 54 册　崇儒 1—2

崇儒 1

标　目	内容及大典卷数	页
〔宗学〕	建中靖国元年（追述起元祐六年）至嘉定十七年 21 952	1—28
太学	建隆三年至嘉定五年 21 945　21 946　21 947	29—49

崇儒 2

标　目	内容及大典卷数	页
〔在京小学〕	大观三年至宣和二年 21 953	1
〔郡县学政和学规附〕	端拱二年至绍兴二十七年 21 955　21 956　21 957	2—40
乡学	太平兴国五年至景祐三年 21 954	41

第 55 册　崇儒 3—4

崇儒 3

标　　目	内　容　及　大　典　卷　数	页
书学	崇宁三年至宣和六年 22 000	1—2
〔算学〕	元祐元年至宣和二年 22 000	2—7
〔律学〕	熙宁三年至靖康元年 22 000	7—11
〔医学州学附〕	崇宁二年至宣和二年 22 000　22 001	11—26
画学	崇宁五年（追述）至大观元年 22 001	26—27
武学	序文、庆历二年至绍熙四年 21 995	28—45

崇儒 4

标　　目	内　容　及　大　典　卷　数	页
勘书	序文、淳化五年至乾道七年 1 742	1—14
求书、藏书	乾德元年至淳熙十六年 1 742	15—32

第 56 册　崇儒 5—6

崇儒 5

标　　目	内　容　及　大　典　卷　数	页
编纂书籍	《文苑英华》（1 页《崇文总目》以下原批"皆非会要，宜销"）太平兴国七年至雍熙三年 5 818	1—17
校勘经籍	淳熙四年至六年 20 358	18
献书升秩	太平兴国五年至绍熙三年 1 741	19—43
说书除职讲书赐予	景祐元年至嘉祐六年 缺	44

崇儒 6

标　　目	内容及大典卷数	页
御制	真宗、孝宗、光宗 天禧四年至绍熙四年 13 585	1—3
御书	淳化四年至淳熙十六年（篇尾绍兴 3 条疑是绍熙之误） 1 753	4—24
录贤	嘉祐二年至绍兴三十一年 4 840	25—28
〔赐处士号〕	天圣八年至乾道七年（年次错乱） 13 449	29—32
赐先生号	大中祥符三年至宣和七年 8 570　8 571	33—36
〔赐名、赐第〕	熙宁三年至绍兴间 缺	37
敕置守坟	开宝三年至景祐三年 3 455	38—39
尧陵	熙宁元年至元丰六年 8 187	40

第 57 册　崇儒 7

崇儒 7

标　　目	内容及大典卷数	页
经筵	建炎二年至嘉定十四年 4 846	1—38
观赏	至道三年至绍兴十六年（原批属帝系类） 11 857	39—46
却贡	建隆四年至开禧元年（原批属帝系类） 13 097	47—53
罢贡	乾德四年至绍熙五年（原批属帝系类） 13 097	54—68
〔存先代后〕	建隆元年至淳熙十五年（原批属帝系类） 19 323	69—75
录诸国后	大中祥符元年至绍兴二年（原批属帝系类） 19 323	75—76
〔出宫人〕	开宝五年至庆元五年（原批属帝系类） 2 990	77—81

(十)职官类 共49册79卷（内36、41、43、48各分上下卷）

第58册 职官1

职官1

标　目	内　容　及　大　典　卷　数	页
三公三少	序文、治平四年至淳熙十五年（按政和二年改三师为三公，又增三少，故政和二年五月条以上当并入"三师三公"门） 16 980　16 918　159（补）　17 249（补） 11 582（补）　11 581（补）	1—6
〔三公三少杂录〕	淳熙四年至嘉定十六年（9页残文四行已见3页宣和五年五月十二日条，原批入下页，不妥） 16 918	6—9
〔三师三公〕	序文、淳化三年至治平二年（治平四年至政和二年五月见前"三公三少"门，此门当置"三公三少"门前） 159	10—11
太尉	政和二年至嘉定十七年 15 269	12—15
〔三省〕	序文（又17页录《神宗正史》序文）、治平四年至淳熙十四年 11 941　11 942	16—67
〔中书门下省〕	序文、（又74页录《神宗正史》序文）、乾德二年至元丰五年（按75—76页五年贾昌朝一条，七年陈执中一条皆庆历事，移庆历三年条后） 11 939	68—77
〔中书门下后省〕	序文、绍兴元年至嘉定十三年 11 939	78—83

第59册 职官2

职官2

标　目	内　容　及　大　典　卷　数	页
〔门下省〕	序文（又2页录《神宗正史》序文）、建隆三年至崇庆五年（《中兴会要》、《乾道会要》无此门） 11 936	1—6

续表

标　　目	内容及大典卷数	页
〔给事中〕	元丰五年至淳熙十二年（接本卷"门下封驳司"后） 449	7—9
〔起居院〕	序文（又采《两朝国史》、《神宗正史·职官志》序〔13页〕）、景德二年至乾道九年 16 652　10 166（补）	10—22
〔舍人院〕	淳熙二年至绍熙元年（接职官三"舍人院"后） 2 966	22—24
〔起居郎舍人〕	元丰至绍圣元年 2966	25
通进司	序文（又26及29页录《两朝国史》、《哲宗正史》序文） 淳化四年至庆元二年 1 101	26—36
银台司	序文、淳化四年至元丰六年 1 101	37—40
〔发敕司〕	（隶银台司）序文、淳化三年至景德三年 1 102	41
〔门下封驳司〕	淳化四年至嘉祐五年（《续会要》以下作"给事中"，接本卷"给事中"前） 1 102	42—43
〔进奏院〕	序文、太平兴国八年至淳熙十三年 缺	44—51
奉安符宝所	嘉定十六年 10 945	52

第 60 册　职官 3

职官 3

标　　目	内容及大典卷数	页
中书省	两朝国史序文（又3页录《神宗正史》序文、5页录《哲宗正史》序文）、太平兴国九年至宣和六年 11 937	1—12
〔舍人院〕	序文（又采《神宗正史》序〔15页〕）、开宝九年至乾道元年（开宝一条在篇首书眉，接职官2"舍人院"前） 2 958（补）　16 652　2 959	13—20

续表

标　目	内容及大典卷数	页
〔中书舍人〕	淳熙八年 2 959	21
五房五院	（隶中书省）序文、开宝六年至乾道八年 16 670　6 146（补）	22—45
检正	熙宁三年至淳熙十四年 18 911　10 944（补）	46—48
〔裕民局〕	重和元年至宣和元年 19 781	49
〔谏院〕	序文（又录《两朝国史》和《神宗正史》序文）、雍熙五年至淳熙十五年（58 页 30 行"雍熙二年"，当是淳熙之误，原校改作"绍熙"，今不取。又 60—61，原批分别按年月移前） 16 654　16 413	50—61
〔登闻院〕	序文（又录《两朝国史志》序〔67 页〕）、乾德（原作"乾道"）四年至嘉定十六年 16 654	62—74
登闻院鼓	景德四年至建炎三年 16 654	74
诉理所〔当赎、检覆附〕	元祐元年至绍兴三十二年 10 943	75—78

第 61 册　职官 4

职官 4

标　目	内容及大典卷数	页
尚书省	序文（又 4 页录《两朝国史》、《神宗正史》、《哲宗职官志》序）、淳化三年至靖康元年 11 940	1—18
都司左右司	（《神宗正史》）序文、元丰六年至庆元五年 1 099	19—27
应奉司	宣和三年至七年 1 108	28—35
〔行在诸司〕	序文、开宝二年至大中祥符六年（年月错乱，屠寄已据《长编》排次） 1 125	36—42
〔提举修敕令〕	熙宁三年至政和元年（《国朝会要》、《中兴会要》、《乾道会要》无此门） 18 986	43—44
敕令所	绍兴三十二年（孝宗已即位，未改元）至嘉定十七年（乾道七年条后有残阙） 10 942	45—52

第 62 册　职官 5

职官 5

标　目	内 容 及 大 典 卷 数	页
〔制置三司条例司〕	熙宁二年至三年 1 098　1 096（？）	1—7
编修条例司	皇祐五年至元丰三年 1 098	8—11
〔讲议司〕	崇宁元年至宣和七年 1 107	12—18
详议司	靖康元年 1 107	19—20
议礼局	崇宁二年至政和三年 29 779	21—23
礼制局	政和二年至宣和二年 缺	23
〔三部勾院〕	开宝五年至大中祥符九年 16 669	23—24
都磨勘司	（一作"勘合司"）开宝七年至熙宁九年（25 页为广雅稿，又据 26 页卷首所削残文知与前页相衔接） 1 098	25—32
〔理欠司〕	序文、淳化三年至四年 1 098	33
都凭由司	雍熙四年至至道二年（至道二年并入前"理欠司"门） 1 098	34
〔三司承受御宝凭由司〕	序文、景德四年至绍兴三年 1 098	34—37
〔开拆司〕	太平兴国三年至大中祥符八年 1 098	38
〔衙司〕	景德三年至熙宁七年 1 098	39—41
河渠司	皇祐三年至嘉祐三年 1 119	42—43
〔勾当公事〕	康定元年至熙宁三年 1 119	43—44
〔疏浚黄河司〕	熙宁七年至十年 1 119	45—46
〔三司推勘院〕	开宝八年至嘉定十七年（年次有错乱） 16 665（补）	47—64

· 307 ·

续表

标　　目	内 容 及 大 典 卷 数	页
〔粮料院〕	序文、开宝六年至天圣八年（粮料院元丰以前隶三司，以后隶太府寺，故职官27另有"粮料院"一门，与本门不复） 16 669	65—66
〔都盐院〕	序文、咸平五年至熙宁八年 缺	67—68
粜盐院	序文、咸平二年至大中祥符七年 缺	68

第 63 册　　职官 6

职官 6

标　　目	内 容 及 大 典 卷 数	页
〔枢密院承旨司〕	序文（又4页录《神宗正史》序文）、太平兴国七年至绍熙四年（缺"枢密院"门） 1 101	1—19
检详所	淳熙十三年 1 101（眉批作"卷10 944"）	19
〔国用司〕	乾道二年至五年 13 322	20—22
国用所	嘉泰三年至开禧二年 10 945	23—28
〔枢密院编修司〕	淳熙三年至嘉定七年 1 098	29
〔时政记〕	开宝七年至乾道八年 18 931	30—32
御前弓马子弟所	开禧二年 10 945	33—35
皮剥所	开宝二年至绍熙五年 10 940	35—42
〔东西府〕	熙宁六年至八年 10 989	43
〔宣徽院〕	开宝九年至绍圣三年 16 646	44—45
〔翰林学士院〕	序文（又录《两朝国史》、《神宗正史》序文）乾德元年至淳熙五年（原批作"翰林院"，据《宋史·职官二》改） 16 647	46—56
〔侍读、侍讲翰林侍书附〕	太平兴国八年至庆元五年（58页有《神宗正史·职官志》、《哲宗正史·职官志》记事、64页有《东都事略》注文关于元丰年间文彦博致仕一条） 16 647	56—63

续表

标　目	内容及大典卷数	页
知制诰	雍熙三年至熙宁三年（与下一门互见） 17 309	65—66
知制诰	雍熙三年至熙宁三年（与上一门互见） 17 309	67—69
〔侍讲〕	淳熙元年至嘉定十六年 11 916	70—73
讲筵所	淳熙十三年 （原批"已补入侍讲门"，检未获） 941（补）　10 941	74—76

第64册　职官7—8

职官7

标　目	内容及大典卷数	页
学士	序文（又录《两朝国史》序文）、明道二年至政和六年 缺	1—5
〔文明殿学士〕	序文、太平兴国五年至皇祐三年 缺	6—8
徽猷阁学士直学士	大观二年至靖康元年 13 423	9
延康殿学士	建炎二年一条（原批"并入端明"） 13 423	9
〔保和殿大学士、学士〕	（初名"宣和"）政和五年至宣和元年 13 423	9—10
天章阁学士直学士	序文（在宣和四年条后）、天禧五年至宣和四年（元丰至宣和在篇首） 13 423	10—12
龙图阁学士直学士	序文、咸平四年至绍兴二十一年 13 423	13—15
敷文阁学士直学士	序文、绍兴十年至二十九年 13 423	15—16
〔观文殿学士〕	熙宁四年至元丰三年 13 422	17
〔宝文阁学士直学士〕	序文、嘉祐八年至治平四年 13 422	17—18
枢密直学士	序文、大中祥符五年至政和四年 缺	19
〔资政殿大学士、学士〕	序文、景德二年至建炎四年 13 421	20—21

续表

标　　目	内　容　及　大　典　卷　数	页
〔东宫官〕	序文（《国朝会要》、《两朝志》、《续会要》、《哲宗正史·职官志》并录）、至道元年至淳熙十五年（35—36页元祐3条按原批移前） 239　11 581　6 133（补）　7 684（补） 22 423（补）	22—36
〔亲王诸宫司〕	1 125	37
管勾北宅所	大中祥符七年至景祐三年 10 941（补）	37
诸王府官	教授　直讲　侍讲　赞读 至道元年至乾道五年 17 230　19 240（补）　7 690（补）　7 687（补）	38—39
〔东宫官杂录〕	淳熙二年至嘉定十三年 239	40—46

职官 8

标　　目	内　容　及　大　典　卷　数	页
吏部（一）	序文（又3页录《神宗正史》序文）、太平兴国三年至绍兴二十八年 14 614　7 309（补）	1—26
吏部（二）	绍兴三十二年（孝宗即位未改元）至嘉定十六年（复文见选举23"吏部"门）。 14 615（28页作14 614,独与上下不合,疑误）	27—68

第 65 册　职官 9—10

职官 9

标　　目	内　容　及　大　典　卷　数	页
〔司封部〕	《神宗正史》、《两朝国史志》序文（在3页和17页）、雍熙三年至嘉泰三年（注文至嘉定十四年） 14 644　375	1—17

职官 10

标　　目	内　容　及　大　典　卷　数	页
〔司勋部〕	序文、元祐元年至开禧二年（卷末另附《神宗正史》序文，又元祐条复,绍圣条移前） 14 645　3 288（补）　7 309（补）	1—17
勋官	序文、淳化元年至绍兴三年 3288	18—19
〔考功部〕	序文（又附《两朝国史》、《神宗正史·职官志》、《哲宗正史·职官志》序文）、元丰五年至嘉泰元年 14 646　194（补）	20—44

第 66 册　职官 11

职官 11

标　　目	内　容　及　大　典　卷　数	页
审官东院	序文、太平兴国六年至治平元年（复文见选举23，存目不录） 缺	1—4
〔审官西院〕	熙宁三年至七年（与后"审官西院"门及选举24"尚书右选"序文并互见） 缺	4—5
〔磨勘（一）〕	建隆二年至建炎四年 缺	6—33
〔磨勘（二）〕	绍兴元年至乾道九年 缺	33—54
〔尚书左选〕	（旧"审官东院"）淳化三年至元丰五年（附《两朝国史》序文），详见选举23"尚书左选"门 14 615	55
〔审官西院〕	熙宁三年（与前"审官西院"门及选举24"尚书右选"序文并互见。本门不完整，原批"复校销"） 14 615	55—56
〔尚书右选〕	（旧审官西院）序文（详见选举24"尚书右选"门） 14 615	56
〔流内铨〕	序文 14 615	56
〔侍郎左选〕	（旧吏部流内铨）序文、元丰三年（详见选举24卷"侍郎左选"门） 14 615	56—57
〔三班院〕	太平兴国六年至雍熙四年 14 615	57
〔侍郎右选〕	（旧三班院）序文（附《两朝国史志》序。又与选举25"侍郎右选（上）"互见） 14 615	57
〔格式司〕	建隆元年（与下"吏部格式司"门互见，原批"复校销"） 14 615	58
〔流外铨〕	咸平元年（详见选举25"流外铨"门） 14 615	58—59
〔官告院〕	序文、乾德四年至嘉定六年（淳化二年十月，绍兴二年，乾道三、四年诸条与仪制10"官诰"门互见。本门年次有错乱） 14 615（补）	60—75

续表

标　目	内容及大典卷数	页
〔吏部格式司〕	建隆元年至熙宁四年（卷首建隆元年条，与前"格式司"门互见。）1 108　又 1 907（补）　14 615（补）　（76页原录作卷 1 107，与后 2 页独异，疑误。）	76—78
〔甲库〕	至道三年至大中祥符七年（与食货 52・7"吏部甲库"门互见）14 615	79

第 67 册　职官 12—13

职官 12

标　目	内容及大典卷数	页
〔度支判司事〕	（"户部"门见食货 56，本卷仅列其属官，又本门系摘《两朝国史志》序文）7 312	1
〔金部判司事〕	《两朝国史志》序文（与食货 56"金部"门之序文复）7 312	1
〔仓部判司事〕	《两朝国史志》序文 7 312	1
总制司	绍兴五年至六年 1 122	2
〔膳部判司事〕	《两朝国史志》序文（与职官 13"膳部"门序文复）7 313	3
〔职方判司事〕	《两朝国史志》序文 7 313	3
〔驾部判司事〕	《两朝国史志》序文、元丰中至绍兴元年 7 313	3
〔库部判司事〕	《两朝国史志》序文 7 313	3

职官 13

标　目	内容及大典卷数	页
礼部	序文（1 页有《两朝国史志》序、2—3 页录《神宗正史志》序）、咸平六年至乾道七年 14 659	1—8
〔贡院〕	序文、太平兴国三年（在 15 页）至淳熙十四年（本门各条与选举 3—5"贡举杂录"诸门有关各条互见，详略不同）14 659	8—15
〔祠部〕	序文、太平兴国八年至嘉定二年 14 665	15—39

续表

标 目	内 容 及 大 典 卷 数	页
〔度牒库〕	建炎四年至绍熙三年 14 659	39—41
〔膳部〕	《两朝国史志》、《神宗正史志》序文、绍圣元年至淳熙十三年(《两朝志》序文与职官12"膳部判司"门复) 14 665	42—45
〔主客部〕	《两朝国史志》、《神宗正史志》序文、元祐元年至乾道九年 22 309　14 665(补)	46—47

第68册　职官14—15

职官14

标 目	内 容 及 大 典 卷 数	页
〔兵部〕	序文(又采《两朝国史》、《神宗正史志》序)、淳化元年至嘉定八年 原缺　7 305(补)	1—19
〔职方〕	序文、太平兴国二年至大中祥符三年 6 125	20

职官15

标 目	内 容 及 大 典 卷 数	页
〔刑部〕	序文(又采《神宗正史志》序,在5—6页)、开宝七年至嘉定十二年 14 673	1—28
〔审刑院〕	序文、淳化二年至熙宁元年 14 673　16 665(补)	28—31
法官	乾德四年至熙宁五年 14 673	31—43
〔纠察在京刑狱司〕	大中祥符二年至熙宁三年 1 118　又14 673(补)	44—46
〔都官部员外郎〕	《两朝国史志》序文 1 314	47
〔比部员外郎〕	《两朝国史志》序文 1 314	47
〔司门部员外郎〕	《两朝国史志》序文 1 314	47

第 69 册　职官 16—17

职官 16

标　　目	内　容　及　大　典　卷　数	页
〔刑部侍郎〕	序文（原校删除） 7 307	1
〔工部侍郎〕	序文（原缺工部门，本卷仅列其属官） 7 307	1
〔屯田部员外郎〕	《两朝国史志》序文（食货 63·49 页《两朝国史》、《神宗正史志》"屯田判司"序文。前者与本门互见，后者可补此门后） 缺	2
〔虞部员外郎〕	序文（采《两朝国史》、《神宗正史志》） 7 314	2—3
〔水部员外郎〕	序文（采《两朝国史志》、《神宗正史志》） 7 314	3
军器所	序文、建炎四年至乾道九年 10 943（8 页独为 10 942，疑误）	4—21
△〔军器局〕	绍兴七年 19 781	22—23
〔弓弩院〕	开宝元年至嘉祐三年 16 668	24
〔弓弩造箭院〕	序文、咸平六年至熙宁三年 16 668	24
〔六部侍郎〕	序文、元祐二年至建炎四年 1 292	25

职官 17

标　　目	内　容　及　大　典　卷　数	页
△〔御史台〕	《中兴会要》采《两朝国史志》序文 2 607（原缺卷数，据《大典》补入）	1—2
△〔御史台〕	《国朝会要》采《神宗正史志》序文 2 607（原缺卷数，据《大典》补入）	3—4
〔御史台杂录〕	景德四年至隆兴二年（职官 55 另有"御史台"门，本门年月错乱） 10 167	5—22
〔御史中丞〕	太平兴国四年至乾道元年 8129	23—28
殿中侍御史	元祐六年至政和三年（元祐条在 29 页，又同页 7 行有"建炎十三年"条，按建炎止四年，待考） 10 170	29—30

· 314 ·

续表

标　目	内容及大典卷数	页
监察御史	序文、太平兴国三年至〔乾道〕八年（八年原隶隆兴。按隆兴无八年，其下二月条有宰执虞允文等奏对语。《宋史》本传，允文乾道八年二月为"特进左丞相兼枢密使"，据此补入） 10 171　21 248 补）	31—35
御史里行	景祐元年至元丰四年（景祐条在后） 10 172	36
御史知杂	序文、皇祐四年至元丰五年（序文至七年） 10 172	36—37
△〔三京留司御史台〕	序文（采《两朝国史志》）、咸平六年至崇宁元年 2 607（原缺卷数，据《大典》补入）	38—40

第 70 册　职官 18

职官 18

标　目	内容及大典卷数	页
秘书省（一）	序文（采《两朝国史》、《神宗正史》〔2 页〕志）、淳化元年至乾道九年 11 943	1—36
秘书省（二）	淳熙二年至十五年 11 944	37—45
〔著作佐郎〕	政和至乾道三年 7 320	46
〔秘阁〕	端拱元年至崇宁二年（《玉海》注文至绍定五年） 21 837	47—49
集贤院	太平兴国二年 16 650	50
〔崇文院〕	序文、建隆元年至政和六年 16 650	50—53
编修院	16 650	53
国史院	序文、绍兴二十八年至嘉泰四年 16 650	53—60
实录院	序文、绍兴七年至庆元二年 16 650	60—74
监修国史	乾德二年至元丰三年（注文至五年） 10 163	75—76

续表

标　　目	内容及大典卷数	页
史官	熙宁二年至宣和四年 10 161	77
修撰	元祐元年至绍兴元年（上接後门） 16 468	78
修撰	序文、端拱二年至熙宁二年（下接前门） 16 468　16 469（文字相连，疑误其一）	78—79
会要所	淳熙十六年至绍熙五年 10 940	80—81
〔太史局〕	（旧"司天监"元丰改名）序文（又采《两朝国史》、《神宗正史》志序）、熙宁二年至嘉定八年 19 778	82—101
国史日历所	淳熙元年至嘉定十五年（运历1有"修日历"门可接于前） 10 940	102—109
〔天文院〕	16 665（在下一门卷末批注）	110
〔钟鼓院〕	序文、绍兴三年至淳熙七年（与职官31"钟鼓院"门互见，本门较完整） 16 665（卷末批注）	110—111
刻漏所	绍兴三年至二十七年（原作"二日十年正月九日"据职官31·9页复文改，本门与职官31"测验浑仪刻漏所"门互见。本门不完整） 10 940（卷末批注）	112

第 71 册　职官 19—20

职官 19

标　　目	内容及大典卷数	页
〔殿中省〕	序文（又采《两朝国史志》序）、太平兴国六年至靖康元年 11 947	1—12
〔御药院〕	序文（又采《两朝国史志》、《神宗正史·职官志》序文）、天圣四年至淳熙十三年 16 665	13—15
〔御辇院〕	序文、大中祥符九年（年原作"十"误）至淳熙十三年 16 66(9)7（原作"166 697"？）	16—20

职官 20

标　　目	内 容 及 大 典 卷 数	页
〔宗正寺〕	序文（又采《两朝国史》、《神宗正史》〔5 页〕志序）、开宝六年至隆兴二年 13 338	1—15
〔大宗正司〕	《神宗正史》序文（17 页）、庆历四年至乾道七年 1 102	16—32
〔外宗正司〕	序文、绍兴二年至隆兴元年（序文崇宁元年至乾道七年） 1 102	33
敦宗院	崇宁元年至乾道七年 16 666	34—41
玉牒〔所〕	绍兴二十年至嘉定六年（绍兴 2 条在卷末） 22 856　10 940（补）	42—54
〔修玉牒官〕	序文、至道初至乾道九年 22 857	55—63

第 72 册　职官 21—22

职官 21

标　　目	内 容 及 大 典 卷 数	页
〔光禄寺〕	序文（并采《两朝国史》、《神宗正史》、《哲宗史》志序）、开宝六年至隆兴元年 13 337	1—7
〔翰林司〕	序文、淳熙元年至绍熙五年 1 125	8—9
〔牛羊司〕	序文、咸平五年至嘉定十四年 1 119	10—14
乳酪院	序文、大中祥符五年至七年 16 667（卷末批注）	15

职官 22

标　　目	内 容 及 大 典 卷 数	页
〔卫尉寺〕	序文（并采《两朝国史》、《神宗正史》、《哲宗正史》志序）、治平四年（神宗已即位未改元）至建炎三年 13 337	1—4

续表

标　目	内容及大典卷数	页
〔仪鸾司〕	序文、大中祥符九年至嘉定五年 1 106	5—12
〔金吾街仗司〕	序文、淳化五年至庆元六年 1 106	13—16
〔太常寺〕	序文 13 731　6 398	17—18
〔斋郎〕	建隆四年至嘉祐六年 7 320	19—20
△〔挽郎〕	乾兴元年(仁宗已即位，未改元)至天圣元年 7 327	21
〔礼仪院〕	序文、大中祥符六年至天圣元年 16 653	22—24
大晟府	序文、崇宁四年至宣和七年 缺	25—27
〔教坊〕	序文、开宝八年至绍兴三十一年(又33页补抄两条) 6 133	28—31 (33)
〔云韶部〕	(前3行与乐5"云韶部"门互见，本门系《国朝会要》文) 6 133	31
〔钧容东西班乐附〕	序文、太平兴国三年至绍兴三十年(大中祥符五年以前及绍兴三十年条与乐5"均容乐"门互见，本门出《中兴会要》。又"东西班乐序"与乐5"东西班乐"门互见，本门出《国朝会要》、《续国朝会要》) 6 133	31—33
〔四夷乐〕	乾德四年至元丰六年(元丰条与乐5"四夷乐"门互见，本门出《国朝会要》、《续国朝会要》) 6 133	33
〔管勾〕	(徐松按语) 19 367(补)	34
郊社局	嘉祐元年至熙宁元年 19 779	34
太社局	熙宁三年 19 779	34
大乐局	乾兴元年(仁宗已即位未改元) 19 779	34
鼓吹局	19 779	34
〔太医局〕	序文(又采《神宗正史志》序在37页)、淳化三年至嘉泰三年(43页绍熙元年以下当移前) 19 780	35—44

第73册　职官 23—25

职官 23

标　目	内　容　及　大　典　卷　数	页
〔车辂院〕	序文、建炎三年至开禧二年 16 667	1—2
〔骐骥院〕	元丰二年至庆元二年 16 667	2
养象所	序文、乾德五年至淳熙十六年 10 940	3
〔群牧司〕	序文（又采《神宗正史志》序，在 8 页）、咸平三年至大观四年（第 4 页与兵 21 "牧马官"序文互见，本门有脱文） 13 328　1 119	4—18
〔淇水二监〕	元祐六年（建置见兵 21·4） 19 522	19

职官 24

标　目	内　容　及　大　典　卷　数	页
〔大理寺〕	序文（又采《两朝国史》、《神宗正史》〔在 4 页〕志序）、建隆二年至嘉泰三年 13 735	1—44

职官 25

标　目	内　容　及　大　典　卷　数	页
〔鸿胪寺〕	序文（采《两朝国史》、《神宗正史》、《哲宗正史》〔在 1—2 页〕志序）、景德四年至绍兴二十五年 13 338	1—5
礼宾院	序文、咸平元年至熙宁九年 16 669	6—7
〔寺务司〕	序文 缺	8
〔课利司〕	序文、大中祥符六年至熙宁九年 1 125	9—10
〔同文馆〕	序文、熙宁七年至绍兴三年 11 306	11

第 74 册 职官 26—27

职官 26

标　目	内　容　及　大　典　卷　数	页
〔司农寺〕	序文（又采《两朝国史》、《神宗正史》〔在 2 页〕志序）、咸平四年至嘉定八年 13 739	1—22
提点仓草场所	序文、咸平五年至熙宁八年 10 940	23—27
四排岸司	序文、景德四年至开禧三年 1 114	28—31
下卸司	熙宁三年至九年 1 115	32
〔都曲院〕	序文、至道三年至熙宁四年 16 669	33—34

职官 27

标　目	内　容　及　大　典　卷　数	页
〔太府寺〕	序文（又采《两朝国史》、《神宗正史》及《哲宗正史》〔在 2—3 页〕志序）、至道元年至淳熙十五年 13 733	1—33
〔都商税院〕	序文、至道元年迄嘉祐四年 16 669	34—35
〔都提举市易司〕	序文、熙宁三年至元丰四年（熙宁诸条年次错乱） 1 124	36—40
提举在京诸司库务司	序文、景德二年至熙宁三年 1 118	41—49
〔榷货务、都茶场〕	《四朝志》及《会要》建置沿革（篇首《朝野类要》"四辖"一段，据屠寄按语，当注于榷货务下） 21 233	50
〔杂买务、杂卖场〕	建置沿革 21 233	50—51
〔左藏库〕	建置沿革 21 233	51
〔文思院〕	（《四朝志》及《会要》）建置沿革（与职官 29 "文思院"门复，原批"校销"。又 52 页"事要"以下多非宋事，原批"删存不抄"） 21 233　21 231（？）	51—53

续表

标　目	内容及大典卷数	页
供奉〔供奉官附〕	雍熙（当作"淳熙"）二年至淳熙十六年缺	54—56
〔粮料院〕	建炎三年至淳熙十二年（宋初粮料院见职官5） 16 669	57—60
〔审计司〕	建炎元年至庆元元年 1 107	61—63
抵当免行所	（又名抵当所）序文、熙宁四年至九年（《中兴会要》以后无此门） 10 942	64—65
惠民和剂局	绍兴六年至乾道元年 19 780	66—68
〔修合卖药所〕	政和四年 1 108	69
△〔编估打套局〕	绍兴七年至淳熙四年（原批作"编估局"、改用《大典》原题） 19 781	70

第75册　职官28—31

职官28

标　目	内容及大典卷数	页
〔国子监〕	序文（又5—6页采《神宗正史·职官志》、《哲宗正史·职官志》序）、建隆三年至嘉定七年（29页有至道二年"国子监直讲"一条） 19 501　19 502　19 503　19 240（补）	1—29
〔昭文馆〕	淳化元年（原批"复校销"） 11 306	30
〔广文馆〕	序文、元祐七年至绍圣二年 11 306	30—32

职官29

标　目	内容及大典卷数	页
〔文思院〕	（少府监阙，其官属见此卷）序文、咸平三年至嘉定四年（与职官27"文思院"门复） 16 668　又21 233（补）　2 1231（补）	1—6
〔西内染院西染色院附〕	序文、淳化元年至熙宁二年 16 668	7—8
〔绫锦院〕	序文、大中祥符六年至熙宁七年 16 668	8

续表

标　目	内容及大典卷数	页
〔文绣院〕	崇宁三年 16 668	8
〔裁造院〕	序文、景德三年至天圣三年 16 668	8

职官 30

标　目	内容及大典卷数	页
〔提举修内司〕	(将作监阙,其官属见此卷)天禧四年至淳熙十六年 1 118	1—6
〔东西八作司〕	序文、景德四年至熙宁四年 1 119	7—15
〔提点修造司〕	序文、淳化四年至熙宁二年 1 118	16—17
〔沟河司〕	(都水监阙,其属官见此)天圣四年至熙宁九年 1 119　17 376(补)	18
〔街道司〕	序文、嘉祐二年至熙宁五年(《续会要》附都水监,中兴以后无此门) 1 119　又 17 376(补)	18—19

职官 31

标　目	内容及大典卷数	页
司天监	序文(在 3 页。并采《两朝国史》、《神宗正史》志序)、太平兴国六年至乾道九年(元丰改名为"太史局") 19 514	1—9
〔测验浑仪刻漏所〕	绍兴二年至隆兴元年(与职官 18"刻漏所"门互见。本门较完整) 19 514	9
〔钟鼓院〕	绍兴三年至隆兴元年(与职官 18"钟鼓院"门互见,本门脱序文及淳熙四年、七年两条) 19 514	9

第 76 册　职官 32—33

职官 32

标　目	内容及大典卷数	页
〔殿前司〕	序文(并采《两朝国史》、《神宗正史》、《哲宗正史》〔在 3、4 页〕志序)、乾德四年至绍兴八年 1 103	1—12

续表

标　　目	内　容　及　大　典　卷　数	页
马步军殿前司	淳熙二年至嘉定八年 1 103	13—25
行宫禁卫所	建炎四年 10 943	26—27
主管禁卫所	绍兴元年至淳熙十五年 10 943	27—29
差使剩员所神卫剩员所	序文、熙宁九年至乾道七年 10 942	29—34
御营使	隆兴元年 13 322	35—36
〔都统制〕	建炎元年至嘉定十六年 缺	37—50
〔御马院〕	建炎三年至嘉定十四年 16 667	51—55
〔省马院〕	淳熙元年至三年 16 667	55

职官 33

标　　目	内　容　及　大　典　卷　数	页
〔环卫〕	隆兴二年至嘉定二年 15 315	1—5
〔六军诸卫〕	序文（又采《哲宗正史·职官志》序〔在 6—7 页〕）、咸平五年至靖康元年 15 318	6—8
〔三卫〕	崇宁四年 15 318	9—11

第 77 册　职官 34—35

职官 34

标　　目	内　容　及　大　典　卷　数	页
〔阁门通事舍人〕	（政和六年改为"宣赞舍人"）序文（在 4 页）、乾德五年至嘉定二年（年次有错乱） 2 967	1—11
〔带御器械〕	序文、咸平元年至淳熙十二年 15 226　15 126（文字相连，疑误其一）	12—13
〔内殿崇班　左右侍禁〕	淳化二年 4 224	14

· 323 ·

续表

标　目	内　容　及　大　典　卷　数	页
〔皇城司〕	（旧武德司，太平兴国六年改）序文（又采《两朝国史志》、《神宗哲宗正史职官志》序）、淳化二年至嘉定三年 1 105	15—43

职官 35

标　目	内　容　及　大　典　卷　数	页
〔四方馆〕	序文（又采《两朝国史》、《神宗正史》〔在3—4页〕志序）、建隆中至隆兴元年 11 307	1—21
〔阁门司〕	序文 缺	22
阁门使	绍兴元年至五年 13 326	22—23
引进使	景德元年至乾兴元年（仁示已即位未改元） 13 326	23

第 78 册　职官 36 上

职官 36（上）

标　目	内　容　及　大　典　卷　数	页
〔内侍省　入内内侍省〕	序文（又采《两朝国史》、《神宗正史》、《哲宗史》〔在13—14页〕志序）、乾德四年至乾道七年 11 945	1—27
〔内东门司〕	序文（又采《两朝国史志》、《神宗正史·职官志》序）、景德三年至乾道元年 1 106	28—30
〔合同凭由司〕	序文（又采《两朝国史志》序）、淳熙六年至十四年 1 098	31
主管往来国信所（上）	序文（又采《两朝国史志》序）、景德二年至乾道九年 10 941	32—58

第 79 册　职官 36（下）

职官 36（下）

标　目	内　容　及　大　典　卷　数	页
〔主管往来国信所〕（下）	淳熙三年至嘉定九年 10 941	59—71

续表

标　目	内　容　及　大　典　卷　数	页
後苑造作所〔西作附〕	序文（又采《两朝国史志》序）、景德二年至宣和七年 10 941	72—76
〔后苑〕烧朱所	建置沿革 10 940	76
〔军头引见司〕	（《两朝国史》、《神宗正史》〔在81页〕志）序文、端拱元年至淳熙十三年 1 105	77—94
〔翰林院〕	序文（并采《两朝国史》、《神宗正史》志序）、大中祥符六年至淳熙十三年 16 647	95
〔翰林御书院〕	序文、嘉祐五年至绍兴三十年 16 647	95—97
〔翰林医官院〕	序文、雍熙二年至淳熙十五年 16 647	97—106
〔翰林图画院〕	序文、至和元年至熙宁六年 16 647	106—107
〔翰林天文院〕	序文、大中祥符二年至绍兴十四年 16 647	107—108
〔翰林〕天文局	淳熙四年至绍熙二年 缺	109
〔技术官〕	（医官院、御书院、翰林院、翰林天文院、翰林图画院官） 序文、开宝八年至嘉定二年 缺	110—125

第 80 册　职官 37—40

职官 37

标　目	内　容　及　大　典　卷　数	页
天策上将军	（原作"天策上将军府"）大中祥符八年至庆历四年 缺	1
元帅府	靖康、建炎间（高宗事） 缺	1—2
元帅	建隆元年（封钱俶） 15 129	3
开封尹〔权知府事附〕	序文、建隆二年至宣和七年（宣和条在4页） 11 190	4—6

续表

标　目	内容及大典卷数	页
临安尹	乾道元年至九年（光宗事） 11 190	6—8
左右厢公事所	熙宁三年至靖康元年 10 942	9—10
〔州牧〕	序文、大中祥符八年至淳熙五年 19 642	11—12
〔行府〕	建隆元年至雍熙三年 10 988	13

职官 38

标　目	内容及大典卷数	页
节度使	乾德元年至乾道八年 13 274	1—5
节度使杂录	乾德三年至太平兴国五年 13 274	6
承宣使	宣和三年 13 318	7
观察使	大中祥符七年 13 296	8
刺史〔防御、团练附〕	序文、建隆元年至元丰七年 10 175	9—10

职官 39

标　目	内容及大典卷数	页
〔都督府〕	绍兴二年至乾道元年 10 981	1—21
〔司户〕	序文、乾道六年至嘉泰四年 缺	22

职官 40

标　目	内容及大典卷数	页
〔制置使〕	建炎元年至嘉定十四年 缺	1—19

第 81 册　职官 41 上

职官 41（上）

标　目	内容及大典卷数	页
宣谕使	宣和七年至开禧三年 13 312	1—17

续表

标　　目	内　容　及　大　典　卷　数	页
宣抚使	咸平三年至嘉定十二年（21页"四年"条，据《宋史·张浚传》，当隶"建炎"） 13 314（第40页作13 313疑误）	18—43
〔总领所〕	序文、绍兴三年至淳熙十年 10 944	44—59
〔四川总领所〕	淳熙二年至十四年 10 944	59—60
〔总领所杂录〕	淳熙四年至嘉定十五年 10 944	60—70
圣政所	绍兴三十二年（孝宗已即位未改元）至绍熙三年 10 944	70—74

第 82 册　职官 41 下

职官 41（下）

标　　目	内　容　及　大　典　卷　数	页
经略使	（《哲宗正史》）序文、元丰元年至淳熙六年 13 311	75—78
〔安抚使〕	序文、咸平三年至嘉定十六年 13 304	79—118
〔参谋　参议〕	序文、建炎四年至绍兴五年 13 953	119
〔走马承受公事〕	（政和六年改为廉访使）序文（有《国朝会要》、《两朝国史志》）、至道元年至建炎四年 13 391	120—136

第 83 册　职官 42

职官 42

标　　目	内　容　及　大　典　卷　数	页
劝农使	至道二年讫至和二年 601（?）　610　又 13 331（补）	1—3
盐铁使　营田大使	太宗朝　高宗朝绍兴十年 缺	4
〔发运司〕	序文（《神宗正史·职官志》）、治平三年至宣和七年 1 114	5—12
〔催纲司〕	序文、大中祥符四年至政和五年 1 114	13—14

续表

标　目	内容及大典卷数	页
〔发运使〕	乾德二年至乾道六年（建炎以前年次有错乱） 缺	15—57
〔转运使〕	咸平元年至绍熙元年 缺	58—61
察访使	熙宁三年至元符元年 13 318	62—63
招讨使	熙宁八年至绍兴三十一年（注文至三十二年） 13 324	64—66
招抚使	绍兴十年至开禧二年 13 324	67—68
抚谕使	建炎元年至乾道二年 13 312	69—73
镇抚使	建炎四年至绍兴三年 13 325（第 74 页作 13 324，疑误）	74—78

第 84 册　职官 43 上

职官 43（上）

标　目	内容及大典卷数	页
〔提点司〕	《《两朝国史志》序文 1 117	1
提举常平仓农田水利差役	熙宁二年至乾道九年（下接后"常平司"门） 1 117　14 607（补）	2—38
△御史台主簿	元丰三年至元祐元年 14 607（原批作卷 1 117）	39
〔常平司〕	淳熙元年至开禧二年（上接前"提举常平仓农田水利差役"门） 1 117	40—42
提举茶盐司	淳熙元年至嘉定十七年 1 115	43—46
都大提举茶马司	序文（又采《哲宗正史志》序）、熙宁七年至乾道九年 11 683　11 684	47—117
〔提点纲马驿程〕	乾道二年至九年 11 684	117—118

第 85 册　职官 43 下

职官 43（下）

标　目	内容及大典卷数	页
〔提点坑冶铸钱司〕	序文、元丰三年至嘉定十五年（144 页"绍圣"当是"绍兴"之误） 1 120	119—180

第 86 册　职官 44—45

职官 44

标　目	内　容　及　大　典　卷　数	页
〔市舶司〕	序文、开宝四年至嘉定六年 1 124	1—34
〔河北籴便司〕	治平元年至大观二年 1 118	35—38
〔制置解盐司〕	熙宁二年至大观四年(详见食货 24"盐法杂录〔二〕",本门多数条目重出) 1 115	39—41
经制使	熙宁十年至绍兴九年 1 122　又 13 303	42—50
提举保甲司	熙宁三年至崇宁五年 1 108	51—52
提举弓箭手司	元丰五年至靖康元年 (详见兵 4"弓箭手"门,本门诸条皆重出) 1 124	53—55

职官 45

标　目	内　容　及　大　典　卷　数	页
〔诸路监司〕	元丰三年至嘉定十四年 1 109	1—45

第 87 册　职官 46—47

职官 46

标　目	内　容　及　大　典　卷　数	页
分司	(西京、南京)建隆元年至绍兴三十一年 1 118	1—9

职官 47

标　目	内　容　及　大　典　卷　数	页
〔判知诸州府军监〕	序文(并采《两朝国史》、《神宗正史》〔在 11 页〕、《哲宗正史》〔在 12 页〕志序)、乾德四年至嘉定十年(建炎诸条年月错乱) 9 777　9 776　9 020(补)	1—58
〔通判诸州府军监〕	序文(又采《哲宗正史志》序,在 62 页)、建隆四年至嘉定十六年 9 776　16 292	58—73
〔司理院〕	端拱元年至乾道七年 29 989	74

第 88 册 职官 48 上

职官 48（上）

标　目	内容及大典卷数	页
〔上佐官〕	序文（又采《两朝国史志》序，在 2 页）、开宝四年至淳熙七年 缺	1—3
〔幕职官〕	序文（又采《哲宗正史志》序，在 8 页）、乾德三年至嘉定十六年 14 397（序文以下缺卷数）	4—17
〔县令〕	淳熙二年至嘉定九年（18 页末乾道四年为庆元元年条之释文） 18 998	18—24
〔县官〕	序文（又采《两朝国史》、《哲宗正史》〔在 29 页〕志序）、建隆四年至嘉定十六年（神宗以前"知县"、"县令"分述，"知县"25—27 页，"县令"27—29 页，29 页《哲宗正史》以下合为"县吏"） 16 599	25—52
〔县丞〕	天圣四年至嘉定十三年 8 139	53—58
〔驿丞〕	咸平六年至淳熙十二年 缺	59

第 89 册 职官 48 下

职官 48（下）

标　目	内容及大典卷数	页
〔县尉〕	建隆三年至嘉定十三年 15 277	60—88
〔镇寨官〕	淳熙元年至绍熙三年 15 277	88—91
镇将	序文（又采《哲宗正史志》序）、建隆四年至政和四年 缺	92—93
△牙职	开宝四年至庆元六年 20 479	94—106
都钤辖　钤辖	序文（又采《两朝国史志》序）、咸平五年至嘉定十三年 21 231	107—121
〔都巡检使、巡检、巡检司〕	序文（又序在 129—130 页）、乾德五年至嘉定九年 12 206	122—137
监当	淳熙七年至嘉定八年 9 775	138—147

第 90 册　职官 49—51

职官 49

标　目	内　容　及　大　典　卷　数	页
〔都监〕监押	序文（又采《两朝国史》、《哲宗正史》〔在 4 页〕志序）、乾德三年至嘉定十二年 22 782	1—9

职官 50

标　目	内　容　及　大　典　卷　数	页
〔遣使巡抚〕	建隆元年至天禧四年 10 947	1—4

职官 51

标　目	内　容　及　大　典　卷　数	页
〔国信使〕	开宝八年至嘉定十五年（年月错乱） 13 327　13 427（？）	1—45
〔馆伴使〕	景德元年至天圣三年 13 327	45—46
〔正旦使生辰使附〕	太平兴国二年至景德三年 13 327	46—47
〔祭奠使〕	嘉祐三年至绍兴三十年 13 327	47—49
〔祈请使、通问使〕	建炎元年 13 327	49
报谢使	嘉祐八年 缺	49

第 91 册　职官 52—54

职官 52

标　目	内　容　及　大　典　卷　数	页
〔奉使〕	淳熙元年至十六年 13 265	1—8
〔遣使〕	建隆二年至嘉定四年（卷尾一条无年月） 13 256　4 054	9—19
〔诸使杂录〕	命诸路安抚使副、横班东西班诸司使序文、雍熙四年至宣和六年 13 336	20—27

职官 53

标　　目	内　容　及　大　典　卷　数	页
〔提举德寿宫〕	(原作"提举所")绍兴三十二年至乾道九年 (本门与下"宫观使"门 19—24 页互见) 10 945	1—6

职官 54

标　　目	内　容　及　大　典　卷　数	页
宫观使	序文、大中祥符七年至绍熙五年(19—24 页绍兴 三十二年至乾道九年,与上"提举德寿宫"门互 见。又熙宁诸条,与下"〔外〕任宫观"门互见。) 13 323(2 页作 13 322,疑误)	1—26
〔外〕任宫观	(《哲宗正史志》)序文、熙宁二年至绍熙五年 (熙宁诸条与上"宫观使"门互见) 16 251	27—42

第 92 册　职官 55—56

职官 55

标　　目	内　容　及　大　典　卷　数	页
△〔御史台〕	(标题据《大典》)序文(职官 17 另有"御史台" 门) 2 607	1
△〔御史台〕	(标题据《大典》)开宝七年至嘉定四年 2 607	2—28
〔进纳补官〕	淳化五年至乾道九年(下接职官 62 之"进纳 补官"门) 3 878	29—53

职官 56

标　　目	内　容　及　大　典　卷　数	页
〔官制别录〕 (一)	元丰三年至大观四年 3 805	1—30
〔官制别录〕 (二)	政和二年至靖康元年 3 806	31—52

第 93 册　职官 57

职官 57

标　　目	内　容　及　大　典　卷　数	页
〔俸料〕	(原批作"俸禄四",前无一、二、三,据序文改) 13 175	1—17

续表

标 目	内容及大典卷数	页
〔俸禄杂录（一）〕	（原作"俸禄五"）乾德三年至靖康元年 13 176（25—29页及36—39等页均作13 116疑误）	18—63
〔俸禄杂录（二）〕	建炎元年至绍兴三十二年（孝宗已即位，未改元） 13 116（按本卷诸门内容相接，疑为13 176卷之误）	63—80
〔俸禄杂录（三）〕	隆兴元年至乾道九年 13 177	81—92
〔吏禄〕	熙宁三年至绍兴十三年 13 177	92—100

第94册 职官58—59

职官58

标 目	内容及大典卷数	页
职田	咸平元年至嘉定二年 4 782	1—31

职官59

标 目	内容及大典卷数	页
考课	建隆二年至乾道九年（选举22"考课"门复，存目不录） 17 484	1—30

第95册 职官60—61

职官60

标 目	内容及大典卷数	页
转对	建隆三年至绍兴二十九年 15 145	1—7
宣对	绍熙二年 15 145	8
轮对	绍兴二年至绍熙二年 15 146	9—12
面对	绍兴三十二年（孝宗已即位，未改元）至淳熙十六年 15 144	13—14
△〔休沐〕	序文、开宝九年至乾道九年 19 636	15
〔自代〕	咸平四年至绍兴五年（复文选举30"自代"门，存目不录） 15 008	16—19

续表

标　　目	内容及大典卷数	页
〔久任官〕	庆历七年至嘉定十一年 3 876	20—42
〔再任官〕	嘉祐六年至宣和五年（均见注文） 19 387	43

职官 61

标　　目	内容及大典卷数	页
〔省官〕	开宝三年至咸平四年 缺	1
〔改官〕	元祐二年至〔绍〕圣元年（"绍"原作"诏"） 3 872	2
〔换官〕	太平兴国三年至隆兴元年 3 874	3—23
〔以官回授〕	绍兴元年至嘉定十五年 3 875	24—37
〔对换官〕	至道三年至嘉定十六年 3 875	38—57

第 96 册　职官 62

职官 62

标　　目	内容及大典卷数	页
〔借补官〕	建炎元年至乾道八年（接后"借补官"门） 3 877	1—8
特恩补官	建炎二年至乾道九年（接后"特恩补官"门） 3 877	8—10
〔借补官〕	淳熙元年至绍熙元年（接前"借补官"门） 3 877	11—12
〔特恩补官〕	淳熙二年至嘉定十六年（接前"特恩补官"门） 3 877	12—19
〔特恩除职〕	淳熙元年至十六年 3 877	19—27
〔进纳补官〕	淳熙二年至嘉定十五年（前接职官 55"进纳补官"门） 3 878	27—31
〔赈济补官〕	淳熙元年至嘉定十一年 3 878	31—37
〔假试官〕	元丰四年 3 838	38
〔摄官〕	开宝四年至嘉定十六年 3 838	38—60

第 97 册　　职官 63—64

职官 63

标　目	内　容　及　大　典　卷　数	页
〔避亲嫌〕	淳化四年至乾道九年 20 480	1—16

职官 64

标　目	内　容　及　大　典　卷　数	页
〔黜降官〕 （一）	建隆四年至庆历六年 3 883（2 页作 3 881，疑误）	1—52

第 98 册　　职官 65—66

职官 65

标　目	内　容　及　大　典　卷　数	页
〔黜降官〕 （二）	庆历七年至熙宁十年 3 884	1—43

职官 66

标　目	内　容　及　大　典　卷　数	页
〔黜降官〕 （三）	元丰元年至元祐三年 缺（依次疑是 3 885）	1—38

第 99 册　　职官 67—68

职官 67

标　目	内　容　及　大　典　卷　数	页
〔黜降官〕 （四）	元祐四年至崇宁元年九月九日 缺（依次疑是 3 886）	1—41

职官 68

标　目	内　容　及　大　典　卷　数	页
〔黜降官〕 （五）	崇宁元年九月十四日至政和八年 缺（依次疑是 3 887）	1—42

第 100 册　　职官 69—70

职官 69

标　目	内　容　及　大　典　卷　数	页
〔黜降官〕 （六）	重和元年至靖康二年正月 3 888	1—30

职官 70

标　　目	内　容　及　大　典　卷　数	页
〔黜降官〕（七）	建炎元年至绍兴三十二年闰二月 3 889	1—53

第 101 册　职官 71—72

职官 71

标　　目	内　容　及　大　典　卷　数	页
〔黜降官〕（八）	绍兴三十二年六月至乾道五年 3 890（第 1 页作 3 880，疑误）	1—25
〔黜降官杂录〕（一）	咸平三年至乾道六年 3 890	25—33

职官 72

标　　目	内　容　及　大　典　卷　数	页
〔黜降官〕（九）	淳熙元年至十六年 3 891	1—10
〔黜降官杂录〕（二）	淳熙元年至绍熙元年（56 页三月条以下并当移前） 3 891	10—57

第 102 册　职官 73

职官 73

标　　目	内　容　及　大　典　卷　数	页
〔黜降官〕（一○）	绍熙元年至嘉定十七年 3 892（9、12、50 诸页作 3 891，疑误）	1—58
〔黜降外任官〕	绍熙元年至庆元三年 3 893	58—68

第 103 册　职官 74—75

职官 74

标　　目	内　容　及　大　典　卷　数	页
〔黜降官〕（一一）	庆元三年六月至嘉定六年七月 3 893	1—47

职官 75

标　　目	内　容　及　大　典　卷　数	页
〔黜降官〕（一二）	嘉定六年八月至嘉定十七年 3 894	1—36

续表

标　　目	内　容　及　大　典　卷　数	页
〔黜降官内外任〕	庆元元年至嘉定十三年 3 894	36—40
〔黜降官杂录〕（三）	庆元二年至嘉定十七年 3 894	40—42

第 104 册　　职官 76

职官 76

标　　目	内　容　及　大　典　卷　数	页
〔收叙放逐官〕（上）	建隆元年至建中靖国元年 3 866	1—24
〔收叙放逐官〕（下）	崇宁二年至乾道九年 3 867	25—59
〔追复旧官〕	元祐四年至嘉定十五年 3 869　19 824	60—74

第 105 册　　职官 77

职官 77

标　　目	内　容　及　大　典　卷　数	页
〔起复〕	序文（又 14 页另附序文）、太平兴国六年至嘉定十四年（22 页倒 2 行，"绍兴"，疑为"绍熙"之误） 19 825	1—24
〔陈乞侍养〕	大中祥符七年至乾道六年 缺	25—27
致仕（上）	序文、建隆二年至绍兴三十二年（孝宗已即位未改元） 13 462　13 642（文字相连，疑误其一）	28—72
致仕（下）	隆兴元年至淳熙十四年 13 463	73—86

第 106 册　　职官 78—79

职官 78

标　　目	内　容　及　大　典　卷　数	页
罢免（上）	建隆四年至靖康元年 11 424	1—35
〔罢免（中）〕	建炎元年至淳熙九年（53 页〔淳熙元年〕"五月二十九日"条为右丞相钱象祖上言。按《宋史·钱端礼传》称"孙象祖嘉定元年"为"左丞相"，疑所系年号有误） 11 424	35—60

续表

标　目	内　容　及　大　典　卷　数	页
罢免（下）	淳熙十六年至嘉定十四年（与下门复） 17 595	61—63
罢免（下）	淳熙十六年至嘉定十四年（与上门复） 11 425	64—68

职官 79

标　目	内　容　及　大　典　卷　数	页
〔戒饬官吏〕	淳熙元年至嘉定十六年（37 页） 3 900	1—41

（十一）选举类　共 14 册 34 卷

第 107 册　选举 1—2

选举 1

标　目	内　容　及　大　典　卷　数	页
贡举（一）	建隆元年至乾道八年 10 641	1—17
贡举（二）	淳熙元年至绍熙四年 10 644	18—24
〔贡举（三）〕	（原作"举士十一"）庆元元年至嘉定十六年 10 645	25—29

选举 2

标　目	内　容　及　大　典　卷　数	页
〔进士科〕	开宝五年至淳熙十四年（年月有错乱，又景德二年至大中祥符七年与 5 页重出） 5 696　10 652（大中祥符二年条缺卷数）	1—25
〔进士科杂录〕	淳熙十一年至嘉定十六年 5 696	25—33

第 108 册　选举 3—4

选举 3

标　目	内　容　及　大　典　卷　数	页
贡举杂录（一）	建隆三年至天禧三年 10 641	1—12
〔贡举杂录（二）〕	（原批作"科举条制"）天圣元年至元符三年（38 页以下至选举 5"贡举杂录〔五〕"与职官 13"贡院"有关各条互见，详略不同） 10 642　10 643	13—58

选举 4

标　　目	内　容　及　大　典　卷　数	页
〔贡举杂录（三）〕	（原批作"考试条制"）建中靖国元年至靖康元年 10 643	1—16
〔贡举杂录（四）〕	（原作"举士十"）建炎元年至乾道八年 10 644	17—44

第 109 册　选举 5—6

选举 5

标　　目	内　容　及　大　典　卷　数	页
贡举杂录（五）	淳熙元年至开禧三年 10 645	1—34

选举 6

标　　目	内　容　及　大　典　卷　数	页
贡举杂录（六）	（原作"举士十二"）嘉定元年至十六年 10 646	1—50
贡举印	天圣七年至元丰六年 15 514	51

第 110 册　选举 7—8

选举 7

标　　目	内　容　及　大　典　卷　数	页
亲试(上)	（一作"殿试"，又原题作"举士十三"）开宝六年至宣和六年 10 647	1—37

选举 8

标　　目	内　容　及　大　典　卷　数	页
亲试(下)	建炎二年至嘉定十六年 10 648　13 245	1—30
亲试杂录	景德二年至乾道八年 10 648	31—45

第 111 册　选举 9—11

选举 9

标　目	内　容　及　大　典　卷　数	页
赐及第	赐进士及第　赐本科及第 雍熙二年至熙宁五年（《中兴会要》、《乾道会要》无此门） 10 653	1—3
〔赐出身、赐同出身〕	赐本科出身　赐进士出身　赐同进士出身 赐三传出身　赐同三传出身　赐学究出身 赐同学究出身　赐上舍出身　赐同上舍出身 赐明经出身　赐同明经出身　赐童子出身 开宝三年至乾道九年 10 653　10 654	3—20
〔赐童子出身命官赐绢免文解附〕	淳化二年至乾道九年 10 674	21—30

选举 10

标　目	内　容　及　大　典　卷　数	页
试判	（一作"书判拔萃科"）建隆三年至熙宁四年 16 300	1—5
举贤良方正能直言极谏等科（一）	序文、乾德二年至庆历六年 10 669	6—29

选举 11

标　目	内　容　及　大　典　卷　数	页
举贤良方正能直言极谏等科（二）	皇祐元年至乾道七年 10 669	1—31
〔举贤良方正能直言极谏等科（三）〕（原作"制科"）	淳熙元年至开禧元年 5 697	32—41
经明行修科	元祐元年至八年（《国朝会要》、《中兴会要》、《乾道会要》无此门） 10 652	42—43

第 112 册　选举 12—13

选举 12

标　目	内　容·及　大　典　卷　数	页
宏词科（一）	序文、绍圣元年至乾道八年 缺	1—21

续表

标　　目	内容及大典卷数	页
〔宏词科（二）〕	淳熙二年至嘉定七年 5 699	22—25
明经科	建隆四年至绍圣元年 10 652	26—32
〔八行科〕	大观元年至政和六年（《国朝会要》、《中兴会要》、《乾道会要》无此门） 10 652	33—37
童子科	嘉定五年至十四年 5 695	38—40

选举 13

标　　目	内容及大典卷数	页
唱名	雍熙二年 8 248	1
恩科（即特奏名科）	绍兴三十二年（孝宗已即位，未改元，原作"三十一年"误）至嘉定十五年 5 700	2—10
试法	雍熙三年至乾道六年（刑法 1 另有"试法律"门） 10 649	11—29

第 113 册　选举 14—16

选举 14

标　　目	内容及大典卷数	页
新科明法	熙宁四年至绍兴十六年（《国朝会要》、《乾道会要》无此门） 缺	1—7
锁厅	太平兴国五年至绍圣二年（《中兴会要》、《乾道会要》无此门） 10 649	8—13
发解（一）	乾德二年至大中祥符八年 10 648	13—26

选举 15

标　　目	内容及大典卷数	页
发解（二）	天禧元年至治平四年四月（神宗已即位未改元） 10 648	1—19

续表

标　目	内容及大典卷数	页
发解（三）	治平四年十月至宣和七年 10 649	20—32

选举 16

标　目	内容及大典卷数	页
发解（四）	建炎元年至乾道八年 10 649	1—18
〔发解（五）〕	淳熙元年至嘉定十七年 15 089	18—37

第 114 册　选举 17—18

选举 17

标　目	内容及大典卷数	页
〔教授〕	绍兴三十二年（孝宗已即位未改元）至绍熙五年 11 958（？）　21 958	1—4
武举（上）	咸平三年至乾道九年 10 673	5—35

选举 18

标　目	内容及大典卷数	页
武举（下）	淳熙元年至嘉定十七年 10 674	1—20
宗室应举	绍兴三十二年（孝宗已即位未改元）至乾道八年（《乾道会要》，前三书无此门） 10 654	21—25
〔效士〕	绍兴二年至十年（《中兴会要》，余无此门） 10 654	25—26
百篇〔试〕	序文、太平兴国五年至景德三年（《国朝会要》，后三书无此门） 10 654	27
童子试	（四岁至十一岁） 缺	28—29

第 115 册　选举 19—21

选举 19

标　目	内容及大典卷数	页
〔试官〕（一）	太平兴国元年至重和二年 缺	1—24

选举 20

标　　目	内　容　及　大　典　卷　数	页
试官（二）	宣和元年至绍兴十四年 缺	1—7
〔试官（三）〕	（原作"举士十七"）绍兴十五年至乾道九年 缺	8—23

选举 21

标　　目	内　容　及　大　典　卷　数	页
选试	淳熙元年至嘉定十七年 13 250	1—19

第 116 册　　选举 22—24

选举 22

标　　目	内　容　及　大　典　卷　数	页
考课	（原批"与职官全同,存目不录",复文见职官 59）	1
考试	淳熙元年至嘉定十六年 13 250	1—28

选举 23
　铨选（一）

标　　目	内　容　及　大　典　卷　数	页
吏部	（《两朝国史志》《神宗正史志》）序（原批"详见职官",复文见职官 8） 16 784	1
审官东院	（原批"与职官同,存目不录",复文见职官 11）	1
尚书左选上	（旧审官东院）《神宗正史志》序文（又《两朝国史志》序文,见职官 11"尚书左选"门） 熙宁二年至政和六年 16 785	2—9
尚书左选下	政和七年至乾道九年 16 785	9—19

选举 24
　铨选（二）

标　　目	内　容　及　大　典　卷　数	页
审官西院	（原批"与职官全同,存目不录",复文见职官 11）	1

标 目	内 容 及 大 典 卷 数	页
尚书右选	(旧审官西院)《神宗正史志》序文(《会要》序文分见职官 11"尚书右选"、"审官西院"两门) 熙宁三年至乾道九年 16 785	1—8

铨选(三)

标 目	内 容 及 大 典 卷 数	页
侍郎左选	(旧流内铨)《神宗正史志》序(12 页)(又《会要》序文见职官 11"侍郎左选"门) 建隆三年至乾道九年 缺	9—26

第 117 册　选举 25—27

选举 25

铨选(四)

标 目	内 容 及 大 典 卷 数	页
三班院	咸平二年至熙宁七年 缺	1—10
侍郎右选(上)	(旧三班院)序文、又《两朝国史志》、《神宗正史志》序(见 10 页)(又《两朝国史志》序,见职官 11"侍郎右选"门) 熙宁五年至宣和二年 缺	10—17
流外铨	景德二年至熙宁六年(序文见职官 11"流外铨"门) 5 059	18—21
侍郎右选(下)	(流外铨)宣和四年至嘉定十六年(序文见职官 11"流外铨"门) 5 059(22 页以下缺《大典》卷数)	22—33

选举 26

标 目	内 容 及 大 典 卷 数	页
铨试(上)右选呈试附	绍兴三十二年(孝宗已即位未改元)至乾道八年(《乾道会要》)。《国朝会要》、《续国朝会要》、《中兴会要》无此门) 缺	1—7
〔铨试(下)右选呈试附〕	淳熙元年至嘉定四年 13 249	8—26

选举 27

标　　目	内　容　及　大　典　卷　数	页
〔举官〕（一）	建隆三年至嘉祐八年 10 664	1—30

第 118 册　选举 28—30

选举 28

标　　目	内　容　及　大　典　卷　数	页
举官（二）	治平元年至崇宁四年 10 664	1—33

选举 29

标　　目	内　容　及　大　典　卷　数	页
〔举官〕（三）	大观元年至绍兴十二年 10 665	1—30

选举 30

标　　目	内　容　及　大　典　卷　数	页
举官（四）	绍兴三年（疑为十三年）至乾道九年 10 665	1—29
自代	（原批"与职官同，存目不录"）复文见职官 60	29

第 119 册　选举 31—32

选举 31

标　　目	内　容　及　大　典　卷　数	页
〔辟举〕	建炎元年至乾道九年 10 672	1—11
召试	乾德二年至乾道九年 13 248	12—23
〔召试除职〕	端拱元年至元祐三年 20 480	24—38

选举 32

标　　目	内　容　及　大　典　卷　数	页
宗室召试	皇祐元年至绍兴十年 13 248	1—5
〔召试杂录〕	景德二年至熙宁元年 13 248	5—10
〔悯恤旧族〕	咸平元年至绍熙二年 19 651	11—26

· 345 ·

第 120 册　　选举 33—34

选举 33

标　　目	内容及大典卷数	页
〔特恩除职（上）〕	雍熙三年至宣和七年 20 480	1—39

选举 34

标　　目	内容及大典卷数	页
特恩除职（下）	靖康元年至乾道九年 20 480	1—30
〔举遗逸〕	开宝三年至乾道五年（原作"举士十九"） 10 653	31—46
礼遗（或作"敦遗"）	嘉祐四年至乾道五年 10 652	47—53

（十二）食货类　共 43 册 70 卷（内 61、63、68、70 各分上下卷）

第 121 册　　食货 1—2

食货 1

标　　目	内容及大典卷数	页
检田杂录	建隆二年至乾道九年（与食货 61 上"检田杂录"门互见） 4 750（第 1 页版口作 4 350 疑误）	1—14
农田杂录	建隆三年至乾道九年（与食货 63 下"农田杂录"门互见。本门脱淳熙至嘉泰 10 条，绍兴二十六至二十八年，亦有抄误处） 缺	15—47

食货 2

标　　目	内容及大典卷数	页
营田杂录〔上〕 附庄田	序文、端拱二年至绍兴九年（与食货 63 上、下"营田杂录"门互见。本门缺注文 4 条，《朝野杂记》正文 5 条） 缺	1—21

第 122 册　　食货 3—4

食货 3

标　　目	内容及大典卷数	页
营田〔杂录（下）〕 附庄田	绍兴十年至乾道九年（与食货 63 下"营田杂录"门互见。本门脱注文 3 处，《宋史》正文 1 条，并淳熙至嘉定 13 条） 缺	1—21

食货4

标　　目	内　容　及　大　典　卷　数	页
屯田杂录	淳化四年至政和六年（与食货63上"屯田杂录"门互见。本门脱正文10条,注文3条,并建炎三年至嘉定十七年1卷） 缺	1—6
方田	熙宁五年至宣和三年（与食货70下"方田杂录"门互见） 4 751	7—15
青苗〔上〕	熙宁二年至三年 17 551	16—29

第 123 册　　食货5—6

食货5

标　　目	内　容　及　大　典　卷　数	页
青苗（下）	熙宁三年至政和八年 17 552	1—18
官田杂录	建炎元年至乾道九年（与食货61上"官田杂录"门互见。本门25页有残文,后脱淳熙元年至嘉定十二年共35条） 缺	19—37

食货6

标　　目	内　容　及　大　典　卷　数	页
限田杂录	绍兴元年至庆元五年（乾道八年以前与食货61上"限田杂录"门互见。本门较完整） 4 750	1—10
垦田杂录	绍兴二年至嘉定十六年（乾道九年以前与食货61下"垦田杂录"门互见。本门较完整） 4 750	11—34
经界	熙宁一条　绍兴十二年至二十八年（绍兴十二至二十八年与食货70下"经界杂录"门互见。本门脱绍熙至嘉定3条,并注文一处。） 2 267　17 533	35—52

第 124 册　　食货7

食货7

标　　目	内　容　及　大　典　卷　数	页
水利上	淳化四年至绍兴三十年（与食货61下"水利杂录〔上〕"互见。本门27、31页有脱文） 11 106　11 107　11 108（11页作10 665疑误）	1—57

第 125 册　食货 8

食货 8

标　目	内　容　及　大　典　卷　数	页
〔水利下〕	绍兴三十二年(附《文献通考》正文自元年始)至乾道九年(与食货61下"水利杂录〔上〕"互见。本门脱淳熙元年至嘉定十七年一卷) 11 108	1—17
〔湖田、围田、陂塘、河港、总水利〕	隆兴元年至乾道九年 11 109	18—32
造水碾	大中祥符八年至崇宁二年 15 340	33—34
△〔修置堰、闸、渠、斗门、堤岸等〕	淳化元年至庆元五年(43 页)(51、52 页卷3 526 有关"斗门"3 篇现存《大典》中) 6 671　16 767　16 766　22 784　22 786(?) 22 785　1 701　1 702　1 704　1 073　3 526 1 210 (原作一万千千二百十)	35—53

第 126 册　食货 9—10

食货 9

标　目	内　容　及　大　典　卷　数	页
〔受纳〕	绍兴三年至乾道七年(与食货68上"受纳"门互见。本门脱淳熙二年至嘉定十四年 1 卷) 4 687	1—11
赋税杂录〔上〕	政和二年至绍兴二十年(与食货70上"赋税杂录〔上〕"互见。本门缺序文及建隆至政和元年五月 1 卷) 15 422	12—31

食货 10

标　目	内　容　及　大　典　卷　数	页
赋税杂录(下)	绍兴二十一年至乾道九年(与食货70上"赋税杂录〔上〕"互见,后接食货70下"赋税杂录〔下〕") 15 422　14 422(?)	1—31

第 127 册　食货 11—12

食货 11

标　目	内　容　及　大　典　卷　数	页
钱法	序文、咸平三年至渡江后 4 670	1

续表

标　目	内容及大典卷数	页
铸钱监	（诸监岁额） 4 676	2—3
钱法〔杂录〕	太平兴国二年至崇宁五年（原批"《番阳志》引《宋会要》"） 5 329	4—6
〔钱文〕	景祐元宝　日本乾文宝　交趾国黎字钱 4 673	7
铸钱监	（"宋毕衍《备对》"27个钱监每年所铸铜铁钱数） 4 676	8—9
版籍	建隆四年至乾道六年（与食货69"版籍"门互见。本门脱淳熙至嘉定7条） 17 531	10—25
户口〔总数〕	（原作"户口杂录"）开宝九年至淳熙十六年（乾道九年以上与食货69"户口总数"门互见，本门中间有脱文11处） 缺	26—30

食货12

标　目	内容及大典卷数	页
户口杂录	开宝四年至乾道七年（与食货69"〔户口〕杂录"门互见。本门6页脱文2条） 缺	1—7
身丁	建炎三年至乾道九年（与食货66"身丁钱"门互见。本门脱淳熙元年至开禧三年共23条） 17 544	8—22
〔参役钱〕	乾道元年 4 680	23
〔辞役钱〕	乾道元年 4 680	23
醋息〔钱〕	乾道元年 4 680	23

第 128 册　食货 13—14

食货 13

标　目	内　容　及　大　典　卷　数	页
免役钱（上）	元祐元年至八年（与食货65"免役"及66"免役"门并重复。本门缺治平四年至元丰八年1卷） 4 685　4 686	1—37

食货 14

标　目	内　容　及　大　典　卷　数	页
免役〔钱〕（下）	绍圣元年至乾道九年（与食货65"免役"及66"免役"门并重复） 4 686	1—48

第 129 册　食货 15—17

食货 15

标　目	内　容　及　大　典　卷　数	页
〔商税（一）〕	（原作"商税杂录"）岁额 17 556	1—20

食货 16

标　目	内　容　及　大　典　卷　数	页
商税（二）	岁额 17 556	1—22

食货 17

标　目	内　容　及　大　典　卷　数	页
商税（三）	（原作"商税"四）岁额 15 433	1—10
〔商税杂录（一）〕	建隆元年至绍兴三十二年（原作"二十二年"） 15 433	10—48

第 130 册　食货 18—19

食货 18

标　目	内　容　及　大　典　卷　数	页
〔商税杂录（二）〕	（原作"商税"五）绍兴三十二年（孝宗已即位未改元）至乾道九年 15 434	1—7
〔商税杂录（三）〕	（原作"商税"）淳熙元年至嘉定十七年 15 434	8—31

食货·19

标　　目	内　容　及　大　典　卷　数	页
〔酒曲〕	（原作"酒曲杂录"）熙宁十年岁额 17 558	1—19

第 131 册　食货 20—21

食货 20

标　　目	内　容　及　大　典　卷　数	页
酒曲杂录（一）	建隆二年至嘉祐六年 17 558	1—8
酒曲〔杂录〕（二）〕	治平四年（神宗已即位未改元）至绍兴三十年 17 559	9—23

食货 21

标　　目	内　容　及　大　典　卷　数	页
酒曲杂录（三）	（原作"酒曲杂录下"）绍兴三十一年（原作"三年一年"）至乾道九年 17 559	1—12
〔买扑坊场〕	建炎元年至绍兴三十二年 17 559	12—15
公使酒	序文、太平兴国六年至淳熙十一年（太平兴国条在 21 页篇首及 16 页书眉） 12 051	16—21
榷醋	太平兴国七年至崇宁二年（注文至绍兴二年） 14 701	22

第 132 册　食货 22—23

食货 22

标　　目	内　容　及　大　典　卷　数	页
盐法（一）	（原作"盐法五"）诸州岁额 9 787	1—38

食货 23

标　　目	内　容　及　大　典　卷　数	页
盐法（二）	（原作"盐法六"）诸州岁额（8 页以下为据《中书备对》修入熙宁九年以后盐课额、钞价、盐税钱岁额） 9 788	1—18
盐法〔杂录〕（一）	建隆二年至皇祐三年 9 788	18—40

351

第 133 册　食货 24—25

食货 24

标　目	内容及大典卷数	页
盐法〔杂录（二）〕	至和二年至大观三年（又散见职官 44 "制置解盐司"门） 9 789	1—40

食货 25

标　目	内容及大典卷数	页
盐法〔杂录（三）〕	大观四年至建炎四年（36 页兼叙绍兴八年 1 条） 9 790	1—38

第 134 册　食货 26—27

食货 26

标　目	内容及大典卷数	页
盐法〔杂录（四）〕	（原作"盐法九"）绍兴元年至二十九年 9 791	1—44

食货 27

标　目	内容及大典卷数	页
盐法〔杂录（五）〕	绍兴三十年至三十一年 9 791	1—8
盐法〔杂录（六）〕	（原作"盐法十"）绍兴三十二年至乾道九年（年月有错乱） 9 792	9—45

第 135 册　食货 28—29

食货 28

标　目	内容及大典卷数	页
盐法〔杂录（七）〕	淳熙元年至嘉定七年 9 793　9 794	1—58

食货 29

标　目	内容及大典卷数	页
〔茶色号〕	（原作"茶号"） 5 782	1
产茶额	绍兴三十二年 17 560	2—5

续表

标　　目	内容及大典卷数	页
〔买茶额〕	17 560	6—7
〔卖茶额〕	17 560	7
〔买茶场〕	17 560	7
〔买茶价〕	17 560	8—10
〔卖茶价〕	17 560（第10页版口作17 550，疑误）	10—14
〔卖茶场、在京都茶库〕	17 560	14—16
〔茶数修入〕	5 782（19页作5 783，疑误） 5 781	17—22

第 136 册　食货30—31

食货30

标　　目	内容及大典卷数	页
茶法杂录（一）	（原作"盐法杂录上"）乾德五年至嘉祐七年 17 560	1—10
〔茶法杂录（二）〕	熙宁四年至政和二年 5 784	11—44

食货31

标　　目	内容及大典卷数	页
茶法杂录（三）	（原作"盐法杂录下"）绍兴五年至乾道八年 5 785	1—21
〔茶法杂录（四）〕	淳熙元年至嘉定五年 5 781	22—34

第 137 册　食货32—33

食货32

标　　目	内容及大典卷数	页
茶盐杂录	政和三年至绍兴四年（按前"茶法杂录"诸门，间亦茶盐兼叙，此门似当置于"茶法杂录"二、三之间） 5 785（10页作5 784，疑误）	1—31
〔附抚州茶、盐税课〕	（原批"抚州志引"） 10 952	32—33

食货 33

坑冶上(金、银、铜、铅、锡、水银、朱砂等场)

标　　目	内　容　及　大　典　卷　数	页
〔各路坑冶置场务所〕	(建罢时间) 17 565	1—5
各路坑冶所出额数	(祖额及元丰元年岁额) 17 566	6—18
〔各路坑冶兴发停闭〕 岁额附	(《中兴会要》所载当是高宗朝事) 17 566	18—26
〔赋税上供金银及山泽矿冶所入岁额〕	(原批作"诸坑冶务"与内容不合) 17 565	27—29

第 138 册 食货 34—35

食货 34

坑冶下

标　　目	内　容　及　大　典　卷　数	页
〔礬场〕	4 269	1
〔礬场杂录〕	建隆三年至绍熙三年 4 269	1—11
〔产砂〕	天圣元年至建炎四年 5 750(徐松按:《大典》砂字)	12
〔坑冶杂录〕	(课金)至道元年至嘉定十四年(篇首1条时间待考,以下年月多错乱) 9 481(?)　9 482(?)　11 732　67	13—30
〔禁铜〕	太平兴国二年至嘉泰元年(年月有错乱) 67　66	31—33
〔坑冶杂录〕	(原作"采铅")建炎三年至绍兴十三年(部分内容与前"坑冶杂录"门复,复文已删除) 4 877	34—35
坑冶杂录	崇宁二年至端平三年(此系《宋史·食货志》) 11 732	36—37
各路产物买银价	(卷首原有缺文) 缺	38—39

食货 35

标　　目	内　容　及　大　典　卷　数	页
钞旁印帖	崇宁三年至乾道九年（与食货70下"钞旁定帖杂录"门互见。篇尾"四年"疑有误,待考） 15 434	1—18
经总制钱	建炎二年至乾道八年（与食货64"经总制钱"门互见。本门脱淳熙至嘉定一段） 缺	19—29
无额上供钱	建炎元年至绍兴二十九年（与食货64"无额上供"门互见） 4 688	30—31
〔上供钱〕	建炎三年至乾道九年（与食货64"上供"门互见,本门脱绍兴三十一年诸路上供钱数） 4 688	31—45
公用钱	序文、景德元年至大中祥符元年（原批"此条可移入公使钱","公使钱"见食货64） 缺	46

第 139 册　食货 36—37

食货 36

标　　目	内　容　及　大　典　卷　数	页
〔榷易〕	乾德二年至宣和二年（年月有错乱） 20 719	1—33

食货 37

标　　目	内　容　及　大　典　卷　数	页
〔市易〕	建隆元年至绍兴三十年 17 553	1—36

第 140 册　食货 38—39

食货 38

标　　目	内　容　及　大　典　卷　数	页
和市	熙宁二年至嘉定十六年 13 478	1—25
〔互市〕	乾德四年至嘉定十年（篇尾绍熙五年条当移前） 13 477	26—44

· 355 ·

食货 39

标　　目	内　容　及　大　典　卷　数	页
市籴粮草〔一〕	建隆元年至元祐六年 11 596	1—40

第 141 册　食货 40

食货 40

标　　目	内　容　及　大　典　卷　数	页
市籴粮草〔二〕	绍圣元年至隆兴二年 11 597	1—39
△市籴粮草（三）	乾道元年至九年（45 页 15 行至 53 页 6 行与食货 41〔和籴杂录〕之 3—9 页互见。本门较完整） 11 598	40—56

第 142 册　食货 41—42

食货 41

标　　目	内　容　及　大　典　卷　数	页
和籴	（序文两则） 20 787	1—2
〔和籴杂录〕	乾道七年（在 7 页）至淳熙十六年（3 页 16 行至 9 页 13 行与食货 40"市籴粮草三"之 45—53 页互见。又本门 3 页"三十日"条，上述复文隶乾道三年七月） 20 787	3—21
均籴	政和元年至宣和七年（与食货 70 下"均籴杂录"门互见） 20 791	22—25
遏籴	庆元元年 20 792	26
量衡	建隆元年至绍兴二十二年（与食货 69"宋量"门互见。本门 27、31、34 页及篇尾皆有脱文，共 11 条，并残文 2 处） 8 633	27—35
诸郡进贡	太平兴国二年至孝宗绍兴三十二年 13 096	36—38
诏令入贡	政和七年 13 086	39
〔历代土贡〕	太平兴国八年至绍兴二十九年（32 页，又其下三年、十年条所系年号待考） 13 086	39—44

续表

标　目	内容及大典卷数	页
禁珠玉、贡珠玉、献珠玉	开宝五年至淳熙三年 2 045　19 973	45—50

食货 42

标　目	内容及大典卷数	页
宋漕运（一）	（原作"宋漕运二"）建隆三年至治平四年（神宗已即位未改元。又此下"漕运"诸门,与食货46—48"水运"诸门,多重出条目） 15 944	1—21

第 143 册　食货 43—45

食货 43

标　目	内容及大典卷数	页
宋漕运（二）	（原作"宋漕运三"）熙宁四年至绍兴六年三月 15 945	1—21

食货 44

标　目	内容及大典卷数	页
宋漕运（三）	（原作"宋漕运四"）绍兴六年十一月至嘉定十五年（原批"熙宁以下补入水运"） 15 946	1—22

食货 45

标　目	内容及大典卷数	页
〔纲运设官〕	（原批作"漕运五"）序文、大中祥符四年至宣和七年 15 947	1—7
△〔纲运令格〕	（《大典》原题作"宋漕运六"） 捕亡令　赏格　命官　盗贼敕　杂敕　职制令　輂运令　赏令　盗贷　厩库令　理欠令　厩库敕　断狱敕　辞讼令　斗讼敕　考课敕　赏式　随敕申明等 绍兴元年至淳熙八年 15 948	8—19

第 144 册　食货 46—48

食货 46

标　目	内　容　及　大　典　卷　数	页
水运〔一〕	序文、开宝三年至治平三年（此下"水运"诸门与食货 42—44"漕运"诸门，多重出条目） 缺	1—17

食货 47

标　目	内　容　及　大　典　卷　数	页
水运〔二〕	治平四年（神宗即位未改元）至绍兴十一年 缺	1—21

食货 48

标　目	内　容　及　大　典　卷　数	页
水运〔三〕	绍兴十二年至乾道九年（淳熙以下见食货 44"漕运"门 14—22 页） 17 547	1—13
陆运	序文、建隆三年至嘉定十一年 17 547　15 946（补）	13—22

第 145 册　食货 49—50

食货 49

标　目	内　容　及　大　典　卷　数	页
转运	序文（又采《两朝国史志》序）建隆元年至隆兴二年（末条八年所系年号待考） 缺	1—46
转漕	（存目不录）	

食货 50

标　目	内　容　及　大　典　卷　数	页
船战船附	乾德四年至嘉定十五年 4 920	1—35

第 146 册　食货 51—52

食货 51

库

标　目	内　容　及　大　典　卷　数	页
内藏库	太平兴国三年至嘉定十一年 14 785	1—8

· 358 ·

续表

标　　目	内　容　及　大　典　卷　数	页
左藏库〔下〕	淳熙元年至嘉定十六年（前当接此下一门） 14 785	8—19
左藏库〔上〕	太平兴国二年至乾道八年（后当接此上一门） 14 785	20—34
度支库	序文（采《两朝国史志》）、元祐元年至嘉定六年 14 657	35—49

食货 52

库

标　　目	内　容　及　大　典　卷　数	页
御酒库	淳熙七年至九年 14 788	1
法酒库	序文、天圣二年至熙宁三年 14 788	1—3
油醋库	序文、至道二年至天圣元年 14 788	3
茶库都茶房附	端拱二年至熙宁八年 14 788	3—4
内茶纸库	14 788	4
内茶炭库	14 788	4
物料库	内物料库，外物料库　作坊物料库序文，淳化元年至熙宁七年 14 788	4—5
内香药库	序文、景德三年至熙宁元年（篇尾景德四年条当移前） 14 788	5—7
〔吏部〕甲库	至道三年至〔大中祥符〕七年（与职官 11"甲库"门互见，本门脱大中祥符五年 1 条。又"大中祥符"据复文补） 14 788	7
杂物库	序文、景德四年至熙宁三年 14 789	8
大军库	嘉定五年至六年 14 789	8—9
皮角场库〔椿水牛皮筋库附〕	序文 14 789	9—10

续表

标　　目	内 容 及 大 典 卷 数	页
专副库	绍兴十五年至二十一年 14 789	10
大观库	大观二年 14 789	10—11
文书库	景德三年至熙宁二年 14 789	11—12
药密库	序文、淳化五年至熙宁三年（熙宁三年并入"杂物库"） 缺	13
〔元丰库〕	元丰四年至靖康元年 缺	14—16
〔元祐库〕	元祐三年 缺	16
〔朝服法物库〕	太平兴国二年至天圣八年 缺	16
〔南郊家事库宣德门家事库三库附〕	景德四年至熙宁五年 缺	17
〔奉宸库〕	庆历四年至熙宁元年（此门序文在后） 缺	17
〔封桩库〕	淳熙四年至开禧元年 缺	17—19
〔左藏封桩库〕	绍熙元年至嘉定七年 缺	20—22
〔寄桩库〕	隆兴元年至淳熙十五年 缺	22—23
〔内衣物库〕	（旧"衣库"）序文、开宝三年至熙宁四年 缺	23—24
〔新衣库〕	序文、咸平元年至熙宁四年 缺	24—25
〔尚衣库〕	嘉祐八年 缺	25
〔军器库〕	淳化元年至熙宁元年 缺	25—27

续表

标　目	内容及大典卷数	页
〔内军器库〕	建炎四年至乾道七年 缺	27—30
〔内弓箭库〕	序文、景德二年至熙宁八年 缺	30—32
〔军资库〕	建炎元年至绍兴二十六年 缺	32—33
〔布库〕	序文、咸平五年至熙宁十年 缺	33—34
〔省库〕	开宝四年 缺	34
〔祗候库〕	序文、景德二年至嘉泰元年 14 790	35—37
〔瓷器库〕	序文、淳化元年至熙宁三年（熙宁三年并入"杂物库"） 14 790	37
〔鞍辔库〕	序文、大中祥符四年至乾道六年（建炎至绍兴段在41页） 14 790	37—39
〔库子〕	〔绍兴〕三十一年（原作"建炎"误） 14 791	39—40
〔鞍辔库〕	建炎三年至绍兴十三年（接39页隆兴条前） 14 790	41

第 147 册　食货 53—55

食货 53

仓

标　目	内容及大典卷数	页
仓部	（《两朝国史志》）序文、元祐元年至绍熙元年 14 658	1—5
△常平仓	淳化三年至宣和七年（《大典》7 506 有建炎乾道 8 条、政和 1 条及旁注 9 处，为本门所缺） 17 541　又 7 506（据《大典》补入）	6—19
〔义仓〕	建隆四年至乾道九年（绍兴以下兼叙常平。又与食货62"义仓"门互见。本门脱注文4处，并绍熙至嘉定正文7条） 17 541	19—33

续表

标目	内容及大典卷数	页
△〔广惠仓〕	嘉祐二年至四年 17 541　又 7 513（据《大典》补）	34
△司农仓	（原批"上缺"，据《大典》其上无缺文） 7 513	35
△折中仓	（端拱二年置，淳化二年改折博仓） 7 514（原缺卷数，据《大典》补入）	36

食货 54

标目	内容及大典卷数	页
〔诸州仓库〕	建隆四年至乾道九年（与食货 62 "诸州仓库"门互见。本门后脱淳熙至嘉定一段） 17 542	1—10
炭场	序文、天禧元年至熙宁八年 16 480	11
增钱市炭	太平兴国八年 16 480	12
〔抽税箔场〕	序文、建隆元年 6 538	13
〔麦麴场〕	序文、景德二年 6 539	14
〔事材场〕	序文 6 537	15
〔退材场〕	序文、雍熙二年至天圣七年 6 537	15
〔草料场〕	绍兴二年至乾道九年 6 537	16
〔杂卖场〕	序文、景德四年至乾道元年 6 538	17—21

食货 55

标目	内容及大典卷数	页
水磨务	序文、熙宁七年 14 990	1
〔冰井务〕	序文、建隆二年至熙宁六年 14 990	1—2

续表

标　　目	内　容　及　大　典　卷　数	页
〔左右厢店宅务〕	序文、淳化四年至熙宁十年 14 990	2—13
竹木务	序文、淳化四年至大中祥符三年 14 990	13
煎胶务	序文、景德二年至熙宁十年 14 990	13—14
〔杂买务〕	序文、太平兴国八年至隆兴二年（序文以下与食货64"和买"门互见） 14 990	15—19
〔铸䥽务〕	序文、大中祥符二年至天圣八年 14 990	19
〔车营务〕	序文 14 990	19—20
〔致远务〕	序文 14 990	20
折博务	（毕衍《备对》、《建安志》）序文 14 990	20
窑务	序文、景德四年至熙宁七年 14 990	20—21
榷货务	序文、淳化五年至乾道九年 14 989	22—31
〔市易务〕	序文、熙宁三年至靖康元年 14 989	31—46
〔供庖务〕	（旧"宰杀务"，大中祥符四年改名）序文、大中祥符四年至天禧元年 14 989	46—48
茶汤步磨务	序文 14 989	48

第 148 册　食货 56

食货 56

标　　目	内　容　及　大　典　卷　数	页
〔金部〕	（《两朝国史志》、《神宗正史志》）序文、元祐三年至淳熙十三年（序文已见职官12"金部判司"门） 14 658	1—8

续表

标 目	内 容 及 大 典 卷 数	页
户部〔上〕	序文(又采《神宗正史志》序,10 页)、至道三年(真宗即位未改元)至元符二年 14 647	9—31
〔户部(下)〕	建中靖国元年至嘉定五年 14 648	32—76

第 149 册　食货 57—58

食货 57

标 目	内 容 及 大 典 卷 数	页
〔赈贷〕(上)	建隆元年至绍兴三十二年(食货 68 上"赈贷(上)"门互见) 10 898　15 239	1—21

食货 58

标 目	内 容 及 大 典 卷 数	页
赈贷(下)	隆兴元年至乾道九年(与食货 68 上"赈贷(上)"门互见,本门 12 页脱 2 条。后接食货 68 下"赈贷(下)") 15 239	1—12
〔恤灾(下)〕	淳熙元年至嘉定十七年,接食货 59 及 68(下)"恤灾"重出两门后。2 633	13—34

第 150 册　食货 59—60

食货 59

标 目	内 容 及 大 典 卷 数	页
恤灾〔上〕	熙宁元年至乾道九年,与食货 68 下"恤灾"门互见。(本门有脱文 20 余条,13 页宣和元年条重出,又宣和元年十月至靖康元年,与 20—21 页复。下接食货 58"恤灾"门) 2 633　20 899	1—52

食货 60

标 目	内 容 及 大 典 卷 数	页
〔恩惠〕(一)	居养院　养济院　漏泽园等杂录 元符元年至嘉泰元年 16 715	1—2
〔恩惠〕(二)	居养院　养济院　福田院　安济坊　漏泽园等杂录 熙宁二年至嘉泰三年(乾道二年以前与食货 68 下"恩惠"门互见。本门较完整) 20 900　11 621	3—17

第 151 册　食货 61 上

食货 61（上）

标　　目	内 容 及 大 典 卷 数	页
官田杂录	建炎元年至嘉定十二年（乾道九年以前，与食货 5"官田杂录"门互见。本门较完整） 4 784	1—46
赐田杂录	绍兴五年至乾道九年 4 782	47—55
民产杂录	建隆三年至乾道九年 17 539	56—67
〔水利田〕	（《中书备对》所载熙宁间诸路水利田数） 4 785	68—69
〔淤田〕	熙宁四年 4 785	69
〔诸路职田〕	（《中书备对》所载） 4 782	70
检田杂录	建隆二年至乾道九年（与食货 1"检田杂录"门互见） 17 539	71—78
限田杂录	绍兴元年至乾道八年（与食货 6"限田杂录"门互见。本门脱淳熙七年至庆元五年诸条） 17 539	78—80

第 152 册　食货 61 下

食货 61（下）

标　　目	内 容 及 大 典 卷 数	页
垦田杂录	绍兴二年至乾道九年（与食货 6"垦田杂录"门互见。本门脱淳熙元年至嘉定十六年诸条） 17 539	81—88
水利杂录（上）	淳化四年至乾道九年（与食货 7、8"水利上、下"门互见。本门 116 页脱绍兴三十二年二月 1 条并《通考》正文 4 页） 17 540	89—122
水利〔杂录〕（下）	（原作"水利四"）淳熙元年至嘉定十七年 11 109	123—150

第 153 册　食货62

食货62

标　　目	内　容　及　大　典　卷　数	页
△京诸仓	序文、建隆元年至乾道六年 7 511	1—17
义仓	建隆四年至嘉定十四年（绍兴至乾道兼叙"常平"，又乾道九年以前与食货53"义仓"门互见。本门18—22页脱5条） 7 509	18—52
△诸州仓〔库〕	（大典原题无"库"字）建隆四年至嘉定十四年（乾道九年以前与食货54"诸州仓库"门互见。本门53—62页共脱28条） 7 512	53—75

第 154 册　食货63上

食货63（上）

标　　目	内　容　及　大　典　卷　数	页
蠲放	建炎元年至乾道九年（前接食货70下"蠲放杂录"门） 17 535	1—34
〔塘泊屯田议〕	（原作"何承矩"）太宗朝至真宗朝 4 369	35—36
屯田杂录	（《两朝国史志》、《神宗正史志》）序文（49页）、淳化四年至嘉定十七年（政和六年以前与食货4"屯田杂录"门互见。本门较完整。又49页《两朝国史志》序文，与职官16"屯田员外郎"互见） 4 769　4 770	37—66
营田杂录（上） 附庄田	序文、端拱二年至绍兴六年（与食货2"营田杂录"门互见。本门较完整） 4 765　4 775	67—108

第 155 册　食货63下

食货63（下）

标　　目	内　容　及　大　典　卷　数	页
〔营田杂录（下）〕	绍兴七年至嘉定十七年（乾道九年以前与食货2—3"营田杂录"门互见。本门较完整） 4 776	109—160
农田杂录	建隆三年至嘉泰三年（乾道以前与食货1"农田杂录"门互见。本门较完整） 4 748　4 749	161—225

第 156 册　食货 64

食货 64

标　　目	内　容　及　大　典　卷　数	页
匹帛	（诸路上供数） 缺	1—16
〔匹帛杂录〕	乾德五年至乾道八年 缺	16—34
折帛钱	建中靖国元年至嘉定十一年 4 685	35—39
和买	太平兴国八年至隆兴二年（与食货55"杂买务"门互见。本门缺序文） 缺	40—44
上供	建炎三年至乾道九年（与食货35"〔上供钱〕"门互见。本门较完整） 17 044（？）　17 544	45—60
〔上供银〕	雍熙四年至绍兴二十六年 3 284	61—62
无额上供	建炎元年至绍兴二十九年（与食货35"无额上供钱"门互见） 17 544	63—65
免行钱	绍兴元年至二十八年 17 544	65—69
△〔封桩〕	熙宁十年至乾道九年 6 524（原作"6 523"，据《大典》改正）	70—78
△月桩钱	绍兴七年至乾道四年（《大典》6 524 卷存卷首6 行） （6 524）又钱字（钱字不知何卷。《大典》十八阳，装字第 6 524 卷"月桩"条下注"详见钱字"。又原稿79页版口批作6 523卷，查《大典》此卷，并无"月桩钱"，此门当系录自《大典》钱字下）	79—82
〔内藏库钱〕	绍兴四年至十四年 14 785	83
经总制钱	建炎二年至嘉定十七年（乾道八年以前与食货35"经总制钱"门互见。本门较完整） 4 682	84—113
公使钱	元丰五年至嘉定十四年（食货35另有"公用钱"门，可接此门之前） 4 682	113—114

第 157 册　食货 65

食货 65

标　目	内　容　及　大　典　卷　数	页
〔免役〕（一）	治平四年至元祐五年（与食货 13、14 "免役钱上，下"及食货 66 "免役"门并重复。本门 33 页有脱文） 20 725	1—60
〔免役〕（二）	元祐六年至乾道九年（与食货 13、14 "免役钱上、下"及食货 66 "免役"门并重复） 20 726	61—102

第 158 册　食货 66—67

食货 66

标　目	内　容　及　大　典　卷　数	页
身丁钱	建炎三年至开禧三年（乾道九年以前与食货 12 "身丁"门互见。本门较完整） 4 687　7 879	1—20
役法	淳熙元年至嘉定十四年 20723	21—31
免役	治平四年至乾道九年（与食货 13、14 "免役钱上、下"及食货 65 "免役一、二"门并重复） 17 549　17 550　17 551	32—89

食货 67

标　目	内　容　及　大　典　卷　数	页
置市	乾德三年至嘉定十四年（篇末残缺） 13 476	1—2

第 159 册　食货 68 上

食货 68（上）

标　目	内　容　及　大　典　卷　数	页
受纳	绍兴三年至嘉定十四年（乾道七年以前与食货 9 "受纳"门互见。本门较完整） 17 544　22 669	1—27
赈贷（上）	建隆元年至乾道九年（与食货 57、58 "赈贷（上）、赈贷（下）"门互见。本门 28 页脱正文 1 条，注文 2 条） 缺	28—73

第 160 册　食货 68 下

食货 68（下）

标　目	内　容　及　大　典　卷　数	页
赈贷（下）	淳熙元年至嘉定十六年（篇尾三年、四年诸条所系年号待考） 15 003	74—111
〔恤灾〕	熙宁元年至乾道九年（与食货 59 "恤灾" 门互见。本门有脱文 100 余条，下接食货 58 "恤灾（下）" 门） 17 543	112—127
恩惠	居养院　安济坊　漏泽园等杂录 熙宁二年至乾道三年（与食货 60 "恩惠〔二〕" 互见。本门脱淳熙至嘉泰六条） 17 544	128—152

第 161 册　食货 69

食货 69

标　目	内　容　及　大　典　卷　数	页
宋量	建隆元年至绍兴二十九年（绍兴二十二年以前与食货 41 "量衡" 门互见。本门较完整） 5 213　又 8 633（卷数均系补批）	1—13
景祐权量律度式	（《玉海》引《会要》）景祐二年至绍兴二年 5 213	14—15
版籍	建隆四年至嘉定十四年（乾道六年以前与食货 11 "版籍" 门互见。本门较完整） 20 359	16—34
逃移	乾德元年至开禧三年 17 531　5 578	35—69
户口〔总数〕	开宝九年至乾道九年（与食货 11 "户口〔总数〕" 门互见。本门脱淳熙元年至十六年诸条） 17 531	70—77
〔户口〕杂录	建隆元年至乾道七年（与食货 12 "户口杂录" 门互见。本门较完整，篇首 38 行原批当移至 81 页） 17 531	77—81

第 162 册　食货 70 上

食货 70（上）

标　目	内　容　及　大　典　卷　数	页
赋税杂录〔上〕	序文、建隆四年至乾道九年（政和二年以下与食货 9—10 "赋税杂录上、下" 互见。本门较完整） 17 533（44 页以前，缺《大典》卷数）	1—67

第 163 册 食货 70 下

食货 70（下）

标　　目	内容及大典卷数	页
赋税〔杂录（下）〕	淳熙元年至嘉定十一年 15 423	68—113
方田杂录	熙宁五年至宣和三年（与食货4"方田"门互见） 17 533	114—123
经界杂录	绍兴十二年至嘉定十五年（绍兴二十八年以前与食货6"经界"门互见。本门较完整） 15 076	124—134
钞旁定帖杂录	崇宁三年至乾道九年（与食货35"钞旁印帖"门互见。篇尾"四年"疑误，待考） 17 534	135—152
均籴杂录	政和元年至宣和七年（与食货41"均籴"门互见） 17 534	152—155
蠲放杂录	乾德四年至宣和八年（下接食货63上"蠲放"门） 17 534	155—182

（十三）刑法类　共8册8卷（第2卷分上下卷）

第 164 册　刑法 1

刑法 1

标　　目	内容及大典卷数	页
格令（一）	序文、建隆四年至熙宁九年 19 026	1—10
格令（二）	熙宁十年至政和二年 19 027	11—26
格令（三）	（原作"格令二"）政和三年至绍兴二十六年 19 028	27—44
格令（四）	（原作"格令三"）绍兴二十七年至嘉定十五年 19 028	45—61
〔试〕法律	乾德四年至熙宁五年（选举13另有"试法"门） 21 390	62—68

· 370 ·

第 165 册　刑法 2 上

刑法 2（上）

标　　目	内 容 及 大 典 卷 数	页
刑法禁约〔一〕	建隆四年至政和二年 21 777	1—59
〔刑法〕禁约〔二〕	政和三年至绍兴三十年（113 页。又建炎四年以下年次错乱） 21 778	60—117

第 166 册　刑法 2 下

刑法 2（下）

标　　目	内 容 及 大 典 卷 数	页
〔刑法〕禁约（四）	淳熙元年至嘉定十七年 19 392	118—146
〔刑法〕禁约（三）	（原作"禁约三"）绍兴三年至乾道九年 21 779	147—159
〔禁采捕〕	建隆二年至绍兴二十九年 21 779	159—161
附〔杂禁〕	禁造伪金　诏禁市金　禁服用金 禁金出关 开宝四年至淳熙元年 9 484	162—163

第 167 册　刑法 3

刑法 3

标　　目	内 容 及 大 典 卷 数	页
定赃罪	序文、建隆二年至绍兴三十一年 7 520	1—9
〔诉讼〕	乾德二年至嘉定十二年 13 220	10—43
〔田讼〕	乾德四年至隆兴元年 13 220	43—48
〔勘狱〕	太平兴国五年至嘉定十五年 19 978（63 页作"19 970"，疑误）	49—88

第 168 册　刑法 4

刑法 4

标　目	内 容 及 大 典 卷 数	页
配隶	序文、建隆二年至嘉定十四年（15 页所脱 4 条在 68 页。又 57 页以下，年次错乱） 15 168	1—68
〔断狱〕失误	雍熙三年至乾道九年（篇尾"二年"条所系年号待考） 19 979	69—84
〔狱空〕	序文、太平兴国七年至嘉定十六年 19 983	85—92
〔冤狱〕	建隆二年至绍兴二十六年 19 987	93—94
断死罪	淳熙四年 15 458	95
出入罪	淳熙元年至六年 15 458	95

第 169 册　刑法 5

刑法 5

标　目	内 容 及 大 典 卷 数	页
亲决狱	乾德四年至乾道九年 19 980	1—15
〔省狱〕	建隆二年至嘉定十四年 19 980	15—48

第 170 册　刑法 6

刑法 6

标　目	内 容 及 大 典 卷 数	页
检验	咸平三年至嘉定六年 缺 914	1—8
矜贷	至道二年至嘉定八年 15 004	9—50
禁囚	序文、开宝二年至嘉定十六年 9 216	51—76
枷制	序文、淳化二年至绍兴十二年 5 811	77—79

第 171 册　刑法 7—8

刑法 7

标　　目	内　容　及　大　典　卷　数	页
军制	建隆三年至绍兴三十一年 8 345	1—39

刑法 8

标　　目	内　容　及　大　典　卷　数	页
赦宥	淳熙十四年 9 060	1

（十四）兵类　共 15 册 29 卷

第 172 册　兵 1—2

兵 1

标　　目	内　容　及　大　典　卷　数	页
乡兵	咸平五年至乾道九年 8 305	1—36

兵 2

乡兵

标　　目	内　容　及　大　典　卷　数	页
义勇保甲	庆历二年至嘉定十五年 8 306	1—49
忠义巡社	建炎元年至绍兴十七年 8 306	50—60

第 173 册　兵 3—4

兵 3

标　　目	内　容　及　大　典　卷　数	页
〔厢巡〕	景德四年至嘉定十一年 8 304	1—12
〔弓手〕	建炎元年至嘉定十六年 8 307	13—37

兵 4

标　　目	内　容　及　大　典　卷　数	页
弓箭手	景德二年至绍兴九年（职官 44"提举弓箭手司"门诸条,皆散见本门） 8 307	1—31

· 373 ·

续表

标　　目	内　容　及　大　典　卷　数	页
峒丁	皇祐四年至绍兴四年 8 306	32—39

第 174 册 兵 5—6

兵 5

标　　目	内　容　及　大　典　卷　数	页
屯戍〔上〕	咸平六年至乾道九年 8 309	1—30

兵 6

标　　目	内　容　及　大　典　卷　数	页
屯戍(下)	淳熙二年至嘉定十三年 8 309	1—11
〔营垒〕	(一作"修军营")咸平五年至嘉定十四年 11 073	12—30

第 175 册 兵 7—8

兵 7

标　　目	内　容　及　大　典　卷　数	页
亲征	建隆元年至乾道八年 7 998　7 999	1—22

讨叛(一)

标　　目	内　容　及　大　典　卷　数	页
李筠	建隆元年四月至五月 930	23
〔李重进〕	建隆元年九月 930	23
〔周保权〕	建隆四年至乾德二年 930	23—24
〔平蜀〕	乾德二年至三年 930	24—28
〔平广南〕	开宝三年至四年 930	28—29
〔平江南〕	开宝七年至八年 930	29—31
〔平太原〕	乾德二年至太平兴国四年 930	31—35

兵 8

讨叛（二）

标　　目	内　容　及　大　典　卷　数	页
契丹大辽附	雍熙三年至宣和六年 930	1—18
〔夏州〕	淳化五年至元符二年 930	18—36
〔交州〕	（《续会要》作"交趾"）太平兴国五年至熙宁十年 930	36—37

第 176 册　兵 9—10

兵 9

讨叛（三）

标　　目	内　容　及　大　典　卷　数	页
青唐	熙宁八年至宣和元年 931	1—6
〔木征〕	熙宁四年至七年 931	6
〔金国〕	建炎元年至嘉定十年 931　932	6—27

兵 10

讨叛（四）

标　　目	内　容　及　大　典　卷　数	页
黎泸州蛮夷 泸南附	大中祥符二年至元丰五年 931	1—8
〔桂杨蛮猺〕	庆历三年至七年 931	8—9
〔侬智高〕	皇祐三年至五年 931	9—10
〔王均〕	咸平三年正月至八月 931	10—12
〔陈进〕	景德四年七月至九月 931	12—14
〔王伦〕	庆历三年五月至七月 931	14—15
〔云翼军〕	庆历四年八月 931	15

· 375 ·

续表

标　目	内容及大典卷数	页
〔王则〕	庆历七年十一月至八年正月 931	15—16
〔方腊〕	宣和二年十一月至三年八月 931	16—19
〔陈通〕	建炎元年八月至十二月 931	19
〔李成〕	建炎二年至绍兴元年 932	20—22
〔苗傅、刘正彦〕	建炎三年四月至九月 932	22—24
〔范汝为〕	建炎四年至绍兴二年 932	24—26
〔李敦仁〕	建炎四年十二月至绍兴元年十二月 932	26—28
〔邵清〕	绍兴元年五月至九月 932	28—29
〔张琪〕	绍兴元年五月至十一月 932	29—31
〔曹成〕	绍兴元年九月至二年六月 932	31—32
〔杨幺〕	绍兴二年十二月至五年三月 932	32—37

第 177 册　兵 11—12

兵 11

标　目	内容及大典卷数	页
捕贼〔一〕	建隆三年至康定二年 22 488	1—17
捕贼（二）	庆历元年至治平四年（神宗已即位未改元） 22 489	18—29

兵 12

标　目	内容及大典卷数	页
捕贼（三）	（原作"捕贼二"）熙宁元年至靖康元年 22 489	1—31

第 178 册　兵 13

兵 13

标　　目	内　容　及　大　典　卷　数	页
捕贼(四)	(原作"捕贼下")建炎元年至淳熙十六年 22 490	1—36
捕贼(五)	绍熙元年至嘉定十五年(卷首原作"绍兴"误) 22 491	37—50

第 179 册　兵 14—15

兵 14

标　　目	内　容　及　大　典　卷　数	页
便宜行事	淳化五年至绍兴五年 1 297	1—9
兵捷	(原作"兵捷四")乾德三年至乾道元年 缺	10—48

兵 15

〔归正〕(上)

标　　目	内　容　及　大　典　卷　数	页
〔归正〕(上)	建炎元年至乾道八年 18 907	1—24

第 180 册　兵 16—17

兵 16

〔归正〕(下)

标　　目	内　容　及　大　典　卷　数	页
〔归正官〕	乾道元年至淳熙十三年 18 908(3 页作"18 900 疑误)	1—4
〔归正〕士人	淳熙二年至十二年 18 908	4—5
〔归正〕军兵	淳熙元年至十五年 18 908	5—6
〔归正人〕	淳熙元年至嘉定十七年 18 908	6—18

兵 17

标　　目	内　容　及　大　典　卷　数	页
归明〔上〕	雍熙三年至乾道九年 8 210〔第 1 页作 8 201 疑误)	1—31

续表

标　目	内　容　及　大　典　卷　数	页
〔归明(下)〕	绍熙二年至嘉定十七年 8 211	32—40

第 181 册 兵 18—19

兵 18

标　目	内　容　及　大　典　卷　数	页
军赏〔一〕	景德元年至绍兴三十二年 11 666(？)　11 866	1—46

兵 19

标　目	内　容　及　大　典　卷　数	页
军赏〔二〕	绍兴三十二年(孝宗已即位未改元)至绍熙四年 11 867　11 868	1—42

第 182 册 兵 20—21

兵 20

标　目	内　容　及　大　典　卷　数	页
军赏〔三〕	〔军功〕绍熙(原作"淳熙",误)五年至嘉定十七年 11 868	1—29
〔军赏(四)〕	〔例赏〕淳熙元年至嘉定十七年 11 868	29—46

兵 21

标　目	内　容　及　大　典　卷　数	页
监牧	牧养上下监序文、雍熙二年至乾道九年 缺	1—4
〔诸州监务〕	河南府洛阳监　大名三监　洺州广平二监 卫州淇水二监　管城原武监　同州沙苑二监 相州安阳监　澶州镇宁监　白马灵昌监 邢州安国监　郓州东平监　中牟县淳泽监 许州单镇监　同州病马务 缺	4—5
〔诸州牧马监杂录〕	咸平六年至乾道九年 缺	5—16

续表

标　　目	内　容　及　大　典　卷　数	页
估马司	（原作"佑马司"，误。又《续会要》以下无此门）序文、咸平元年至天禧元年 缺	17—18
牧马官	序文、政和五年至宣和二年（序文与职官23"群牧司"互见，本门较完整） 缺	19—22
〔祷马祀〕	太平兴国五年至景德二年 11 672	23
牧地	淳化五年至乾道九年 14 199	24—35
凉棚	建隆四年至熙宁三年 缺	36—37

第 183 册　兵 22—23

兵 22

标　　目	内　容　及　大　典　卷　数	页
买马〔上〕	太平兴国四年至隆兴二年 11 669（卷首补批）	1—32

兵 23

标　　目	内　容　及　大　典　卷　数	页
买马（下）	乾道元年至嘉定十五年 11 669（卷数补批在前门卷首栏外）	1—28
川马纲	乾道元年至三年 缺	29—37

第 184 册　兵 24—25

兵 24

标　　目	内　容　及　大　典　卷　数	页
〔马政杂录（一）〕	（原作"马政六"）序文、建隆二年至大中祥符四年 11 675	1—9
〔马政杂录（二）〕	（原作"马政七"）大中祥符四年至绍兴三十二年 11 676	10—43

兵 25

标　　目	内　容　及　大　典　卷　数	页
马政杂录（三）	（原作"马政杂录中"）隆兴元年至乾道三年 11 676	1—9
马政杂录（四）	（原作"杂录中"）乾道元年至九年 11 677	10—53

第 185 册　兵 26—27

兵 26

标　　目	内　容　及　大　典　卷　数	页
〔马政杂录（五）〕	淳熙十六年至嘉定十二年 11 672	1—23
〔兵械〕	兵车　刀制　弓　弩　诸式箭　火　器　牌 棒 1 692　　5 570　　204　205　10 879　1 567 2 545　16 288	24—40

兵 27

标　　目	内　容　及　大　典　卷　数	页
〔备边（一）〕	太平兴国三年至嘉祐七年 4 710　4 711	1—45

第 186 册　兵 28—29

兵 28

标　　目	内　容　及　大　典　卷　数	页
备边（二）	治平元年至元符三年 4 712　4 713	1—46

兵 29

标　　目	内　容　及　大　典　卷　数	页
备边（三）	建中靖国元年至乾道九年 4 713	1—26
〔边防〕	绍兴二年至二十九年（下接后"边防"门） 4 713	27—30
△〔备御〕	建炎元年至乾道三年（原缺标题，据《大典》补入，书眉所批分隶他门，校语非是） 14 464	31—39
〔边防〕	淳熙元年至嘉定十五年 6 150	40—52

（十五）方域类　共9册21卷

第187册　方域1—3

方域1

标　目	内容及大典卷数	页
东京	（原作"东京大内"）旧城　新城　大内 7 699	1—7
〔西京〕	大内　皇城 7 699	7—11
〔东京杂录〕	建隆三年至宣和七年（22—23页，原批移"16页"） 7 699	11—23
西京杂录	景德二年至政和四年 7 698	24—25

方域2

标　目	内容及大典卷数	页
△南京	景德三年至庆历五年 7 701	1
△北京	庆历二年至熙宁八年 7 702	1—2
〔行在所〕	（临安府）序文、建炎元年至嘉泰二年 10 940	3—23
杭州府城	绍兴二年至隆兴元年 8 072	24—25

方域3

标　目	内容及大典卷数	页
〔宫〕	康寿宫　慈福宫 237	1—2
〔殿〕	东京、西京、北京、临安诸殿 缺	3—6
〔阁〕	天章阁　降真阁　延春阁　迩英阁　延义阁 勅阁　焕章阁　华文阁　宝谟阁　显谟阁 宝文阁　仪凤阁　翔鸾阁 21 841	7—9
〔园〕	玉津园　瑞圣园 5 134	10—13

续表

标　目	内容及大典卷数	页
〔亭〕	垂云亭　达观亭　泛羽亭　婆罗亭　源清亭　绿漪亭　瑶津亭（16 页误入元事 1 条） 7 902　7 956　7 917	14—16
〔苑〕	后苑　琼林苑　外苑 11 480	17
〔堂〕	继照堂　资善堂　射堂 天禧二年至淳祐七年 7 217　7 215	18—30
〔门〕	东京大内诸门　西京大内诸门　西京皇城诸门　北京行宫顺豫门　青城内殿宇诸门　东京诸城门　西京东城诸门　南京诸城门 3 520　5 487　3 522	31—47
〔坊〕	左右天厩坊　驰坊　内酒坊　东西作坊　作坊物料库 6 137	48—53

第 188 册　方域 4—5

方域 4

标　目	内容及大典卷数	页
御厨	序文、淳化三年至庆元元年 2 065	1—9
附中书备对	熙宁十年支使过米面肉柴炭油醋等数 2 065	10
〔官廨〕	乾德六年至绍熙二年 缺	11—21
第宅	建隆四年至绍兴十五年 22 224	22—25

方域 5

标　目	内容及大典卷数	页
〔诸路节镇升降〕	（原作"节镇"）京东路　京西路　河北路　燕山府路　永兴军路　环庆路　泾原路　熙河路　河东路　〔两〕浙东西路　淮南东路　淮南西路　福建路　江南路　荆湖路　成都府路　潼川府路　利州路　夔州路　广南路　化外节镇 15 483	1—9
〔州县升降废置附帅府、辅郡（一）〕	（原作"地理"） 置帅府　开封府　河南府　应天府　大名府　四辅郡〔京东东路〕〔京东西路〕〔京西南路〕〔京西北路〕〔河北〕东路〔河北西路〕　陕西〔永兴军〕路　秦凤路 14 188	10—44

第189册 方域6—7

方域6

标 目	内容及大典卷数	页
〔州县升降废置（二）〕	熙河路 〔河东路〕 淮南〔东〕路 〔淮南〕西路 14 188	1—20
〔州县升降废置（三）〕	（原作"地理"） 〔两浙路〕（东阳县在38页） 江南〔东〕路 〔江南西路〕 荆湖〔南〕路 〔荆湖〕北路 14 189	21—38

方域7

标 目	内容及大典卷数	页
〔州县升降废置〕（四）	成都府路 潼川府路 利州路 夔州路 福建路 〔广南东路〕 〔广南〕西路（本卷32页阳春县1条当接15页庆历八年上） 14 189	1—24
〔州县升降废置杂录〕	建隆元年至绍兴三十二年（孝宗即位未改元） 14 189	24—31
〔阳春县〕	（接本卷"州县升降废置四"15页庆历八年上） 3 313	32

第190册 方域8—9

方域8

标 目	内容及大典卷数	页
〔诸城修改移并（上）〕	广南西路（雍熙三年至淳熙三年诸路修城） 京东路 京畿路 河北路 京东东路 秦凤路 熙河路 泾原路 鄜延路 环庆路 永兴军路 河东路 荆湖路 两浙东西路所辖诸城（第29页误入元事1条，30—32页见现存《大典》） 8 106 8 067 8 077 8 078 8 082 8 083 8 081 8 079 8 104 8 086 8 087 8 089 8 090 8 084 8 073	1—36

· 383 ·

方域 9

标　　目	内　容　及　大　典　卷　数	页
诸城修改移并（下）	淮南东西路　京东路　江南东西路　广南西路　荆湖南北路　永州府城（咸淳癸亥至洪武元年）　京西南路　永兴军路　福建路　成都府路　潼川府路　夔州路　广南东路　所辖诸城（内14—16页现存于《大典》，又21页误入明事1条） 8 069　8 070　8 064　8 066　8 065　8 068 8 104　8 063　8 091　8 093　8 096　8 094 8 102　8 099　8 103　8 175	1—30

第 191 册　方域 10—11

方域 10

标　　目	内　容　及　大　典　卷　数	页
〔道路〕	建隆三年至嘉定十七年 14 749	1—10
〔驿传〕	都亭驿　来远驿　怀远驿 20 545　20 547	11—12
〔驿传杂录〕	开宝四年至淳熙十二年 20 544	13—17
△急递铺〔上〕	建隆二年至绍兴三年 14 574	18—53

方域 11

标　　目	内　容　及　大　典　卷　数	页
△急递铺〔下〕	绍兴四年至嘉定十年 14 574　14 575	1—39

第 192 册　方域 12—14

方域 12

标　　目	内　容　及　大　典　卷　数	页
〔关〕	行庆关　平安关　东西关　玉京关　绥远关　巩哥关　安乡关 4 181　4 184	1—2

续表

标　　目	内容及大典卷数	页
关杂录	太平兴国八年至嘉定十五年 缺	3—11
〔诸路〕市镇	淮南东路　北京大名府　河北西路　〔京东东〕西路　河北东路　河东路　东京开封府　西京河南府　陕西永兴军路　荆湖南北路　成都府路　潼川府路　利州路　夔州路　京西南路　江南东西路　广〔南〕东西路　福建路　两浙路 15 484　15 485　15 486	12—18
〔市镇杂录〕	咸平五年至嘉定九年 15 486	18—21

方域 13

标　　目	内容及大典卷数	页
〔夷门山〕	（原作"山泉"）元丰四年 4 133	1
泉	大中祥符元年至天禧三年 5 063	2
四方津渡	序文、建隆元年至嘉定十四年 14 723	3—18
〔桥梁〕	建隆二年至淳熙十年 5 420　5 414	19—29
河锁	太平兴国三年至天圣三年 11 646	30
江锁	政和元年 11 646	30—31
城门锁	乾道六年 11 646	31

方域 14

标　　目	内容及大典卷数	页
治河〔上〕	建隆元年至治平三年 缺	1—20
附二股河	嘉祐二年（27 页）至元祐七年 5 685	20—27

第 193 册　方域 15—17

方域 15

标　目	内容及大典卷数	页
治河（下）	元丰元年至宣和七年 缺	1—32

方域 16

标　目	内容及大典卷数	页
〔汴河〕	建隆三年至建炎三年（《乾道会要》无此门） 5 651	1—19
广济河	（旧"五丈河"、开宝六年改名）建隆三年至元祐元年 5 660	20—21
惠民河	（即"闵河"）序文、建隆元年至崇宁元年（《中兴》、《乾道会要》无此门） 5 661	22—25
金水河	（一名"天源河"）序文、建隆二年至宣和元年（正文为《宋史》，注文为《会要》） 5 654	26—27
白沟河	咸平六年至政和三年 5 654	28—33
月河	淳熙六年 5 655	34
运河	淳熙二年至嘉定六年 5 655	34—36
许浦河	淳熙元年至二年 5 656	37
吕城河	淳熙五年 5 657	38
岗河	治平四年 5 657	38
盐河	淳熙五年 5 657	38
马岗河	淳熙十一年 5 657	38—39
东南诸水 奉口河　五河 新河	淳熙十至十五年 5 659	40—42

方域 17

标　　目	内 容 及 大 典 卷 数	页
水利	建隆二年至绍兴二十九年 11 106　11 107　11 108	1—25

第 194 册　方域 18—19

方域 18

标　　目	内 容 及 大 典 卷 数	页
壕堑	大中祥符二年 5 528	1
〔诸寨〕	置水军寨　牧马军寨　殿司戍寨　临宗寨 罗蒙寨……宁远寨……安疆寨……天都寨等 15 117　15 118　15 119	2—32

方域 19

标　　目	内 容 及 大 典 卷 数	页
诸寨杂录	(《哲宗正史志》)序文(43 页)、大中祥符二年 至嘉定十五年(43—45 页当移前) 15 119　15 121	1—46
请城山界	元丰五年 8 107	47—49

第 195 册　方域 20—21

方域 20

标　　目	内 容 及 大 典 卷 数	页
诸堡	金村堡　铁城堡　擦珠堡　耸翠堡　山丹堡 　　龙潭堡　遮羊堡等 11 584	1—16
〔堡寨城垒杂录〕	天禧五年至绍兴二十六年 11 584	16—21

方域 21

标　　目	内 容 及 大 典 卷 数	页
边州〔一〕	(府州) 序文、建隆元年至政和五年 11 003	1—8

续表

标 目	内 容 及 大 典 卷 数	页
〔边州（二）〕	（丰州） 序文、开宝二年至绍圣元年 343	9—13
〔边州（三）〕	（西凉府） 序文、乾德四年至天圣四年 6 625	14—23

（十六）蕃夷类　共4册7卷

第196册　蕃夷1—3

蕃夷1

标 目	内 容 及 大 典 卷 数	页
〔辽（上）〕	序文、建隆二年至景德四年（卷末残缺） 5 257	1—39

蕃夷2

标 目	内 容 及 大 典 卷 数	页
〔辽（下）〕	大中祥符元年至绍兴三十一年 5 257	1—38

蕃夷3

标 目	内 容 及 大 典 卷 数	页
〔女真〕	序文、建隆二年至天禧三年 2 916	1—3
〔真腊〕	元丰元年至建炎三年 22 665	4—5

第197册　蕃夷4

蕃夷4

标 目	内 容 及 大 典 卷 数	页
〔回鹘〕	序文、建隆二年至宣和三年 21 199	1—11
〔高昌〕	序文、〔太平兴国〕（原缺，据《宋史·外国传》补）八年至景德元年 6 291	12
〔龟兹〕	序文、太平兴国元年至熙宁五年 1 076	13—15

续表

标　　目	内　容　及　大　典　卷　数	页
〔于阗〕	（卷首十月条年次待考）元丰元年至宣和六年 4 810	16—18
〔拂菻〕	元丰四年至元祐六年 12 164	19
〔交趾〕	（即安南,淳熙元年二月一日改）序文（有残缺）、开宝五年至嘉定八年 10 122　10 123	20—57
〔大理国〕	政和六年至绍兴六年（《乾道会要》无此门） 10 353	58—60
〔占城〕	（原作"占城蒲端",蒲端见后）序文、建隆元年至庆元五年（原作"庆元己未"） 8 116	61—84
天竺国	序文、乾德三年至熙宁五年（注文至六年） 19 878	85—90
〔大食国〕	咸平元年至乾道四年 20 522	91—94
〔蒲端〕	序文、咸平六年至大中祥符四年 3 997	95—96
〔阇婆国〕	淳化三年至乾道六年 5 737	97—98
真里富国	庆元六年至嘉定九年（在篇首） 缺	99—101
佛泥国	元丰四年（《国朝会要》、《中兴会要》、《乾道会要》无此门） 1 552（所注卷数勾去）	102
渤海国	序文、太平兴国四年至政和八年 11 053	103—105

第 198 册　蕃夷 5

蕃夷 5

标　　目	内　容　及　大　典　卷　数	页
△瓜沙二州	序文、建隆二年至皇祐二年 5 770	1—3
〔雅州诸蛮及富顺州〕	序文、太平兴国三年至元符三年 4 235	4

续表

标　　目	内　容　及　大　典　卷　数	页
安化州	（旧"抚水"，天禧中改赐）序文、淳化元年至乾道二年 17 671	5—9
西南蕃	序文、乾德四年至嘉定九年 4 260	10—42
〔黎峒（上）〕	序文、大中祥符二年至乾道九年 1 566	43—46
〔邌黎国〕	元祐四年（续《国朝会要》、《国朝》、《中兴》、《乾道会要》无此门） 1 566	46
黎峒〔下〕	绍兴三十年至嘉泰二年 10 381	47—50
黎州诸蛮	〔开宝〕八年（"开宝"原缺，据《宋史》补）至淳熙十五年 4 234	51—56
邛部川蛮	太平兴国四年至绍兴二十七年 缺	56—58
〔风琶蛮〕	景德三年 缺	58
〔堡塞蛮〕	序文、开宝六年至乾道元年 缺	58—60
〔侬氏广源州蛮〕	序文、皇祐元年至元祐二年 641	61—67
〔西南溪峒诸蛮〕（下）	（原作"南蛮传"）嘉定元年至七年（《会要》注文至十一年。又正文为《宋史》，注为《会要》当移接下门） 4 231	68—72
〔西南溪峒诸蛮〕（上）	（原作"南蛮"）乾德三年至嘉定五年（正文系《宋史》，注为《会要》。又篇尾五年条系嘉泰，误，《宋史》原系嘉定） 4 229　4 230	73—104

第 199 册　蕃夷 6—7

蕃夷 6

标　　目	内　容　及　大　典　卷　数	页
〔唃厮啰〕	序文、大中祥符七年至治平元年 5 686	1—5
吐蕃	治平四年（神宗已即位未改元）至绍兴六年 4 258	6—42

蕃夷 7

标　　目	内容及大典卷数	页
〔历代朝贡〕	建隆元年至咸淳元年 缺	1—58

（十七）道释类　共1册2卷

第 200 册　道释 1—2

道释 1

〔封号〕

标　　目	内容及大典卷数	页
真人	乾道元年至绍熙四年 2 975	1
〔大师〕	熙宁八年至嘉定七年 925	2—5
〔禅师〕	隆兴元年 914	6
△〔大师禅师杂录〕	（大典原题作"僧号"）嘉祐七年至绍熙二年 8 706（卷数原缺据《大典》补入）	7—9
〔赠师号〕	绍熙五年 3 931	10
△僧道官	景德二年至乾道元年（12页空行缺元丰三年1条） 8 706（原缺卷数据《大典》补入）	11—12
△披度普度、度牒、〔僧籍、还俗〕附	序文、开宝六年至乾道九年（第15—16页"僧籍""度僧"二篇存于《大典》，前者《辑稿》卷首残46字，后者脱太平兴国七年至乾道九年诸条） 14 706　8 706（据《大典》补入）	13—38
〔僧道免丁钱〕	乾道元年至嘉泰三年 8 797	39—40

道释 2

标　　目	内容及大典卷数	页
开坛受戒	序文、开宝五年至绍兴三十二年（孝宗已即位未改元） 15 065	1—3

· 391 ·

续表

标　目	内容及大典卷数	页
道士受戒	宣和元年 15 065	3
笔受译经	太平兴国七年 缺	4
〔寺院〕	兴化院　功德院　传法院　应天院　崇恩延福院　永宁崇福院　奉先资福院　百福院　普安禅院　惠安院　普明院　资圣院　十方寺　仙林寺　开宝仁王寺　上天竺灵感观音寺　东山太平禅寺　天台东教寺　寄居僧寺 16 597　16 697　16 683　16 700　16 704 16 691　13 799　13 797　13 809　13 827	5—19

（原载《宋会要辑稿考校》，上海古籍出版社1986年8月版）

《宋会要辑稿》校勘举例

宋代历次所修 11 种《国朝会要》,后人统称《宋会要》。它是当时封建政权对本朝典章制度得失兴废的详备汇编,对处理各种政务具有重要的参考价值。当时臣僚的章奏,往往援引《会要》,作为自己政见的论据。宋王应麟论《会要》的重要性说:"自昔帝王之兴,必有一代之制,著在方册,作则垂宪。若夫国有大典,朝有大疑,于是稽以为决,操以为验。使损益废置之序,离合因革之原,不待广询博考,一开卷而尽见。此会要之书,所以不可废也。"又云:"会要之书,典故尽在,所以弥缝律令之阙,相为表里。"宋高宗曾云:"会要乃祖宗故事之统辖,不可缺"(俱见《玉海》卷 51)。尽管如此重要,但由于卷帙浩瀚,11 种《会要》,只有李心传所修《十三朝会要》曾刻版蜀中,其余皆未刊行。

明初修《永乐大典》时,原书已有残阙,《大典》编者,按照"用韵以统字,用字以系事"的类书体例,将该书分隶于《大典》各韵、字之下,大部收进了《永乐大典》。其原书则于明朝中期散失。清朝嘉庆年间,徐松自《永乐大典》中抄出。其所辑稿本,先后经广雅书局及嘉业堂整理校订;在整理校订的过程中,对原稿有所删并和丢失。残稿经前北平图书馆整理后影印;解放后,中华书局再次影印刊行。所以这部书实系尚未经彻底整理的残稿。

《永乐大典》在帝国主义八国联军侵入北京时,已被焚掠殆尽。解放以后,中华书局从国内外搜集了《大典》730 卷,于 1960 年影印发行,因而给《宋会要辑稿》的部分校补提供了条件。虽然影印出来的《永乐大典》残本,和全书相比,仅及 3% 强,但已占现存总数(约近八百卷)的90%以上(见影印本《永乐大典》,郭沫若序),这就是说,现存《永乐大典》中的《宋会要》文字,除此以外,即使有,也不会太多了。用残余的《永乐大典》对《宋会要辑稿》能够校补的部分,虽然是不多的,但却使我们能够看到一些《宋会要》在《大典》中的原始状况,当然也可以校补一些阙误,对今后进一步整理《辑稿》,将不是没有意义的。兹将校勘情况,摘要介绍如后:

总计从中华书局影印本《永乐大典》中,查获标明《宋会要》的文字,凡107篇,其中《辑稿》已经全部不存及部分残阙,而进行辑补者44篇;存于《辑稿》而进行校勘者59篇,总计实得103篇,另有非宋代事,而《大典》误标为《宋会要》者4篇(即卷7 507"常平仓",元世祖至元中事;卷7 513"河阳仓",唐咸亨事;卷7 513"渭桥仓",唐咸亨事;卷7 513"柏崖仓",唐咸亨事)。《辑稿》业已不存,但却无须辑补。

在《辑稿》残阙的44篇中,存在两种情况:一种是没有重出篇幅的,另一种是在《辑稿》中保存了《大典》别卷的复文。如《大典》卷7 506有"常平仓"一门,《辑稿》业已残阙,但食货53却保存了《大典》卷17 541的重出一门,可以相互校正和补充。

现将《辑稿》与《大典》并存的59篇,及上述保存有别卷重出文字的校勘简况,分类举例如后:

(一)标题不完整及脱漏3例

1.《辑稿》礼25·65标题"郊祀神位",下脱"议论"2字。按《大典》卷首虽仅标"郊祀神位",其第3页另有小字标题"议论"2字,为抄录人不察,而造成脱漏。

2.《辑稿》职官27·70标题"编估局",《大典》原作"编估打套局"。

3.《辑稿》兵29·31—39,漏标题。《大典》原题为"备御"。

(二)《大典》卷数录误3例

1.《辑稿》礼25·65—67版口,"卷五千四百五十三",原在《大典》"卷五千四百五十四"。

2.《辑稿》食货64·70—78版口,"卷六千五百二十三",原在《大典》"卷六千五百二十四"。

3.《辑稿》礼40·13—14版口,"卷一万七千八十四",原在《大典》"卷一万七千八十五"。

(三)衍文、衍字3例

1.《辑稿》后妃4·18,背5—4行:"十一月二十八日,诏张氏,封平乐郡夫人,依禄式支破诸般请给。"《大典》无此条。按此条月日同下一条,"诏张氏"以下18字同前一条,显系由于错简而造成的衍文。

2.《辑稿》舆服4·1,4行:"准少府监准少府监牒"。《大典》作"准少府监牒"。

3.《辑稿》食货40·50,7行:"草以稻草乾荄人草兼收买"。《大典》作"其人草",系将"荄"字误书为2字。《辑稿》改正前者而后者不删,致成衍字。

(四)脱文脱字3例

1.《辑稿》礼25·65,末行:"虽从享于祇"。《大典》作"虽从享于大祇"。

2.《辑稿》舆服4·4,7行:"宴见宾客之"。《大典》作"宴见宾客则服之"。

3.《辑稿》后妃4·7,书眉所批校补文字:"诏东郡夫人……"《大典》作"诏东阳郡夫人"。

(五)因字形相近误字3例

1.《辑稿》职官55·3,3—4行:"真宫监视"。《大典》作"真官监视"。

2.《辑稿》职官55·27,12行:"百官之脚也"。《大典》作"百官之脚色"。

3.《辑稿》方域10·19,末行:"置梓州至锦州地铺"。《大典》作"置梓州至绵州递铺"。

(六)因字音相近误字4例

1.《辑稿》礼40·8,25行:"手诏之书"。《大典》作"手诏之出"。

2.《辑稿》食货45·11,5行:"应干罪赏条置"。《大典》作"应干罪赏条制"。

3.《辑稿》食货62·16,11行:"今岁后秋成……"《大典》作"今岁候秋成……"

4.《辑稿》方域11·37,14行:"不如时之给"。《大典》作"不如时支给"。

(七)文义相同误字3例

1.《辑稿》方域10·43,背6行:"开拆窥察之人"。《大典》作"开拆窥看之人"。

2.《辑稿》方域11·20,7行:"诸处乞〔乞当作"急"〕切文字"。《大典》作"诸处要紧文字"。

3.《辑稿》方域10·42,10行:"故所在多有出额"。《大典》作"故所在多有阙额"。

(八)空字、昏字5例

1.《辑稿》礼40·14,背6行:"本身请给傔□"。《大典》作"本身请给傔粮"。

2.《辑稿》礼40·14,背5行:"于经□制钱内支给"。《大典》作"于经总制钱内支给"。

3.《辑稿》蕃夷5·1,16行:"封□□□"。《大典》作"封谯县男"。

4.《辑稿》舆服4·16,6行:"骑具装锦㊎"。《大典》作"骑具装锦褠"。

5.《辑稿》食货40·52,背2行:"儒者㊎知体国"。《大典》作"儒者宜知体国"。

(九)颠倒3例

1.《辑稿》兵29·33,8行:"委自通知令佐"。《大典》作"委自知通令佐"。

2.《辑稿》方域11·22,背3行:"汪立乃自首行陈"。《大典》作"汪立乃自行陈首"。

3.《辑稿》方域11·38,7行:"有路两相邻之州"。《大典》作"有两路相邻之州"。

(十)改补《大典》阙误4例

1.《辑稿》食货62·56,1行:"装发沿江……""发"《大典》本卷为空字。原校据食货54,《大典》别卷复文校补。

2.《辑稿》食货62·56,4行:"逐年和籴斛斗"。"斛斗"二字,《大典》本卷原为空字。原校据食货54,《大典》别卷复文校补。

3.《辑稿》蕃夷5·2,2行:"进封秦国太夫人"。"秦"字《大典》原作"奏"。"辑稿"原作"奏"改为"秦"。

4.《辑稿》食货62·6,背3行:"神宗天圣二年"《大典》同。改为"仁宗天圣二年"。

(十一)批改补误4例

1.《辑稿》食货53·35,"司农仓"门眉批"上缺"2字。《大典》原文如此,上不缺。

2.《辑稿》后妃4·1,背3行"婉客",眉批"婉客原本如此"。《大典》作"婉容"批误。

3.《辑稿》后妃4·14,背2行:"红霞帔赵氏,舆(下补"赐")掌衣"。《大典》作"舆转掌衣"。

4.方域2·2,背2行:"宜(旁补'宜')春"。《大典》无所补"宜"

字。

（十二）校改未删误字2例

1.《辑稿》食货40·43,14行:"中书舍人王晒",《大典》"晒"作"昈",《辑稿》改正,未删原字。

2.《辑稿》食货40·44,11—12行:"今新马约度关（改为'缺',原字未删）少草数浩翰"误字,《大典》同。

（十三）两书同误,未经改正2例

1.《辑稿》礼25·65,18行:"崇庆元年"。《大典》同。按"崇庆"为金卫绍王年号,且本篇下文,有3处提到"神宗皇帝",此条之上,接元丰事,故知其为"崇宁"之误。

2.《辑稿》礼40·13,3行:"秀安僖王园庙"门,"绍兴元年三月……"按《宋史》本纪,秀王偁,乃孝宗生父,绍兴"十三年九月,殁于秀州",绍熙元年三月诏"置园庙"。又据本门下文,"在乾道、淳熙欲举而未遑"语,知为绍熙间事。故原文"绍兴"当为"绍熙"之误。

（十四）两书相同,据别卷复文批改2例

1.《辑稿》食货62·58,7行:"……而擅（改作'抑'）令坐仓"。出《大典》卷7 512,原作"而擅□坐仓"。按食货54,存《大典》卷17 542复文,作"抑令坐仓"。所改据此。

2.《辑稿》食货62·63,11行:"因（改作'从'）中书门下省请也"。出《大典》卷7 512,原本亦作"因"。按食货54,存《大典》卷17 542复文,作"从",所改据此。

通过校勘可以明确如下问题:

第一,进一步证实了《永乐大典》所收《宋会要》,确实存在着整门或较大篇幅的重出现象。如《大典》7 506卷,存有"常平仓"一门,与《辑稿》现存,原属《大典》17 541卷的"常平仓"门重出。又《大典》7 512卷"诸州仓"门,除见《辑稿》食货62外,其食货54,尚有出自《大典》17 543卷的重出一门。

第二,《辑稿》中误入的非宋代事条,有些是《大典》原有的问题。上述四篇,红字标题为《宋会要》,而所载非宋事,就是一个有力证据。虽然这四篇在印本《辑稿》中,已不存在了,但汤中先生在《宋会要研究》中,曾提到"渭桥仓"和"栢崖仓"的问题,可见稿本于民国初年在嘉业堂时,还保存其中两篇,后来才被删去的。

第三,《辑稿》中有些校补和校改的文字,并非全是《大典》原文。如礼25·65"郊祀神位（议论）"篇首"四年十月"上,补"元丰"二字。是据前条《九朝长编纪事本末》元丰四年条推补的,并非《大典》所录

《宋会要》原文。又食货 40·40,背 4 行"隆兴子年"改作"隆兴二年",《大典》原为"子年"。

第四,徐辑原稿,抄录的错误,一般说来是不很多的。《辑稿》中有不少较短篇幅,一字不讹。如后妃 3·21"美人"、礼 25·64"郊祀神位"、礼 25·68"郊祀神位议论"、职官 22·21"挽郎"、方域 9·14"南昌府城"等,均未发现抄误之处。当然也有抄误较多的,如方域 10、11"急递铺"两卷,共出现二百九十多处错误。

(原载《河南师大学报》1980 年第 5 期)

《宋会要辑稿·崇儒》校勘纪要

赵宋政权设立会要所,不断调集档案,将档案节文分门别类按时序编成《会要》,所载本朝典制资料,既完备,又便于检阅,在当时就成为朝廷处理政务的根据。绍兴九年(1139年)王铚上言称:

> 《国朝会要》,备载祖宗以来良法美意,凡故事之损益,职官之因革,与夫礼乐之文,赏罚之章,宪物容典,纤细毕具,粲然一王之法,永贻万世之传。今朝廷讨论故事,未尝不遵用此书。①

正因为有这样的使用价值,宋政权特别重视给会要所提供资料。程俱在《麟台故事》中说:

> 朝廷每有讨论,不下国史院而常下会要所者,盖以事各类从,每一事则自建隆元年以来至当时,因革利害,源流皆在,不如国史之散漫简约难见首尾也。②

由此可见,《宋会要》本来就具有记事系统、材料丰富可靠而又便于查阅的特点。可惜原书早已散佚,现在所能见到的,只是从《永乐大典》中零星辑出,未经彻底整理的残稿。尽管它仍然是现存部头最大的宋代官修本朝史事的典籍,但和原书相比,已经差别很大了。整理这部古籍,与整理一般古籍相比,难度要大一些。

首先,原书的编排体例已被打乱。《永乐大典》是一部大型类书,

---

① 《宋会要》崇儒4·25。
② 程俱:《麟台故事》卷2《职掌》。

它的编排体例,是根据《洪武正韵》,"用韵以统字,用字以系事"①。在字韵下设事目,每一事目下备录诸书有关文字。所采《宋会要》的记事,多者整门,少者一两句,皆按事目的需要节取,原书体例已被打乱。影印本《宋会要辑稿》,虽经前人依《玉海》所载《庆历国朝会要》的 21 类类目加以归并,类下也按照记事内容分门编入,但在分门别类方面,还存在不少问题,尚须作必要的调整。

其次,稿本几经转抄,舛误甚多。《宋会要》原书既佚,无本可校,《永乐大典》也存留极少,每条皆需遍查诸书进行他校。《宋会要》的记事往往较其他史籍偏详,而且有些记事在现存其他史籍中不见记载,因而进行他校,亦非易事。

这些都是比校勘一般古籍困难之处,加以《宋会要辑稿》篇幅甚大,约计有千万字左右,因而决不是少数人短时间所能完成的。我们结合研究生校勘学的课程,对该书《崇儒》类进行了初步校勘,发现不少问题。现将这些问题及我们的处理意见,择要举例汇报如下,或可为校勘其他门类之一助。

一、调整门类

徐松从《永乐大典》中辑出《宋会要》之后,曾经作过系统整理,根据《玉海》所载《庆历国朝会要》的类目,编入各门的记事,并在文字上作了大量的订校工作。此后,广雅书局的屠寄,嘉业堂的刘富曾,北平图书馆的叶渭清,均曾作过整理校勘的工作,在编排上大体尊重徐松原来的意见,但也有不少地方作了改动。其中与《崇儒》类有关的改动,如影印本《宋会要辑稿》帝系 9·1《诏群臣言事》门篇首,有徐松笔迹的眉批云:"《帝系·帝治》:《诏群臣言事》、《优礼大臣》、《赐功臣字》、《守法》、《经筵》、《观赏》、《却贡》、《罢贡》、《存先代后》、《录诸国后》、《出宫人》。"意谓在《帝系》类下设《帝治》一门,门下设上述 11 个小目。影印本中有关上述篇目,也多有相应的眉批。如《崇儒》7·39 批有"帝系帝治观赏",《崇儒》7·77 批有"帝系帝治出宫人"等,即将这 11 个事目合并为《帝治》一门编入《帝系》类,但后来的整理者,皆未接受这一处理方法,而是将事目作为一门分别编入有关各类,在类的归属上也不一致。影印本的《崇儒》类中

---

① 明成祖:《永乐大典序》。

编入了其中7门,今将历次整理的意见表列如下:

归属类目 篇目	徐　松	屠　寄	刘富曾	叶渭清
诏群臣言事	帝系帝治	帝系附录	仪　制	帝　系
优礼大臣	帝系帝治	宾　礼	宾　礼	宾　礼
赐功臣字	帝系帝治	嘉　礼	嘉　礼	嘉　礼
守　法	帝系帝治	帝系附录	仪　制	帝　系
经　筵	帝系帝治	崇　儒	崇　儒	崇　儒
观　赏	帝系帝治	嘉　礼	嘉　礼	崇　儒
却　贡	帝系帝治	帝系附录	食　货	崇　儒
罢　贡	帝系帝治	帝系附录	食　货	崇　儒
存先代后	帝系帝治	帝系附录	宾　礼	崇　儒
录诸国后	帝系帝治	帝系附录	宾　礼	崇　儒
出宫人	帝系帝治	帝系附录	后　妃	崇　儒

此表中徐松的意见据《宋会要辑稿》帝系9·1眉批,屠寄的意见据汤中《宋会要研究》卷3所录广雅书局整理后之原辑稿目录,刘富曾的意见据嘉业堂编写之清本目录,叶渭清的意见据影印本。反映叶渭清意见的影印本,是我们整理此书使用的底本,其编入《崇儒》类的7门应如何调整,就是一个必须解决的问题。这7门原《会要》属于何类,已经无法查到,它们在《永乐大典》中的状况,也只能在《永乐大典目录》中看到一个轮廓,今列表如下:

篇　目	《永乐大典》卷数	韵　字	事　目
经　筵	4 846	筵	经筵二
观　赏	11 857	赏	事　韵
却　贡	13 097	贡	却　贡
罢　贡	13 097	贡	罢　贡
存先代后	19 323	后	事韵一
录诸国后	19 323	后	事韵一
出宫人	2 990	人	事韵十八

由上表可知,这7篇的标定,有3篇是《永乐大典》的事目,其他4篇是《永乐大典》的小目还是原《会要》的门目,也难以确定,更解决不了归属何类的问题。这样就只好根据记事的性质,并参考《唐会要》、《五代会要》等有关史籍,来确定应编入的类别了。

"经筵",是为皇帝讲读经史的制度,所记都与崇儒有关,徐松以后,历次整理的意见都是一致的,可以保存在《崇儒》类中。

"观赏",记载帝王为宣扬某一事物,而召宗室辅臣共同观赏,以兹提倡。其中所记观赏种放山居图、契丹礼物、老君祠等,皆与崇儒无关,以入《帝系》类为宜。

"却贡"、"罢贡",重点在记述皇帝的德政,与崇儒没有直接关系;虽与食货有关,却不是正常的财政制度,故以编入《帝系》类为宜。

"存先代后"、"录诸国后",表示对前朝及割据诸国的宽容,也属帝王德政的记事。虽然前人曾参照《宋史·录周后》的体例,主张编入《宾礼》,但会要体的《帝系》类和纪传体的《本纪》不同,在《本纪》中难以系统修入这一类无关大局的记事;会要体的《帝系》类,却可作为一门编入,无须仿《宋史》而入《宾礼》,故以编入《帝系》类为宜。

"出宫人"一门,徐松、屠寄均置之《帝系》类,是作为皇帝的德政处理的。但参照宋初王溥所修《唐会要》及《五代会要》,其"出宫人"一门,都是置于《皇后》、《内职》诸门之后,因而编入《后妃》类,比较符合宋人修会要的体例。

根据以上理解,决定除将《经筵》一门留在《崇儒》类外,其余6门皆从《崇儒》类中调整出去。

二、删去今存非《宋会要》的文字

1.《崇儒》5·1之12行至5·17,引《崇文总目》2行、李焘《续资治通鉴长编》5行、熊克《九朝通略》注文1行、邓名世《姓氏辩证》注文6行、周必大《文苑英华序》38行、《文苑英华目录》16页有余。《目录》不及今本之详,其他引文皆出自周必大《纂修文苑英华事始》①,而脱去原引《三朝国史艺文志注》、陈骙等《中兴馆阁书目》各一段。旧批云:"自此下皆非《会要》,宜销"。今从旧批。

———————

① 见中华书局影印本《文苑英华》卷首,《序》又见周必大《文忠集》卷55《平园续稿》15。

2.《崇儒》1·1,《玉海》注文 2 行;《崇儒》1·31,《玉海》注文 1 行;《崇儒》2·21,《玉海》注文 2 行;《崇儒》2·34,《玉海》注文 9 行,皆见今本《玉海》卷 112。《崇儒》1·16,《文献通考》注文 4 行,见今本《文献通考》卷 57。《崇儒》1·9,《文献通考》注文 5 行;《崇儒》1·38,《文献通考》注文 2 行,皆见今本卷 42。《崇儒》2·33,《文献通考》注文 5 行;《崇儒》2·38—39,《文献通考》注文 14 行;《崇儒》2·41,《文献通考》注文 10 行,皆见今本卷 46 等。这些注文,皆是修《永乐大典》时附入的,既非《宋会要》的原文,其书又皆有传本,今删去以省冗文。

三、校订文字

1. 证旧批之是

《崇儒》3·2 之 16 行,"六月十一日"条,缺年次。旧批云"《大典》附崇宁三年之后",又"渭清按,六月十一日,即前之书学门,徽宗崇宁三年六月十一日"。检《群书考索》后集卷 30,《续资治通鉴长编拾补》卷 24,旧批是,据补。

《崇儒》3·3 之 5 行,"三年三月十八日"条,缺年号。旧批"疑是大观",又"渭清按,是大观三年,《宋史·礼志》八'文宣王庙'下有载"。检《宋史》卷 20、卷 105 及《玉海》卷 112,旧批是,据补。

《崇儒》3·28 之 7 行,"三年",缺年号,旧批:"查《玉海》,系庆历"。检《玉海》卷 112、《续资治通鉴长编》卷 141,旧批是,据补。

《崇儒》3·36 之 4 行,"二年二月八日诏",缺年号,旧批补"乾道"二字。据《玉海》卷 112,旧批是,据补。

2. 改旧批之误

《崇儒》3·7 之 17 行,"三月二十七日"条,缺年次。旧批据《文献通考》补作"熙宁七年"。检《文献通考》卷 42、《玉海》卷 112、《续资治通鉴长编》卷 244,此条均系"熙宁六年"。则不提旧批,只据所检书证补入。

《崇儒》3·33 之 8 行,"三月一日"条,缺年次,旧批补"元丰",又有眉批云:"按元丰恐误,《玉海》为绍兴十六年"。检《建炎以来系年要录》卷 155、刘时举《续宋编年资治通鉴》卷 6,皆系此条于"绍兴十六年",旧批补作"元丰"误,则据书证补入。

3. 删错简衍文

《崇儒》3·17之6—8行，"国子监"下"支拨，候将来两浙路支拨到今来所乞钱日，于本学足用，即报国子监"共28字，与此上两行重复，当删去。

《崇儒》3·40之9—10行，"以上分数"下，"舍生元额止二十人，赴上舍试，取到六人合格，即系不及十人以上分数"共28字，与此上两行重复，当删去。

4. 补脱简

《崇儒》3·30之8行，"充武学外舍生"下，脱"六月癸丑，诏武学外舍生"共10字，使以下文字与前条混在一起。据《续资治通鉴长编》卷389及《长编纪事末本》卷74补。

《崇儒》3·31之4行，"及一年"下，脱"公试弓马、策议皆入优等，不曾犯五等罚，今保明闻奏，量材录用，仍每年不得过一名"共33字，据《续资治通鉴长编》卷383补。

《崇儒》3·32之10行，"等第分数"下，脱"而中的独为缺文，则贴广三尺二寸，而的又十之一，其工拙不同明甚"共27字，据《群书考索》后集卷29补。

5. 注文误作正文

《崇儒》6·17之17行，"立皇太子诏"下，"叙宣和末，策立渊圣皇帝事，因及罪已奏天"。按此17字，乃修《会要》者解释"立皇太子诏"内容的注释文字，应是小字旁书。

《崇儒》6·32之7—8行，"赐者德处士"下，"此据政和七年五月高邮军奏状，不得其时"。按此17字为《会要》编者注明此条依据及所缺材料，不当作为正文。

6. 正人名误字

《崇儒》4·5之18行，"李防请雕印《四时纂要》及《齐民要术》"。"李防"，原误作"李昉"，因偏旁抄误而成另外一人。据《续资治通鉴长编》卷95及《宋史》卷303本传改。

《崇儒》4·16之1—2行，"钱惟治以钟繇、王羲之、唐明皇墨迹凡七轴献"，"钱惟治"原误作"钱惟演"，因一字之误而易人。据《玉海》卷43、《宋史》卷480本传改。

《崇儒》2·2之11—12行，"太常博士滕涉"，"滕"原误作"漆"，据《古今合璧事类备要》后集卷76、《宋史》卷457《戚同文传》改。

《崇儒》2·33之2行，"黄叔敖"，"敖"原误作"教"，据本书《崇儒》7·2及《职官》1·49改。

《崇儒》4·4之16行，"张镒"，"镒"原误作"鉴"，据《玉海》卷

43、《宋史》卷205、《直斋书录解题》卷3、《旧唐书》卷125本传改。

《崇儒》5·34之5行,"何俌","俌"原误作"补",据《系年要录》卷149改。

《崇儒》5·24之15行,"何涉","何"原误作"河",据《续资治通鉴长编》卷186改。

《崇儒》6·30之3行,"章惇","章"原误作"张",据《宋史》卷18《哲宗纪》、卷471本传改。

《崇儒》6·30之7—9行,"张塾",原误作"张举",据《宋史》卷458本传改。

7.补人名及人名脱字

《崇儒》3·7之2—3行,"夏侯阳",原脱"夏"字,据《文献通考》卷42、《宋史》卷157《选举三·算学》改。

《崇儒》4·9之4—5行,"诏参知政事欧阳修提举三馆秘阁写校书籍",原脱"欧阳修"人名,据《续资治通鉴长编》卷196、《玉海》卷52补。

《崇儒》6·18之2—3行,"湖州守臣秦棣","棣"字原缺,据《建炎以来系年要录》卷148补。

8.正官名误字

《崇儒》1·29之2行,"以左谏议大夫崔颂判监事","左"原误作"右",据《续资治通鉴长编》卷3、《群书考索》后集卷26改。

《崇儒》4·23之3行,"左承奉郎林俨",原脱"左"字,据《两朝中兴圣政》卷13、《建炎以来系年要录》卷65补。

《崇儒》6·22之4行,"虞允文,可特授正奉大夫左丞相"。"左"原误作"右",据《宋史全文》卷25下、刘时举《续宋编年资治通鉴》卷9、《宋史》卷383本传改。

9.地名之异同

《崇儒》1·12之9行,"右监门卫大将军、忠州防御使、权知大宗正事不息"。"忠州"《宋史》卷247《赵不息传》作"惠州"。"息",原误作"息",据《宋史》本传及《叶适集》卷26《故昭庆军承宣使知大宗正事赠开府仪同三司崇国赵公行状》改。

10.正书名之误

《崇儒》5·19之8行,"《续卓异记》三卷。""记"字原脱,据《宋史》卷306《乐黄目传》补。

《崇儒》2·18之16行,"《九域志》"。"域"原误作"阅",据《玉海》卷15及本条上文改。

《崇儒》5·39之11行,"《论语拾遗》"。"拾遗"原误作"捨遗",据《玉海》卷41改。

11. 补正年号之脱误

《崇儒》3·31之11行,"大观二年十一月十七日","大观二年"四字原缺,据《玉海》卷112补。

《崇儒》3·28页篇首"置武举"条,缺年次,《群书考索》后集卷19作"天圣七年"。

《崇儒》4·13之8—9行,"宣和"年号下,有"十年九月十八日,秘书省校书郎卫肤敏转一官,以校正所进书故也。"此条眉批云:"宣和止七年,疑有误"。检《宋史》卷378《卫肤敏传》,肤敏于宣和六年召对,始为秘书省校书郎,同年出使贺金主生辰,七年再使金,被羁留半年,靖康初始还,进所校书,当在宣和七年出使之前。此"十年",当是七年之误。

《崇儒》6·34之19—22行,两处"致和"年号,据《续资治通鉴长编》卷176、177,均为"至和"之误。

《崇儒》6·35之3—7行,两处"致和",据《续资治通鉴长编拾补》卷32,皆是"政和"之误。

《崇儒》1·15之1行,"开禧七年八月癸卯"条,眉批"案开禧止三年,此七年误"。检《两朝纲目备要》卷14,此条在"嘉定七年",据改,并移于"嘉定七年五月二十四日"条下。

12. 补正年次之脱误

《崇儒》2·3之22行,"庆历三年诏",本书《选举》15·12、《九朝编年备要》卷12、《文献通考》卷46,皆系于"庆历四年",据改。

《崇儒》3·10之12行,(元丰)"六年四月十七日"条,"六"原误作"八",据《续资治通鉴长编》卷334、《群书考索》后集卷30、《宋史》卷157改。

《崇儒》3·32之3行,"政和元年","元"字原缺,据本书《选举》7·23补。

13. 正数字差误

《崇儒》4·8之13行,"补白本书二千九百五十四卷","二千"原误作"一千",据本书《职官》18·53、《礼》45·34、《续资治通鉴长编》卷195、《文献通考》卷174改。

《崇儒》4·15之4行,"国初三馆书裁数柜,计万二千余卷"。"二千"原作"一千",据本书《职官》18·49、《文献通考》卷174、《太平治迹统类》卷2改。

《崇儒》4·15之18行,"凡十八家",原误作"二十八家",据本书《崇儒》4·27、《玉海》卷43改。

《崇儒》2·24之2行,"十有三年","三"原误作"二",据《宋大诏令集》卷157《学校增员御笔》、《群书考索》后集卷27改。

14.校数字差异

《崇儒》1·34之13—14行,"根括到本府城外居民冒占白地钱,月得二千八百余贯"。按《建炎以来系年要录》卷149作"岁入三万缗有奇",《文献通考》卷42作"岁入十二万缗有畸"。

《崇儒》4·18之2行,"得万七百五十四卷"。检《玉海》卷52《咸平馆阁图书目录》条注文所载得书卷数同此,《续资治通鉴长编》卷85作"一万八千七百五十四卷"。

《崇儒》6·5之3—4行,"内出太宗御集及御书法帖总三百三十六卷"。检《玉海》卷28、《群书考索》后集卷18与此同,《续资治通鉴长编》卷9作"三百六十卷"。

15.正干支之误

《崇儒》1·7之2行,绍兴十二年七月"乙卯","乙卯"原作"己卯",检《二十史朔闰表》绍兴十二年七月壬辰朔,是月无己卯,据《中兴小纪》卷30改。

《崇儒》6·1之6行,天禧四年"十二月乙巳","乙巳"原作"己巳",检《二十史朔闰表》,天禧四年十二月丁丑朔,是月无己巳,据《续资治通鉴长编》卷96、《玉海》卷28改。

16.删误增标题

《崇儒》3·18之2行,标题"附州学",检《群书考索》后集卷30,载政和五年正月乙丑曹孝忠奏章,即《会要》此条标题前后所引之文,《会要》于一篇奏章中间误增标题,致使前后割裂形成混乱,当削去。

17.补脱句

《崇儒》3·15之6—7行,"上等从事郎,中等登仕郎,下等将仕郎",原脱"登仕郎,下等"共5字,据本书《崇儒》3·11、《群书考索》后集卷30补。

《崇儒》3·21之15行,"有方脉,有针科,有疡科",原脱"有疡科"3字,据本书《崇儒》3·12补。

《崇儒》3·28之4—5行,"步射一石弓力,马射七斗弓力",原脱"马射七斗弓力"6字,据《群书考索》后集卷27补。

18.正倒

《崇儒》5·21之19行,"王沿上《春秋集传》十五卷","十五"原误作"五十",据《续资治通鉴长编》卷114、《玉海》卷40改。

《崇儒》5·31之5—6行,"《古今姓氏书辩证》四十卷","四十"原误作"十四",据《文献通考》卷207、《玉海》卷50改。

《崇儒》5·30之11行,"《国朝训典》","训典"原误作"典训",据《玉海》卷49、《系年要录》卷45改。

19. 回改讳字

《崇儒》3·4之22行,"张胄玄","玄"字原本避宋始祖玄朗讳作"元",据《隋书》卷78本传、《宋史》卷105《礼志》回改。

《崇儒》5·23之19行、5·24之14行、5·34之8行,"太玄经","玄"字原本避宋始祖玄朗讳并作"元",据《汉书》卷87《扬雄传》、《隋书》卷34《经籍志》回改。

20. 注、补残文

《崇儒》1·2之3行,"王宫宗子博士,位国子博士之上","宗"、"国"二字原是空格,据《建炎以来朝野杂记》乙集卷13、《宋史》卷165补。

《崇儒》3·15之17行篇尾,"吴居厚奏,检会",此下当有缺文。

《崇儒》5·23之6—7行,"其父文集仍馆阁",此下当有缺文。

21. 注明年月差异

《崇儒》5·19之9行,"淳化三年七月"条,《玉海》卷55系此条于"淳化二年"。

《崇儒》5·24之5行,(至和)"三年正月"条,《续资治通鉴长编》卷178系此条于"至和二年正月庚辰",《玉海》卷62同《会要》。

《崇儒》5·25之3行,(嘉祐)"五年五月"条,《续资治通鉴长编》卷185系此条于"嘉祐二年四月辛未",注文作"六年五月"。

《崇儒》2·24之1行,政和四年"八月九日诏",《续资治通鉴长编纪事本末》卷126同此,《宋大诏令集》卷175、《群书考索》后集卷27皆系此诏于"政和五年八月十一日"。

其他因字形相似而误者,以"政"为"改",以"雨"为"两",以"孝"为"考",以"请"为"诸",以"牧"为"拨",以"设"为"证",以"详"为"许",以"舍"为"拾",以"致"为"政"又为"到"等。字音相同而误者,如以"礼"为"理",以"左"为"佐",以"但"为"旦",以"河"为"何",以"张"为"章"等,皆为数众多,不再一一赘述。

通过初步校勘,补充和纠正了原书的大量脱误字句,也删除了被附入的现存非《宋会要》文字,虽不能恢复《宋会要·崇儒》的原状,但比起原辑本的质量是大大提高了。至于校勘成果的总数,要等此项工作结束之后,才能作出准确的统计。现在先将初步整理的情况加以介绍,是希望听取专家的意见,以便进一步改进工作。

(原载《古籍整理》1990 年第 2 期)

宋代法制研究

论宋代司法制度

一

中国是世界文明发达最早的国家之一,四千年前,当夏王朝奴隶制国家建立时就有了法律。经商、周逐渐形成一套维护宗法等级特权制度的规章制度,这就是具有法律作用的"礼"。至春秋战国之际,奴隶制度解体,封建制度确立。随着社会性质的改变,在法制方面,也由维护宗法等级特权向维护君主专制下的地主阶级利益转变。此后,历代统治者都重视总结前代的经验教训,针对时宜制订自己的法制,用以镇压被统治阶级的反抗和调整各种复杂的社会矛盾,长期的积累,成为我国传统文化中的一个重要方面。其影响所及,包括朝鲜、日本、越南、蒙古等国,形成独具特色的中华法系。

宋代是中国封建社会法制成就最高的朝代。这一方面是由于中国封建社会法制在唐代奠定了较好的基础,另一方面也由于宋朝统治者重视法制。宋朝统治者认为,"法制立,然后万事有经,而治道可必",①明确提出"立法不贵太重,而贵力行"②。赵宋政权建立在五代十国分裂割据局面之后,却能享国320年,并加强了君主专制主义中央集权制;社会矛盾虽然复杂尖锐,却未形成全国规模的农民大起义;虽不免对外屈辱,但统治区域内的社会秩序却基本稳定,从而提

---

① 《续资治通鉴长编》(以下简称《长编》)卷143,庆历三年九月丙戌。
② 《宋会要》帝系11·4。

供了经济文化发展的社会条件,使物质文明和精神文明都达到应有的高度。这些是与宋朝统治者重视法制所产生的积极效果有密切关系的。

当然,对内防范太严,动辄有禁,也产生了消极作用。叶适就曾指出:

> 国家因唐、五季之极弊,收敛藩镇,权归于上,一兵之籍,一财之源,一地之守,皆人主自为之也。欲专大利而无受其大害,遂废人而用法,废官而用吏,禁防纤悉,特与古异,而威柄最为不分。虽然,岂有是哉!故人材衰乏,外削中弱,以天下之大而畏人,是一代之法度有以使之也。①

陈亮也曾说:

> 汉,任人者也;唐,人法并行也;本朝,任法者也。②

以"废人用法"来集中皇权,就势必加强立法活动,使法条"细者愈细,密者愈密,摇手举足,辄有法禁"③,"举天下一听于法,而贤智不得以展布四体,奸宄亦不得以自肆其所欲为"④。叶、陈的观点,偏重于批评"专务以矫失为得"⑤的宋朝家法,自有其正确之处。但从法制史的角度来看,宋朝的法制贯彻了统治阶级的意志,在建立并巩固赵宋君主专制主义中央集权制方面起了重要作用。

法律必然要体现掌握国家政权的统治阶级的意志。从唐朝中期均田制瓦解以后,土地商品化的程度日益发展,宋朝的地主阶级,主要靠出租土地对佃农进行剥削,租佃关系成为最主要的剥削形态。经济基础的变化,带来上层建筑的一系列变化,门阀地主消失,品官地主掌握政权,立法活动也更加频繁。宋建国之初,沿用唐朝的律、令、格、式,并参用后唐《同光刑律统类》、《清泰编敕》、后晋《天福编敕》、后周《广顺续编敕》、《显德刑统》。建隆四年(963年),窦仪等奉命所修《重详定刑统》⑥,虽然大都照抄《唐律疏议》,仅增入唐末五代至建隆初期"续降要用"的格令宣敕106条,及作为编者建议的"臣等起请,总三十二条"⑦,但据刘承幹《宋重详定刑统校勘记》,除一些文字上的出入外,《刑统》卷12《户婚律》中的《户绝资产》门、《死商

---

① 《水心别集》卷12《始议二》。
②④ 《陈亮集》卷11《人法》。
③⑤ 《水心别集》卷12《法度总论二》。
⑥ 《重详定刑统》(以下简称《宋刑统》或《刑统》)。
⑦ 《进刑统表》。

钱物诸蕃人及波斯附》门,卷13《户婚律》中的《典卖指当论竞物业》门、《婚田入务》门,皆《唐律》所无,据令敕编入。其中前两门,是包括外商的财产继承法条;第三门是典、卖、当财产及奴婢的法定人选的规定;最后一门是在租佃关系发展条件下,将受理乡村民事诉讼限制在农闲时期的法条,用法律保证不误农时,使地主阶级能按时收租。这些法条,均是在商品经济和租佃关系发展的新形势下,根据统治阶级的需要,才由令敕编入基本法典的。

《刑统》的法条,在宋代文献中称为"律",属于长期固定的法典。随着社会矛盾的发展,宋朝统治者又针对新的矛盾,用诏敕补充新的法规。诏敕虽具有法律效力,但最初往往是从特定的事件出发,未能成为稳定和普遍适用的法律,而且为数甚多。如太宗末年,诸司"所受淳化编敕及续降宣敕万八千五百五十六道"①。因此,每隔数年就设官置局加以选编,称为"编敕"。《宋史·刑法志》称,"宋法制因唐律、令、格、式,而随时损益则有编敕"。在北宋前期,编敕就是《刑统》以外的补充法典。宋朝的编敕很多,仅《宋史·刑法志》、《宋史·艺文志》著录的全国性编敕就达22种,孝宗、宁宗、理宗三朝,又分别汇编总括一朝敕、令、格、式的《条法事类》3种,其中《庆元条法事类》尚存残本。该书卷36《商税》所载商人"匿税"和收税人员"邀阻商旅"、"收力胜钱过数"、"虚喝"②等法令,都是为适应南宋商品经济发展形势设立的,是保证商品流通的法条。另外还有各种名目的中央和地方机构的法令集,为数众多。《宋史·刑法志》说,"其余一司、一路、一州、一县敕,前后时有损益,不可胜纪",其见于著录者,达一百二十四种。③

"法所不载,然后用例"④,案例也是审判适用的根据。其中见于《玉海》卷61及《文献通考》卷203著录者,庆历、熙宁、元丰、元符、绍兴皆有成书。由此可知,两宋立法的规模是很可观的。

北宋中期,"神宗以律不足以周事情,凡律所不载者一断以敕,乃更其目曰敕、令、格、式"⑤。"敕"正式取得"律"的地位。明人丘浚在《大学衍义补》中说:"唐有律,律之外又有敕、令、格、式,宋初因之,至神宗更其目曰敕、令、格、式,所谓敕者,兼唐之律也。"此后敕又

---

① 《宋会要》刑法1·2。
② 虚喝,见《庆元条法事类》卷36《商税》:"舟场船实无之物,却撰说名件,抑令纳税,谓之虚喝。"
③ 徐道邻《宋朝的刑书》,见《宋史研究集》第八辑。
④⑤ 《宋史》卷199《刑法一》。

逐渐超过律的地位。政和四年（1114年）七月五日，中书省上言引《政和名例敕》称："诸律、刑统疏义及建隆以来赦降与敕令格式并行，文意相妨者从敕令格式，其一司学制、常平、免役、将官在京通用法之类同、一路、一州、一县有别制者，从别制。其诸处有被受专降指挥，即与一司、一路、一州、一县别制事理一同，亦合行遵守专降指挥。"①

南宋朱熹说："今世断狱只用敕，敕中无，方用律。"②《庆元条法事类》卷73《检断·名例敕》："诸敕令无例者从律，律无例及例不同者从敕令。"

由此可见，从北宋政和以后，迄南宋，敕令的地位已经优于《刑统》了。这种变化，是因为依据当时社会矛盾发展需要而颁发的敕，更能符合统治者的利益。

在宋代，土地通过买卖加速向地主阶级集中，租佃关系空前发展，封建社会的阶级结构发生了明显变化。统治者根据地主阶级在新形势下的需要，除继承前代法典并作必要的补充外，又不断创立新的法条。这些法典，都贯彻了阶级压迫和维护封建伦理的精神。宋初的《刑统》继承唐律，对奴婢、部曲、客女及与部曲身份相当的官户③的被压迫地位都有明确规定。随着租佃关系的发展和农民的斗争，宋代的客户（佃农）成为封建国家的编户，这一变化，在法律上的反映就是不断有新的法规出现。诸如承认客户租佃、置产及人身自由和安全方面的一些权利，但客户被压迫的地位仍随处可见。在刑事法律方面，如仁宗朝的《嘉祐法》规定，地主殴杀佃客致死，"奏听敕裁，取敕原情"④，元祐五年（1090年）从刑部请，另订法条："佃客犯主，加凡人一等。主犯之，杖以下勿论，徒以上，减凡人一等。谋杀、盗诈及有所规求避免而犯者，不减。因殴致死者，不刺面配邻州本城，情重者奏裁。"⑤南宋高宗绍兴初，又重立法条，对地主殴死佃客的刑罚，"又减一等，止配本城，并其同居被殴至死，亦用此法"⑥。由此可知，佃客虽已非地主的私属，在生产关系中的地位有所提高，但在刑事法律中的被压迫地位仍然是很严重的。

---

① 《宋会要》刑法1·28。
② 《朱子语类》卷128《法制》。
③ 《刑统》卷22《良贱相殴》门注文："官户与部曲同。"
④ 《建炎以来系年要录》（以下简称《系年要录》）卷75，绍兴四年四月丙午，王居正上言引。
⑤ 《长编》卷445，元祐五年七月乙亥。
⑥ 《系年要录》卷75，绍兴四年四月丙午。

宋代对"盗贼"的刑罚有所加重。《刑统》卷20《三度行盗》门，承《唐律》规定："诸盗经断后，仍更行盗，前后三犯徒者，流二千里，三犯流者，绞。"此条后附加一条："臣等参详，诸盗经断后，仍更行盗，如已经官司两度断遣，至第三度再犯，不问赃物多少，处死。"只要是第三次犯盗罪，不论前科刑名及赃物多少，一概处死。仁宗以后，又划定并逐渐扩大"重法地区"，对劫盗罪犯及其家属、囊橐停宿主人，皆加重刑罚。

贵族、官僚则享有法律上的特权。《刑统》卷2规定，贵族、官僚犯十恶以外的罪案，有按等级给以议、请、减、赎及官当的特权。卷29规定，三品以上官及其有五品邑号的女眷，犯公罪徒以上及私罪杖以下，"推案之司送问目就问"，不须出庭受审。属于议、请、减的上层官员，不许拷讯，"皆据众证定罪"。即使尚未入仕的读书人犯罪，亦可当厅出题引试，只要"粗通"，即可受到减刑的优待。①

封建统治者以"德礼为政教之本，刑罚为政教之用"②。《刑统》将儒家礼教中的纲常伦理编入法典，强制推行。卷6《有罪相容隐》门，允许近亲属及部曲、奴婢为其主隐瞒叛逆以外的罪行。卷24《告周亲以下》门，凡告周亲尊长、外祖父母、夫、夫之祖父母，"虽得实，徒二年"。卷13《婚嫁妄冒》门，已有聘约，女方反悔要受杖刑，"男家自悔者不坐，不追聘财"。卷22《夫妻妾媵相殴并杀》门，"诸殴伤妻者，减凡人二等"；"妻殴夫，徒一年"，若殴夫伤重者，夫告"加凡斗伤三等，死者斩"。凡违背纲常伦理，情节严重者，则定为"十恶"。卷1《十恶》门《疏议》云："五刑之中，十恶尤切，亏损名教，毁裂冠冕，特标篇首，以为明诫。"

由上可知，宋政权把地主阶级的意志形成法律，用以约束和镇压民众，特别是镇压那些反对封建政府的活动，以巩固政权、稳定封建社会秩序。

宋朝统治者，将法律看做"理国之准绳，御世之衔勒"，而"食禄居官之士，皆亲民决狱之人"③，因此在选拔官员时，重视其法律素养。北宋前期，设书判拔萃科、明法科，"进士及诸科引试日，并以律文疏卷问义"④。神宗时，于国子监设律学，减少明经以下诸科人数，

---

① 《名公书判清明集》卷11《引试》。
② 《唐律疏议》卷1《名例律序》。
③ 《宋会要》选举13·11。
④ 《长编》卷20，太平兴国四年十一月丙戌。

置新科明法,"进士及第,自第一人以下注官,并先试律令大义、断案"①,其累试不中者,需"满二年注官"②。

宋代"文臣初出官有铨试之科"③。北宋前期选人应吏部铨试有试律的规定。神宗朝,铨试,"概令试法,通者随得注官。"④此后直至南宋铨试,除律义、断案之外,尚需试经义、诗赋、时议。⑤

"试刑法",是在现任及任满官员中选拔法官的制度。雍熙三年(986年)诏:"应朝臣京官及幕职州县官等,今后并须习法",地方官"秩满至京,当令于法书内试问,如全不知者,量加殿罚"⑥。朝臣京官中,"如有明于格法者,许于阁门上表,当议明试,如或试中,即送刑部、大理寺祗应,三年无遗阙,即与转官"⑦。"凡试入二等者,选人改京秩"⑧。宋代的法吏亦可通过"试法"升迁。《宋史》卷330传论云:"宋取士兼习律令,故儒者以经术润饰吏事,举能其官。"由于提倡和鼓励官吏、士人习律,从而促进了法学的发展。《新唐书·艺文志》共著录刑法类书籍"六十一部,一千四卷",而《宋史·艺文志》著录刑法类书籍达到"二百二十一部,七千九百五十五卷"之多。徐道邻《宋朝的刑书》一文,共辑得宋人私家法学著作66种,现存者15种。其中宋慈的《洗冤集录》,成书于淳祐七年(1247年),不仅是我国法学史上的第一部法医专著,也是世界史上的第一部法医著作。此书不仅反映了宋代法医学的发展水平,同时由于卷1编入的《条令》、《检复总说》,还提供了宋代特别是南宋司法检验的制度和经验。《名公书判清明集》,将判决书和政府公文,分类汇编,是研究宋代法制史的珍贵资料。

二

宋代司法制度在前朝的基础上不断有所改革和补充,使之日臻成熟,从而达到我国封建社会司法制度的顶峰。虽然由于封建专制

---

① 《长编》卷266,熙宁八年七月辛巳。
② 《长编》卷289,元丰元年四月丁卯。
③⑤ 《宋会要》选举26·9。
④ 《宋史》卷158《选举四》。
⑥ 《宋会要》选举13·11。
⑦ 《宋会要》选举13·11,《刑法》1·62,端拱二年诏。
⑧ 《建炎以来朝野杂记》甲集(以下简称《朝野杂记》)卷13《试刑法》。

主义的限制,它还存在不少弊端,但就其用严密的制度,保证依法审判,以法治国,调整各种社会矛盾的成效看,还是起了不小作用的。《宋史·刑法志序》认为:宋代"立法之制严,而用法之情恕。狱有小疑,复奏辄得减宥。观夫重熙累洽之际,天下之民咸乐其生,重于犯法,而致治之盛几于三代之懿"。其对宋代法治的成就尽管有溢美的成分,却也透露出几分实情。兹就其大者略述于后。

(一)鞫(审)谳(判)分司制度

高宗朝的周林所上《推司不得与法司议事札子》说:"狱司推鞫,法司检断,各有司存,所以防奸也。"① 宋代除县令审判民事及杖罪以下轻刑,不设法司,只有胥吏协助审理外,州府以上审判机构,皆由鞫司审清案情,法司检出适用法条,然后判决。宋代中央司法机构,在北宋前期和元丰改制以后有所不同。大理寺在北宋前期"但掌断天下奏谳"②,只作书面审断,上审刑院详复,同署上奏。刑部只掌有关官员的除免、叙用、昭雪等行政法,皆不设立法庭审判。元丰改制以后,省审刑院,刑部详复大理寺所断案件。大理寺分左断刑、右治狱两个系统,左断刑掌上奏案件的定谳工作,右治狱掌管在京狱案,设左、右推负责鞫狱,另设检法案"掌检断左、右推狱案,并供检应用条法"③。御史台受理命官重案,及经州县、监司、寺监不能直的案件。北宋前期沿唐制设推直官。元丰改制,罢推直官,凡鞫狱"言事、案察御史轮治"④。设检法官"掌检详法律"⑤。户部依三司旧例,设推勘、检法官,"治在京官司应干钱谷公事"⑥。

北宋前期,诸路转运、提刑司,只负责审查地方案件,平反冤狱,监督地方官吏依法审判,监司尚未形成一级司法机构。神宗以后,"四方之狱,非奏谳者,则提点刑狱主焉"⑦,提点刑狱司拥有除奏谳以外所有案件的终审权,但不常设法庭,遇复审案件,则组织临时法庭差官审理。设检法官负责复审州县官、小使臣等公罪杖以下案牍。⑧

诸州设州院、司理院两个法庭。州院的录事参军,审理民事案

---

① 《历代名臣奏议》卷217《慎刑》。
② 《宋史》卷165《职官五》。
③ 《宋会要》职官24·2。
④ 《宋会要》职官17·13。
⑤ 《宋会要》职官17·3。
⑥ 《宋会要·刑法》3·68。
⑦ 《文献通考》(以下简称《通考》)卷167《刑六》。
⑧ 《长编》卷362,元丰八年十二月乙丑。

件,后来也审理刑事案件。司理院的司理参军,"掌狱讼勘鞫之事"①。另设司法参军,掌"议法判刑"②。重要的州升为府,录事参军改称司录参军。

上述司法机构和官员中,推直官、左右推、推勘官、录事参军、司录参军、司理参军,均属鞫司,亦称"推司"、"狱司";检法官、检法案、司法参军属于谳司,亦称"法司"。其审判程序,以州一级为例,鞫司审明案情,再由另外的法官录问核实,转法司检出适用法条,再由其他官员拟判后,经同级官员集体审核,呈长官判决。在审判进程中,禁止录问、检法与鞫狱官相见,"相见者各杖八十"③。检出适用法条之后,"录事、司法参军连书","检法有不当者,与主典同一等"科罪。④ 如果鞫司审理案情失实而造成误判,则法司"止据一时成款,初不知情,与免同罪"⑤。在边远小州,司法官员配备不足,往往有录事参军兼司法参军的现象,则用增置司法官或改由其他幕职官兼任,以维持鞫谳分司的原则。高宗朝右司郎中汪应辰在《论刑部理寺谳决当分职札子》中说:"鞫之与谳者,各司其局,初不相关,是非可否,有以相济,无偏听独任之失。"⑥宋代长期的审判实践证实鞫、谳分司制度,能够在一定程度上起到提高审判质量,防止偏差的作用。

（二）翻异别推制度

凡徒罪以上犯人,于审清案情,犯人画供之后,都要经过一道"录问"程序。也称"虑问"或"虑囚",以验实案情,然后议法定刑。县级初审,由"令佐聚问无异,方得结解赴州"⑦。州府一级要于邻州选官录问,属于死刑者,须由知州、通判及幕职官集体录问,称为"聚录"⑧。在中央,主要由御史台派官录问。录问时,"引囚于前,读示款状,令实则书实,虚则陈冤"⑨。录问官员要承担法律责任,《庆元条法事类》卷73《推驳·断狱敕》规定:"案有当驳之情,而录问官司不能驳正,致罪有出入者,减推司罪一等"惩罚。能驳正者,则根据所驳案件轻重、涉及人数多寡,分级推赏。

---

①② 《通考》卷63《职官一七》。
③ 《庆元条法事类》卷9《馈送》。
④ 俱见《庆元条法事类》卷73《检断》。
⑤ 《宋会要》职官5·56—57。
⑥ 《历代名臣奏议》卷217《慎刑》。
⑦ 《宋会要》职官5·48。
⑧ 《通考》卷167《刑六》。
⑨ 《长编》卷289,元丰元年四月乙巳。

宋朝州府以上的司法机构,设有两个或两个以上的法院,犯人在一个法院审问遇到障碍或录问翻供,就改由另一个法院重审,称为"别推"或"移司别推"。如再翻异,或临刑时称冤及家属声冤者,则须由监司另外派官复审,称为"移推"或"差官别勘"。允许翻异的次数,宋初限于三次。《宋刑统》卷29,"应犯诸罪,临决称冤,已经三度结断,不在重推限"。孝宗以后改为五次,"囚禁未伏则别推,若仍旧翻异,始则提刑司差官,继即转运司、提举司、安抚司或邻路监司差官,谓之五推"①。但实际执行是很宽的。乾道二年(1166年)二月八日,知贵州姚孝资上言称:"在法,诸录囚有翻异者,听别推,然后移推,初无止限,至有一狱经六七推不得决者"②。

宋代司法制度中的"翻异别推",实质上是司法机构自动复审的制度,体现了慎刑的精神。此外,州县判决之前,还有上级司法机构的"驳正",判决之后,监司发现问题还要"按发"和御史台的"奏发"。审刑院发现大理寺"定断刑名,轻重未允",即"札下本寺问难,其本断官各无所执,随而入状改定,谓之'觉举'"③。这些都属于司法机构自行纠正的性质。犯人另有自己的上诉权。上诉期限,一般不超过三年,"三年外不许理雪"④。上诉程序,"在法,先经所属,次本州,次转运司,次提点刑狱司,次尚书本部,次御史台,次尚书省"⑤。另外,还可以向登闻鼓院、登闻检院、理检院投状,由理检院复审。或邀驾经军头司向皇帝上诉,依御批复审。但上诉也要按规定的程序,"如未经鼓院进状,检院不得接收,未经检院,不得邀驾进状。如违亦依法科罪"⑥。

(三)放宽越诉

中国封建司法制度中的诉讼程序,一般要求按级别逐级上诉,对越级上诉则严加禁止。《刑统》卷24沿袭《唐律》规定:"越诉及受者,各笞四十",又准后周广顺敕,要求"先经本县,次诣本州、本府,仍是逐处不与申理,及断遣不平,方得次第陈状,及诣台省,经匦进状。其有蓦越词讼者,所由司不得与理,本犯人准律文科罪"。北宋后期,

---

① 《宋会要》职官5·63。
② 《宋会要》刑法3·84。
③ 《宋会要》刑法1·62。
④ 《宋会要》刑法3·19。
⑤ 《宋会要》刑法3·31。
⑥ 《宋会要》刑法3·14。

蔡京集团当国,挥霍无度,加紧搜刮民财,吏治败坏,阶级矛盾加深。宋徽宗为挽救危机,不断颁发限制官吏违法科民,违者许民越诉的诏书。政和三年(1113年)十二月十一日御笔,对"置杖不如法,决罚多过数,伤肌肤"的推勘官及行杖人,"许赴尚书省越诉"①。宣和三年(1121年)六月十四日御笔,诸路州军公吏人违条"勾追百姓","擅置绳索,以威力乞取钱物"者,"许民户诣监司越诉"②。十二月二十四日诏:"应在禁罪人,官司避免检察官点检,辄私他所者,以违制论,许被禁之家越诉"③。宣和六年(1124)四月四日,下诏禁外任官私置机杼,或令机户织造匹帛,违者"徒二年,计所利,赃重者,以自盗论,仍并许越诉"④。宣和七年(1125年)十月十九日,南郊制,催税公人强牵耕牛典质,或以牛代税,"许人越诉"⑤。

南宋初期,政局动荡,南下金兵及散兵游寇随处骚扰,百姓不能安业,而统治者则以抗金为名,多方增税,地方官"于贼过之后,科率百姓金银钱米等物,或称犒赏,或称创置防城军器之属,往往并缘为奸,肆行侵盗"⑥。鼎、吉、虔、建等州百姓纷纷起义,南宋政权处于危机之中。统治者为收拢民心,尽力约束地方官吏违法害民。建炎四年(1130年)德音,许川陕民有冤抑者,"经宣抚处置司陈诉"⑦。绍兴四年(1134年)立法,"诸人户于条许越诉事,而被诉官司辄以他故捃撼追呼赴官者家属同,杖八十"⑧。南宋政府为使商品正常流通,除增设法条外,亦有准许越诉的规定。淳熙五年(1178年)四月二十六日敕,诸税务违法侵扰商旅者,"本司不觉察,许被扰人径诣尚书省越诉,即先将漕臣重置典宪"⑨。

徽宗以后,朝廷突破禁止越诉的传统,不断增设越诉法条,其主要内容,多为制止地方官私自科敛百姓,以求安定社会秩序,巩固政权。但在客观上则扩大了劳动人民的民事诉讼权。在中国法制史上,应属于一种进步的趋势。

---

① 《宋大诏令集》卷202。
② 《宋会要》刑法2·82。
③ 《宋会要》刑法6·61。
④ 《宋会要》刑法2·91。
⑤ 《宋会要》食货70·29。
⑥ 《宋会要》刑法2·100。
⑦ 《宋会要》刑法3·15。
⑧ 《宋会要》刑法3·25。
⑨ 《庆元条法事类》卷36《商税》。

(四)法官回避制度

唐代法官回避的规定,没有编入《唐律》,见于《唐六典·刑部》者,回避范围只限于法官与犯人之间有亲属、仇嫌或师生关系。《刑统》卷29《狱官令》所定回避范围,与《唐六典》大体相同。太宗以后回避范围扩大,禁止制勘法官"往本乡里制勘勾当公事"①。推勘院法官所到推勘处,州府不得接待,也禁止到推勘院相见。②推勘、录问官,凡"同年同科目及第"者,应回避。③ 移司重审案件,"其后来承勘司狱与前来司狱,有无亲戚,令自陈回避"④。宋朝门阀制度消失,官僚成份复杂化,是法官回避范围扩大和严密的社会背景。严密的回避制度,对防止舞弊、减少冤案是起积极作用的。

(五)一案推结和案后收坐制度

凡复审徒罪以上案件,"若前推及录问官吏有不当者",皆依条处罚,其中"入死罪者,检断、签书官吏"并坐罪,称为"一案推结"⑤,亦称"一案断遣"⑥,或"一案坐之"⑦。

流罪以下案件,前推及录问官审判不当,如原勘官已经调任,一时难以追会对证,"即将犯人先次结断",然后再将前勘"不当官吏,并于案后收坐"⑧,或称"先次结案","其不当官吏,虽遇恩去官,仍取伏辩依条施行"⑨。

复审法官,能依法将原误判死刑者"从死得生,即理为雪活"⑩,依雪活人数等第酬奖。此制从太祖建隆二年(961年)实行,此后为便于实施和防止淹延而不断有所修改和补充,在宋代始终是严格执行的。"一案推结"和"案后收坐"制度,是为了防止"鞫狱之官,推勘不得其实,故有不当"⑪,迫使法官认真审判。

(六)限期结案

限制结案时间,是为了提高司法效率,避免刑狱淹延。宋朝统治者

---

①② 《宋会要》刑法3·53。
③ 《宋会要》刑法3·55。
④ 《宋会要》刑法3·70。
⑤⑧ 《庆元条法事类》卷74《出入罪》。
⑥ 《宋会要》刑法4·93。
⑦⑪ 《宋会要》职官5·49。
⑨ 《宋会要》刑法3·83。
⑩ 《宋会要》刑法4·93。

根据案情繁简,各有规定的结案日限,逾期者受罚。民事诉讼在乡村须按"务限"规定,自二月一日,农事开始为"入务",不予受理,十月一日为"务开",到次年入务以前,是准许诉讼时间。民事诉讼的限期,《庆元令》规定,诸县"受理词诉,限当日结绝,若事须追证者,不得过五日。州郡十日,监司限半月。有故者除之,无故而违限者,听越诉"①。

刑事案件,在县一级"禁系不得过十日,"②徒罪以上案件,县初审后申州,州一级的审判,太宗朝建立大、中、小"三限之制","大事四十日,中事二十日,小事十日,有不须追捕而易决者,不过三日"。③须奏裁的案件,送进奏院,转银台司,各限四日内分送中央司法机构。中央司法机构,根据不同情况规定日限。元祐二年(1087年)划定奏案和公案大、中、小事的标准和时限:

> 奏狱二百纸已上为大事,十二日。十纸已上为中事,九日。不满十纸为小事,四日。在京、八路,大事十日,中事五日,小事三日。台察并刑部等处,举劾诸处约法状,并十三日。三省、枢密院再送,各减半。有故量展,不得过五日。又公案,二百纸已上为大事,限三十五日,断二十四日,议十一日。十纸已上为中事,限二十五日,断十七日,议八日。不满十纸为小事,限十日,断七日,议三日。在京、八路,大事限三十日,断二十日,议十日。中事限十五日,断十日,议五日。小事限十日,断七日,议三日。台察并刑部等处,举劾诸处约法,并限三十日,断二十日,议十日。④

南渡以后,对大、中、小案的标准和日限,不断有所变动,但变动的幅度不大,总的趋势是减少大事案牍纸张数量,使更多的重案得以详审,增加小事案牍的纸张数量,使轻案迅速了结。

大理寺定谳,刑部审复后,尚书省送中书省,过门下省,"各限一日"⑤。得圣旨后,银台司将"断敕须当日入递"⑥。

在清理留狱方面,则有限期"断绝"和奖励"狱空"的制度。凡无狱的司法机构,如刑部、大理寺左断刑、审刑院,每年多次限期清理积案,称为"断绝"。置狱的司法机构,如诸州"司理院、州院、倚郭县俱

---

① 《宋会要》刑法 3·40—41。
② 《宋会要》刑法 6·51。
③ 《通考》卷 166《刑五》。
④ 《长编》卷 405,元祐二年九月庚戌朔。
⑤ 《宋会要》职官 1·21。
⑥ 《宋会要》职官 2·45。

无禁系"①,上报认可后,朝廷予以等第酬奖,以期使留狱尽早结案。

(七)复察制度

州以上的法院中,有同僚间的复察。诸州分设录事和司法参军,大理寺分详断、检法、断司、议司,刑部分左、右厅,皆具有同僚复察的用意。上下级之间,有逐层复察。在地方,州对县、监司对州府复察。在京师,审刑院和元丰改制后的刑部,复察大理寺所断奏案,纠察在京刑狱司,复察在京刑禁;御史台对中央和地方法院,皆有按察职责;尚书省则可"弹奏六察御史失职"②;发现失误者,皆要受到惩罚。《宋史·刑法志》说:"内外折狱蔽罪,皆有官以相复察","吏一坐深,或终身不进,由是皆务持平"。

在复察之前,则实行独立审判的原则。同僚之间有禁止推司、法司相见的规定。州县鞫狱,"在法不得具情节申监司,及不得听候指挥结断"③。

宋代司法制度,体系完整,内容丰富。以上介绍仅是其中比较重要的部分。其他如严格的法官纪律,限制拷讯、长官亲临、狱禁管理、制勘院、推勘院、杂议及定期清理狱案的"断绝"制度、奖励"狱空"制度等,虽不无流弊,但都对宋代法治起过积极作用,其中有不少可供借鉴之处。

宋朝的司法制度,在蒙古贵族入主中原之后遭到破坏。元朝不设大理寺,以其职事并入刑部,不设律学及刑法考试,鞫谳分司、翻异别勘等制度,也不复存在。明、清两代,也没有恢复到宋代的水平,宋代成为中国封建社会中司法成就最高的朝代。

三

宋代建立的君主专制主义中央集权制,立法和司法权都控制在皇帝手中。这种体制,在司法方面,也带来各种问题。

(一)皇帝的最高司法权不受法律约束

凡上奏案件、宗室罪案等,皆由皇帝决断。已判决的罪犯,皇帝

---

① 《宋会要》刑法4·85。
② 《宋会要》职官17·11。
③ 《宋会要》刑法6·61。

可以"矜贷"或"赦宥",从而得以减免刑名。"矜贷"是皇帝对具体案犯直接从宽处理,《宋会要·刑法六》专设此门,记载大量事例。"赦宥"是对已判刑罪犯进行减免,分大赦、曲赦、德音三种形式。马端临说:"宋朝赦宥之制,其非常覃庆,则常赦不原者或除之,其次释杂犯死罪以下,皆谓之'大赦',或止谓之'赦'。杂犯死减等而余罪释之,流以下减等,杖笞释之,皆谓之'德音'。亦有释杂犯罪至死者,其恩霈之及有止于京城、两京、两路、一路、数州、一州之地者,则谓之'曲赦'"①。这些都是皇权超越法律的制度,不论重视法制的皇帝,或不重视法制的皇帝皆无例外。徽宗朝蔡京集团当政时期,以变法为名,强调皇帝权威,贬低法制的效能。崇宁五年(1106年)诏书称:

> 出令制法,重轻予夺在上。比降特旨处分,而三省引用敕令,以为妨碍,沮抑不行,是以有司之常守,格人主之威福。夫擅杀生之谓王,能利害之谓王,何格令之有?臣强之渐,不可不戒。自今应有特旨处分,闻有利害,明具论奏,虚心以听;如或以常法沮格不行,以大不恭论。②

因而造成混乱局面。南渡以后,对"蔡京当国,凡所请御笔以坏正法者,悉厘正之"③,才恢复旧有法制。皇帝具有最高的权力,在重视法制的皇帝统治时期,法律才能发挥较大的作用,在不重视法制的皇帝统治时期,则无法制可言,这一点在宋代表现得异常明显。

(二)刑罚加重和法外酷刑

刺配法不见于《刑统》而载于编敕中,朱熹说:"律轻而敕重,如刺面编配,律中无之"④。刺配法是将中唐流刑附加决杖和后晋刺面集中起来,包括杖脊、刺面、流配、徒役四刑兼用。宋初仅适用于贷死罪犯,此后适用范围日益扩大,至南宋孝宗"淳熙配法,凡五百七十条",包括徒以上"盗贼",犯罪军士及杂犯中的重罪。淳熙十一年(1184年)罗点上言称,本朝"刺配之法,视前代为重"⑤。

《刑统》卷29有限制拷讯的律文。遇反复参验不能审清案情的犯人,应先立案,与长官共同拷讯。并规定拷囚不得过三次,每次相隔二十日,杖数总计不得过二百,有疮病者,不许拷讯。如系杖罪,拷

---

① 《通考》卷173《刑一二》。
②③ 《宋史》卷200《刑法二》。
④ 《朱子语类》卷128《法制》。
⑤ 俱见《通考》卷168《刑七》。

数不得过所犯之数。但狱吏往往法外使用酷刑。《宋史·刑法二》载,太宗朝开封府左军巡卒审王元吉案,"系缚搒治,谓之'鼠弹筝',极其惨毒"。太宗以为,"京邑之内,乃复冤酷如此,况四方乎"?理宗朝狱吏,"擅置狱具,非法残民,或断薪为杖,搒击手足,名曰'掉柴';或木索并施,夹两胫,名曰'夹帮';或缠绳于首,加以木楔,名曰'脑箍';或反缚跪地,短竖坚木,交辫两股,令狱卒跳跃于上,谓之'超棍',痛深骨髓,几于殒命"。

宋代社会矛盾复杂,死刑数量增多。仁宗朝燕肃上章云:"贞(原避仁宗讳作正)观四年断死罪二十九,开元二十五年断五十八。今生齿未加于唐,而天圣二年断大辟二千四百三十六,视唐几至百倍"①。死刑处决的手段也是残酷的。按《刑统》的规定,只有绞、斩两种,而《宋史·刑法志》载有"凌迟、腰斩之法"。"凌迟者,先斩其支体,乃决其吭,当时之极法也。"②咸平五年(1002年)通判蕲州钱易《上真宗乞除非法之刑》说:

> 近代以来,非法之刑不知建于何时,本于何法,律文不载,无以证之,亦累代法吏不敢言。至于今日乃或行之。劫杀人、白日夺物、背军逃走、与造恶逆者,或时有非常之罪者,不从法司所断,皆支解脔割,断截[手](原作首)足。坐钉立钉,钩背烙筋,及诸杂用刑者。身见["见"原误作"具",据《宋史·钱易传》及《历代名臣奏议》改]白骨,而口眼之具犹动;四体分落,而呻痛之声未息,置之圜阓,以示徒众。四方之外,长吏残暴,更加增造,取心活剥,所不忍言。十五年前,杭州妖僧造变,数岁前蜀部两回作乱,事之后,多用此刑。③

法外酷刑,法吏既不敢言,史书很少记载,一个地方官的上言,自应确有其事。《宋志》谓"凌迟、腰斩之法,熙宁以前未尝用于元凶巨蠹",即与钱易所上奏章不合。实际上早在仁宗朝凌迟已为法令允许的处死刑罚。天圣九年(1031年)五月诏,"如闻荆湖杀人以祭鬼,自今首谋若加功者,凌迟斩之"④。南宋陆游《渭南文集》卷5《条对状》说:

> 五季多故,以常法为不足,于是始于法外特置凌迟一条。肌肉已尽,而气息未绝,肝心联络,而视听犹存。感伤至和,亏损仁

---

① 《诸臣奏议》卷99《上仁宗乞天下死罪皆得一复奏》。
② 《宋史》卷199《刑法一》。
③ 《诸臣奏议》卷99《恤刑》。
④ 《长编》卷110,天圣九年五月壬子。《通考》系于四年。

> 政,实非圣世所宜遵也。议者习熟见闻,以为当然,乃谓如支解
> 人者,非凌迟无以极之。

据此,则南宋时亦常用此刑。刑罚加重和法外酷刑成为宋代司法中一个严重的问题。死刑数量大幅度增加和法外酷刑的存在,反映宋代刑制,是地主阶级镇压被统治阶级的强有力的残暴工具。

(三)县是宋代司法机构中的薄弱环节

县级的司法管辖,虽只限于境内民事和杖罪以下刑事案件,但对徒以上乃至死罪案件,皆须经县审清案情,呈报州府。知县或县令"掌字民治赋,平决讼诉"①,是县一级主管司法的官员,此外则不设辅佐官员,主要依靠胥吏。虽有鞫狱必须亲临的规定,但却由于政务繁忙,往往"令狱吏自行审问,但视成款佥署,便为一定,甚至有狱囚不得一见知县之面者"②。宋初诸县胥吏皆为职役,从乡户差充。或不谙吏道,难以胜任。仁宗以后,改差为募,应募者"非饥寒亡业之徒,则驵狡弄法之辈","其来也,无名额之限,其役也,无廪给之资",他们既要养家,又要供应长官的需求,"非私下盗领官物,则背理欺取民财"③。每遇狱讼,百姓以为"官司曲直,皆出彼之手","目为立地官人",因而行贿以求胜诉,④从而严重影响县级法院的公正审判。乾道九年(1173年)臣僚上章称:

> 狱贵初情,初情利害实在县狱。今大辟之囚,必先由本县勘
> 鞫圆备,然后解州,州狱一成,奏案遂上,刑寺拟案,制之于法,则
> 死者不可复生矣。窃见外郡大辟翻异,邻州邻路差官别勘,多至
> 七八次,远至八九年,未尝不因县狱初勘失实。⑤

重案如此,其由县断遣的轻案,亦存在种种弊端。《昼帘绪论·治狱篇》说:"吏逼求贿赂,视多寡为曲直,非法拷打,何罪不招"。庆元四年(1198年)臣僚上言说:"百姓有冤,诉之有司,将以求伸也。今民词到官,例借契钱,不问理之曲直,惟视钱之多寡。富者重费而得胜,贫者衔冤而被罚,以故冤抑之事类皆吞声饮气。"⑥基层司法官员过

---

① 《宋会要》职官48·25。
② 胡太初:《昼帘绪论·治狱篇》。
③ 俱见《昼帘绪论·御吏篇》。
④ 陈襄:《州县提纲》卷1《防吏弄权》。
⑤ 《宋会要》刑法3·87。
⑥ 《宋会要》刑法3·38。

少,胥吏靠受贿为生,是宋代司法制度上的一个重大缺陷。

(四)禁止民间私习法律

宋代设法学,实行各种形式的法律考试,提高官员的法律知识,使之能够更好地运用法律为封建专制主义政权服务。但是,对于百姓,则不仅禁止抄写或刻印法典,更不准私授律学。元祐元年(1086年)"立聚集生徒教授辞讼文书编配法及告获赏格"[①]。《绍兴敕》规定:"诸聚集生徒教辞讼文书,杖一百,许人告。再犯者,不以赦前后,邻州编管。从学者各杖八十。"[②]因此,百姓多为法盲,往往因不知法而犯法。民不知法,更使官吏容易受贿作弊。

宋代所推行的法制建设,对于镇压被统治阶级的反抗和调整复杂的社会矛盾,基本上是行之有效的,但由于它是封建国家君主专制主义下的御用工具,不仅在镇压反抗力量时手段残酷,在制度本身及法制效果方面,均存在不少问题,既有丰富的可供借鉴的经验,亦有大量必须摒弃的糟粕。

(原文曾名《论宋代法制》,载邓广铭等主编《国际宋史研讨会论文选集》第423—441页,河北大学出版社1992年8月版。后经修改,作为《宋代司法制度》的"绪论",河南大学出版社2000年第2版,此据后者排印。)

[①] 《宋会要》刑法1·13。
[②] 《宋会要》刑法3·26。

宋代司法机构概述

中国封建社会司法制度的一个基本特点,是司法隶属于行政,皇帝掌握最高审判权。皇权集中,是用分割大臣及地方官的事权来实现的。宋政权建立在长期分裂割据和社会发生重大变化的背景下,其司法机构的建立和改进,既要符合统一和中央集权的要求,又要适应社会发展的变化;宋朝统治者根据时代的要求,在吸取前朝经验的基础上加以改进,使之能够更好地为封建政权服务,因而具有复杂多变的特点。

宋初,大理寺不设法庭,只负责依法断决地方上奏的疑案,送刑部详复。神宗以后,大理寺亦置狱审判。刑部在审刑院建立以后,只掌管司法行政公务,神宗时审刑院撤销,又恢复其职权。州一级在宋初可以判决包括死刑的各种罪案,神宗以后,死刑判决权收归提刑司。有疑虑的死刑案件,自宋初以来,或直接由知州上奏,或报提刑司,反复变动,未成定制。提刑司在北宋前期罢置不常,神宗以后,与转运司等路一级常设机构逐渐形成州以上的一级司法机构。

宋代实行审讯与判决不能兼任及同级法院复审的制度,故州以上的司法机构,设立两个以上的法庭,或分左、右两司,县一级也将审讯和检法议刑分开,这就使司法机构的组成复杂起来。正是由于宋代的司法机构,在吸取前代经验的基础上,能够随着形势发展的需要加以变动,尽管存在大量的流弊,却基本上起到了减少冤案及缓和阶级矛盾的作用。高宗朝汪应辰上言说:

> 国家谨重用刑,是以参酌古谊,并建官师。在京之狱曰开[封]府、曰御史,又置纠察司,以讥其失。断其刑者曰大理、曰刑

部,又置审刑院以决其平。鞫之与谳各司其局,初不相关,是非可否,有以相济。及赦令之行,其有罪者,许之叙复,无辜者,为之湔洗,内则命侍从馆阁之臣,置司详定,而昔之鞫与谳者皆无预焉。外之川陕,去朝廷远则委之转运、钤辖司,而提点刑狱之官亦无预焉。及元丰更定官制,始以大理兼狱事,而刑部如故。然而大理少卿二人,一以治狱,一以断刑;刑部郎官四人,分为左右厅,或以详复,或以叙雪,同僚而异事,犹不失祖宗分职之意。本朝比之前世,刑狱号为平者,盖其并建官师,所以防闲考复,有此具也。①

这一篇奏章,概括了宋代主要司法机构相互配合、纠察,以避免失误的精神,以及审讯(鞫)和判决(谳)分开,由两个法庭负责,初审法官不准参加复审等司法原则,这些精神和原则,是宋代刑狱比前代平允的条件。

本文分别介绍宋代司法机构及其发展变化的一般情况。

一、中央司法机构

(一)大 理 寺

大理寺之名,初见于北齐,是封建政权最高的司法机构。唐朝的大理寺,"掌鞫狱、定刑名、决诸疑谳"②。北宋前期,大理寺为慎刑机构,只负责依法断决地方上奏的狱案,并不开庭审判。《宋史·职官志》说:

> 凡狱讼③之事,随官司决劾,本寺不复听讯,但掌断天下奏狱,送审刑院详讫,同署以上于朝。④

因为大理寺只作书面审断,设官也比较简单。大理寺长官不设专职,而以朝官兼任,判寺事1人为首,权少卿1人为副。下设兼正、兼丞,

---

① 《系年要录》卷175,绍兴二十六年闰十月辛亥。
② 《通考》卷56《职官一》。
③ 狱讼,按《周礼·地官·大司徒》:"凡万民不服教而有狱讼"疏,"争罪曰狱,争财曰讼……狱讼相对,故狱为争罪,讼为争财;若狱讼不相对,则争财亦为狱"。据此,则狱讼并称,狱指刑事,讼指民事,分提则可通用。
④ 《宋史》卷165《职官五》。

谓之"详断官",以朝官和京官兼任,初设8人,后加至12人。咸平二年(999年)省去兼正、丞之名,选幕职州县官①2人为"法直官",改京官则为"检法官"。

由于大理寺"谳天下奏案而不治狱"②,有关开封府及三司诸寺监的刑狱公事,囚犯皆集中于开封府司录司及左右军巡院禁系,因而造成留滞。神宗认识到"国初废大理狱非是"③,于元丰元年(1078年)十二月④,诏"复置大理狱"⑤。流罪以下专决,死罪报御史台"就寺审复"⑥。重密案件,"依审刑院、三司、开封府例,上殿奏裁"⑦。

元丰改制以后的大理寺,置大理卿1人,少卿2人,正2人,推丞4人,断丞6人,司直6人,评事12人,主簿2人。卿总管本寺折狱、详刑、鞫谳公事。少卿以下则分左断刑、右治狱两个系统,其职务范围分别是:

> 天下奏劾命官、将校及大辟囚以下以疑请谳者,隶左断刑,则司直、评事详断,丞议之,正审之;若在京百司事当推治,或特旨委勘及系官之物应追究者,隶右治狱,则丞专推鞫。盖少卿分领其事,而卿总焉。⑧

左断刑和右治狱,由两员少卿分领其事。

左断刑设有三案:磨勘案,掌批会吏部等处改官事;宣黄案,掌宣讫命官指挥;分簿案,掌诸案文字。另设四司:表奏议司,掌拘摧详断案八房断议狱案,兼旬申月报公事;开拆司,负责收接有关投下文字;知杂司,掌本司诸杂务事;法司,掌诸处批下参详文字。又有详断案八房,专掌定断诸路申奏狱案。又有敕库,掌收管架阁文书。属吏有胥长1人,胥史3人,胥佐20人,贴书6人,楷书14人。⑨

元丰六年(1083年)三月,从刑部请,将左断刑分成断、议两司,评事、司直、正为断司,丞与长贰为议司。凡断公案,正先审查是否应

---

① 幕职州县官 按宋代低级文官官阶,通常称为"选人"。有时是作为地方官名,即幕职官和州县官的合称。此处是指官阶。

②⑧ 《宋史》卷165《职官五》。

③⑤ 《宋会要》职官24·6。

④ "复置大理狱"诏书,《宋会要》系于元丰元年十二月十八日,《续资治通鉴长编》系于元丰元年十二月戊午,即十八日与《宋会要》同,《宋史》卷165、《通考》卷56均系于"熙宁九年",今从《会要》。

⑥ 《宋会要》职官24·7—8。

⑦ 《宋会要》职官24·7。

⑨ 以上据《宋会要》职官24·1—2。

当论难改正,然后签印注日,送议司复议,如发现问题,批出改正意见,长贰审定后判成录奏。①

右治狱设有四案:左右寺案,掌断讫公事,案后收理追赃等事;驱磨案,掌管两推官钱、官物、文书;检法案,负责检断左右推狱案,并提供适用条法;知杂案,负责处理杂务。又有开拆司、表奏司、左右推。左右推,负责鞫勘诸处送下狱案,"有翻异即左移右推,右移左推"②。吏员,开拆司胥史1人,胥佐9人;表奏司1人,贴书3人;左右推胥史2人,胥佐8人,般押推司4人,贴书4人。③

哲宗元祐三年(1088年)曾一度罢大理寺右治狱,依三司旧例,于户部置推勘检法官,治在京官司钱谷公事。绍圣二年(1095年)又依元丰旧例恢复,此后,终宋一代没有改变。

右治狱与开封府在司法管辖上的区分是:大理寺右治狱"专一承受内降朝旨重密公事,及推究内外诸司库务侵盗官物。余民事送开封府"④,这里所云"民事",是指京城居民的案件。在神宗以前,开封府遇有疑狱,遣法曹或移牒大理寺征求意见,"参酌施行"⑤,三司疑虑刑名,亦"如开封府例"⑥。元丰八年(1085年)五月二十四日敕,改为凡京府及诸路州军有疑虑的大辟案件,不再与大理寺磋商,大理寺可依法定断,另作"疑虑可悯条,送刑部看详",刑部如果认为"情实可悯,并具因依奏取旨"⑦。元祐四年(1089年),为简化程序,将开封府大辟疑案分作未约定刑名和已约定刑名两类,凡"刑名疑虑及未约定刑名者,并降付大理寺外,其已约定刑名案,只刑部拟例定断"⑧。

南宋临安府与大理寺的关系,大体沿袭开封府旧例。高宗朝,临安府往往将未取朝旨的一般案件推给大理寺,孝宗朝不断有臣僚上言:"婚田末事,驱磨细务,不当渎扰天狱。"⑨孝宗乾道七年(1171年)诏:"合送大理寺公事,并申取朝廷指挥,其本寺见勘公事内有不

---

① 据《宋会要》职官24·9。
② 《宋会要》职官24·12。
③ 据《宋会要》职官24·2。
④ 《朝野杂记》甲集卷5《大理狱非得旨不许送理官宅》。
⑤ 《长编》卷80,大中祥符六年五月癸巳;卷93,天禧三年四月己亥。
⑥ 《宋会要》职官15·40。
⑦ 《长编》卷364,元祐元年正月丁未。
⑧ 《长编》卷425,元祐四年四月丁卯。
⑨ 《宋会要》职官24·38。

应送寺者,并移送临安府。"①此后,又不断重申,逐渐克服了这一混乱现象。

　　凡监司②、州县慑于地方势力,难以公正判处的案件,经御史奏准,可以送大理寺审判。宁宗朝,江西袁州万载县巨室易国梁,贼杀无辜甚多,累次告发,皆不能公正判决。又经欧阳光大揭发,易国梁以残酷手段贼杀婢仆、干人等23人,本路提刑司具有实迹。其党羽郭氏、杨氏二十余家与之请嘱权势,易国梁并不曾到官出庭受审,止交供状。吏人压制血属,检验官亦不敢验出要害痕伤。血属再经提刑司陈诉,改送本州,其党羽又把持官吏,行贿请嘱。提刑司再委知县亲勘,易国梁则使人以他事告论知县,意在胁持脱免,知县畏惧不敢承当。嘉泰三年(1203年)依侍御史张泽上言,送大理寺公断。③

(二)刑部　审刑院

　　宋初,刑部主管复查全国大辟已决公案,及官员犯罪除免、经赦叙用、定夺昭雪等事。太宗淳化元年(990年)"刑部定置详复官五员,专阅天下所上案牍,勿复公遣鞫狱"④,淳化二年(991年)八月,为防止大理寺及刑部胥吏舞弊,于禁中置审刑院,以朝官1人或2人知院事,设详议官6员⑤。凡上奏案件,需要经过以下程序:

　　　　凡狱具上奏者,先由审刑院印讫,以付大理寺、刑部断复以闻,乃下审刑院详议,中复裁决讫,以付中书,当者即下之,其未允者,宰相复以闻,始命论决。⑥

本来大理寺断后只由刑部详复的案件,置审刑院后,还要经过审刑院详议,实际上是在刑部之上又增加了一级复审机构。淳化四年(993年)三月"诏大理寺所详决案牍,即以送审刑院,勿复经刑部详复"⑦。于是刑部只掌握有关犯罪官员的除免、经赦叙用、昭雪等行政法(这些有关官吏行政处分的事,在明清时期改由吏部及都察院处理),故淳化四年以后的刑部,仅存虚名而已。神宗元丰三年(1080年)八

---

①　《宋会要》职官24·32。
②　监司　按《庆元条法事类》卷7及卷10《名例敕》:"诸称监司者,谓转运、提点刑狱、提举常平司。"
③　事见《宋会要》职官5·60—61。
④　《通考》卷166《刑五》。
⑤　《宋会要》职官15·28。
⑥　《长编》卷32,淳化二年八月乙卯。
⑦　《长编》卷34,淳化四年三月壬子。

月,将审刑院及大中祥符二年(1009年)设置的纠察在京刑狱司一起并入刑部,"以知院官判刑部,掌详议、详复司事,其刑部主判官为同判刑部,掌详断司事,详议官为刑部议官"①。五年(1082年)"官制行,刑部始专其官"②。

官制改革后的刑部,设尚书1人,主管全国刑狱之政令。侍郎2人,与尚书共同负责制勘、体量、奏谳、纠察、录问等事。郎中、员外郎各2人,分左右厅,左厅掌详复、右厅掌叙雪。南渡之初,因政局不稳,从简设官,高宗建炎三年(1129年)将刑部郎官改定2员,不分左右。此后,右司郎中汪应辰上言指出,如果"罚之有不当于理者,又将使谁为之追改乎"③?绍兴二十六年(1156年)"诏依元丰旧法,分厅治事,左以详复,右以叙雪",继续执行"同僚异事"④的原则。刑部下分刑部、都官、比部、司门四司,除刑部本司外,都官司置郎中、员外郎各1人,掌徒、流、配隶。凡在京百司吏职补换更替,以功过减展磨勘及诸路州军编配、羁管等事,皆置籍管理。元丰年间设史籍案、配隶案。元祐中一度罢去,不久复旧。建炎三年(1129年)以比部兼司门。孝宗隆兴元年(1163年)"诏都官、比部共置一员。自此,都官兼比部、司门之事"⑤。下设差次、磨勘、吏籍、配隶、知杂共5案,吏员12人,淳熙十三年(1186年)减为9人。

比部司置郎中、员外郎,元丰各置1人,掌勾复中外帐籍。帐案,旧属三司,元丰改隶比部,哲宗元祐元年(1086年)罢归户部,三年(1088年)复属比部。设5案,置吏百余人。孝宗隆兴以后,并入都官。

司门司置郎中、员外郎,掌门关、津梁、道路之禁令,对过往官吏军民商贩诈伪诸事,进行稽查。南渡以后,并入都官。

(三)御 史 台

《宋史·职官志》说:"御史台,掌纠察官邪,肃正纲纪",是封建政权中央最高的监察机构。但是,从唐太宗朝起,御史台已开始置狱推鞫,兼管司法了。"贞观末年,御史中丞李乾祐,以囚自大理来往滋其奸故,又按事入法,多为大理所反,乃奏于台中置东西二狱以自系

---

① 《长编》卷307,元丰三年八月己亥。
②④ 《通考》卷52《职官六》。
③ 《宋会要》职官15·21。
⑤ 《宋史》卷163《职官三》。

劾。"①开元中罢去。经过唐末五代的变化,到宋代御史台除监察职能外,也具有司法监督和审判重大疑难案件的职能。

御史台以御史中丞为台长,侍御史知杂事为副职。下分三院,台院有侍御史,殿院有殿中侍御史,察院有监察御史。宋初,三院御史多出外任知州或通判等差遣,而本台三院的职掌,皆"以他官领之"②。设推直官专治狱事,六案分察中央行政机构,言事御史兼谏职。以御史中丞兼理检使,侍御史兼知杂事,殿中侍御史兼左右巡使,监察御史兼监祭使。设"检法官,掌检详法律;主簿,掌钩考簿书"③。神宗元丰七年(1084年)改知杂御史为侍御史,言事御史为殿中侍御史,六察官为监察御史,罢所兼使名及推直官,其"主簿、检法官,仍旧各一人"④。南宋晚期,主簿、检法官"二职皆阙"⑤。

御史台的主要官员,大都参预司法审判。太宗淳化二年(991年)诏:"御史台应有刑狱公事,御史中丞以下,躬亲点检推鞫。"⑥真宗咸平六年(1003年)二月诏:"御史台推勘公事,令中丞、知杂躬亲披详,必须子细询问。御史台推直官躬亲勘鞫。"⑦神宗元丰元年(1078年),"罢推直官二员"⑧,增设检法官,"有诏狱,则言、察官轮治"⑨,甚至"主簿亦专在台鞫狱"⑩。

宋代御史台的司法管辖,大体上可分以下4个方面:一是命官犯法的重大案件。北宋前期"群臣犯法,体大者多下御史台,小则开封府、大理寺鞫治焉"⑪,有诏狱,则由言事御史和监察御史轮治。⑫二是他司受贿法官,及由此而错断的案件。太宗太平兴国九年(984年)开封府推官及左右军巡使等,审刘寡妇诬夫前室子王元吉毒已一案,因受贿用酷刑迫使王元吉诬服。经元吉妻张氏击登闻鼓上诉,太宗命御史台复审改判,并将原审法官判罪。三是受理"州县、监司、寺监、省曹不能直"⑬的疑难案件,正如黄绛上言所说,"州郡不能决而付之大理,大理不能决而付之刑部,刑部不能决而后付之御史台,则

---

① ⑤ 《通考》卷53《职官七》。
② 《宋会要》职官17·31。
③ ⑨ ⑫ ⑬ 《宋会要》职官17·3。
④ 《宋会要》职官17·14。
⑥ 《宋会要》刑法3·51。
⑦ 《宋会要》职官55·4—5。
⑧ 《宋会要》职官17·8—9。
⑩ 《宋会要》职官55·1。
⑪ 《宋史》卷200《刑法二》。

非甚疑狱必不至付台再定"①。四是奉命审判地方重大案件。淳化元年（900年），"置御史台推勘官20人，并以京朝官充。若诸州有大狱则乘传就鞫。"②

御史台具有司法监督的职能。真宗景德元年（1004年）开封府左军巡院误判8人为盗，处以流刑，断后又捕获真盗。"御史台劾问得实，前知府梁灏已卒；判官、屯田员外郎、直史馆盛玄责监洪州税；推官、赞善大夫李湘责监永丰税"③，即其一例。

御史台的司法公事，各时期繁简不同。宋初，"中外臣僚公事发露，多送御史台推勘，当时群臣颇有畏惧"，此后政局稳定，"官吏犯法，罕有置御史台狱者"④。南渡以后，御史台的司法公事增多。孝宗乾道元年（1165年）三月十七日，御史台上言：

> 本台系掌行纠弹百官稽违，点检推勘刑狱，定夺疑难刑名、婚田钱谷并诸色人词讼等，事务繁重。⑤

在臣僚奏章和诏书中，有的也把御史台列入司法机构。前引汪应辰上言即是如此。当涉及上诉程序时，御史台也是其中的一级。神宗元丰五年（1082年）五月四日诏书：

> 诉讼不得理，应赴省诉者，先诣本曹。在京者，先所属寺监，次（原作依）尚书省本曹，次御史台，次尚书都省，次登闻鼓院。六曹诸司寺监行遣不当，并诣尚书省。⑥

孝宗隆兴二年（1164年）正月五日，三省上言：

> 人户讼诉，在法先经所属，次本州，次转运司，次提点刑狱司，次尚书本部，次御史台，次尚书省。近来健讼之人，多不候官司结绝，辄敢隔越陈诉，理合惩革。⑦

由上可知，初审不服而逐级上诉，法定八个等级：初审在县，依次为州，转运司，提刑司，刑部，御史台，尚书省，登闻鼓院。御史台属于法定上诉的一个司法机构。足见宋代的御史台不仅是中央的监察机

---

① 《宋会要》职官17·12。
② 《通考》卷166《刑六》。
③ 《长编》卷57，景德元年闰九月乙卯。
④ 《宋会要》刑法3·64。
⑤ 《宋会要》职官55·23。
⑥ 《宋会要》刑法3·19—20。
⑦ 《宋会要》刑法3·31。

构,同时也具有司法监督和审判的职能。

(四)登闻鼓院 登闻检院 理检院 军头引见司

凡经州县监司等审断不能直的案件,可经登闻鼓院、检院、理检院实封投状进御,由皇帝指定官司重加审理。如果登闻鼓院、检院、理检院不予接收,仍可拦驾,由军头引见司转奏。

登闻鼓院,简称鼓院。宋初设鼓司,真宗景德四年(1007年)五月九日,"改鼓司为登闻鼓院"①,判院二员,以带职朝官或卿监充,隶谏院。哲宗以后一度属中书省,高宗建炎三年(1129年)专隶谏院。凡有关公私利济、机密、朝政阙失、论诉本处不公、理雪抑屈、论诉在京官员及试换文资、陈乞再任等无例通进文字,均可经院进状。

登闻检院,简称检院,亦隶属谏院。宋初沿唐制,设匦院,置匦四处,接受文状。雍熙元年(984年)改匦院为登闻院,景德四年(1007年)五月九日,"登闻院改为登闻检院"②。判院官一人,以带职郎官以上至两省充。凡有关机密、军国重事、军期、朝政阙失、论诉在京官员、公私利济之状,皆许接收转进。由于鼓、检两院职事相近,"人不能辨"③,所以实际上投状人往往不加区分。但是,"未经鼓院者,检院不得收接"④。

理检院,初置于太宗淳化三年(992年)五月辛亥⑤,以两省官判,凡"登闻院、鼓司进状人,有称冤滥沉屈者,即引送理检院审问"⑥。至道三年(997年)废。仁宗天圣七年(1029年)闰二月复置,以御史中丞为理检使。元丰以后,改隶谏院。

因为向三院所投文状实封进奏,投状人所言事又须在规定的范围之内,故要另写简要内容、经由结绝官司及保人,以供审查。如有虚假,皆有惩罚。官员泄密亦行科罪。已接受的文状,凡急速文字当日进入,常程文字每五日一进奏。

军头引见司。宋初设军头司与引见司,太宗端拱二年(989年)正月,"改军头司为御前忠佐军头司,引见司为御前忠佐引见司"⑦,

---

① 《宋会要》职官3·64。
② 《宋会要》职官36·62—64。
③ 《宋会要》职官3·66。
④ 《通考》卷60《职官十四》。
⑤ 据王栐《燕翼诒谋录》卷2。
⑥ 《宋会要》职官3·62。
⑦ 《宋会要》职官36·77。

后合为一司,称军头引见司。设勾当官五人,以内侍省都知、押班及阁门通事舍人以上充。掌禁军拣阅、引见、分配之事,"凡乘舆行幸有自诉者,审诘事状禀奏"①。

以上诸官署,皆是向皇帝上诉的渠道,但是上诉人必须依照法定次第,"初诣登闻鼓院,次检院,次理检院"②。"如未经鼓院进状,检院不得接收;未经检院,不得邀驾进状。如违,亦依法科罪"③。邀驾人要先经军头司官询问,如符合规定,即实封闻奏,候御批出,按旨办理。

(五) 诉 理 所

"管勾看详诉理所",简称"诉理所",属一度存在的中央级司法机构,是王安石变法失败后,新旧两派党争的工具。哲宗元祐元年(1086年)高太后、司马光当政,建立管勾看详诉理所,凡属神宗熙宁元年(1068年)正月以后,至元丰八年(1085年)三月六日大赦以前,"命官诸色人被罪,合行诉理,并限半年进状,先从有司依法定夺,如内有不该雪除及事理有所未尽者,送管勾看详诉理所"④。此后又将诉理期限延长到元祐二年(1087年)三月五日。凡提出诉理者,先经刑部,刑部不能雪除的案件,由诉理所审查处理。哲宗亲政后,御史中丞安惇于哲宗元符元年(1098年)六月上言说:"元祐之初,陛下未亲政事,奸臣乘时,议置诉理所,凡得罪于元丰之间者,咸为雪除,归怨先朝,收恩私室……倘出奸意,不可不行改正。"于是命蹇序辰、安惇"看详,内元状陈述及诉理所看详语言于先朝不顺者,具职位姓名以闻"⑤,以打击旧党势力,凡属元祐诉理,"因伸雪复改正重得罪者,八百三十家"⑥,并恢复元祐年间被旧党勒停人的官衔。

---

① 《宋会要》职官36·81。
② 《宋会要》职官3·69。
③ 《宋会要》刑法3·14。
④ 《宋会要》刑法3·20。
⑤ 《宋会要》刑法3·21。
⑥ 《宋史》卷200《刑法二》。

二、京畿和地方司法机构

(一)京畿司法机构

北宋开封府、南宋临安府不仅是京畿地区的行政机构,也是这一地区的司法机构。

开封府以尹、牧为长官,尹以亲王担任,太宗、真宗即位之前,皆曾为开封府尹,但不常置,而以权知开封府一人摄事。"掌正畿甸之事。中都之狱讼皆受而听焉,小事则裁决,大事则禀奏。若承旨已断者,刑部、御史台无辄纠察"①。不仅负责审断京畿地区的诉讼案件,其中承旨审判大案的判决可以直接禀奏,不受刑部、御史台的约束,从而成为一个特殊的地区司法机构。徽宗崇宁三年(1104年)"罢权知府,置牧、尹各1员,专总府事。牧以皇子领,尹以文臣充"②。其下属司法机构有:

左、右厅。各设判官、推官,协助长官"日视推鞫"③。哲宗元祐六年(1091年)权知开封府王岩叟上言:"左、右厅隶推官各二员,公事词状初无通管分治明文,请除事系朝省及奏请逐厅通管外,其余公事词状,并据号分治,庶无留壅"④。此后,左、右厅将诉讼案件"据号分治",分别开庭。

府院,又称司录司。是审理民事案件的司法机构,置司录参军一人,负责"折户婚之讼,而通书六曹之案牒"⑤。所谓"户婚之讼",据《宋刑统·户婚律》,包括财产、田宅、婚嫁、赋役、私入道等方面的纠纷,属于民事诉讼的范围。六曹为功、仓、户、兵、法、士,参军各一人。徽宗大观元年(1107年)诏:"开封六职闲剧不同,如士曹之官,唯主到罢批书,而刑、户事繁,自今凡士之婚田斗讼皆在士曹,余曹仿此。"⑥此后六曹皆参预与本曹有关的司法公事。

左、右军巡院,是审理刑事案件的司法机构。设有"左右军巡使、判官各二人,分掌京城争斗及推鞫之事"⑦。设左右两个军巡院是为了贯彻"移司别推"的制度,遇有犯人称冤,不须上诉,即可改由另一

---

①② 《通考》卷63《职官十七》。
③⑤⑥⑦ 《宋史》卷166《职官六》。
④ 《长编》卷454,元祐六年正月壬申。

个法庭审判。《宋会要·刑法》五《亲决狱》门,记载太宗太平兴国九年(984年)开封府刘寡妇,诬其子王元吉毒己一案,"事下右军巡按之,未得其状,移左军巡"审判即是一例。两军巡院虽负责审理刑事案件,却无权追摄证人,"合要证佐之人,非本府或三司无得擅追摄"①。开封府则有权追取包括禁军在内的证人,虽然殿前、侍卫司曾提出"开封府追取禁兵证事,皆直诣营所,事颇不便",但皇帝仍然坚持"逮捕证佐,悉如旧制"②。真宗天禧二年(1018年)"诏军巡院,所勘罪人,如有通指合要干证人,并具姓名、人数及所支证事状,申府勾追"③。

京府审判刑事案件,只有杖以下的判决权。真宗景德三年(1006年)"诏开封府,今后内降及中书、枢密院送下公事,罪至徒以上者,并须闻奏"④。死罪"经裁决后,百姓付中书,军人付枢密院,更参酌审定进入,俟画出,乃付本司"⑤。

开封府所辖诸县,皆有"平决狱讼"⑥的职责,有权判决民事及杖以下的刑事案件。京畿地区设有"提点开封府诸县镇公事","掌察畿内县镇刑狱、盗贼、场务、河渠之事"⑦,对诸县刑狱往来察举,"如事未尽理,有所淹系,并取案牍躬亲录问"⑧。

京城于府下设厢,厢下设坊。太宗至道元年(995年),新城、旧城各有四厢。城外原属开封、浚仪⑨两赤县分管,真宗大中祥符元年(1008年)改隶京府,又置城外八厢。二年,增为九厢。这时的厢还没有审理案件的司法职能。仁宗明道二年(1033年)八月十三日,殿中侍御史张奎上言:

> 开封府日生公事,多依事头决断,欲乞在京里外左右厢,各添置授事判官一员。⑩

仁宗采纳这一建议,"诏近臣举官,而士人多耻为之"⑪,不久罢去。

---

① 《长编》卷90,天禧元年八月丁丑。
② 《长编》卷60,景德二年六月。
③ 《宋会要》刑法3·58。
④ 《长编》卷63,景德三年八月。
⑤ 《长编》卷71,大中祥符二年正月戊辰。
⑥⑦ 《宋史》卷167《职官七》。
⑧ 《宋大诏令集》卷201《令府界提点往来察举诸县刑狱诏》。
⑨ 大中祥符二年改为祥符县。
⑩ 《宋会要》兵3·5。
⑪ 《长编》卷113,明道二年八月戊申。

神宗熙宁元年(1068年)从开封府所请"以京朝官分治左右厢。凡斗讼,杖六十已下情轻者得专决"①。熙宁三年(1070年)韩维权知开封府,"始分置八厢决轻刑"②。同年五月,设左右厢公事所。诏:

> 以京朝官曾历通判、知县者四人,分治开封府新旧城左右厢。凡斗讼杖六十已下情轻者得专决,及逋欠、婚姻、两主面语对定,亦委理断。③

据此可知,在新城和旧城分别设置左右厢共4个公事所。《宋会要》职官37·9—10《左右厢公事所》门,也提到"分治京城四厢"。这里所谓的"厢",是按公事所职事划分的管辖区域,比行政机构的厢要大一些。类似情况尚有管理"官邸店计直出僦及修造缮完"④的左右厢店宅务,则是按店宅务的职事划分的左右两个大厢。

熙宁三年(1070年)十一月十九日,看详编修条例所上言:

> 开封四厢,各置官一员,勾当断决公事,内杖六十以上罪及枝蔓公事,不许收接文状依旧外,取到逐厢一月之内决断事件不多,欲止令京朝官两员分领两厢决断所是,旧来四厢使臣仍旧存留,以备诸般差使。⑤

于是又将四厢公事所合并为两厢。哲宗元祐元年(1086年)六月二十七日,权知开封府谢景温上言:

> 京师新旧城内惟有二厢,遇夜公事解送遥远,请于新城内外左右置二厢,通为四厢。⑥

四年(1089年)罢新置二厢。绍圣元年(1094年)复置四厢。司法系统的大厢,与府下属县的级别相当。《宋会要》刑法4·88载,徽宗政和六年(1116年),大理寺及开封府尹的奏章将"四厢、赤县"、"四厢、十六县"并提,就反映了这方面的史实。

高宗建炎三年(1129年),改杭州为临安府。设知府1员,通判2员,签书判官厅公事、节度推官、观察推官、观察判官、录事参军、左司理参军、右司理参军、司户参军、司法参军各一员。府院、左司理院、

---

① 《通考》卷167《刑六》。
② 《宋史》卷315《韩维传》。
③ 《长编》卷211,熙宁三年五月庚戌。
④ 《宋会要》食货55·2。
⑤ 《宋会要》职官37·9。
⑥ 《宋会要》职官37·10。

右司理院掌管本府及所属九县狱讼,时称"三狱"。临安知府带浙西安抚使衔,多以"卿监从臣兼"①。孝宗乾道七年(1171年)皇太子领临安府尹,废通判、签判,"置少尹一员,日受民词以白太子","置判官二员、推官三员"。乾道九年(1173年)皇太子辞免府尹,"临安知、通、签判、推判官并依旧"②。府下依开封府例,设厢一级公事所。高宗绍兴十一年(1141年)五月,依郡守俞俟奏请,于城外设立南北厢公事所。③ 绍兴二十六年(1156年)闰十月,又于城内左右厢"增置二员,分掌讼牒"④。绍兴二十七年(1157年)⑤六月,御史周方崇上言:

> 本府每日词讼,十有七八并判送二厢,逐厢公吏,徇情曲法,非理追人,并不系公行遣。送下词讼既多,有非厢官所能行者,一切不决。州府既不与决,两厢又不行遣,人户怨嗟。缘临安府与昔日开封府繁简不同,本府长官置吏不少,现今城南北厢官全缺,欲乞将在城左右厢废罢,其厢官二员,却移往城北厢,所有城内词诉,令本府依前自行理决。⑥

临安府城内公事所遂罢。

宋初沿五代旧制,以开封府为东京,河南府为西京。真宗朝又升应天府为南京,大名府为北京。《文献通考·刑制考》在综述宋代各级司法机构时称,"在开封则有府司、左右军巡院","外则三京府司、左右军巡院"。外三京府除知府事、通判外,亦均设有判官、推官,"左右军巡悉同开封,而主典以下差减其数"⑦。

(二)纠察在京刑狱司

纠察在京刑狱司,相当京畿地区的监司。真宗大中祥符元年(1008年)六月,开封府勘进士廖符,使用酷刑,械系庭中,曝裂其背

---

① 《通考》卷63《职官十七》。
② 俱见《宋史》卷166《职官六》。
③ 《乾道临安志》卷2《城南北两厢》。
④ 《系年要录》卷175,绍兴二十六年闰十月乙卯。
⑤ 《通考》原系于绍兴二十六年六月,与绍兴二十六年闰十月始置城内厢官事实不合,《系年要录》卷175于初置城内厢官条注云:"明年六月五日,侍御史周方崇奏,今并书之",今从《要录》,系于绍兴二十七年。
⑥ 《通考》卷63《职官十七》《都厢》。
⑦ 《宋史》卷166《职官六》。

而无所得,为防止"罪未见情,横罹虐罚"①,二年(1009年)七月四日创置纠察在京刑狱司,诏令规定:"其御史台、开封府,在京应有刑禁之处,并得纠举。逐处断徒已上罪,于供报内未尽理及淹延者,并追取案牍,看详驳奏。"②并任命知制诰周起、侍御史赵湘领其事,拨开封、浚仪两赤县手力10人,步军司剩员军士4人供役。十九日诏:"应在京府刑狱司局,每日具已断见禁轻重罪人因由供纠察司。其殿前、马步军司徒已上,亦依此供报","三司、御史台别无禁系,即十日一报纠察司"③。有关徒以上案件,"若理有未尽或置淹恤,追复其案,详正而驳奏之。凡大辟,皆录问"④。如因拷问致冤者,可向纠察司陈状,经复勘后实为冤案,则将原推勘官从严处治。纠察官从报状中发现疑点,可提罪人就司审问,涉及大辟或密切事务,即委纠察官一员前往审问。遇有公事上殿,纠察官"即赴内殿起居,仍免常朝"⑤。神宗熙宁三年(1070年)"诏殿前、马步军司,大辟囚并如开封府法送纠察司录问"⑥。于是将京畿地区的刑狱,置于中央严密控制之下,纠察在京刑狱司成为京畿地区负责刑狱的监司,不少中央机构,也要受到约束。

关于纠察司勘鞫案件问题,真宗天禧三年(1019年)十月,纠察官吕夷简奏:

> 本司累奉诏旨,勘鞫定夺公事,或止将公案详阅亦无妨碍,若勘鞫公事,即动须追逮罪人,辨证词理,显是兼置刑狱不便。⑦

因"诏纠察刑狱司,自今免鞫劾公事,如有定夺,即仍旧"⑧。此后,大体上将纠察司职事,限制在审判监督的范围内。仁宗天圣八年(1030年)⑨御史上言,以为将御史台诏狱移报纠察司有失大体,"乃诏,御史台狱自今勿复关纠察司"⑩。神宗元丰三年(1080年)八月,纠察司与审刑院一起并入刑部,京师大狱一般由御史台和大理寺复核。

---

① 《宋会要》职官15·44。
② 《宋大诏令集》卷161《置纠察在京刑狱诏》。
③ 《宋会要》职官15·44—45。
④ 《宋史》卷163《职官三》。
⑤ 《宋会要》职官15·45。
⑥ 《长编》卷214,熙宁三年八月乙亥。
⑦⑧ 《长编》卷94,天禧三年十月辛亥;《宋会要》职官15·46。
⑨ 天圣八年,按《宋会要》职官55·7,将"八年"系于"宝元"下。宝元止二年,应是天圣八年之误,今从《长编》。
⑩ 《长编》卷109,天圣八年六月癸巳。

（三）诸路监司

唐朝将全国分区设道，派遣使臣以监察地方行政。宋初，因袭唐朝设道的旧制，淳化四年（993年）分天下为十道，同时由于转运使负责征集和运输财赋而称为路。《长编》卷1，太祖建隆元年六月辛卯条称"诸路州府"；卷2，建隆二年九月癸酉称"京畿东路发运使"。《通考》卷317《舆地考三》载"建隆三年，以北海县置军，属京东路"。太宗至道三年（997年），改"分天下为十五路"①，神宗元丰八年（1085年）增至二十三路，此后一直沿用路的名称。

宋代的路具有监察区向行政区过渡的性质。各路先后设转运司（俗称"漕司"）、提点刑狱司（俗称"宪司"）、提举常平司（俗称"仓司"）等中央派出机构，分别负责某方面的政务，并具有监察地方官的职责，统称为"监司"。诸司互不统属，职事范围虽有不同，但职权却往往交错，以分散事权，避免专擅，便于朝廷控制。其中转运司和提点刑狱司，皆有司法职能。

唐朝设转运使，负责漕运江淮粮食。宋初但称勾当某路水陆计度转运事，官高者称某路计度转运使，太平兴国初，皆称使。负责运输军用物资的官员，称军前转运使，战事结束即行撤销。宋初的转运使与道的区划没有直接关系。"自乾德以后，僭伪略平，始置诸道转运使"②。太宗太平兴国二年（977年），罢节度使所领支郡，"令直属京师，郡长吏得自奏事。自是而后，边防、盗贼、刑讼、金谷、按廉之任，皆委于转运使。又节次以天下土地形势，俾之分路而治矣。继增转运使判官，以京官为之，于是转运使于一路之事，无所不总也"③。一路刑讼，成为转运使职事之一。淳化二年（991年）五月诏："转运司命常参官一人，纠察州军刑狱"④。在转运司设立了专门司法官员，四年（993年）十月省罢，但刑讼仍然是转运司的职事之一。

真宗以后，诸路提点刑狱司成为监司中的司法机构。早在太宗淳化二年（991年）五月，曾派刑部司门员外郎董循等十一人，分充诸路转运司提点刑狱官，因为"徒经岁序，蔑有平反"⑤，四年（993年）十月又省罢之。真宗景德四年（1007年）七月，复置诸路提点刑狱，"不隶转运，别为一司，稍重其权"⑥，并选"性度和平，有执守"的官员太常博士陈纲等任其事，并召至长春殿告诫：

---

① 《通考》卷315《舆地考一》。
②③④⑤⑥ 《通考》卷61《职官考十五》。

> 所至专察视囚禁,审详案牍。州郡不得迎送聚会。所部每旬具囚系犯由,讯鞫次第申报,常检举催督。在系淹久者,即驰往案问。出入人罪者,移牒复勘,劾官吏以闻。诸色词诉、逐州断遣不当,已经转运使批断未允者,并收接施行。官吏贪浊弛慢者,具名以闻,敢有庇匿,并当加罪。①

于是提点刑狱司成为监司中的一个司法机构,其主要职事是:

> 掌察所部之狱讼而平其曲直,所至审问囚徒,详复案牍,凡禁系淹延而不决,盗窃逋窜而不获,皆劾以闻,及举刺官吏之事。②

天禧四年(1020年)正月,"改诸路提点刑狱为劝农使副使,兼提点刑狱公事"③。同年十一月,"令劝农使兼提点刑狱官,自今以提点刑狱劝农使副为称"④,以示处理刑讼为主要职责,于提点刑狱下设劝农司。仁宗天圣四年(1026年)中书门下上言:"诸路转运使、提点刑狱,皆别置劝农司,文移取索颇为烦扰,请自今勿置司",诏"罢诸路劝农司,转运司、提点刑狱仍令领劝农使如故"⑤。天圣六年(1028年),因提点刑狱官过为烦扰,"诏诸路提点刑狱朝臣使臣,交割本职公事与转运使副使"⑥。两年后又下诏复置,裁减吏人旧额,不过十天又废而不行,至明道二年(1033年)十二月,因转运司提点刑狱官不能一一亲自谳问,为避免冤狱,复置诸路提点刑狱司,选贤明不任意生事的文武官员委任之。神宗熙宁二年(1069年),以武臣不足以察所部人材,而专用文臣。六年(1073年)"置诸路提刑司检法官",⑦负责审复州县上报狱案。徽宗宣和二年(1120年)设勾当公事。南宋初,因避高宗赵构名讳,改称干办公事,协助提刑审理案件。南渡之初,社会秩序混乱,提刑参用武臣。孝宗以后,因武臣蛮横,遂又专用文臣,止除朝臣一员。

提刑司在建立之初,仅以按问刑狱,纠举违法官吏为职事,随着社会矛盾的发展和中央集权的需要,其职权范围逐渐扩大。南宋吕祖谦说:"提刑一司,虽专以刑狱为事,封桩钱谷、盗贼、保甲、军器、河

---

① 《长编》卷66,景德四年七月癸巳;《宋大诏令集》卷161《置诸路提刑诏》。
②⑦ 《宋史》卷167《职官七》。
③ 《长编》卷95,天禧四年正月丙子。《宋会要》职官42·2。
④ 《长编》卷96,天禧四年十一月乙卯。
⑤ 俱见《长编》卷104,天圣四年三月辛巳。
⑥ 《长编》卷106,天圣六年正月戊午。

渠、事务寖繁,权势益重"①。其他如点检招兵②,本路盐③及坑冶④等,有时也由提刑司兼管。

宋代监司,虽各有职掌,但由于实行移司别推制度,大都具有司法职能。仁宗景祐元年(1034年),中书门下上言称:"检会条贯,诸色人诉讼公事,称州军断遣不当,许于转运司理诉,转运不理,许于提点刑狱陈诉。"⑤宁宗嘉定十四年(1221年),知处州孔元忠上言:"在法,囚禁未服则别推,若仍旧翻异,始则提刑司差官,继即转运司、提举司、安抚司或邻路监司差官,谓之五推"⑥。实际上,诸监司以及安抚司(帅司)大都有派官审判的司法职能,宋初的转运司和后来的提刑司是受理狱讼的主要机构。但监司是朝廷派出的监察机构,在司法上主要负责审查地方审理的案件,平反冤案,监督地方官吏,使之依法审判。遇有上诉或复审的案件,则差官组织临时法庭,事毕即罢,没有常设的司法机构。元丰改制以后,诸州判决的死刑案件,须经提刑司核准后执行,⑦除奏谳案件外,提刑司拥有一切案件的终审权,成为一路的最高司法机构。

中央对提刑司实行严格监督,除审官院进行考课外,仁宗景祐三年(1036年)十月,设立磨勘诸路提刑司,专门考核提刑官。⑧ 又规定"监司互察"⑨,禁止提刑司与转运司"同在一州"⑩,实行提刑官回避亲戚的制度,并禁止赴州郡宴会,以防止舞弊和监司势力互相结合。

北宋前期在消除藩镇势力割据的同时,转运使的权力大大发展。设立提刑司,一方面是处理刑狱公事的需要,同时也分割了转运司的事权,以防止形成新的割据势力。监司之间互不统属,事权又相交错,难免出现混乱,但却保证了中央对地方的控制。

(四)州、县司法机构

宋代设州(府、军、监)、县两级地方行政机构,同时也是受理诉讼

---

① 《通考》卷61《职官考十五》。
② 《庆元条法事类》卷7《监司巡历·职制令》。
③ 《长编》卷224,熙宁四年六月丁丑。
④ 《宋史》卷167《职官七》。
⑤ 《宋会要》刑法3·17。
⑥ 《宋会要》职官5·63。
⑦ 《通考》卷167《刑考六》。
⑧ 《宋会要》职官59·6。
⑨ 《宋会要》职官45·5。
⑩ 《长编》卷114,景祐元年五月庚午。

案件的司法机构。州与县在行政上是上下级隶属关系。县是基层的司法机构,除审判民事案件外,其刑事判决权限于杖刑,①徒以上,则须将初审结果报州。② 州一级受理上诉的民事和县呈报的徒以上刑事案件。其刑事裁判权分两个阶段:北宋前期,因提刑司罢置不常,转运司主要负责监督,地方判案没有报监司核准的规定,故州一级可判决徒、流及无疑虑的死罪;元丰改制以后,"四方之狱非奏谳者,则提点刑狱主焉"③。淳熙十三年(1186)规定诸州大辟罪案,"情理昭然不应奏者,具奏款申提刑司详复论决"④,将无疑虑的死刑判决权,收归提点刑狱司。有疑虑的大辟罪案,宋初由州直接奏裁,天圣二年(1024年),因奏谳过多,改由监司审查,"须奏者乃奏"⑤,但又出现淹延时日诸问题,遂改由州直接奏谳,凡多次反复,未成定制。

州、县均贯彻独立审判的原则。政和五年(1115年)刑部上言:"州县鞫狱,在法不得具情节申监司,及不得听候指挥结绝。"⑥

州设"知州事、通判州事各一人,府、军、监事如州,视地望轻重,以资级应选者充,藩方剧郡,则通判二人"⑦。知州"总理郡政","其赋役、钱谷、狱讼之事,兵民之政皆总焉"⑧。其在司法方面的职事是:

    属县事,令、丞所不能决者,总而治之,又不能决,则禀于所
    隶监司及申省部。凡法令条制,先详意义注于籍而行下所属。
    有赦宥,则率官吏宣读而班告于治境⑨。

通判"掌倅贰之政,凡兵、民、钱谷、户口、赋役、狱讼听断之事,可否裁决,与守臣通签书施行"⑩。有驻军的知州皆带军职,诸如兵马都总管、兵马都钤辖、钤辖、副钤辖、兵马都巡检、巡检、都监、监押之类,因而也受理军人案件。高宗绍兴元年(1131年),越州军人黄德等"持

---

 ① 《宋会要》刑法 3·12:"徒罪以上送本州,杖罪以下在县断遣,如有不当,即经州理论"。
 ② 《庆元条法事类》卷 73《决遣·断狱令》:"诸犯罪皆于事发之所推断,杖以下县决之,徒以上及应奏者,并须追证勘结圆备方得送州"。
 ③ 《通考》卷 167《刑考六》。
 ④ 《通考》卷 170《刑考九》。
 ⑤ 《宋史》卷 199《刑法一》。
 ⑥ 《宋会要》刑法 6·61。
 ⑦ 《宋会要》职官 47·11。
 ⑧⑩ 《宋史》卷 167《职官七》。
 ⑨ 《宋会要》职官 47·12。

杖劫盗前酒库人员李成等差出买柴船,杀死四口"①,即是由越州审判上报后,刑部郎官前往录问定案的。

知州、通判以下,每州属官一般有七:"判官、推官,掌受发符移,分案治事;兵马都监,掌训治兵械,巡察贼盗;录事、司理、司户参军,掌分典狱讼;司法参军,掌检定法律,各一人,皆以职事从其长而后行焉。"②州一级主要的司法官是录事参军、司理参军、司户参军和司法参军诸曹官,他们在知州的主持下从事司法工作。

州一级一般设两个法庭,一个是州院(府院),一个是司理院。州院和府院负责官员的名称不同,"诸府为司录,诸州为录事"③。州的录事参军,是沿袭唐朝旧制,在宋代"掌州院庶务",与府的司录参军一样,都是负责审理民事案件的法官,后来也兼管刑事诉讼。

司理院"掌狱讼勘鞫之事,不兼他职"④,是专门审理刑事案件的机构。五代以来,诸州皆有马步院,以牙校充马步都虞侯,掌管刑法。宋太祖虑其任私,高下其手,于开宝六年(973年)改置司寇院,设司寇参军,以新进士及选人为之。太宗太平兴国三年(978年),改司寇院为司理院、司寇参军为司理参军。⑤

司法参军亦是沿袭唐朝旧制,唐代的司法参军,负责"鞫狱丽法"⑥,既负责审讯,又负责断刑。宋代的司法参军只掌"议法断刑"⑦,司理院及州院审清案情,由司法参军选出合适的法条,提供断刑依据,⑧将鞫狱和检法分为两个机构,在审判进程中,严禁检法官与鞫狱官接触,凡"录问,检法与鞫狱官吏相见者,各杖八十"⑨。这就是宋代"鞫谳分司"的制度。

司户参军也是沿袭唐制。宋代的司户参军"掌户籍、赋税、仓库受纳"⑩,南宋乾道以后,"间以司户兼司法"⑪。如宁宗嘉定元年(1208年),茂州"在州文吏,止有司户,仓库狱讼,丛于厥身"⑫,即为

---

① 《宋会要》刑法5·32。
② 《宋会要》职官47·11—12。
③④⑦ 《通考》卷63《职官考十七》。
⑤ 《古今合璧事类备要》后集卷78《州官门·司理》,《通考》卷63《职官考一七》。
⑥ 《新唐书》卷49下《职官四下》。
⑧ 见《庆元条法事类》卷73《刑狱门三·检断·断狱令》:"诸事应检法者,其检法司唯得检出事状,不得辄言予夺"。
⑨ 《庆元条法事类》卷9《职制门六·馈送·断狱敕》。
⑩⑪ 《宋史》卷167《职官七》。
⑫ 《宋会要》职官48·14。

一例。有时小郡以幕职官中的"判官兼司法"①。如"通化军判官,元系兼司法"②。真宗天禧四年(1020年)桂州、广州"多委幕职鞫治狱讼,详公事"③。

由上可知,州一级的司法官员,主要是曹官中的录事参军、司理参军和司法参军,司户参军和幕职判官、推官也有司法方面的职责。

以上官属,视州军的大小及事务繁简而定,"诸州军小事简不备置,非繁剧而不领县务者,量减官属"④。如丹州只辖宜州一县,每有狱讼,即由司理院当直司勘鞫,神宗元丰元年(1078年),"并州院入司理院"⑤,省去了州院。广南西路的高州和融州,"自来高州置司户参军一员,兼录参、司法事;融州置司理、司户参军二员,兼录参、司法事",仁宗天圣五年(1027年)请增置推官,没有批准,"依旧只令司户参军兼知逐州推官厅公事"⑥。高、融二州,只有曹官一至二员,且兼管幕职推官的职事。由于小的州军设官不全,因而影响"鞫谳分司"的原则,又不得不有所增加。嘉定五年(1212年)信阳军只设司理院,军院无正官,而以判官兼任录事参军和司法参军。吏部认为"信阳军判官,既兼司法检断,难以又兼军院鞫勘,委以职事相妨",乃"添置司户一员,兼录事参军"⑦,仍以推官兼司法事。

县的长官称"知县"或"县令",凡以京朝官⑧领县者,称"知县",以选人领县者,称"县令"。知县或县令"掌字民治赋,平决狱讼之事"⑨,"有戍兵则兼兵马都监或监押"⑩。主要属官有县丞、主簿和县尉。

宋初不置县丞,仁宗天圣四年(1026年)于开封、祥符两赤县各置丞一员,从"有出身幕职令录内选充"⑪。神宗以后,于户广事繁及

---

① 《通考》卷62《职官考十六》。
② 《宋会要》职官48·11。
③ 《宋会要》职官48·7。
④ 《宋会要》职官47·1—2。
⑤ 《宋会要》职官47·74。
⑥ 俱见《宋会要》职官48·7。
⑦ 《宋会要》职官48·14—15。
⑧ 京朝官 京官及朝官的简称。北宋前期"以常参官预朝谒,故谓之升朝官,而未预者曰京官"。元丰改制后,文臣自通直郎,武臣自修武郎以上为升朝官,废京官之名,公文中止称"承务郎以上,然俗犹谓之京官"(《老学庵笔记》卷8)。
⑨ 《宋会要》职官48·25。
⑩ 《宋会要》职官48·29。
⑪ 《宋会要》职官48·53。

有山泽坑冶县分增置,此后逐渐减少,小邑不置。县丞"掌贰令之职"①,协助县令处理县政,亦"受接民讼"②。

主簿佐理县务,名义上是"专掌稽考簿书"③,实际上也参预民事诉讼的公事。王禹偁在《单州成武县主簿厅记》中说:

> 至于理簿书、课农事、供赋调、求考绩者,固主簿之职;然尔其间有斗讼相高、婚田未决、畜产交夺、契券不明者,在乎察其情伪、正其曲直,助令长详而决之,使刑罚得其中,则百里之人手足知所措矣。④

由于主簿有管理簿书的条件,对一县户口、财产等皆有详细账目,在协助县令审理案件中起着重要的作用。

县尉以捕捉盗贼,维持地方治安为职,真宗咸平元年(998年)十月诏:"天下县尉司,不得置狱"⑤,但有些不设主簿的小县,却令县尉兼主簿。主簿厅、县尉司都不是司法机构,主簿只是作为县令的属员,对审判案件做一些辅助工作而已。

由上可知,宋代县一级的司法官员,主要是县令。唐代县令以下设立司法佐、司户佐、典狱等佐职,司法佐专门协助县令审理狱讼。宋代却没有官员身份的专职司法人员,只有吏人。北宋前朝吏人名称有押司、录事、录事史、佐史4种。⑥ 徽宗政和六年(1116年),开封府中牟等八县狱空,受奖的各曹所属公吏⑦名称有:职级、推司、典书、副典书、手分、狱子。⑧ 这6种公吏,都应是与县级司法有关的。《庆元条法事类》卷52《公吏门》有如下记载:

> 诸县典押保举有行止不曾犯赃私罪手分、贴司三两人,就编录司习学,遇编录司有缺,县申州,州委官比试断案,取稍通者充。候及三年,检断无差失,升一等名次,(原注:"谓元系贴司即升手分,原系手分即升上名之类"。)若遇典押缺,即先补试中编录司人。

---

① ③ 《宋会要》职官48·29。
② 《宋会要》职官48·58。
④ 《小畜集》卷15。
⑤ 《宋会要》职官48·61。
⑥ 见《宋会要》职官48·25。
⑦ 见《庆元条法事类》卷52《公吏门·名例敕》:"诸称公人者,谓衙前、专副、库秤、揭子、杖直、狱子、兵级之类。称吏人者,谓职级至贴司,行案不行案人并同。称公吏者,谓公人、吏人"。
⑧ 见《宋会要》刑法4·88。

据此,则南宋县衙中的典押,必须从经过考试审察及格的编录司吏人中选充。由于"诸县不置推法司,吏受赇鬻狱,得以自肆"①。光宗绍熙元年(1190年)敕,诸路万户以下县,置刑案推吏两名,五千户以下一名,"专一承勘公事,不许差出及兼他案。仍免诸色科敷事件,月给②视州推吏减三之一,委令佐选择有行止、无过犯、谙晓勘鞫人充。以一年为界,即因鞫勘受财,并行重法"③。此后,绍熙四年(1193年)、宁宗庆元元年(1195年),又加以重申④,但"自降旨后及今二十年矣,未尝有行之者"⑤。县令要负责审理境内各种案件,而且必须亲临,如果"使吏鞫讯者,徒二年"⑥;对民事案件和杖以下的刑事案件都作出判决,"命官犯罪,虽有实状亦须具奏"⑦,徒以上的刑事案件要进行预审⑧,然后上报州府。

徽宗政和三年(1113年)臣僚上言说:"县令之任,为最繁重,催税劝率,公讼刑禁,凡朝廷所行之政多在焉。"⑨所以尽管有鞫狱必须亲临的制度,但却难免使吏人自行审理。胡太初在《昼帘绪论·治狱篇》说:"在法,鞫狱必长官亲临。今也,令多惮烦,率令狱吏自行审问,但视成款佥署,便为一定,甚至有狱囚不得一见知县之面者。"孝宗淳熙二年(1157年),福建提刑叶南仲上言:

> 郡县狱吏推行重禄,今职级、押司之下,有推司、欵司,[推、欵司](原脱)之下,有代书、贴司;自推、欵司以上行重禄,代书、贴司无禄也。是以每有狱事,则推欵司主行之。而赇略公行,则在乎代书、贴司也。狱成而无词诉,则众分其略,有词诉则贴司当之,又相与营救,止抵微罪。⑩

这就是宋代司法上的一个重要问题,也是行政司法混在一起,而县令公事繁杂所带来的一个难以克服的缺陷。

县以下有驻军的镇寨,其镇将自"五代以来,皆节帅自补亲随,与

---

① ③ ⑤ 《朝野杂记》乙集卷14《诸县推法司》。

② 《庆元条法事类》卷52作"月请给"。同书卷37《库务门·名例敕》"诸称请受者,谓衣粮料钱,余并为添给;称请给者,谓请受添给"。

④ 敕文俱见《庆元条法事类》卷52《公吏门》。

⑥ 《通考》卷167《考刑六》。

⑦ 《宋会要》职官48·36。

⑧ 《庆元条法事类》卷73《刑狱门三·决遣·断狱令》:"杖以下县决之,徒以上[及](原作乃)应奏者,并须追证勘结圆备,方得送州"。

⑨ 《宋会要》职官48·32。

⑩ 《宋会要》职官48·105。

县令抗礼";宋初置县尉,"主乡盗贼,镇将所主止郭内而已"①。镇寨官中,凡是差亲民文臣者,"听决城内杖以下罪";非亲民文臣及武臣兼烟火公事者,"其城内斗竞公事,听以笞行决,不得过十下,缘边镇寨斗竞公事,杖以下皆听决之"②。其中益、梓、利、夔路管内镇将,"不得捕乡村盗贼及受词讼"③。

三、专门审判机构

(一)军事审判机构

宋代军人犯罪,除行军及临阵由将帅处置外,平时枢密院、殿前司、侍卫马步军司、经略安抚司、总管司、都监、监押皆有受理军人案件的司法职能。

枢密院是皇帝以下与中书门下并列的中央最高军政机关。它"与中书对持文武二柄,号为二府"④。枢密院长官称枢密使或知枢密院事。具体掌管兵籍、军队之教阅、招补、拣汰、俸给、升迁、换官及制定有关军事法规和赏功罚过等事,也具有军事审判监督及审理案件的职能。

宋政权对死刑判决比较慎重,军人犯大辟罪,须经枢密院复核审定,然后上奏取旨。真宗大中祥符二年(1009年)正月诏:

> 自今开封府、殿前、侍卫军司奏断大辟案,经朕裁决后,百姓即付中书,军人付枢密院,更参酌审定进入,俟画出,乃赴本司。⑤

五年(1012年)五月,又"诏刑部,今后奏到断讫禁军大辟案,具情罪申枢院"⑥。哲宗元祐五年(1090年)诏:"诸路兵官及使臣有罪,自枢密院以下所属鞫治者,奏案申枢密院取旨。"再诏刑部:"命官犯罪,事干边防军政,文臣申尚书省,武臣申枢密院。"⑦高宗建炎三年

---

①③ 《宋会要》职官48·92。
② 《庆元条法事类》卷73《断狱门三·决遣·断狱令》。
④ 《宋史》卷162《职官二》。
⑤ 《宋大诏令集》卷201《大辟经裁决后付中书密院参酌诏》;《长编》卷71,大中祥符二年正月戊辰。
⑥ 《宋会要》职官15·3。
⑦ 《通考》卷167《考刑六》。

(1129年)四月诏:"将帅非出师临阵毋得用刑,即军士罪至死者,申枢密院取旨。"①枢密院通过复核死刑,以监督军人案件的审判。

军人(包括原是军人,或刺配为军人者)犯流罪刺配者,也由枢密院复核。真宗大中祥符三年(1010年)十月,殿前、侍卫马步军司上言,涉及军人"累作过犯"问题,真宗宣示知枢密院王钦若称:

> 俱是无赖不逞之辈,本营畏惧,不敢申陈,然一概行之,失于轻重,可分作四等:一等配海岛,一等配远处牢城,一等降配远处本城②,一等降配,并依例刺面。③

五年(1012年)十月一日诏法寺:

> 取开封府,殿前、侍卫、军头司等处见用宣敕④,凡干配隶罪名,悉送枢密院,详所犯量行宽恤,改易配牢城罪名;内军人须合配者,并降填以次禁军,及本城诸色人情须配者,量所犯轻重,更不刺面,配定官役年限。⑤

哲宗元符二年(1099年)九月诏:"禁军犯罪,除班直外,枢密院批降指挥移降特配,更不取旨。"⑥宁宗嘉泰四年(1204年)四月十二日,诏诸路安抚司,将"诸州所收过淮编置罪人",开具老弱、强壮、姓名、人数,申枢密院,以便"分刺屯驻诸军,各使自效"⑦。以上事例,说明军人和配军罪人,由枢密院审核。

枢密院除复核军人大辟及流罪案件之外,有时也直接开庭审判。真宗咸平六年(1003年),保州、威房、静戎军沿边都巡检使李继宣,在与契丹的两次战役中,"屡徙寨而未尝出战","乃召还,令枢密院问状"⑧。神宗熙宁三年(1070年)十一月,从中书编修条例所奏,将"使臣公案,并归枢密院断放"⑨。

宋初,枢密院无刑房,熙宁四年(1071年)十月九日"置刑房,选

---

① 《系年要录》卷2,建炎二年四月己酉。
② 《庆元条法事类》卷75《刑狱门五·编配流役·名例敕》:"诸称配者刺面,不指定军名者配牢城;称本城者,谓诸军住营,诸色人住家之所。"
③ 《宋会要》刑法7·5。
④ 《宋会要》刑法1·11:"圣旨札子批送中书颁降者,悉名曰敕,枢密院颁降者,悉名曰宣。"
⑤ 《宋会要》刑法4·6。
⑥ 《长编》卷515,元符二年九月辛丑。
⑦ 《宋会要》刑法4·64—65。
⑧ 《长编》卷55,咸平六年六月癸酉。
⑨ 《长编》卷217,熙宁三年十一月乙未。

三班内晓法者一人为主事"①。掌诸军官兵断案等事②。法司三人，"系外差，专行断案，并掌宣旨院条册"③。

枢密院以下，审判军人案件的有各级军事机构和带兵将帅。

出师临阵和行军期间，违法者可由将帅直接处置。真宗咸平五年（1002年）五月十四日，"诏西路将士，临阵巧诈退避者，即按军令，不须以闻"④。与敌接战，"军员已下至节级，依次约束，如有不用命退却之人，便令军员等于阵前处斩"⑤。高宗建炎三年（1129年）四月二日诏：

> 自来将帅行军，诸军于军前犯罪，或违节制不用命，自合于军前处置外，若军马已还行在，诸军犯罪至死，申枢密院取旨断遣。⑥

征战或行军结束，即改用平时的审判制度。

各级军事管理机构，受理所属军人案件。中央的三衙——殿前都指挥使司、侍卫亲军马军都指挥使司、侍卫亲军步军都指挥使司，"掌禁军之政令，随其官名所隶而分颁之。训练、戍守及军事之赏罚，皆行以法，而治其狱讼。若情不中法，则禀奏听旨"⑦。三衙各设推案，负责"鞫勘取会追呼诸军班诸般词讼公事"，"法司，检引条法"⑧。

在京禁军罪案，归三衙审判，"自犯杖以下，本司决遣，至徒者奏裁"⑨。在外戍守的禁军，杖以下申本路提点刑狱司，"准法决罪"，"徒以上（原作'下'）禁系奏裁"⑩，厢军军头以下至长行，犯流罪以下"只委本处处决讫"⑪，死罪须奏裁。

神宗熙宁三年（1070年）八月十八日，"诏殿前、马步军司，今后大辟罪人，并如开封府条例，送纠察司录问"⑫。三衙所判死罪，除要经纠察司录问外，并须呈枢密院审核进奏。南宋光宗绍熙二年（1191

---

① 《宋会要》职官6·5。
② 《宋会要》职官6·15。
③ 《宋会要》职官6·11。
④ 《宋会要》刑法7·1。
⑤ 《宋会要》刑法7·11—12。
⑥ 《宋会要》刑法7·31。
⑦ 《宋会要》职官32·3引《神宗正史》。
⑧ 《宋会要》职官32·1。
⑨ 《长编》卷60，景德二年六月。
⑩ 《长编》卷71，大中祥符二年六月。
⑪ 《宋会要》刑法7·4。
⑫ 《宋会要》职官32·5。

年)臣僚上言：

> 三衙及江上诸军都统制司所有推狱，名曰后司，有吏、有法司，狱成则决之主帅，略不经官属之手。诸军每月公事解赴帅司，必先计会后司人吏。或非理锻炼，或轻重任情，贿赂得行，奸弊百出，军中冤抑，无所赴愬。乞今后诸军后司公事，并令主帅选委通晓条制属官二员兼管，庶几可无冤滥。①

南宋的三衙和江上诸军都统制司的后司，是专门审理本军案件的军事司法机构，因为由吏人审判，主帅决定，不经其他官属之手，出现弊端后，改由主帅选属官兼管司法。

诸路知州多兼经略安抚使、兵马都总管、总管，县令多兼都监、监押等军职，故能受理军人案件。真宗天禧二年(1018年)十一月诏："环、庆、宁三州，禁兵犯罪至死者，委本州依条区断讫，申总管司"②。本来这三州禁兵犯极刑者，先由本州审明案情，将案牍报总管司裁断，后因往返需要10天，造成留滞，遂改由本州断刑后再申总管司。神宗熙宁二年(1069年)九月，从审刑院上言：

> 应诸路州军人犯罪，情重法轻难恕者，仰逐处具所犯申本路经略安抚或总管、钤辖司，详酌情理，法外断遣。诏无经略安抚、总管司，方许申钤辖司施行。③

有关军民之间的纠纷，则由军民两个机关共同审理。真宗大中祥符五年(1012年)，"诏开封府，诸县军民相殴讼者，令知县、都监同议断"④。

由上可知，枢密院、三衙、南宋江上诸军都统制司、经略安抚司、总管司、钤辖司、都监等军事管理机构，都具有审理军人案件的司法职能。

(二)财经审判机构

1. 三司

从宋初到神宗元丰改官制以前的一百多年中，"以天下财计归之三司"⑤，三司是最高的财政管理机构。元丰改制，废三司，将三司大

---

① 《宋会要》职官5·54。
② 《宋会要》刑法7·8。
③ 《宋会要》刑法7·16。
④ 《长编》卷77，大中祥符五年二月癸丑。
⑤ 《宋史》卷163《职官三》。

部分职事转归户部。

三司由盐铁、度支、户部三部组成,职官设置屡有变化。太祖朝设三司使统领三部,太宗、真宗朝两度废三司使,分设盐铁使、度支使、户部使,并曾设左计使、右计使分掌十道财赋。真宗咸平六年(1003年),又将三部合为三司,重设三司使。

三司设有专门司法官员,审查经济案件。"三司推勘公事一人,以京朝官充,掌推劾诸部公事。"①这只是一个粗略的概括。太祖开宝八年(975年)十一月,"置三司推勘院于城南","未几罢"②。盐铁、度支、户部,每部判官一人,乾德四年(966年),各置推官一人,此后随着三司体制的变动,判官、推官的设置亦有变动。③

三部依职掌分别设案,初共设二十四案,以后又有所调整。太平兴国三年(978年),由于商税、胄、酒曲、末盐四案纠纷最多,特设推官、巡官。④ 此后,诸案皆置推官或巡官,悉以京朝官充任。⑤

太宗至道元年(995年)四月二十日,太宗"以三司别有系囚,多委左右军巡院,动淹时月,不速断囚",乃诏,自今"只令本部判官当厅推鞫"⑥。

三司在司法上的管辖,是专门审理经济案件。受理"在京官司应干钱谷公事"⑦,"外司有不奉职不奉法者,以时按举"⑧,重密公事与审刑院、开封府一样,许"上殿奏裁"⑨。有时也奉诏审理民间争财讼案。

北宋在京官府的经济案件集中于三司,司法审判公事,异常繁杂。苏颂在《朝奉郎太常博士张君墓志铭》中说:

> 三司狱,号最繁者,日以数百萃庭下,其间系财赂之出入,枝连蔓引,枉直不可遽辨。君(张奕,曾为三部推勘公事)皆推穷本原,审复情伪,事小戾则白所部,辨析反复,或累日不已。⑩

---

① 《宋史》卷162《职官二》。
② 《宋会要》职官5·48。
③ 详见《宋史》卷162《职官二》"三部判官"注文。
④ 《职官分纪》卷13《推官巡官》。
⑤ 《长编》卷19,太平兴国三年十二月丙辰。
⑥ 《宋会要》刑法5·4。
⑦ 《宋会要》食货56·27;刑法3·68。
⑧ 《宋会要》食货56·19。
⑨ 《宋会要》刑法3·66—67。
⑩ 《苏魏公集》卷58。

三司断刑,只限杖罪以下,徒以上罪,送大理寺。真宗景德四年(1007年)从审刑院言,"诸脱漏丁口、辇运金帛储粮,止缘失误,其命官、使臣无私赃罪案,望止付三司奏断讫报法寺"①。神宗元丰元年(1078年)诏:"应三司、诸寺监吏,犯杖笞不俟追究者,听即决,余悉送大理狱。其应奏者,并令刑部、审刑院详断"②。

三司司法官断罪失误时,要受处罚。熙宁八年(1075年),三司判官杜诉、检法官买种民,"坐断犯仓法人从杖罪,中书以为不当",分别受到展二年磨勘和冲替的处罚。③ 追查出官府失陷的钱财,则可得到奖励。元丰二年(1079年)权发遣度支判官李琮等,"以根究江东、两浙路逃绝亏陷税役等钱九十九万缗",李琮升一任,其余28人获得了减磨勘年、循资、堂除优便差遣等奖励。④

2. 户部

尚书省所属户部,在元丰改官制以前,"无职掌,止置判部事一人,以两制以上充,以受天下上贡,元会陈于庭"⑤。元丰改制,将三司大部分职事移交户部左曹与度支、金部、仓部,司农寺所管财务并归户部右曹。户部设尚书1人,侍郎2人及郎中、员外郎,"旧三司使即今尚书,副使即今侍郎,权发遣副使即今权侍郎,三司判官、推官及判子司官,即今郎中、员外郎之任也"⑥。左曹掌管户口版籍、贡赋、征榷、军国财政预算、户婚、田债之讼。右曹掌管常平、免役、保甲、义仓、赈济、水利、坊场诸事。哲宗绍圣三年(1096年),"右曹令侍郎专领,尚书不与"⑦。南渡之初,户部尚书不常置。高宗绍兴四年(1134年),"诏户部侍郎二员,通治左右曹,自此相承不改"⑧。

北宋后期,户部左右曹各分五案。南渡以后,左曹分三案:户口案,掌"州县户口升降,民间立户分财,差科人丁,典卖屋业,陈告户绝,索取妻男之讼"。农田案,"掌农田及田讼务限"⑨等事。检法案,"掌凡本部检法之事"。右曹分六案,为常平、免役、坊场、平准、检法、

---

① 《长编》卷66,景德四年七月戊辰。
② 《通考》卷167《刑考六》。
③ 《宋会要》食货56·19。
④ 《宋会要》食货56·22。
⑤⑦⑧ 《宋史》卷163《职官三》。
⑥ 《通考》卷52《职官考六》。
⑨ 务限　乡村民事案件起诉时间的限制。《宋会要》刑法3·4,载绍兴令:"诸乡村以二月一日后为入务,应诉田宅、婚姻、负债者勿受理。十月一日后为务开。"

知杂。①

哲宗元祐三年(1088年)五月二日,罢大理寺右治狱,"依三司旧例,于户部置推勘检法官,治在京官司应干钱谷公事"②。十五日,户部上言:

> 三司事务,分隶六曹寺监,今将钱谷事收归户部,除左右曹、度支、金仓部,见今有合随事勘断外,它曹公事若皆承勘,于理未便。况金帛粮草,除系本部诸案及所辖寺监库务外,别部所领已系支付之物,如合推治,自当送开封府。③

将京城官司的经济案件,限制在户部所辖系统之内,其他官司的经济案件,由开封府审理。外路官员及民间经济案件"若事属本曹,郡县监司不能直者,受其讼焉"④,至于刑事判决权限,"户部如三司故事,置推勘检法官,应在京诸司事干钱谷当追究者,从杖以下即定断"⑤,具有杖刑以下的判决权。

户部对地方审判的经济案件,有司法监督权。徽宗政和五年(1115年)五月十八日,户部尚书刘炳等奏:

> 本部承受官员诸色人状词外,有事干外路合行取会待报件数不少。近来多是经岁月不见回报了当,虽依条三经举催究治人吏,缘所委究治官司互相容庇,不为尽公施行,致本部久挂案祖不[能]绝结。今相度,应行下外路取会待报文字,若两经究治,其元承受官司,依前不见圆备回报,并究治官司不为究治了当,逐处当职官,并展一年磨勘,人吏配千里;若事体重者,从本部申乞,朝廷重赐施行⑥。

民事案件,一般在县一级判决,不服者可以上诉,直至户部。户部接到状词后,或本部审理,或转监司州县审理。宁宗嘉定六年(1213年)权户部侍郎李珏上言:

> 近因置籍稽考诸路监司并州郡承受本部妥送民讼,截至九月终,未结绝共一千三百三十四件,其间盖有经数年尚未结绝。近而两浙转运司,未结绝者亦二百四十余件,是致人户不住经部

---

①④ 《宋史》卷163《职官三》。
②③ 《宋会要》食货56·27。
⑤ 《宋史》卷201《刑法三》。
⑥ 《宋会要》食货56·35—36。

经台催趣。①

因此请求朝廷,择其中淹延最甚者,量行责罚。

户部在司法上管辖并监督本系统官员的经济案件及受理监司、州县不能直的民事诉讼案件,是民事诉讼的最高审判机构。宋代官方文书与刑部并提,称为"户、刑两司"②。

3. 排岸司

《文献通考》叙述京城司法机构称,"在诸司,则有殿前、马步军司及四排岸"③。将排岸司列入京城诸司中的一个司法机构。

北宋京城设有东、南、西、北四个排岸司,"掌水运纲船输纳雇直之事"④。东司"掌汴河,东运江淮等路纲船输纳,及粮运至京师,分定诸仓交卸";西司"领汴河上锁";南司"领惠民河、蔡河";北司"领广济河",皆配有役卒一千至一千五百人押纲、卸纲、牵驾。后来因广济河漕运衰落,事务减少,熙宁四年(1071年)"将京北排岸司权令京西排岸司就便兼行管勾"⑤,遂成三个排岸司。

排岸司设狱主要审判有关漕运违法之人。真宗咸平五年(1002年)诏:"四排岸司系囚无亲属者,量给薪米,仍速裁断"⑥。神宗熙宁五年(1072年),权三司度支副使沈起在请京东排岸司当设文臣一员的奏章中提到,"杖罪以下公事,则日有推鞫禁系"⑦。凡漕运公事触犯刑律者,排岸司有断杖以下罪的权限。

宋室南迁,扬州、建康、临安皆设行在排岸司,其中临安行在排岸司,亦曾设狱。高宗绍兴二十九年(1159年)七月八日诏:"行在排岸司,见监系米纲管押人并纲梢等,见欠十石以下人,日下蠲放;三十石以下,令司农寺各责保知在,出外填纳。"⑧所禁多是欠粮押纲人员。宁宗开禧三年(1207年)七月四日,据臣僚上言:

> 狱者,人命所系,不可以私置也。今[司]农寺之排岸司亦有狱焉,大率皆诸州县之欠纲运而不纳者,亦有所欠甚微而禁至数月者。且州县之狱,饮食、季点、虑囚、濯汤、医药各有其法,今排

---

① 《宋会要》刑法 3·41。
② 《宋会要》刑法 3·38。
③ 《通考》卷167《刑考六》。
④ 《宋史》卷165《职官五》。
⑤ 俱见《宋会要》职官 26·28。
⑥ 《宋会要》刑法 6·52。
⑦ 《宋会要》职官 26·29。
⑧ 《宋会要》职官 26·30。

岸司无狱之规法,而有狱之桎梏。况寻丈之地而聚百人之众,春夏之交,人气薰蒸,必有死于非命者矣。乞严禁不得擅置私狱。凡有纲欠至多,将合干人照条施行,仍下元州县补发;其少欠者,与责保立限监纳;如更抵顽,则寄禁于赤县,照条惩戒。或更擅置私狱,仰司农寺常切觉察以闻,将排岸官吏重置典宪。①

由上可知,临安行在排岸司,虽有清理纲欠和管理纲运的职责,而禁押被视为私狱,亦不具有判决权限,已不具备北宋四排岸司原有的司法职能。《文献通考》记载诸司司法机构只称"四排岸",当是专指北宋排岸司而言,至于南宋行在排岸司,是不应包括在内的。

(三)宗室审判机构

宗室犯法,在京师者由大宗正司受理,在外地者由外宗正司受理。

大宗正司,仁宗景祐三年(1036年)置,"掌敦睦皇族,教导宗子,受其陈请辩讼之事,及纠过失而达之朝廷"②。其长官为判知和同知大宗正事共3人,选宗室位高属尊者为判大宗正事。丞2人,以文臣京朝官以上充任。初设五案,后增为六案:即士案、户案、仪案、兵案、刑案、工案。其中刑案"系掌行宗室陈乞叙官、除落过名、作过犯罪拘管锁闭,年满放免等事务"③。

凡宗室有罪,"无得辄加捶拷,若罪至徒以上,方许依条置勘,其合庭训者,并送大宗正司"④。又规定宗室案件"越本司(大宗正司)诉事者,罪之"⑤。虽然有"宗室犯罪,与常人同法"⑥的规定,但诉讼必须经大宗正司,又不许拷讯,而且"宗室犯过失,杖以下委宗正司劾案"⑦,宗室"有罪则先劾以闻,法例不能决者,同上殿取裁"⑧。即保证在大宗正司预审,由皇帝判决,因而受到充分的保护。大宗正司也只有对宗室罪犯进行庭训及拘管、预审的权限。

徽宗崇宁三年(1104年),又于南京置南外宗正司、西京置西外宗正司,各置敦宗院,掌外居宗室事,择宗室中的贤者为知外宗正司

---

① 《宋会要》职官26·31。
② 《通考》卷55《职官考九》。
③ 《宋会要》职官20·21。
④⑥ 《通考》卷167《刑六》。
⑤ 《宋会要》职官20·19。
⑦ 《宋会要》职官20·18。
⑧ 《宋史》卷164《职官四》。

事,在本州通判职官内选差二人,兼领丞、簿,对外居宗室"纠合、检防、训饬如大宗正司"①。在外宗子应有罪犯,并听本州尊长量行训治,本部勘当,所犯情理深重者"取旨"②。宗室罪案上奏,要通过大宗正司。孝宗隆兴元年(1163年)规定,"大宗正司奏犯罪宗子,双日送西外,单日送南外"③。

宋室南渡,移宗室于江淮,大宗正司移江宁,南外移镇江,西外移扬州。此后屡迁,西外止于福州,南外止于泉州。又曾于绍兴府置宗正司,后并入行在大宗正司,职掌仍依北宋旧制。

四、临时审判机构

临时审判机构,是指对重大或疑难案件临时指派官员组成的法庭,审判结束,即不存在。唐代的临时审判机构有"三司推事"和"三司受事"。遇有特别重大的案件,由大理寺、刑部、御史台长官共同审判,这种临时法庭称为"三司推事",俗称"大三司",明清时期的三法司会审制度,即由此发展而来。"凡天下冤滞未申及官吏刻害"④案件,由门下给事中、中书舍人、御史大夫共同审讯,称为"三司受事",俗称"小三司"。此外,唐代对"八议"罪犯,有集议减刑的制度,集七品以上官"都堂集议,议定奏裁"⑤。宋代的司法制度,比之唐代更为周密,组织临时法庭更加频繁,有"制勘院"和"推勘院"两种形式。唐代对"八议"罪犯的集议,宋代发展为讨论疑难刑名的集议,称为"杂议"。

(一)杂 议

"杂议"是宋代诏狱中的一种最高形式,既可以议定刑名,也可以解释和补充法条。《宋史·刑法三》说:"天下疑狱,谳有不能决,则下两制与大臣若台谏杂议,视其事之大小,无常法,而有司建请论驳者,亦时有焉。"在定断刑名遇到难题时,就召集正副宰相、御史、谏官、翰林学士、知制诰等高层官员,从更高更广的范围进行讨论,称为

---

① 《通考》卷55《职官考九》。
② 《宋会要》职官20·40。
③ 《宋会要》职官20·33。
④ 《旧唐书》卷42《职官二》。
⑤ 《唐律疏议》卷2《名例》疏。

"杂议"。

太宗朝,赵普与卢多逊争夺权位。赵普以所得卢多逊与皇弟廷美交通事上闻,太宗怒,"命翰林学士承旨李昉、学士扈蒙、卫尉卿崔仁冀、膳部郎中兼御史知杂滕中正杂治之。狱具,召文武常参官集议朝堂",分别定罪判决。将卢多逊削夺官爵,"并家属流崖州";廷美勒归私第;中书及秦王府有罪官吏处斩。① 此案始终没有大理寺和刑部参与,只是由临时组织的法庭审讯,经朝堂集议判决。本案因为具有宋太宗要消除廷美威胁帝位的隐患,及大臣利用皇帝争夺权势的政治背景,虽属"杂议"形式,却未能反映"杂议"在司法制度上的特点。太宗朝的另一桩"杂议"案件——"安崇绪之狱",却与此不同。

端拱元年(988年),广安军民安崇绪隶禁兵,状告继母冯氏与父知逸离异,今仍占夺亡父家产与己子,大理寺按崇绪讼母判死罪②。太宗疑大理寺所断不当,判大理寺张佖固执前断,遂下台省杂议。徐铉认为,安崇绪词理虽繁,今但当定其母冯氏与父曾离与不离,如未离即崇绪讼母,于法当死。今案内不曾离异,请依刑部、大理寺元断处死。右仆射李昉等43人认为,法寺定断据安崇绪诉继母冯,罪应处死,实为不当。若以五母③皆同,阿蒲为知逸妾,虽贱乃是崇绪之亲母,崇绪本以田业为冯强占,亲母衣食不充,所以论诉,若从法寺断死,则知逸无辜而绝嗣,阿蒲亦无以为生。因而主张将田业断归崇绪,冯与阿蒲同居,由崇绪奉养终身。如此则使子有父业可守,冯终身不至乏养,所犯罪并准赦原。太宗乃诏从李昉等议,徐铉、张佖各夺俸1个月。④

从上述案件审理的过程中可以看出,大理寺、刑部的判决,所据事实清楚,适用法律恰当,故徐铉予以肯定。李昉等43人的主张,则离开了单纯的法条,从情理和效果两方面着眼,得出更合情理的结论,从而反映了法律条文的局限性。司马光说:"夫执条据例者,有司之职也;原情制义者,君相之事也"⑤。宋代的杂议制度,在一定程度

---

① 事见《宋史》卷244《魏王廷美传》及卷264《卢多逊传》。
② 按《宋刑统》卷23《告祖父母父母》条:"诸告祖父母、父母者绞"。属十恶中的不孝罪。
③ 《宋刑统》卷6《杂条》:"其嫡、继、慈母若养者,与亲同"。嫡母,谓妾所生子,称父之正妻。继母,谓父再娶之正妻。养母,谓收养自己的养父之妻。慈母,谓妾生子无母者,奉父命抚养自己的父妻。亲母,谓生身母。以上是谓五母。
④ 事见《通考》卷170《刑考九》,《宋史》卷201《刑法三》。
⑤ 《通考》卷170《刑考九》。

上补充了"执条据例"的不足,体现了中国封建社会司法制度的发展水平。

"杂议"既可以超越法条,从更高更广的范围讨论问题,故有时也涉及对法条的解释和补充。神宗朝的"阿云之狱"即为一例。

登州女子阿云,于母服中许聘韦家,嫌其未婚夫丑陋,趁他在田舍中睡觉时,持刀砍十余下未死而断一指。官司怀疑阿云为凶手,将用刑而阿云如实交代。知州许遵将此案上报。大理寺、审刑院以谋杀已伤罪论死。许遵反驳,认为阿云已自首,应从减二等论罪。朝廷下刑部议,刑部以大理、审刑为是。朝廷乃以阿云于母丧中违律为婚,从宽定罪贷死。后来召许遵判大理寺,御史台劾其议法不当。许遵不服,请下两制议。于是对"谋杀已伤,按问欲举,自首"是否应当减等的问题,一再派官杂议,反复论难,终神宗一朝达十七年之久,才有最后结论。① 关于"自首"的界说,经过长期讨论,其间虽夹杂政治派别的因素,但有关此项法理的探讨,却是愈辩愈明的。

二 制 勘 院

"制勘院"也是诏狱的一种形式。遇重大案件,由皇帝钦差官员就案件发生地的邻近州县置院推勘。马端临说:"凡因事置推,事已而罢者,诏狱谓之制勘院,非诏狱谓之推勘院。"②《宋史·刑法二》说:"神宗以来,凡一时承诏置推者,谓之制勘院",将设置制勘院的时间,定在神宗以后,其实神宗以前早已存在。关于神宗以前的制勘公事,在《宋会要》刑法 3·49 勘狱门有不少记载,今择其中三例如下:

[雍熙四年]八月八日,将作监丞辛著言:今后差使臣制勘公事,望令于所勘事州军邻近处,据名抽差司狱。从之。

[淳化四年]七月三日,淮南路提点刑狱尹纪言:今后制勘使臣,乞不指射(原作谢)州县踏逐系官空闲舍屋充制勘院。从之。

[咸平二年]九月二十日诏,差殿中丞毋邱震托刑(邢?)州制勘公事,放朝辞便令进发,所有盘缠钱,令阁门依例支给,仍自今后制勘公事放朝辞者准此。

由上可知,神宗以前的制勘公事也是常有的,所设临时法庭即称"制勘院"。

---

① 事见《宋史》卷 201《刑法三》、卷 330《许遵传》,《通考》卷 170《刑九》。
② 《通考》卷 167《刑考六》。

制勘官有御史台的推勘官,太宗淳化元年(990年)置御史台推勘官二十人,诸州有大狱,即乘传就鞫;也有京官文臣,乃至三班武官。真宗咸平二年(999年)四月十四日,真宗与大臣交谈,讨论制勘院的问题:

> 帝谓宰臣曰:所差京朝官推勘公事,承命之后多闻称疾,此有所规避也。张齐贤等曰:朝廷比选儒臣,冀明理道,使之鞫狱,殊未尽心,案文多所不圆,疏驳更劳推复,动罹枉挠,实起怨咨。若不塞其弊源,恐有伤于和气。欲望于三班中选定诣(谙?)会推鞫刑名者十人,以备差使。从之。①

制勘官员,或由皇帝直接指派,或命审刑院从中书、枢密要京官,并写明本官乡贯去处,禁止"往本乡里制勘勾当公事"②。太宗淳化元年(990年),御史台推勘官奉命制勘公事,"辞日,上必临遣,谕旨曰:无滋蔓,无留滞。咸赐以装钱。还必召见,问以所推事状,著为彝制"③。淳化三年(992年)规定:"制勘官约束一行人等,不得容有嘱求,及到州府,无泄事情。如违,并许逐处官吏觉举。"④

制勘院一般设置在案件发生的邻近州军。神宗熙宁二年(1069年)鞫前知杭州祖无择于秀州;鞫前知明州苗振于越州等皆设在邻州。制勘官就勘事地置院,并设狱禁系与本案有关犯人。熙宁九年(1076年)因秦州制勘院收禁熙河路官员,或将影响边防。九月二十三日,神宗手诏:

> 访闻秦州制勘院,见收禁熙河路官员人数不少。今本路都副总管既新移易,或未知任,万一或有边事,乃是都无人依托。可速令制勘院见禁系熙河路官员,如徒罪以下,候诏勘讫,疾速发归本任;内有因追禁阙官去处,仰转运司于本路及邻路选差得替待阙见任官权行管勾讫以闻。⑤

在可能影响边防的情况下,神宗只是设法解决因追禁阙官的问题,却保证制勘院禁系犯人,使审判可以正常进行。

制勘院独立审判地方重大案件,法官由皇帝指派,往返行程供驿传,给盘缠,行前事后皆向皇帝奏报,法司吏人由邻近州府抽差。淳

---

① 《宋会要》刑法3·53—54。
② 《宋会要》刑法3·53。
③ 《长编》卷31,淳化元年五月辛卯。
④ 《宋会要》刑法3·50。
⑤ 《宋会要》刑法3·66。

化五年(994年),为防止亲姻关系,改为"取便抽差"①,置狱禁系案犯,禁与地方官交接,不准泄露案情,不准接受嘱求,使制勘法官能够独立审判,免受干扰。这样就把地方重大案件的审判,直接置于皇帝控制下,地方官就难以左右了。不过皇帝周围的大臣,却有时可利用对皇帝的影响,通过制勘制度打击异己。熙宁二年②(1069年)闰十一月八日,命尚书都官郎中沈衡,鞫前知杭州龙图阁学士祖无择于秀州;又命职方员外郎徐思九,鞫前知明州、光禄卿苗振于越州。马端临评论说:"盖王安石以私怨讽御史王子韶诬其过,自后多兴诏狱矣。"③制勘院勾追当事人,或不能及时到院,往往拖延审判时间。皇祐三年(1051年)六月三日的诏书中提出改进办法:

> 昨差推直官郭伸锡,往庆州华池县置院勘马祐公事。勘官自二年十二月到彼,马祐至次年三月方勾追到院。今后朝廷差官往外州军院推勘公事,须预先札下置院州军,仰先勾追元进状人收管知在,或关禁讫,疾速入马递申奏,以凭发遣推勘官往彼,免致推狱虚有留滞。④

朝廷在制勘官员出发之前,先通知置院州军勾追案件有关人员,以便及时开庭审判。

制勘院在审清案情之后,"则请官录问,得手状伏辨,乃议条决罚。如事有枉滥,许诣录问官陈诉,即选官复按。如勘官偏曲,即劾罪同奏。如录问官不为申举,许诣转运、提点刑狱司"⑤。多次翻异者,也要逐次派官复审。知州向绶有不法行为,惧通判江中立揭发,迫其自缢。朝廷派官制勘,向绶累次翻异,包拯为此上言:

> 臣窃闻太常博士傅莹,近沧州制勘回,向绶准前翻变,一行干系九十余人,依旧收禁。窃缘向绶翻变,前后三四次,况证验分明,绝无疑虑,原情至重,坐死犹轻。若候具案定罪,必致淹延日月。干连人等,盛暑之际枉被禁系,实可伤悯。其向绶欲望只据累次勘到罪状,特行重断,俾幽冤得伸,狡吏知惧。⑥

---

① 《宋会要》刑法3·52。
② 据《宋会要》刑法3·65。《通考》系此条于熙宁三年,按闰十一月在二年,今从《宋会要》。
③ 《通考》卷167《刑考六》。
④ 《宋会要》刑法3·64。
⑤ 《长编》卷77,大中祥符五年四月辛酉。
⑥ 《包拯集编年校补》卷1《乞断向绶·第一章》。

向绶的案件,虽证验分明,但多次翻变,皆是重差制勘官复审,包拯因而上奏,请予重断,以儆狡吏。

宋代皇帝通过制勘院直接掌管地方重大案件,反映了司法权高度集中于皇帝手中。

(三) 推 勘 院

推勘院是由监司、州军派官,在案件发生的邻近处设置的临时审判机构,宋人行文时称为"置司"、"置院"、"置推"。推勘院对翻异案件复审,称为"移司别推"或"差官别推"。"大辟或品官犯罪,已结案未录问而罪人翻异,或其家属称冤者,听移司别推。若已录问而翻异称冤者,仍马递申提刑司审察,若事不可委本州者,差官别推。"①大辟罪犯翻异,"听本处移司,又不服,即申转运司或提点刑狱司差官别讯之"②。由上可知,"移司别推",是对大辟或品官罪犯,已结案未录问之前翻异,由本州移司复审。如果已经录问,不能再由本州复审的案件,则由监司"差官别推"。

针对设置推勘院的条件,在真宗大中祥符八年(1015年)七月九日的诏书中有明确规定:

> 今后公事干连知州、通判、都监赃私罪,许转运司差官取勘外,自余知州、通判、都监公罪,并就本州差无干碍官取勘。其统属官、长吏量公私赃罪轻重,于州院、司理院及差职员取勘。③

仁宗天圣四年(1026年)六月二十三日,中书门下上言称:

> 据安州奏:转运司差荆南府节度推官徐起到州置院,取勘本州官吏,为不觉察参军崔道升衷私逃走归乡事。凡推勘公事,须事理稍大,或钱谷刑狱,或事干两词须要对定勾追干证者,即合特置院推勘。今详安州公事,情理显然,于理不须差官置院。④

由上可知,诸州出现稍大或案情复杂的案件,或长吏犯赃私罪,才由监司派官置推勘院;其长吏公罪及其他一般案件,皆由本州审理。

监司所派置推官,要依照朝廷的规定办事。太宗淳化三年(992年)七月三十日诏"逐路转运司,今后应勘事,只差勘官一人,如公案

---

① 《长编》卷499,元符元年六月辛巳。
② 《长编》卷120,景祐四年正月丙戌。
③ 《宋会要》刑法3·57。
④ 《宋会要》刑法3·60。

了当,依旧例请录问官、检法官一员,或有大段刑狱公事,临时取旨"①。推勘官的人选,"须使副亲差强干能勘事人"②。南宋孝宗时,又申严此令,并责成大理寺左断刑"如置推鞫狱官,罪有出入合取坐者,若所差违法,并监司贴说取旨"③。选推官不当,监司使副要承担责任。推勘院的其他官员,"仍于本州别选清[强无]干碍监当京朝官,或监押、幕职一员同推"④。

推勘官员的费用,"令所属州县,将一行官吏,依条合得券食,挨日批支;应有供须之属,无令缺误"⑤。所有推勘官员的生活及置院所需钱物,皆由所属州县供应。

推勘院设置的地点,本来也和制勘院一样,设在案件发生地的邻近州军。光宗绍熙二年(1191年)六月八日,从检正谢源明所请,"应勘鞫公事或翻异声冤,依条移司差官别推,止就元勘本州置狱,不得仍前改送他州及辄移属县,并妄作缘故移推"⑥。

推勘院也具有关押犯人的强制权力。真宗景德三年(1005年)七月,依安国军节度推官李宏上言:"诸路每置院鞫囚,或值夏月,望令十日一涤杻械,如州狱之制。"⑦推勘院所设临时监狱,未能按制度十日洗涤一次杻械,故李宏上言,请求按州狱制度办理。

监司派官设置推勘院,可归纳为6种类型:

其一,皇帝诏旨批下的重案。皇帝既可指派使臣置制勘院,也可令监司郡守置推勘院。神宗熙宁五年(1072年),司封郎中谢景初、都官郎中李杲卿,坐前任成都府路监司逾滥罪受审,李杲卿先服罪,谢景初未服,"诏利州选差官,就成都置勘院"⑧。亳州官吏不及时散青苗钱,"诏送亳州推勘院"⑨。这些都是奉朝旨设置的推勘院。

其二,诣阙申冤的案件,由中书下监司置推。仁宗庆历七年(1047年)十月十二日敕书:

> 应诸道州府军监,诸色人诣阙披诉冤枉事,自来行下诸路转运、提刑司,差官置院推勘,甚有徇情偏曲,及所差官不晓道理,承前勘鞫,致元诉之人冤状不伸,例遭重断。悯其抑塞,宜令中

---

①② 《宋会要》刑法3·50。
③ 《宋会要》职官5·49。
④ 《宋会要》刑法3·49—50。
⑤⑥ 《宋会要》职官5·55。
⑦ 《长编》卷60,景德二年七月甲子。
⑧ 《长编》卷234,熙宁五年六月壬子。
⑨ 《宋会要》食货5·9。

> 书门下别为约束者。诏今后应有诉冤枉事,中书置簿,籍其姓名事件,封元状下本路转运司。如已经转运司,即下提刑司,选清强官置院推勘。务要穷究事端,伸理冤枉。候断放日,具节略公案入马递[闻](原作开)奏,中书对簿销落。①

监司接受案件后,"具所委官职位、姓名及置司处所"②申报。《宋史·职官志》谓"事出中书,则曰推勘院",应是指中书下监司置院的这一种类型。

其三,监司巡历州县,发现疑难案件,带走词状,差官置院推勘。熙宁初,张方平知陈州,有兵士指论冒领粮米一案,送司理院审理。适逢转运判官张次山到州点检,将词状带去,"别差官置院推勘"③。

其四,监司按发的重要案件。绍兴年间,李纲为湖广宣抚使,按发潭州通判张梜、权知长沙县林之问、县尉张杰等,与投降伪齐的叛贼孔彦舟往来为奸。差潭州长沙县丞李绶置司推治,及委转运判官王淮监勘。结案后,李纲上奏说:

> 所招情犯因依,除已系推勘院具案奏闻外,臣契勘张梜、林之问等相倚为奸,作过累年,止令据目前见在证佐有文字可以追证者,根究勘鞫。④

此案是李纲按发并差官置院,虽非朝廷指派,仍要具案奏闻。

其五,大辟罪犯录问或临刑翻异,由本路或邻路置院推勘。宣和六年(1124年)四月二十五日诏:

> 今后大辟,已经提刑详复,临赴刑时翻异,令本路不干碍监司别推,如本路监司尽有妨碍,即令邻路提刑司别推。⑤

因为详复后的大辟罪犯,交本州论决,临刑翻异,本州不免再申提刑司差官别推,为防本路监司不能认真复审而下此诏。

其六,州县多次翻异的案件,监司差官别推。宣和六年(1124年)刘式为潭州湘潭县令,贪赃枉法。先在邵州根勘,狱成而翻异。又移衡州置院,鞫勘圆备,差官录问,再度翻异。朝廷乃命提刑司"别

---

① 《宋会要》刑法3·63—64。
② 《宋会要》刑法3·69。
③ 《诸臣奏议》卷99《刑赏门·议狱》张方平《上神宗论监司官多起刑狱》。
④ 《梁谿集》卷74《按发张梜等在任不受法奏状》、《推勘张梜等不法奏状》。
⑤ 《宋会要》刑法3·72。

选官移桂阳监置司重别根勘"①。

为了防止罪犯无休止的翻异,唐朝有三推的限制。《刑统》卷二九,载唐长庆元年(821年)敕节文称:"应犯诸罪,临决称冤,已经三度断结,不在重推之限。""如所告及称冤无理者,除本犯是死罪外,余罪请于本条外更加一等科罪。"宋初的法典,仍沿用唐制,但实际上却放宽甚多。太宗淳化四年(993年)十一月十五日,知制诰柴成务上言:"蓬州贾克明,为杀人前后禁系一年半,七次勘鞫皆伏本罪,录问翻变,赖陛下英明,经赦不放,差转运副使蒋坚白、提点使臣董循,再同推勘,方得处断。"建议"自今以后有此色,不问台与府县及外州县,但通计都经三度推勘,每度推官不同,囚徒皆有伏款,及经三度断结,更有论诉,一切不在重推问之限"②。太宗采纳了这一建议。南宋绍兴十一年(1141年)臣僚上言引绍兴五年(1135年)起请:"诸鞫狱明白而妄行翻异,虽罪至死者,三经别推,即令逐路提刑司申察缴奏,加本罪一等。"绍兴七年指挥:"流罪以下,虽不缴奏,亦依此施行。"建议"除赃罪自合依前项缴奏外,其余死罪、流以下移推之法,悉依祖宗旧制"。③

由此可见,翻异置推以三次为限,从宋初一直到高宗绍兴十一年都是如此,只是各时期宽严不同而已。孝宗淳熙四年(1177年)开始放宽为五次。十一月九日,从敕令所上言:

> 自今翻异公事,已经本路监司、帅司或邻路监司差官,通及五次勘鞫,不移前勘,又行翻异者,后勘官申本路初差官提刑司,提刑躬亲置司根勘,著实情节,牒邻路提刑司,于近便州军差职官以上录问。或审问如依前翻异,即令本路提刑,具前后案款指定闻奏。若元系提刑案发,即从转运司长官指定闻奏。候到,下刑寺看详。如见得干连供证事状明白,不移前勘,委是惧妄有翻异,申尚书省取旨断罪。若刑寺见得大情不圆,难以便行处断,须合别行委官,即令邻路未经差官监司,于近便州军差官别推,不得泛追干连人。④

宁宗嘉定十四年(1221年),知处州孔元忠于上言中对五推作如下概括:"在法,囚禁未伏则别推。若仍旧翻异,始则提刑司差官,继

---

① 胡寅:《斐然集》卷15《徽湖南勘刘式翻异》。
② 《宋会要》刑法3·51。
③ 俱见《宋会要》刑法3·79—80。
④ 《宋会要》职官5·48。

则转运司、提举司、安抚司或邻路监司差官,谓之五推。"①实际上五推之后如再有翻异,还要由本路提刑亲自置司推勘,如又翻异,即申报朝廷,经刑寺看详,如有必要,即令邻路未曾差官监司,于近便州军差官别推,可有七次重推机会,应该说比较严密了。但南宋后期,"被差勘鞫者,循习为常,才一入院,惧其留滞,推狱示意于囚,使之供状略无异词。至录问之官来,即使之翻异。故囚利其无所拷讯,所差官则谓得讫事便回"②,往往形同具文。宁宗朝,不断有臣僚上言,提出改进和责罚办法,但没有起到明显的作用。

(原载《宋代司法制度》第一章,河南大学出版社 2000 年第 2 版。收入本书时略有删节)

---

①② 《宋会要》职官 5·63。

宋代文化研究

论宋史研究中的方志史料

一、宋代编修方志概况

北宋重视编修总志,沿袭唐代三年一造图经的制度,规定"凡土地所产,风俗所尚,具古今兴废之因,州为之籍,遇闰岁造图以进"①。马光祖在《进建康志表》中也提到,"图经三岁一上"。朝廷将全国图经汇编成总集。太祖朝有宋准所修《开宝诸道图经》。太宗朝有乐史《太平寰宇记》200卷。真宗朝有李宗谔《祥符州县图经》1566卷,目录2卷、王曾《祥符九域图》3卷;《天禧重修十道图》3卷。仁宗朝有晏殊《天圣十八路图》;王洙《皇祐方域图记》30卷,《要览》1卷。神宗朝有赵彦若《十八路图》1卷,《图副》20卷;吕南公《十八路地势图》;李德刍《元丰郡县志》30卷,《图》3卷;王存《元丰九域志》10卷。哲宗朝有《绍圣九域志补遗》。徽宗朝大观元年(1107年),"创置九域志局,命所在州郡编纂图经"②,用以编修《详定九域图志》,宣和中罢局,未能成书。政和年间(1111~1118年)另有欧阳忞私家所修《舆地广记》38卷。

南宋时,北方被金占领,史官修总志受到影响,私家所修有王象之《舆地纪胜》200卷,祝穆《方舆胜览》70卷,皆在理宗朝成书。

北宋地方政府,定期编修图经,为数众多。南渡之后,朝廷虽不

---

① 《宋史》卷163《职官三》。
② 黄鼎《乾道四明图经序》;罗濬《宝庆四明志序》。

再编修总志,但地方政府重视修志已经成为一种风气。陈垲在《语溪志序》中说:"志苟不作,则古往今来,事事物物,皆无所考。"①地方官皆以修志为己任,州县方志十分普遍,以至"僻陋之邦,偏小之邑,亦必有记录焉"②。有的商业市镇也编修志书,今存绍定二年(1229年)常棠所撰《澉水志》8卷,即为镇志之一例。在修志的方式上,也由北宋奉诏造图经,改为由地方官主持,请名人学者编纂,从而丰富了方志的内容,也提高了修志的质量。南宋新官之任,往往先从方志中了解情况。胡太初《临汀志序》提到,他于宝祐元年(1253年)由澄江改知汀州,赴任之前"辗扣尝官于是者,求郡乘一观焉"③。朱熹知南康军时也是首先查看郡志。

南宋地方官修志,多是请熟悉地方掌故并有志于此道的学者执笔。赵不悔知徽州,访得罗愿为修志已做了不少准备工作,就委罗氏负责编纂,修成《新安志》10卷。马光祖以端明殿学士、沿江制置使、江东安抚使兼知建康府,"有幕客周君应合,博物洽闻,学力充赡,旧尝为《江陵志》,纪载有法"④,便请周应合置局编修《景定建康志》。

地方官修志,往往组织一个初具规模的修书班子。马光祖用周应合修《景定建康志》,并用其长子骥、婿吴畴协助检阅校雠,又"选差局吏两名,分管书局事务;书吏十名,誊类草稿,书写板样;客司虞侯四名,以备关借文籍、传呈书稿"⑤。与修志同时,还组织了一批刻工,"修书之稿未半,刻梓之匠已集"⑥。为修志搜集资料,则"不厌其详",运用官府权力,通知官员百姓,"凡自古及今,有一事一物,一诗一文,得于记闻,当入图经者,不以早晚,不以多寡,各随所得批报本局"。"能记古今事迹,有他人所不知者,并请具述,从学校及诸县缴申。其阀阅子孙,能收上世家传、行状、墓志神道碑及所著书文,与先世所得御札、敕书、名贤往来书牍,并请录副申缴。""有能记忆旧闻,关于图志者,并许具述实封投柜,柜置府门,三日一开类呈。"⑦

《景定建康志》,仿正史体例,按留都、图、表、志、传、拾遗分别编集地方史料,索元岱在《至正金陵新志修志本末》中说:《景定志》"用史例编纂,事类粲然,今志用为准式"。

一般说来,南宋方志,在编纂体例上已突破了图经的格式。有的

---

① 张国淦:《中国古方志考》引(康熙)《崇德县志》记文序。
② 《仙溪志》黄岩孙宝祐丁巳《跋》。
③ 《永乐大典》卷7 895,十九庚汀字《汀州府·题泳》。
④ 马光祖:《景定建康志序》。
⑤⑥⑦ 周应合:《景定建康志修志本末》。

是在旧图经的基础上扩充门目,如范成大《吴郡志》分39门,谈钥《吴兴志》分57门,施宿《嘉泰会稽志》分117门,各门平列,不相从属。有的则分类列门,如《嘉定镇江志》分23类,史能之《咸淳毗陵志》分19类,皆于类下再分子目,其中以仿正史设纪、图、表、志、传的体例,对后世方志影响最大。

南宋方志,在使用材料上,大都广征博引,考订详密。如高似孙《剡录》,"征引极为该洽,唐以前佚事遗文,颇赖以存,其先贤传,每事必注其所据之书"①。罗愿《新安志》,"博采详摭,论正得失,皆有依据"②。卢宪《嘉定镇江志》,"因镇江在宋为边防之地,故是志于攻守形势极为致详,其取材既富,可资考证者多"③。此志对六朝侨寄郡县,节度、观察等官罢复,刺守历任年月,"纪传所不载者,皆稽考得其次,是故一人之传,必参酌群书而后定"④。《景定建康志》的考证资料,"俱载出处"⑤。

南宋地方官重视修志,继任官员或因待修年次已多,或因辖区发生了变化,或因前志有某种缺陷,往往一再续修。以今南京市为例,孝宗朝有史正志《乾道建康志》10卷,宁宗朝有吴琚《庆元建康志》10卷,理宗朝有周应合《景定建康志》50卷。马光祖在《景定建康志序》中说:"乾道有旧志,庆元有续志,皆略而未备,观者病之,庆元迄今逾六十年,未有续此笔者",因而置局,用周应合主持编修,将乾道、庆元二志合并,又增入庆元以后事,正讹补缺,别成一书,刻印时又留出空行,以备随时续补。《景定建康志修志本未》中明确提到:"每卷每类之末,各虚梓以俟续添",即是一例。宋代方志的记事年月,往往晚于序言,是后人于空行中增补的结果。如梁克家《三山志》,成于淳熙九年(1182年)十月,卷22郡守题名增至嘉定十五年(1222年)。杨潜《云间志》,成于光宗绍熙四年(1193年),书中知县及进士题名,则至宁宗理宗朝。罗濬《宝庆四明志》,成于宝庆,其中职官科第姓名及其他事迹,则至绍定、端平、淳祐、宝祐,皆是成书之后续入的结果。

由于宋代方志内容丰富,考订严密,往往可以补正史书的阙误,因而成为可贵的历史资料。

---

① 《四库全书总目》卷68史部地理一。
② 赵不悔:《新安志序》。
③ 周中孚:《郑堂读书记补遗》卷12。
④ 阮元:嘉定至顺《镇江志》刊本《序》。
⑤ 孙星衍:《重刻景定建康志后序》。

二、现存宋代方志概况

宋代所修方志虽多,但大都散佚,其流传至今有刊本者,共有总志 5 种,州县镇志 29 种,仅存抄本者 2 种。今分列于下:

总志
乐史　《太平寰宇记》200 卷
王存　《元丰九域志》10 卷
欧阳忞　《舆地广记》38 卷
王象之　《舆地记胜》200 卷
祝穆　《方舆胜览》70 卷
地方志
宋敏求　《长安志》20 卷,(今陕西省西安市)
程大昌　《雍录》10 卷(今陕西省西安市)
宋敏求　《河南志》20 卷(今河南省洛阳地区)
周应合　《景定建康志》50 卷(今江苏省南京市)
朱长文　《吴郡图经续记》3 卷(今江苏省苏州地区)
范成大　《吴郡志》50 卷(今江苏省苏州地区)
孙应时　《宝祐重修琴川志》15 卷(今江苏省常熟县)
史能之　《咸淳毗陵志》30 卷(今江苏省常州市)
卢宪　《嘉定镇江志》22 卷(今江苏省镇江市)
凌万顷　《玉峰志》3 卷(今江苏省嘉定县)
边实　《玉峰续志》1 卷(今江苏省嘉定县)
杨潜　《云间志》3 卷(今上海市松江县)
罗愿　《新安志》10 卷(今安徽省歙县)
周淙　《乾道临安志》3 卷(今浙江省杭州市)
施谔　《淳祐临安志》6 卷(今浙江省杭州市)
潜说友　《咸淳临安志》100 卷(今浙江省杭州市)
常棠　《澉水志》8 卷(今浙江省海盐县)
谈钥　《嘉泰吴兴志》20 卷(今浙江省湖州市)
张津　《乾道四明图经》12 卷(今浙江省宁波市)
罗濬　《宝庆四明志》21 卷(今浙江省宁波市)
梅应发　《开庆四明续志》12 卷(今浙江省宁波市)
施宿　《嘉泰会稽志》20 卷(今浙江省绍兴市)

张淏　《宝庆会稽续志》8卷（今浙江省绍兴市）
高似孙　《剡录》10卷（今浙江省嵊县）
陈耆卿　《嘉定赤城志》40卷（今浙江省临海县）
陈公亮　《严州图经》8卷（今浙江省建德县）
郑瑶　《景定严州续志》10卷（今浙江省建德县）
（缺名）　《寿昌乘》（今湖北省鄂城县）
梁克家　《淳熙三山志》42卷（今福建省福州市）

仅有写本未刊者有：赵与泌《宝祐仙溪志》4卷（今福建省仙游县），佚名（宝庆）《昌国县志》2卷（今浙江省定海县）。

三、现存宋代方志的史料价值

顾颉刚先生在《中国地方志综录序》中说：

> 今之学者莫不知史书之不足以尽史，故毕力搜求地下遗物、官署档案、私人书牍，以资实证。然而即在史书之中，固尚有未辟之山林，未发之金锡在，家谱与方志是已。

宋代全国区域总志，有官修与私修两种。官修总志，有州县的图经为依据，私修总志亦有官修总志和地方图经作参考，资料充足，对本朝记事的范围，也小于正史，所以一般说来，所记往往较正史详备。如《元丰九域志》，按北宋中期的行政区划，始于四京，次列二十三路，终于省废州军及化外羁縻州，分路记载所属府州军监的地里、户口、土贡、领县，各县又详列乡、镇、堡、寨与名山大川。各地沿革，以宋为主。记地里，详四至八到，使地里位置精确。记户口，详分主客户，提供考察北宋农村阶级关系的可靠资料。记土贡，载上供物品及供额，反映当时各地特产。记州县，详及乡镇堡寨，有利于了解宋代基层社会的具体状况。这些都是《宋史·地理志》所不及的。清代学者程晋芳评论说："《太平寰宇记》亦载地之四至，而不及此书之详。宋代镇寨及铜铁监之制，此视《宋史》为核，五代沿革亦薛、欧二史所不及，土贡亦多于《通考》宋史篇，惟羁縻州所载，视他书恨略耳。"①《元丰九域志》的记载，在宋代往往成为朝廷处理政事的依据。元丰三年（1080年）详定朝会议注所上言中，所列元正朝贺陈列的诸州贡品，

---

① 程晋芳：《勉行堂文集》卷5《元丰九域志跋》。

就明确提到是"稽按图志,推原诸郡物产之所宜,轻重多寡,稍为条次"。《宋会要》编入这个奏章的节文,并于贡品下注明"见元丰三年《九域志》"①。由此可知,此书与《宋史》相比,材料更为直接。

州县以下的方志,皆当时当地或在本地任官者所修,较之正史的志传,包括的范围小,容易搜集资料搞清事实。正如章学诚所说"地近则易核,时近则迹真"②。因而方志关于宋代的记事,具有特殊的史料价值,成为考察宋代基层社会的重要史料,对其他有关史籍,也具有以下的作用。

(1)补正史之缺传

《宋史》共496卷,是二十四史中部头最大的一部正史,列传共255卷,二千八百多人。但南宋部分有不少应当立传的人物却没有立传。武人如彭义斌,在反金元斗争中功绩卓著,壮烈牺牲;文人如吴缜,著《新唐书纠谬》流传至今;刘克庄为宋末爱国文学家,《宋史》皆无传。钱大昕《十驾斋养新录》卷7《南渡诸臣传不备》条说:

> 宋史述南渡七朝事,丛冗无法,不如前九朝之完善。宁宗以后四朝,又不如高孝光三朝之详,盖由史臣迫于期限,草草收局,未及讨论润色之故。如钱端礼传末云,孙象祖自有传;王安节传云,节度使坚之子;吕文信传云,文德之弟;是钱象祖、王坚、吕文德三人,本拟立传,而今皆无之,可证其潦草塞责,不全不备矣。史弥远握权卅余年,威焰甚于京、桧,且有废立大罪,而不预奸臣之列;郑清之亦预废立之谋,及端平入相,首议出师汴洛,妄启边衅,遂失四蜀,宋之亡实肇于此,而本传略不一言。至如赵范襄阳偾事,赵葵洛京覆师,传皆讳而不书,何以彰是非褒贬之公乎?王坚守合州,蒙古倾国来攻,宪宗亲临城下,围数月不能克,宋季武臣无出其右者,为贾似道所忌,功大赏薄,未竟其用,而史家又不为立传,此可为长太息者也。

现存南宋方志保存不少《宋史》所缺人物传记资料。清末陆心源所编《宋史翼》40卷,只有传记,共辑得正传81人,附传64人,皆注明资料来源,其中有不少是从方志中采入的。如《宋史翼》卷11《胡理传》,采自《咸淳毗陵志》,参考《宋元学案》;卷12《沈介传》的一部分及卷29《舒岳祥传》,采自《嘉定赤城志》;卷30《夏承传》,采自《宝

---

① 《宋会要》食货41·41—42。
② 《章氏遗书》卷15《方志略例二》。

庆四明志》,卷18《欧阳颖传》、卷20《王汝舟传》、卷33《李平传》及所附《佺俞传》,采自《新安志》;卷19《郑景平传》,采自《吴郡志》;卷24《周孚先传》、卷26《韦骧传》的一部分及《强至传》,采自《咸淳临安志》;卷29《孙应时传》、卷33《黄汝楫传》,采自《宝庆会稽续志》等皆是。

（2）正史传之舛误

《宋史》卷384《梁克家传》,述克家乾道罢相,"以观文殿大学士知建康府",其下即称"淳熙八年起知福州,在镇有治绩,赵雄欲令再任,降旨仍知福州"。既是在淳熙八年始知福州,则谈不到"在镇有治绩"的问题,称为"再任"、"仍知"也是不通的。检《三山志》卷22《秩官类》三《郡守诸使》门,淳熙"六年梁克家,二月以资政殿学士、宣奉大夫知(福州),八年三月,复观文殿学士"。则史传载始知福州在"淳熙八年"是错误的。如《三山志》所载,(淳熙)六年初知福州,至八年,在任已满二年,则史传称"在任有治绩"、"欲令再任"、"仍知福州",就可顺理成章了。又梁克家罢相时,已除观文殿大学士,淳熙六年起知福州止带资政殿大学士,八年复观文殿学士而无"大"字,是在知建康之后,当有落职奉祠的一段经历可以推知,而史传不载。钱大昕评论说：

> 读《宋史》者,多病其繁芜,予独病其缺略,缺略之患甚于繁芜,即范尉宗、欧阳永叔其人,繁者可省,缺者不可补也①。

（3）补史志之不足

今以《艺文》、《食货》、《选举》三志为例加以说明。

宋代史馆,对当代著作难以全部访到,所修《国史·艺文志》就不免遗漏。地方政府修志,因范围小,比较易于查访,因而有些流传不广的宋人著作,往往见于后人所修方志。如宋人王曙《唐书修问》,见清人王士俊等所修《河南通志》卷8。宋人方汝一《两汉史赞》、陈嘉言《元朝史通》60卷、任希夷《经筵故事》10卷,见清人郝玉麟等所修《福建通志》卷68,以上诸书宋志皆未著录。

主要农作物的品种,是反映农业发展水平的一个方面。以水稻品种为例,《宋史·食货志》缺乏这方面的记载,南宋方志中却保存了丰富的资料。游修龄《方志在农业科学史上的意义》②一文,从12种

---

① 钱大昕：《潜研堂文集》卷29《跋三山志》。
② 见《图书馆研究与工作》1980年第3期。

南宋方志①中所载水稻品种名称查到 212 个品种,包括籼粳品种 155 个,糯稻品种 57 个,其中糯稻品种远比现在丰富。不过有的南宋方志如《咸淳毗陵志》、《严州图经》,则缺少此项记载。

《宋史·选举志》,虽然对进士科殿试制度叙述较多,但却不载试题。《宋会要辑稿》选举 7,载开宝六年(973 年)迄嘉祐八年(1063 年)殿试诗、赋、论三种试题,在熙宁三年(1070 年)殿试改用策问之前,殿试三题也记载不全。《宝庆四明志》所载端拱二年(989 年)至治平二年(1065 年)诸榜进士诗、赋、论的殿试题目,其治平二年彭汝砺榜试题,可补《宋会要辑稿》所缺。

(4)辑补缺佚之文献

宋人的著作,有些是后人搜集编成的文集,往往遗漏,这可从宋代方志中得到补充。如南宋宣城宁国人吴潜,为嘉定十年(1217 年)进士第一,官至参知政事,右丞相兼枢密使,进左丞相,封许国公。宝祐四年(1256 年)曾为沿海制置大使,判庆元府,《宋史》卷 418 有传。明末,宣城人梅鼎,曾搜集吴氏的一部分著作,编成《履斋集》4 卷,计有诗 1 卷,诗余 1 卷,杂文 2 卷。吴氏著作,缺漏甚多。但《开庆四明续志》中,却保存了梅鼎所未采及的吴氏作品。

梅应发和刘锡在《开庆四明续志》自序中,谈到他们续修的目的在于:"志大使丞相履斋先生吴公三年治鄞"的政绩,故所收吴潜的著作甚多。《四库全书总目》卷 68 著录《开庆四明续志》提要云:

> (吴)潜所著文集,世久无传,后人拾掇丛残,编为遗稿,亦殊伤缺略。此志载(吴)潜吟稿二卷,古今体诗二百九首,诗余二卷,其词一百三十首,皆世所未睹。

因而可以从中辑补《履斋遗集》所缺不少的篇幅。

(5)校正古籍之舛误

校勘古籍,不仅要用不同的版本加以对校,尚须用别种文献进行他校,以期尽可能地纠正所校书的舛误。这一点在我国校勘学发展史上,一直是被重视的。清代校勘名家辈出,总结了不少的经验,但对于方志的使用却重视不够。刘兆佑先生曾用方志校孟浩然的诗集②,得出的结论是:方志中的文字,有些显然并不比诸本为佳,有些

---

① 12 种南宋方志是:《宝祐琴川志》、《玉峰志》、《吴郡志》、《嘉泰吴兴志》、《澉水志》、《咸淳临安志》、《嘉泰会稽志》、《宝庆四明志》、《宝庆昌国县志》、《嘉定赤城志》、《淳熙新安志》、《淳熙三山志》。

② 刘兆佑:《中国方志中的文学资料及其运用》,载《汉学研究》3 卷二期

异文则以方志为胜。因此,方志是从事校雠的很好佐证。

南宋吴自牧《梦梁录》卷18《物产》门《谷之品》条,记载杭州水稻的9个品种名称,浙江图书馆所藏6种版本,皆将"社糯"误作"杜糯";《咸淳临安志》载同样品种的水稻名称,正作"社糯"①,提供了校改的根据。

方志的史料价值,并不止上述诸端,瞿宣颖在《方志考稿序》中提出方志的六大功用称:

> 社会制度之委曲隐微不见于正史者,往往于方志中得其梗概,一也;前代人物不登名正史者,往往于方志中存其姓氏,二也;遗文佚事散在集部者,赖方志然后以地为纲有所统摄,三也;方志多详物产、税额、物价等类事实,可以窥见经济状态之变迁,四也;方志多详建置兴废,可以窥见文化升降之迹,五也;方志多详族姓之分合,门地之隆衰,往往可与其他史事互证,六也②。

瞿氏的归纳,是就方志的总体而言,现存宋代方志,并非皆能成为一方全史,有的只记地理。如程大昌的《雍录》,作于孝宗朝,所记西安府属都邑、宫殿、城阙、山水,皆有图有说,考订古迹颇详,特别重视险要。在第五卷载汉、唐用兵攻取守备要地图,图说多举由蜀入秦的事迹。这是由于当时关中已被金人占领,是一部为恢复中原而作的地理书。王存的《元丰九域志》,仅载当时的州县地理、户口、土贡以及州县乡镇、山川等等,也没有超越地理书的范围。

南宋地方官修志的目的,主要为显示政绩,并编集本地区的基本史实,宣扬封建道德,便于管理和巩固封建秩序,所以新官之任,往往要从本地方中了解情况。方志中所载地理沿革、地形、建置、兵备、户口、赋役、水利、交通、自然灾害等,都是可贵的历史资料。其中谣谶、祥异、祠庙、贞女、孝悌、节义等人物传,则是宣扬迷信及封建伦理的糟粕。

关于物产的记载,一般比较简略,以水稻品种为例,《咸淳毗陵志》、《严州图经》物产部分就没有记载。《嘉泰吴兴志》列了十里香等8种水稻品种后称:"询之农人,粳名不止此数种,往往其名鄙俚,不足载。"南宋方志中,关于生产技术方面也很少涉及。

方志中的人物传,皆隐恶扬善,钱大昕《跋新安志》对此评论说:

---

① 游修龄:《方志在农业科学史上的意义》,载《图书馆研究与工作》1980年第3期
② 瞿宣颖:《方志考稿序》,载《文献》第四辑1981年2月

>汪廷俊,世所指为奸人也,罗端良(罗愿字)入之先达传,初无微词,后儒亦不以病罗氏;盖郡县之志与国史不同,国史美恶兼书,志则有褒无贬,所以存忠厚也。公论所在,固不可变黑为白,而桑梓之敬自不能已。袁伯长(袁桷字)(延祐)《四明志》,与史同叔但叙其厉害,而云事具国史,此与同意。汪尚有善可称,史则其恶益著,故文稍异尔①。

修志的人,也往往藉此粉饰家世,钱大昕评论说:

>近代士大夫,一入志局,必欲使其祖父族党一一厕名卷中,于是儒林文苑,车载斗量,徒方后人覆瓿之用矣②。

边实纂《玉峰志》,于卷中为其曾祖惇德立传夸耀家世,并在《玉峰续志》中为自序一篇以自矜,钱大昕在跋文中批评说:

>志既为其曾祖惇德立传,而《续志》复为自序一篇,追本得姓之始,遥遥华胄,敷衍于言,难免汰哉叔氏讥矣③。

因此,方志中的人物传,多是隐恶扬善,难免浮夸。

南宋方志,尽管在观点和记事中都存在一些问题,但却保存了其他史籍所不载的丰富可信的史料,对于研治宋代历史,特别是宋代基层社会的状况,都是很有价值的可贵资料,是应当充分利用的一个方面的史籍。

(原载《宋史研究论文集》,
河北教育出版社1989年版)

---

① 《潜研堂文集》卷29《跋新安志》
② 《潜研堂文集》卷29《跋会稽志》
③ 钱大昕:《潜研堂文集》卷29《跋玉峰志》

宋朝的右文政策

宋朝的开国皇帝赵匡胤及其后继者赵光义,虽都出身武夫,但都深深懂得马上可以得天下,却不可以马上治天下的道理。太祖建国之后,很快由一介武夫变成为尊儒重文之君,享有"性好艺文"①的称誉;太宗更以"锐意文史"②而见著史册;真宗则"道遵先志,肇振斯文"③。于是,以文化成天下,就成为宋廷的国策。这个国策大大促进了宋代文化的发展。

一、尊师重道,优礼儒士

宋廷右文政策的一个重要内容,就是尊师重道,优礼儒士。

首先是对孔子的尊崇和对儒学的提倡。建隆二年(961年),太祖下令贡举人到国子监谒孔子,并著为定例,永远执行。次年,又下令用一品礼祭孔子。大中祥符元年(1008年),真宗追封孔子为"元圣文宣王"。同年,他到泰山封禅,又亲到曲阜孔庙行礼,拜谒孔子坟墓;又命翰林学士晁迥祭奠孔子之母。端拱元年(988年),太宗命孔维等人分校唐孔颖达《五经正义》;至道二年(996年),太宗又应判国子监李至的请示,命至等校定《周礼》、《仪礼》、《春秋公羊传》、《春秋

---

① 《能改斋漫录》卷4《崇政殿说书》。
② 《宋朝事实类苑》卷2《祖宗圣训·太宗皇帝》。
③ 《册府元龟》序。

谷梁传》、《孝经》、《论语》、《尔雅》等七经旧疏,参预其事者有崔颐正、孙奭、崔偓佺、吴淑、舒雅、杜镐等人,由至与李沆总领其事。咸平三年(1000年),真宗又命翰林侍读学士、判国子监邢昺总其事,于咸平四年九月校定完毕,共165卷,模印颁行。于是十二经都有了由政府认可的法定的注疏。① 大中祥符二年(1009年),真宗又赐孔庙"九经"、"三史",诏立学舍,选儒生讲学,以重振孔子故乡之学风。《宋大事记讲义》视此为宋代复兴州县学之滥觞。同年,真宗又追封孔子弟子72人,令中书门下及两制馆阁分撰"赞"文;他亲撰《文宣王赞》,称颂孔子为"人伦之表",儒学是"帝道之纲"。真宗又撰《崇儒术论》,在国子监刻石:"儒术污隆,其应实大;国家崇替,何莫由斯。故秦衰则经籍道息,汉盛则学校兴行。其后命历迭改,而风教一揆。有唐文物最盛,朱梁而下,王风寖微。太祖、太宗丕变弊俗,崇尚斯文。朕获绍先业,谨遵圣训,礼乐交举,儒术化成。"②这段话,既表明了宋廷的右文政策,又说明了儒学的重要性。由于宋廷的提倡,孔子与儒学的地位大大提高了。

其次是对儒臣学官的礼遇。如端拱元年(988年),太宗幸国子监谒文宣王,适博士李觉正聚徒讲书。太宗命觉讲《易》之《泰卦》,从臣皆列坐。觉乃述天地感通、君臣相应之旨。太宗大悦,赐帛百匹。次日,对宰相赵普说:"昨听觉所讲,文义深奥,足以鉴戒,当与卿等共遵守之。"③又如淳化五年(994年),太宗幸国子监,赐直讲孙奭五品服,命讲《尚书·说命》三篇,至"事不师古,以克永世,匪说攸闻",太宗深受感动,又赐束帛。④ 这是对国子监的讲官。对于太子及诸王的师傅,更是特别尊重。至道元年(995年),立寿王元侃为皇太子,次日,以尚书左丞李至、礼部侍郎李沆并兼太子宾客,见太子如师傅之仪。太子见,必先拜,动皆咨询。至等上表恳辞,皆不许⑤。寿王元侃,就是后来的真宗。他自幼即以好学著称,即位后,对老师宿儒礼敬不衰。如翰林侍读学士郭贽卒,"故事,无临丧之制,上以旧学故,亲往哭之,废朝二日"⑥。翰林侍读学士邢昺,"被病请告,诏太

---

① 以上据《宋史》卷266《李至传》、卷431《邢昺传》,《玉海》卷41《咸平孝经论语正义》、卷43《咸平校定七经疏义》等条。
② 《长编》卷79,大中祥符五年十月辛酉。
③ 《长编》卷29,端拱元年八月庚辰。
④ 《长编》卷36,淳化五年十一月丙寅。
⑤ 《长编》卷38,至道元年八月壬辰。
⑥ 《长编》卷73,大中祥符三年六月丙辰。

医院诊视,上亲临问,赐名药一奁,白金器千两,缯丝千匹。国朝故事,非宗戚将相,无省疾临丧之行。唯昺与郭贽以恩旧特用此礼,儒者崇之"①。

再次是对馆阁侍从的礼遇。《续资治通鉴长编》卷34淳化四年(993年)五月丙午,记载了这样一件事:"张洎赴翰林,上(即宋太宗)谓近臣曰:'学士之职,清切贵重,非他官可比,朕常恨不得为之。'"这段话道出了太宗对翰林学士发自内心的尊重。正是出于这种尊重,才崇其名秩,备加礼遇。唐制,皇帝御楼肆赦,学士得升丹凤楼之西南隅侍立。五代以后,此礼逐渐废弛。淳化四年,苏易简以翰林学士承旨为参知政事,奏请"自今御楼肆赦,望命与枢密使侍立御榻之侧"。太宗答应了这个请求。②旧制,将帅出征还,劳宴于便殿,当直学士、文明、枢密学士皆预坐。太祖时期,李昉及扈蒙在翰林日,常预斯宴。开宝年间,阁门使梁迥向太祖建议说:"陛下宴犒将帅,安用此辈",此礼遂罢。淳化四年十一月丁卯,武宁节度使曹彬来朝,太宗宴之于长春殿,乃命翰林学士钱若水、枢密直学士张咏皆预坐,又恢复了这个礼遇。这件事也出于苏易简的建议。这些都是恢复旧制。另外还有些新规定。一是赏花钓鱼曲宴,始于雍熙二年(985年)四月二日。是日,太宗召辅臣,三司使,翰林、枢密直学士,尚书省四品、两省五品以上,三馆学士,宴于后苑,赏花钓鱼,张乐赐饮,命群臣赋诗、习射,自是每岁皆然。③这里将翰林、三馆学士与宰执并列。到淳化元年(990年),参预宴会的人员又扩大到集贤、秘阁校理。再一个是优给俸禄。雍熙三年(986年)十月敕:"两制词臣,公朝精选,典司纶诰,亲近冕旒。宜于俸禄之间,特示优礼之宠。起自今后,两制俸料,并以见缗充。"④至于临时的奖励,事例更多。如淳化二年(991年)翰林学士承旨苏易简,献所修《续翰林志》2卷,太宗特赐诗2章,纸尾批云:"诗意美卿居清华之地也。"易简请以所赐诗刻石,昭示无穷。太宗复以真、草、行三体书书其诗,命待诏吴文赏刻之,并遍赐群臣。又飞白书"玉堂之署"四大字,榜于厅额,使永为翰林美事。⑤ 以上事例说明,太宗、真宗对儒臣、词臣之礼遇,并不是出于一般的礼仪,而是出于内心的尊崇。

---

① 《长编》卷73,大中祥符三年六月辛未。
② 《长编》卷34,淳化四年十一月丁卯,《宋朝事实类苑》卷30《学士预丹凤楼放赦》。
③ 《长编》卷26,雍熙二年四月丙子。
④ 《宋朝事实类苑》卷30。
⑤ 《长编》卷32,淳化二年十月辛巳。

二、网罗人才,选拔俊彦

网罗人才,选拔俊彦,是宋廷"右文"政策的又一个重要内容。宋太宗很了解选拔人才的重要性。他曾说:"国家选才,最为切务。人君深居九重,何由遍识,必须采访。"①又说:"朕孜孜访问,止要求人。"②他希望能达到"岩野无遗逸,而朝廷多君子"③的目的。这个目的,虽然事实上不能达到,但说明他确实是很注意选拔人才。

选拔人才的一个重要途径,是改革科举。太宗于太平兴国元年十月甲寅即位,3个月后,就举行他即位后的第一次贡举。对这次贡举,《续资治通鉴长编》卷18,太平兴国二年正月丙寅条,有详细记载。根据这条记载,可知这次贡举,有以下特点:

第一,有明确的求才目的。太宗说:"朕欲博求俊乂于科场中,非敢望拔十得五,止得一二,亦可为致治之具矣。"

第二,录取名额多。共得进士吕蒙正以下109人,诸科207人,并赐及第;十五举以上进士及诸科184人,并赐出身;九经7人不中格,特赐同三传出身。以上共计507人,而此前一般录取至多一百多人。

第三,宠幸殊异。本科中式的人,皆先赐绿袍靴笏,赐宴开宝寺,由中使典领,供帐甚盛,太宗还亲自赋诗两章为贺。第一第二等进士并九经,皆授将作监丞或大理评事通判诸州;同出身进士及诸科,并送吏部免选,优等注拟初资职事判司簿尉。赴任出发时,每人赐装钱20万。像这样优厚的待遇,实在是前所未有。

对这次贡举,宰相薛居正等认为"取人太多,用人太骤",表示反对。但太宗"方欲兴文教,抑武事,弗听"。"兴文教,抑武事",正是宋廷右文政策的具体注脚。

太宗一朝的贡举,都具有上述的特点。以取士多而论,仅进士科就录取了1368人。计:太平兴国二年取吕蒙正等109人,太平兴国三年取胡旦等74人,太平兴国五年取苏易简等121人,太平兴国八年取王世则等239人,雍熙二年取梁灏等258人,端拱元年取程宿等28人,端拱二年取陈尧叟等186人,淳化三年取孙何等353人。④ 如

---

① ② ③ 《长编》卷24,太平兴国八年六月戊申。
④ 据李焘《皇宋十朝纲要》卷2所列数字,实际不止此数。

果加上诸科,取人就更多。以破格任用而论,如太平兴国三年一科,"授官如二年之制"①;太平兴国五年一科进士第一等授将作监丞、通判藩郡;次授大理评事、知令录事;诸科授初等职事及判司簿尉。至于升迁之速,亦不乏人。如吕蒙正于太平兴国二年(977年)正月及第,到端拱元年(988年)二月不过12个年头,就升为中书侍郎兼户部尚书、同平章事。又如苏易简,于太平兴国五年(980年)闰三月登第,到淳化四年(993年)十月,就由翰林学士承旨,升为给事中、参知政事。

太宗很注意从孤寒之家选拔人才。为了避免势家"与孤寒竞进",于雍熙二年(985年)实行别试制度:"始令试官亲戚别试者,凡九十八人。"②这一年宰相李昉之子李宗谔、参知政事吕蒙正之从弟吕蒙亨、盐铁使王明之子王扶、度支使许仲宣之子许待问,举进士第皆入等,但由于是势家之子弟而被罢去。应当指出,为孤寒之家开路,是宋代科举改革的一个重要原则,到真宗时期,一直坚持这个原则。

贡举之外,太宗还常常令地方官推荐人才。这类诏令很多,姑举二例以见一斑。太平兴国六年(981年)正月丁卯,令诸道转运使察访部内官吏,有履行著闻、政术尤最及文学茂异者,各举2人。又淳化四年(993年)五月甲午,诏诸道转运副使、知州、通判、知军监等,各于所部现任幕职州县官内,举吏道通明及儒术优茂者各1人。值得注意的是,这两道诏令,均提到文学、儒术之士,也就是知识分子。

太宗还亲自物色人才。他听说殿中丞郭延泽、右赞善大夫董元亨皆好学,博通典籍,乃命宰相召问经史大义,条对称旨,于淳化二年(991年)十月丁卯,任命他们为史馆检讨。又如中书舍人王祐,太宗认为他"文章外复有清节,不中理事断不为也"③,就破格任为兵部侍郎。

对于大臣个别推荐的人,太宗也非常重视。比如乡贡进士长沙孟瑜,著有《野史》30卷,石熙载荐于朝,就于太平兴国五年(980年)八月甲戌任命为固始县主簿。又如同州观察推官钱若水,因枢密直学士寇准荐其文学高第,太宗就命学士院召试,并于淳化元年(990年)十月乙巳,亲自任命为秘书丞、直史馆。这些人之所以被重视,或

---

① 《长编》卷19,太平兴国三年九月甲申。
② 《长编》卷26,雍熙二年正月癸亥。
③ 《长编》卷28,雍熙四年十月庚寅。

以"文章"、"文学",或以"好学"、"清节",总之,都是学行兼优的读书人。这些事例说明了知识在社会政治生活中所起的作用。

上述事例说明宋太宗很重视提拔人才,千方百计网罗人才。王禹偁在至道三年(997年)真宗即位后上书言五事中,对太祖、太宗两朝的贡举有一段评论说:"终太祖之世,科试未尝不难,每岁进士不过三十人,经学五十人,重以周祖之后,诸侯不得奏辟,士大夫罕有资荫,故有终身不获一第,没齿不获一官者。先帝(指太宗)毓德王藩,睹其如此,临御之后,不求备以取人,舍短从长,拔十得五。在位将逾二纪,登第亦近万人,不无俊秀之才,亦有容易而得。臣愚以为数百年之艰难,故先帝济之以泛取;二十载之需泽,陛下(指真宗)宜纠之以旧章。"①这段话,虽不无微辞,但毕竟也承认太宗继太祖之后,扩大取士名额是必要的,而且也的确选拔了俊秀之才。

三、勤奋好学,刻苦读书

宋初诸帝,都勤奋好学,刻苦读书。太祖不仅自己读书,而且曾想法令武臣皆读书,使之了解"为治之道"②。太宗更是一个勤奋读书的典型。他曾多次对臣下说过"他无所爱,但喜读书"③之类的话。他每天都安排有固定的读书时间:"辰巳间视事,既罢,即看书,深夜乃寝,五鼓而起,盛暑永昼未尝卧。"④日读《太平御览》三卷,就是典型的例子。在《太平御览》即将完成的前夕,即太平兴国八年(983年)十一月,下诏"日进三卷,朕当亲览"⑤。宰相宋琪等说:"穷岁短晷,日阅三卷,恐圣躬疲倦。"太宗却说:"朕性喜读书,开卷有益,不为劳也。此书千卷,朕欲一年读遍,因思学者读万卷书亦不为劳耳。"⑥同年十二月二十七日,他在"禁中读书,自巳至申始罢"⑦。有时因事耽误,亦必于暇日追补。⑧终于在一年内,把这部千卷大书读了一遍;⑨而且读得非常用心,"凡诸故事可资风教者,悉记之。及延见近

---

① 《长编》卷42,至道三年十二月。
② 《长编》卷3,建隆三年二月壬寅。
③ 《长编》卷32,淳化二年闰二月戊寅;卷24,太平兴国八年十二月庚辰等。
④ 《长编》卷25,雍熙元年十月。
⑤⑥ 《长编》卷24,太平兴国八年十一月庚辰。
⑦ 《长编》卷24,太平兴国八年十二月戊申。
⑧ 王辟之:《渑水燕谈录》卷8。
⑨ 晁公武:《郡斋读书志》衢本卷14。

臣,必援引谈论,以示劝戒"①。

太宗读书,目的非常明确。太平兴国七年(982年),他曾对近臣说:"王者虽以武功克定,终须用文德致治。朕每退朝,不废观书,意欲酌前代成败而行之,以尽损益也。"②雍熙元年(984年)又说:"夫教化之本,治乱之源,苟无书籍,何以取法?"③他还批评五代后唐庄宗说:"昔庄宗可谓百战得中原之地,守文之道,可谓懵然矣。"④凡此,都说明他深深懂得,要巩固政权,就必须兴文治,不能全凭武力。他的读书,就是要从中求教化之本,取得借鉴。所以,他强调读书"必深味其理"⑤。仅据《长编》、《宋朝事实》、《宋朝事实类苑》、《遵尧录》等书的简略记载,就可知他曾援引史传及诸子书,与臣下议论过"君臣之际,先要情通"⑥、"佳兵不祥"⑦、帝王行事当"有所专裁"⑧、"善恶无不包容"⑨,楚文王"畋于云梦,三月不返"⑩,贾谊"指论时事"⑪,晋武帝"溺于内宠"⑫,唐太宗"好虚名"⑬,五代诸君"恣于逸乐,不恤士卒"⑭等问题。这些议论,都是有益治道的。太宗就是基于这种"终须以文德致治"的认识而勤奋读书的。

真宗和他父亲一样,也是个勤奋读书的典型。《玉海》卷30,有真宗通读经史日程的两条材料:大中祥符七年(1014年)六月到八年六月,一年时间内,读完了《周礼》、《仪礼》、《公羊传》、《谷梁传》、《孝经》、《论语》、《尔雅》、《周易》、《尚书》、《春秋》、《诗经》等十一经。接着又以一年半的时间,即从大中祥符八年(1015年)七月到天禧元年(1017年)二月,读完了十九史:《史记》、《汉书》、《后汉书》、《三国志》、《晋书》、《宋书》、《南齐书》、《梁书》、《陈书》、《后魏书》、《北齐书》、《周书》、《隋书》、《唐书》、《梁史》、《后唐史》、《后晋史》、《后汉史》、《后周史》,即宋以前的正史。两年半中,一鼓作气,读完卷帙浩繁的经史,其博览之勤,可以概见。

---

① 南宋蜀刻本《太平御览》卷首摘引《国朝会要》。
② 李攸:《宋朝事实》卷3《圣学》。
③ 《长编》卷25,雍熙元年正月壬戌。
④⑧⑨ 《宋朝事实类苑》卷2。
⑤ 《长编》卷34,淳化四年闰十月己亥。
⑥ 《长编》卷24,太平兴国八年十一月壬申。
⑦ 《长编》卷23,太平兴国七年十月辛酉。
⑩ 《长编》卷25,雍熙元年九月。
⑪ 《长编》卷29,端拱元年三月。
⑫ 《长编》卷25,雍熙元年正月丁丑。
⑬ 《长编》卷35,淳化五年四月丁酉。
⑭ 罗从彦:《罗豫章集·遵尧录二》。

《玉海》卷54,还记载了真宗认真审阅《册府元龟》初稿的情况:"景德四年(1007年)十月癸亥,上谓辅臣曰:'朕每因暇日阅《君臣事迹》(即《册府元龟》的原名)草本,遇事简,则从容省览;事多,或至夜漏二鼓乃终卷。'""日进草3卷,帝亲览之,摘其舛误,多出手诏诘问,或召对指示商略。""大中祥符二年(1009年)三月丁卯,诏或有增改事,标记,复阅之。"日进草3卷,和太宗日读《御览》3卷,如出一辙。正如他多次所说:"朕听政之外,未尝虚度时日,探测简编,素所耽玩。古圣奥旨,有未晓处,不免废忘。"①"朕听政之暇,唯文史是乐。讲论经艺,以日系时,宁有倦耶?"②他好学不倦的精神,堪称典范。

真宗认真读书,也有明确的目的。正如王旦所说:"陛下博观载籍,非唯多闻广记,实皆取其规鉴。谈经典必稽其道,语史籍必穷其事,论为君必究其治乱,言为臣必志其邪正。"③

出于同样的目的,太宗、真宗对皇子皇孙诸王的读书问题也非常关心。太平兴国四年(979年),"初置皇子侍读,以左赞善大夫杨可法为之"④。太平兴国八年(983年),"诸王及皇子府初置谘议、翊善、侍讲等官,以户部员外郎王遹、著作佐郎姚坦、国子监博士邢昺等十人为之"⑤。雍熙二年(985年)五月辛未,以毕士安等4人为诸王府记事参军,太宗勉励他们说:"诸子长于宫廷,未闻世务,必资良臣贤士赞导为善,使日闻忠孝之美。卿等谨恪有行,故兹遴选,宜各勉之"。⑥至道元年(995年)正月,"始命司门员外郎、开封孙蠙为皇侄皇孙教授"⑦。而这些侍读、翊善等官,也都能尽职尽责。比如雍熙四年(987年)八月,邢昺献《分门礼选》20卷,太宗对其中《文王世子》篇甚为满意,因向内侍问道:"昺为诸王讲说,曾及此乎?"内侍答称:"诸王常时访昺经义,昺每至发明君臣父子之道,必重复陈之。"太宗为此"赐昺器币"⑧。再如姚坦为益王(太宗第五子元杰)府翊善,王每有过失,即尽言规正,因此使益王不满,"左右乃教王称疾不朝"。后来太宗查明真相,慰问姚坦道:"卿居王宫,为群小所嫉,大为不易。

---

①②《宋朝事实类苑》卷3。
③ 《长编》卷85,大中祥符八年十二月己亥。
④ 《长编》卷20,太平兴国四年九月丁亥。
⑤ 《长编》卷24,太平兴国八年三月己巳。
⑥⑧ 杨仲良:《续资治通鉴长编纪事本末》卷9《诸王事迹》。
⑦ 《长编》卷37,至道元年正月。

卿但能如此,不患逸言,朕必不听也。"①对那些辅导无状的谘议等,则加以贬责。如许王(太宗次子元僖)府谘议、工部郎中赵令图,侍讲、库部员外郎阎象,就因辅导无状,免所居官,仍削两任。②凡此,均说明太宗对皇子教育的关心。

真宗不仅对皇子,而且对官僚子弟及王宫子弟的教育都很关心。咸平四年(1001年),冯拯等上言:"请令群臣子弟奏补京官或出身者,并试读一经,写家状,以精熟为合格。从之。"③大中祥符二年(1009年)四月诏:"应以门资授京官年二十五已上求差使者,当令于国学听习经书,以二年为限,仍令审官院与判监官考试讫,以名闻。是秋当引对者九人,大理评事钱象中,奉礼郎陈宗纪以学业未精,令且习读,俟次年引对。"④大中祥符三年七月诏:"南宫、北宅大将军已下,各赴书院讲读经史。诸子十岁已上,并须入学,每日授经书,至午后乃罢。仍委侍教教授、伴读官诱劝,无令废惰。"⑤上列诏令,说明真宗对官僚子弟和王宫子弟之教育,可谓关心备至。

以上概述了宋廷右文政策的主要内容。这个政策产生了积极的结果,它促使宋代成为我国历史上文化昌盛的朝代。而宋初诸帝勤奋读书的精神,对知识人才的尊重,更值得称道。

大规模求书、编书,也是宋廷右文政策的重要组成部分,因内容较多,俟于下篇详细述之。

(原载《宋代文化史》第一章,河南大学出版社2000年第2版。收入本书时略有删节)

---

① 《长编》卷28,雍熙四年八月己酉。
② 《长编》卷35,淳化五年二月。
③ 《长编》卷48,咸平四年二月壬戌。
④ 《长编》卷71,大中祥符二年四月壬子。
⑤ 《长编》卷74,大中祥符三年七月壬寅。

宋朝馆阁制度与图书编纂

一、馆阁制度

(一)馆阁机构

馆阁,是指三馆和秘阁,为国家收藏和修纂书籍的机构。昭文馆、史馆、集贤院,合称三馆。唐代"两京皆有三馆,而各为之所,所以逐馆命修撰文字",而宋朝"三馆合为一,并在崇文院中"①。昭文馆,在唐武德初建立时称修文馆,后又改称弘文馆。后梁末帝贞明(915~920年)年间,始置三馆于汴都禁中。宋太祖建隆元年(960年)二月,因避宣祖弘殷讳,下诏将弘文馆"易名昭文馆"②。

宋初,三馆在右长庆门东北,亦称西馆,即后梁建馆的旧址,仅有小屋数十间,"湫隘卑痹,仅庇风雨。周庐徼道出于其旁,卫士驺卒,朝夕喧杂。每受诏撰述,皆移他所"③。太平兴国二年(977年),太宗"幸三馆,顾左右曰:是岂足以蓄天下图书,待天下之贤俊邪。即日诏有司,度左昇龙门东北车府地为三馆。命内侍督工徒,晨夜兼作。其栋宇之制,皆帝所亲授。自举役,车驾凡再临幸"④。由于皇帝重视,建馆工程只用了一年的时间,于太平兴国三年(978年)二月完工,赐名"崇文院"。于是尽迁西馆藏书于崇文院。"以东廊为昭文

---

① 《宋朝事实类苑》卷25《官职仪制》门"三馆"条。
②③④ 《宋会要》职官18·50。

馆书库,南廊为集贤院书库,西廊分经、史、子、集四部,为史馆书库,凡六库书籍"①。"裒合伪国文籍,参以旧书正副本,凡八万卷,皆以类相从,用雕木为架,以青绫帕幂之。简册之府,翕然一变矣"②。

太宗端拱元年(988年)五月,下诏就崇文院中堂建秘阁。淳化三年(992年),又下诏增修,八月完成。真宗景德四年(1007年),又下诏"分内藏西库地广秘阁"③。三馆、秘阁均在崇文院中,合称"馆阁"或"四馆"。崇文院的建筑,"轮奂壮丽,冠于内庭,近世鲜比"④。又"敞园苑,植花木,引沟水以溉之"⑤,创造了一个优美的环境。房舍建筑,在内诸司官舍中"唯秘阁最宏壮,阁下穹隆高敞,相传谓之木天"⑥。

真宗大中祥符八年(1015年),荣王宫火灾,烧及崇文院。翰林学士陈彭年上言,建议"据秘阁旧屋宇间数,重修为内院,奉安太宗圣容及御书额,置供御书籍,天文禁书图画。其四廊并充书库"。另在"左右掖门外近便处修盖,仍别置三馆书库",凡"直馆、校理宿直,校勘及抄写书籍,雕造印版,并就外院"⑦。天禧元年(1017年)"诏崇文外院以三馆为额"⑧。天圣九年(1031年),"仁宗以逼近市嚣,非多士讨论之所",又下诏"徙三馆于崇文院"⑨旧所。元丰五年(1082年),改崇文院为秘书省。

宋室南渡之初,政局混乱,曾一度罢秘书省。绍兴元年(1131年)高宗驻跸绍兴府,时局稍定,复置秘书省。翌年,高宗移跸临安府,秘书省权寓临安宋氏宅,再迁于法惠寺,至绍兴十四年(1144年),迁清河坊糯米仓巷新建省址。

秘书省的职事,"掌凡邦国经籍图书、常祭祝版之事"⑩,分四案:知杂案,掌本省官及吏人迁补轮差诸事;经籍案,掌管图书并朝廷检阅典故,及修撰祠祭乐章;祝版案,掌祭祀祝版,分撰祝辞及皷祭文诸事;太史案,掌太史局、文德殿钟鼓院,测验浑仪刻漏所应官生迁补

---

① 《宋会要》职官18·50。
② 孙逢吉:《职官分纪》卷15《集贤院》。
③ 《宋会要》职官18·49,程俱:《麟台故事》卷1《沿革》。
④ 《职官分纪》卷15《集贤院》,彭百川:《太平治迹统类》卷3《太宗圣政》。
⑤ 《宋会要》职官18·50,《职官分纪》卷15《集贤院》。
⑥ 沈括:《梦溪笔谈》卷24《杂志一》。
⑦ 程俱:《麟台故事》卷1《省舍》,《宋会要》职官18·52。
⑧⑨ 《宋会要》职官18.52。
⑩ 《宋会要》职官18·1。

事。① 秘书省的职事,比宋初三馆、秘阁显然扩大了。

(二)馆职设置

宋初,"以三馆为储才之地"②,所以"馆阁之选,皆天下英俊,然必试而后命。一经此职,遂为名流"③。馆阁所设职名有:

昭文馆和集贤院,各设大学士一人,以宰相充。学士无定员,以给谏卿监以上充。直学士不常置。修撰以朝官充。直馆、直院、校理,以京官以上充。皆无常员。④

史馆,设监修国史,以宰相充。修撰以朝官充。直馆以京朝官充。又有检讨、编修,不常置。⑤

三馆皆以两省五品以上官一人判。

秘阁,设直阁,以朝官充。校理以京官充。判阁一人,旧常以丞、郎、学士兼领秘书监阁事,大中祥符九年(1016年)后,以诸司三品、两省五品以上官判。⑥

龙图阁,真宗时所建,以藏太宗御书、御制文集和典籍、图画、宝瑞之物。设学士、直学士、待制。由于是收藏皇帝"制作之所,故其官视三馆"⑦,所以谈到馆职时也往往涉及龙图阁的学士、直学士和待制。

此后,新帝即位,皆为纪念前朝皇帝置阁,收藏御书、御制文集及典籍、图画、宝瑞和宗正寺所进属籍、世谱,设学士、直学士、待制、直馆诸职。如仁宗为真宗置天章阁;英宗为仁宗置宝文阁,神宗即位始置学士,并将英宗御书附于此阁;哲宗为神宗置显谟阁;徽宗为哲宗置徽猷阁;高宗为徽宗置敷文阁;孝宗为高宗置焕章阁;光宗为孝宗置华文阁;宁宗为光宗置宝谟阁;理宗为宁宗置宝章阁;度宗为理宗置显文阁。这些阁学士,虽曾有"恩赐如龙图"⑧的诏令,但由于建置时间不同,也随着馆阁制度的变化而发生了变化。

诸殿(观文殿、资政殿、端明殿)置大学士、学士,主要授予退位或致仕的宰执。掌内制的翰林学士,掌外制的知制诰(中书舍人)是代

---

① 陈骙:《南宋馆阁录》卷10《职掌》。
② 《文献通考》卷54《职官考八》。
③ 洪迈:《容斋随笔》卷16《馆职名存》。
④ 《文献通考》卷51《职官考五》。
⑤⑥ 《麟台故事》卷4《官联》。
⑦ 《文献通考》卷54《职官八》。
⑧ 《宋史》卷162《职官·宝文阁学士直学士》。

皇帝立言的秘书工作。翰林侍读、侍讲学士和崇政殿说书称为经筵，这些都是高于馆职的职名。

在馆阁职名中，除作为高级官员贴职外，"其高者，曰集贤殿修撰、史馆修撰、直龙图阁、直昭文馆、史馆、集贤院、秘阁。次曰集贤、秘阁校理。官卑者，曰馆阁校勘、史馆检讨，均谓之馆职"①，称为学士。即以修撰、直馆、阁、院为一级，其下为馆阁校理，再下为校勘、检讨，共分三个等级，馆职升迁，一般是按照这一等级递进的。

馆阁亦有等第之分。洪迈《容斋随笔》卷1《三馆秘阁》条说：

> 国朝儒馆仍唐制，有四：曰昭文馆、曰史馆、曰集贤院、曰秘阁。率以上相领昭文大学士，其次监修国史，其次领集贤。若只两相，则首厅兼国史。唯秘阁最低，故但以两制判之。四局各置官，均谓之馆职，皆称学士。学士之职，地望清切，非名流不得处。

宋代在"庶官之外，别加职名，所以厉行义、文学之士"②，有了职名就被看做文学名流，甚得皇帝重视。太宗淳化元年（990年）诏，"自今游宴召直馆，其集贤、秘阁校理，并令预会"③，"进士唱名日，馆职皆侍立殿上，所以备顾问也"④。凡朝廷"有大典礼、政事讲究因革，则三馆之士必令预议"⑤。淳化四年（993年）张洎充翰林学士，太宗顾近臣说："学士之职，清切贵重，非他官可比，朕常恨不得为之。"⑥

馆职在官阶升迁方面，有特别优越的照顾。宋代文官迁转对有出身、无出身及带职者，各有不同的规定。无出身的官员，只能按磨勘法，三年或四年无过犯循一资，有出身特别是带职者，可以超资转官。在神宗元丰改官制之前，"自少卿迁大卿、监，有出身，得光禄卿；无出身，历司农卿、少府监、卫尉卿，然后至光禄；若带职，则自少农以上径得光禄，不涉余级，至有超五资者"⑦。特别是中央高级官员，多由馆阁选任。"两府缺人，则必取于两制；两制缺人，则必取于馆阁。然则馆阁，辅相养材之地也"⑧。"自祖宗以来，所用两府大臣多矣，

---

① 《容斋随笔》卷16《馆职名存》。
② 《宋史》卷162《职官二》。
③④ 《麟台故事》卷5《恩荣》。
⑤ 《麟台故事》卷3《选任》。
⑥ 《长编》卷34，淳化四年五月丙午。
⑦ 《容斋随笔》卷6《带职人转官》。
⑧ 《欧阳修全集》《奏议集》卷18《又论馆阁取士札子》。

其间名臣贤相出于馆阁者,十常八九也"①。"治平、熙宁之间,公卿侍从,莫不由此途出"②。所以当时士大夫,皆以馆职为荣。当范镇除直秘阁时,司马光作诗祝贺云:

> 延阁屹中天,积书云汉连。神宗(指太宗)重其选,国士比为仙。玉槛钩陈上,丹梯北斗边。帝容瞻日角,宸翰照星缠。职秩曾无贵,光华在得贤。③

可见馆阁学士,在士大夫心目中的地位,是十分崇贵的。

北宋前期,除授馆职要经过考试。《宋史·职官志》称:神宗"元丰以前,凡状元、制科一任还,即试诗赋各一而入,否则用大臣荐而试,谓之入馆"④。关于馆职应试的科目,英宗治平四年(1067年)闰三月,神宗即位后,曾因御史吴申之请下诏称:"自今馆职试论一首、策一道。"⑤真宗咸平(998~1003年)年间,"王曾为进士第一,通判济州,代还,当试学士院。时寇准作相,素闻其名,特试于政事堂,除著作佐郎,直史馆"⑥。但亦有不经考试而除馆职者。《麟台故事》载仁宗景祐三年(1036年)宰臣文彦博上言:

> 殿中丞王安石,进士第四人及第。旧制一任还,进所业求试馆职;安石凡数任并无所陈,朝廷令召试而亦辞以家贫亲老,且文馆之职,士人所欲,而安石恬然自守,未易多得。大理评事韩维,尝预南省高荐,自后五六岁不出仕宦,好古嗜学,安于退静。并乞特赐甄擢。⑦

朝廷因召二人赴阙应试,但两人卒不就试。仁宗至和二年(1055年),以韩维为史馆检讨,嘉祐四年(1059年)王安石直学士院。像这样不试而除馆职者,是属于例外。

馆职的除授,在真宗以前是严格的,仁宗以后,大臣往往为树私恩而滥事推荐,或径为子弟陈乞馆职。《麟台故事》记载明道(1032~1033年)年间,夏竦、程琳荐张硕、蔡抗等试馆职事云:

> 仁宗以谓,馆职当用文学之士,名实相称者居之。时大臣所举多浮薄之人,盖欲以立私恩尔,朕甚不取也。于是硕等送审官

---

① 《欧阳修全集》《奏议集》卷18《又论馆阁取士札子》。
②⑥⑦ 《麟台故事》卷3《选任》。
③ 《容斋四笔》卷1《三馆秘阁》。
④ 《宋史》卷162《职官二》。
⑤ 《宋会要》职官18·3。

院,与记姓名而已。①

尽管皇帝有时也加以遏制,但却不能阻止权贵子弟入馆的势头,以至"馆阁之中,大半膏粱之子,材臣干吏,羞与比肩,亦有得之以为耻者"②。陈升之上言:"三馆为搢绅华途,近者用人益轻,遂为贵游进取之阶,请严其选。"③乃下诏"自今臣僚乞子孙恩者,毋得除馆职"④。天圣四年(1026年),枢密副使张士逊请以其子友直为校勘,仁宗答复说:"馆职所以待英俊,可以恩请乎?"⑤因诏"友直且于馆阁读书。自今馆阁校勘,更不得添置"⑥。仁宗曾对辅臣说:

> 图书之府,所以待贤隽而备讨论也。比来公卿之族,多以恩泽为诸,殆非详延之意也。其诏自今辅臣、两省侍从,不得陈乞子弟亲戚为馆职。进士及第第三人以上,亦考所进文,召试入等者除之。⑦

仁宗时期,虽不断有限制馆职增员的诏书,但馆职人员却日益冗滥。神宗熙宁以后,又有所发展。胡宗愈上书称:

> 熙宁执政,务欲速援亲党,假此以为进人之阶,浮躁狂妄者争趋之,故有朝除校理而夕拜词掖,夕为直院而朝作辅臣。馆阁涵养之风,遂至委地,士人廉耻之节,靡有孑遗。既无素养之才,悉皆苟合之士。⑧

这时馆职已成为实施新法提拔官员的阶梯。

元丰五年(1082年),改革官制,废崇文院为秘书省,"不置昭文、集贤,以史馆入著作局"⑨。原来崇文院有关图书、著作的职事,皆归秘书省。秘书省的长官是秘书监,以少监和丞参与主持省务。其属官有著作郎、著作佐郎,负责修撰时政记、起居注、日历、祭祀祝词。秘书郎,负责管理图书。校书郎、正字,负责校勘。秘书省职事官仍属馆职,原有的馆阁职名仍然保存,但皆不试而除,只是作为皇帝加恩的兼职,这种以他官所兼的馆阁职名,谓之贴职。

哲宗元祐(1086~1093年)以后,殿阁之名逐渐增多,贴职的范

---

① ⑤ ⑦ 《麟台故事》卷3《选任》。
② 《欧阳修全集》《奏议集》卷5《论举馆阁之职札子》。
③ ④ 《宋史》卷312《陈升之传》。
⑥ 《宋会要》职官18·52,《麟台故事》卷3《选任》。
⑧ 吕祖谦:《宋文鉴》卷60《请令带职人赴三馆供职事》。
⑨ 《容斋随笔》卷1《三馆秘阁》。

围也日益扩大。到徽宗统治时期,用馆职"以处大臣子第姻戚,其滥及于钱谷文俗吏"①。"于是才能治办之吏、贵游乳臭之子,车载斗量,其名益轻"②。

南宋仍以馆阁为储才之地。周必大说:"高宗方内修外攘,首置秘省以储人才,他有司治事日不暇给,独馆职涵养从容,要路阙,必由此选。"③孝宗即位后,下诏称"馆职学官,祖宗设此储养人才,朕亦欲待将来之秀,不可定员"④。

南宋馆职,沿袭神宗元丰时所改旧制。包括秘书省的职事官和史职人员,于秘书省设监、少监、丞、著作郎、著作佐郎、校书郎、正字等。绍兴十五年(1145年)"仿唐十八学士之制,监、少、丞外,置著作郎、佐、秘书郎各二人;校书郎、正字通十二人,立为定额"⑤;孝宗即位后,又下诏不可定员数。此后秘书省职事官人数,并无严格限制。

史职人员,有监修及提举官,以宰臣充。包括监修国史、提举国史、提举实录院、提举编修国朝会要等。修撰官,以侍从官充。包括修国史、同修国史、实录院修撰、同修撰及史馆修撰。编修检讨官以侍从以下京朝官充,多是秘书省官兼任,包括国史院编修官、实录院检讨官、国史院检讨官、日历所检讨官等。地位最低的史馆和秘阁校勘,序位在正字以下。如绍定元年(1228年)李心传特补从政郎,差充馆阁校勘,"请给除合破本身料钱外,准正字例支破,其雇募兵士减半","朝参等序位正字之下"⑥。

南宋早期,初除校书、正字,尚须召试,后来多不试而除,但却不像北宋末年那样随意恩除,而是从进士高科中选取,或由大臣荐举入馆。在《南宋馆阁录》和《南宋馆阁续录》中记载的九百多名馆职人员中,绝大部分是进士及第,或进士、同进士出身,大臣荐举的馆职人员是不多的。

南宋馆职人员的升迁,在高宗绍兴年间,即恢复秘书省的初期,"反不若寺监之径捷"⑦。自乾道以后,就发生了变化。洪迈在《容斋五笔》中说:

---

① 《容斋随笔》卷1《三馆秘阁》。
② 《容斋四笔》卷16《馆职名存》。
③ 周必大:《周益国文忠公集·平园续稿》卷30《朱公(松)神道碑》。
④ 《宋会要》职官18·29。
⑤ 《宋会要》职官18·1。
⑥ 《南宋馆阁续录》卷6《故实》。
⑦ 《容斋随笔》卷16《馆职名存》。

> 自乾道以后有旨,须曾任为县,始得为台察,曾任郡守,始得为郎。三馆之士固无有历此者,于是朝廷欲越次擢用者,乃以为将作、军器少监,旋进为监,既班在郎上,则无所不可为。①

馆职人员,比循资升迁的一般文官,是优越的,当时士大夫也把入馆看做升迁的捷径。

此外,南宋仍将北宋原有的馆阁职名,如直秘阁、集英殿修撰等,作为高级官员的贴职。宁宗以后馆职冗滥,馆阁制度实际上已逐渐名存实亡了。

两宋的馆阁制度,在其发展过程中发生了一些变化,也出现过馆职冗滥的问题。但这一制度,对于储备和越级提拔人才,对于整理和编辑史料、促进文化事业发展方面,都起了重要的作用。

二、官私藏书及书目

(一)北宋馆阁藏书和《崇文总目》、《秘书总目》

五代十国的分裂局面,在宋政权建立后得以结束。由于长期动乱,图书散佚比较严重。宋朝建国之初,昭文馆、史馆、集贤院三馆的国家藏书,仅有数柜,"计万三千余卷"②。宋初统治者,急于恢复纲常伦理,以期从思想领域加强统治,对于收集图书是比较重视的。

首先是在统一进程中,注意收集原割据政权的藏书。太祖乾德元年(963年)平荆南,"诏有司尽收高氏图籍,以实三馆"③。三年(965年)九月,又派孙逢吉往西川取后蜀法物、图书经籍。次年五月,将所取法物毁掉,"图书付史馆"④。开宝九年(976年),命吕龟祥收江南图籍,"得二万余卷,送史馆"⑤。太宗太平兴国四年(979年),平太原,命雷德源"入城点检书籍图画"⑥。

其次是奖励献书。太祖乾德四年(966年)闰八月,"诏购亡书"⑦,凡进书者,先令史馆点检,如是三馆所阙,即与收纳;献书人经翰林学士院考试后,赐以官职科名。"是岁,三礼涉弼、三传彭翰(《长编》作'幹')、学究朱载皆应诏献书,总千二百二十八卷,命分置

---
① 《容斋五笔》卷6《馆职迁除》。
②③④⑤⑥⑦ 《宋会要》崇儒4·15。

馆阁,赐弼等科名"①。太平兴国二年(977年)十月,"诏诸州搜访先贤笔迹图书以献"②。五年(980年)八月,长沙人孟瑜,献所著《野史》30卷,被任命为光州固始县主簿。③ 雍熙三年(986年)正月,著作佐郎乐史献所著《贡举事》20卷,《登科记》30卷,《题解》20卷,《唐登科文选》59卷,《(唐)孝悌录》20卷,《续卓异记》3卷。"太宗嘉其功,迁著作郎、直史馆"④。咸平四年(1001年)三月,诏"三馆所少书,有进纳者,卷给千钱,三百卷以上,量材录用"⑤。大中祥符八年(1015年)四月,"献书者十九人,悉赐出身及补三班"⑥。凡献书者,"小则偿以金帛,大则授之以官。数年之间,献图书于阙下者,不可胜计,诸道又募得者数倍"⑦。

派官寻访、抄写、刻版印刷。至道元年(995年)六月,命裴愈"使江南两浙诸州寻访图书,如愿进纳入官,优给价值;如不愿进纳者,就所在差书吏借本抄写,即时给还"。结果"凡得古书六十余卷,名画四十五轴,古琴九,王羲之、怀素等墨迹共八本,藏于秘阁"⑧。真宗咸平二年(999年)闰三月,命三馆将所藏四部书各写一本"置禁中太清楼以便观览"⑨。这是成批抄写的一次。宣和五年(1123年)二月,秘书省奉旨"搜访士民家藏书籍,悉上送官,参校有无,募工缮写"。荥阳助教张颐,"进五百四卷,内三馆秘阁所缺者二百二十一卷,赐进士出身"。开封府进士李东,"进六百卷,缺者一百六十二卷,补迪功郎"⑩。宣和七年(1125年)四月九日,秘书省取索到王阐、张宿家藏书籍,内有馆阁所缺者,诏王阐补承务郎,张宿补迪功郎。⑪此外,政府各机构还不断刻版印书。因此,宋朝建国之后不久,国家藏书迅速增加。太平兴国三年(978年)崇文院建成的时候,去建国不到二十年,已由1.3万卷藏书,增到8万卷,皇家藏书,渐具规模。宋太宗说:"丧乱以来,经籍散失,周孔之教将坠于地。朕即位之后,多方收拾,抄写购募,今方及数万卷,千古治乱之道,并在其中矣。"⑫

---

① 《宋会要》崇儒4·15,《长编》卷7,乾德四年闰八月。
② 《宋会要》崇儒4·15。
③ 《宋会要》崇儒5·19,《长编》卷21,太平兴国五年八月甲戌。
④ 《宋史》卷306《乐史传》,《宋会要》崇儒5·19。
⑤⑦⑧ 《麟台故事》卷1《储藏》。
⑥ 《宋会要》崇儒4·18。
⑨ 《宋会要》崇儒4·1,《宋史·艺文志序》:"命三馆写四部书二本置禁中之龙图阁及后苑之太清楼"。
⑩⑪ 《宋会要》崇儒4·20。
⑫ 《职官分纪》卷15,《麟台故事》卷1《储藏》。

真宗大中祥符八年(1015年)荣王宫火,延及崇文秘阁,"书多煨烬,其仅存者,迁于右掖门外,谓之崇文外院"①。藏书受到一次损失,随即用各种方式搜集,藏书又日渐增多。仁宗时重建崇文院,由于馆阁所藏,有谬滥不全之书,乃于景祐元年(1034年),"命翰林学士张观,知制诰李淑、宋祁,将馆阁正副本书看详,定其存废,伪谬重复,并从删去;内有差漏者,立补写校对"②,并命翰林学士王尧臣、馆阁校勘欧阳修等,仿唐代《开元四部录》的体例,于庆历元年(1041年)修成《崇文总目》。这部"以四馆书并合著录"③的书目,共66卷,收书30 669卷,书目分4部45类,计经部9类,史部13类,子部20类,集部3类。其史部中专设"目录"类,说明目录学的著作已发展到足以单独立类的程度。各类都有序,"每条之下,具有论说"④,即对所著录的每一种书,都有提要。此后,晁公武《郡斋读书志》、陈振孙《直斋书录解题》等目录著作,均取法于《崇文总目》。可惜南宋以后的传本,已删去提要。《四库提要》承朱彝尊跋文之说,认为"郑樵作《通志》,始谓其文繁无用,绍兴中遂从而去其序释"⑤。其实这是一个误解。按《宋会要辑稿》崇儒4·26,载绍兴十三年(1143年)十二月二十五日向子固上言提出访书的办法说:

> 恐远方不知所阙名籍,难于搜访抄录,望下本省(秘书省)以《唐艺文志》及《崇文总目》,应所阙之书注阙字于其下,镂板降付诸州军,照应搜访。

为访书而刊行的书目,当然无须全录释文,而且颁下诸州,成为当时广为流传的通行本了。钱大昕《十驾斋养新录》对此分析道:

> 渔仲(郑樵字)以荐入官,在绍兴之末,未登馆阁旋即物故,名位卑下,未能倾动一时。若绍兴十二年,渔仲一闽布衣耳!谁复传其言者。朱氏一时揣度,未及研究岁月。聊为辨正,以解后者之惑。⑥

《崇文总目》元初已无完本,明清只存简目。清嘉庆四年(1799年),始由钱东垣、钱侗等据天一阁抄本,间或标注撰人,又取《欧阳文忠公集·崇文总目叙释》所载经、史、子三部原序,《玉海》、《文献通考》所

---

① 《宋史》卷202《艺文志序》。
②③ 《玉海》卷52《庆历崇文总目》。
④⑤ 《四库全书总目》卷85史部目录类一。
⑥ 钱大昕:《十驾斋养新录》卷14《崇文总目》。

载原释,并用各史《艺文志》相参证,共辑得《崇文总目》5卷,《补遗》1卷,《附录》1卷,刻入《汗筠斋丛书》。①《崇文总目》虽然缺失,但在总括宋代以前的图书概况,便于后世查验存佚方面还是很有作用的。《四库提要》云:"百世而下,藉以验存佚,辨真赝,核同异,固不失为册府之骊渊,艺林之玉圃也。"

神宗元丰五年(1082年)改官制,以崇文院为秘书省。徽宗政和七年(1117年)校书郎孙觌上言:

> 顷因臣僚建言,访求遗书,今累年所得,《总目》之外,已数百家,几万余卷。乞依景祐故事,诏秘书省官,以所访遗书讨论编次,增入《总目》,合为一书,乞别制美名,以更崇文之号。②

于是命孙觌及倪涛、汪藻、刘彦通撰次,名曰《秘书总目》,比《崇文总目》增书25 254卷,总卷数达55 923卷,达到北宋国家藏书的高峰。但不久,遭"靖康之难",所藏图书,荡然靡遗。

(二)南宋馆阁藏书和《中兴馆阁书目》、《中兴馆阁续书目》

宋室南迁以后,高宗亦注意访求图书。绍兴初,有言贺方回子孙鬻其藏书者,命有司全部收买。芜湖县僧有藏蔡京所寄书籍,因取之以实三馆。绍兴五年(1135年)九月,大理评事诸葛行仁,献书万卷,诏官其一子。绍兴十三年(1143年),初建秘阁,借故直秘阁陆寘家书缮藏之。十五年(1145年)以秦伯阳提举秘书省,掌求遗书图画及先贤墨迹,数十年间,秘府藏书充牣。③ 孝宗淳熙四年(1177年)十月,秘书少监陈骙等上言,"乞编撰书目,五年六月九日上《中兴馆阁书目》七十卷,序例一卷,凡五十二门,计见在书四万四千四百八十六卷"④。中兴馆阁藏书的总卷数,还没有达到北宋徽宗时的数字。

从高宗到宁宗,由于"承平百载,遗书十出八九,著书立言之士又益众,往往多充秘府"⑤。宁宗嘉定十三年(1220年),秘书丞张攀,受命编成《中兴馆阁续书目》30卷,共续修新增图书14 943卷。这时南宋藏书已达59 429卷,比北宋徽宗时增多3 500多卷,而且"太常太

---

① 李慈铭:《越缦堂读书记》十一,综合参考(3),目录题跋,同治癸酉(1873)六月初六日。
②⑤ 《文献通考》卷174《经籍考一》。
③ 《建炎以来朝野杂记》甲集卷4《中兴馆阁书目》。
④ 《玉海》卷52《淳熙中兴馆阁书目》。

史博士之藏,诸郡诸路刻版而未及献者不预焉"①。以上两种书目,陈振孙曾批评修得"草率"、"考究疏谬"②,但却能反映南宋藏书概况。二目皆已散失,赵士炜辑有《中兴馆阁书目》1卷,《中兴馆阁续书目》1卷,收入《宋史·艺文志广编》中。

(三)馆阁图书的管理和校勘

宋代对馆阁藏书的管理和校勘都是很重视的。太祖、太宗两朝,馆阁所藏收自前割据诸国的图书,命"京朝官校对,皆题名卷末"③。

真宗咸平二年(999年),命宰臣"差官校勘"藏书,并对借出不还的问题"严行约束"④。仁宗嘉祐年间(1056~1063年),仍然存在"官书多为人盗窃"的问题,于是"置编校官八员,杂雠四馆书,给吏百人,悉以黄纸为大册写之,自此私家不敢辄藏"⑤。绍兴元年(1131年)"诏秘阁书除供禁中外,并不许本省官及诸处关借,虽奉特旨,亦不许关借"⑥。绍兴二十七年(1157年)又重申此诏。对校勘书籍的官员,规定工作量。元祐六年(1091年)所定"校雠之课":

> 雠校旧本书,有注错多者,长功日十纸,中功日九纸,短功日八纸;错少加二纸;无注又加二纸;再校各加初校三纸。其正字刊正,各校三纸。⑦

对于校勘方法,也定有条例。据《南宋馆阁录》卷3《储藏》门绍兴所定《校雠式》记载:

> 诸字有误者,以雌黄涂讫,别书。或多字,以雌黄圈之;少者,于字旁添入;或字侧不容注者,即用朱圈,仍于本行上下空纸上标写。倒置,于两字间书乙字。诸点语断处,以侧为正;其有人名、地点、物名等合细分者,即于中间细点……

上述条例,规定了勘改错误和句读的格式,作为校书工作的准则。这一宋代校勘格式,长期沿用,在士大夫中亦有所影响。沈括《梦溪笔谈》卷1,记载北宋校书改字的方法云:

---

① 《文献通考》卷174《经籍考一》。
② 陈振孙:《直斋书录解题》卷8。
③ 《宋会要》崇儒4·1。
④ 《宋会要》职官18·51。
⑤ 《梦溪笔谈》卷1《故事一》,《职官分纪》卷15《崇文院》。
⑥ 《南宋馆阁录》卷3《储藏》。
⑦ 《宋会要》职官18·11。

> 馆阁新书净本有误书处,以雌黄涂之。尝校改字之法:刮洗则伤纸;纸贴之又易脱;粉涂则字不没,涂数遍方能漫灭。唯雌黄一漫则灭,仍久而不脱。

按"雌黄"、"铅黄",今亦名雄黄,即用雄黄汁涂改误字。从《颜氏家训》有所谓"读天下书未遍,不得妄下雌黄"者,用此法涂改误字,在隋以前已有了,并非宋人新创。但宋代馆阁校书,规定了具体改字的条例,则反映了宋代校勘发展的新水平。

关于宋代馆阁校书的事情,《宋会要辑稿》崇儒4·1—14《勘书》一门,记载甚详。以校《汉书》为例,太宗淳化五年(994年)命崇文院陈充等进行校勘。真宗景德元年(1004年)又命刁衎复校。次年,刁衎等上言称:

> 《汉书》,历代名贤竟为注释,其得失相参,互有章句不合,名氏交错,除无可考据外,博访群书,遍观诸本,校定凡三百四十九,签正三千余字,录为六卷以进。①

三十年后,仁宗景祐元年(1034年),又命余靖、张观等"刊定《前汉书》,下国子监刊行"②。一部《汉书》再三校勘。《崇文总目》中有关《史记》、《前汉书》、《后汉书》的《三史刊误》提要说:

> 靖等悉取三馆诸本及先儒注解、训传、六经、小说、字林、说文之类数百家之书以相参校,凡所是正增损数千言,尤为精备。逾年而上之,靖等又自录其雠校之说,别为《刊误》四十五卷。③

仅仅校勘三史,就用了"数百家之书",其校勘的精审,是很突出的。

馆阁校书,极为重视不同版本,除多次颁诏内外官员所藏书籍,给笔札誊录外,熙宁七年(1074年)诏置补写所,将求访到书籍校正"抄写四部均送逐馆","街市镂板文字供录一本,看详有可留者,各印四本送逐馆"④。外国所献书中的异本,也立即誊写付秘书省。元祐七年(1092年)十二月十九日,秘书省上言:

> 高丽国近日进献书册,访闻多是异本,馆阁所无,乞暂赐颁降付本省立限誊本。⑤

---

① 《宋会要》崇儒4·1。
② 《长编》卷117,景祐二年九月壬辰。
③ 《文献通考》卷200《经籍考二十七》。
④ 《宋会要》职官18·4。
⑤ 《宋会要》职官18·12。

为了校勘古籍,有关官员多方收集,广储众本,以提高校书质量。

(四) 私家藏书

由于雕板印刷兴盛,文化事业发达,私人藏书的风气甚盛。宣和七年(1125年)秘书省上言称:

> 取索到王阐等家藏书,与三馆秘阁见管帐目比对到所无书六百五十八部,一千五百一十一册轴,计二千四百一十七卷,及集秘书省官校勘得并系善本。①

刘延世《孙公谈圃》卷下说:"宋宣献(绶)家藏书过秘府",真宗章献明肃刘后称制,欲检故实,即是在宋绶家查到根据的。周密《齐东野语》所载著名藏书家甚多。

与私家藏书风气发展的同时,校勘亦出现了不少名家。《梦溪笔谈》卷25《杂志》二记载宋绶藏书和校书的情况说:

> 宋宣献(绶)博学,喜藏异书,皆手自校雠。常谓:校书如扫尘,一面扫,一面生。故有一书每三四校,犹有脱误。

陆游《渭南文集》卷28《跋京本〈家语〉》说:

> 本朝藏书之家,独称李邯郸公(淑)、宋常山公(绶),所蓄皆不减三万卷,而宋校雠尤精。

宋绶收藏大批图书,经常从事校勘,所以对校书有深刻的体会。

宋城人王钦臣家的藏书,既多且精。《宋史》卷294本传称:"藏书数万卷,手自雠正,世称善本。"徐度《却扫编》称:

> 予所见藏书之富者,莫如南都王仲至(钦臣字)侍郎家,其目至四万三千卷,而类书之卷帙浩博,如《太平广记》之类,皆不在其间,虽秘府之盛,无以逾之。闻之其子彦朝云:其先人每得一书,必以废纸草传之,又求别本参校,至无差误,乃善写之。必以鄂州蒲圻县纸为册,以其紧慢厚薄得中也,每册不过三四十页,恐其厚而易坏也。此本专以借人及子弟观之。又别写一本,尤精好,以绢素背之,号镇库书,非己不得见也。镇库书不能尽有,才五千余卷。

王钦臣藏书校勘的精细,是很少见的。

---

① 《宋会要》崇儒4·20。

金石学家赵明诚和女词人李清照夫妇,"每获一书,即共同校勘,整理签题"①。晁公武自称"躬以朱黄,雠校舛误"②。张𡐦"手校数万卷,无一字舛"③。正由于宋代学者重视校书,清人谢章铤在《课余偶录》中说:"校勘之学,宋儒所不废。"④

(五)私家书目

宋代有不少藏书家编有书目。如江正的《江氏书目》、吴良嗣的《籯金堂书目》、田镐的《田氏书目》、李淑的《邯郸图书志》、董逌的《广川藏书志》等,都是见于著录的宋人私家书目,可惜皆已散佚;流传至今并有影响的有晁公武的《郡斋读书志》、陈振孙的《直斋书录解题》、尤袤的《遂初堂书目》。

晁公武(约为1105~1180年),字子止,澶州清丰(今山东巨野县)人,因其家世居汴京昭德坊,又称昭德先生。其家七世以翰墨为业,五世祖晁迥为真宗朝的著名学者,是一个富有藏书的世家。北宋末,晁公武为四川转运使井度的属官,后来井度以全部藏书相赠,合晁氏旧藏"除其重复,得二万四千五百卷有奇",日夜校勘,"每终篇,辄撮其大旨论之"⑤,最后汇编为《郡斋读书志》。这是我国最早的一部附有提要的私家藏书目录。此目宋时已有两种版本。淳祐十年(1250年)刊于袁州的四卷本,简称袁本,有《后志》二卷,及赵希弁《附志》一卷,这是一直流传的刻本,《四库全书》所收者即为此本。淳祐九年(1249年)刊于衢州的二十卷本,简称衢本,内容较袁本丰富,《文献通考》所引即据此本,但后世罕见传本。嘉庆二十四年(1819年),汪士锺得旧抄本校后刊行。清末王先谦用袁本校衢本,是二十卷本中的善本。《郡斋读书志》全书分经、史、子、集四部,共四十五类(袁本四十三类),每大类有"总类",各书有提要,小类第一部书的提要多半叙述学术源流。提要中或述作者简历,或论本书要旨,或明学术渊源,或列不同学说,为后人了解宋代及宋以前古籍提供了方便和依据;特别是其中有不少佚书,可从中了解一个大概。

陈振孙,字伯玉,号直斋,浙江安吉人,生于孝宗淳熙末(1183年),卒年不详,曾在江西南城、福建莆田和浙江等地做过二十多年的

---

① 李清照:《金石录后序》。
②⑤ 《郡斋读书志序》。
③ 《宋史》卷458《张𡐦传》。
④ 谢章铤:《赌棋山庄集》。

地方官,官至国子监司业、宝章阁待制。① 他用数十年的时间,长期抄写收集图书,成为著名的藏书家。周密《齐东野语》称:

> 近年惟直斋陈氏书最多,盖尝仕于莆,传录夹漈郑氏、方氏、林氏、吴氏旧书至五万一千一百八十余卷。②

陈氏就是在这样丰富藏书的基础上,晚年用了二十多年的时间,仿《郡斋读书志》撰成《直斋书录解题》。

《直斋书录解题》,原本56卷,著录图书3 096种,51 180卷,比《中兴馆阁书目》及《续目》的总数,只少8 000余卷,以一家之藏书几乎与宋代国家藏书的最高数相当,足见私家藏书的规模是很大的。

《直斋书录解题》原本分经、史、子、集四部,各部有序,明初已散佚;现在的通行本是从《永乐大典》中辑出的,按四部顺序直接分为53类,不过仍保存四部的顺序。53类目中,仅9类有小序,说明增刊类目的内容和范围及类目演变的情况。著录的书名都叙明卷帙、作者的官职姓氏及学术渊源或版本款式,并加以评论,或说明所得善本书的经过。它丰富了对书目评注的内容,"解题"之名也一直为后人采用。《四库全书总目》评价说:"古书之不传于今者,得藉是以求其崖略,其传于今者,得藉是以辨其真伪,核其异同,亦考证之所必资,不可废也。"③

尤袤,字延之,无锡人。绍兴十八年(1148年)进士,官至礼部尚书,事迹见《宋史》本传。他是一位特别爱好图书的藏书家,勤于读抄。杨万里《诚斋集·益斋书目序》云:

> 延之于书靡不观,观书靡不记,每公退则闭户谢客,日记手钞若干古书。其子第及诸女亦钞书。一日谓予曰:吾所钞书今若干卷,将汇而目之,饥读之以当肉,寒读之以当裘,孤寂而读之以当友朋,幽忧而读之以当金石琴瑟也。④

此序《文献通考》列于《遂初堂书目》之下,《四库提要》判定为一书。

《遂初堂书目》"其例略与史志同,唯一书而兼载数本,以资互考,则与史志小异耳"⑤,因而成为版本书目的最早著作。今通行本缺卷数、撰者,疑是传写人删去,但"此与晁公武志为最古,固考证家

---

① 陈乐素:《直斋书录解题作者陈振孙》,载《大公报》民国35年11月20日。
② 周密:《齐东野语》卷12《书籍之厄》。
③⑤ 《四库全书总目》卷85史部目录类一。
④ 《文献通考》卷207《经籍考三十四》引。

之所必稽矣"①。

现存宋代上述三种私家书目,各有长短,晁、陈二书,收录完备并有所评论,对后世考证文献有极其重要的价值。尤目虽简,但记录版本为目录学增添新的著录项目。来新夏先生说:"这三种私家目录是宋代目录事业中的重要成就。它们为古典目录学的发展作出了创制体裁,保存宋以前学术资料的可贵贡献。"②

三、宋朝的四大部书

《太平御览》、《太平广记》、《文苑英华》、《册府元龟》,《四库全书总目》称之为"宋朝四大书"③。除《太平广记》为500卷外,其余三部各1 000卷。

四部书中,《太平御览》载百家,《太平广记》载小说,《文苑英华》载文章,《册府元龟》载史事。这四大部书中,除《册府元龟》是真宗朝所修,其余三部都是在太宗朝完成的。四大部书中的《太平广记》专收小说,向来著录在小说类中;《文苑英华》是按《文选》体例辑录的词章,故向来被著录在总集类中。但是,皆是分类编辑的。汪绍楹《太平广记点校说明》,开头就指出这部书"是宋初人编的大型类书之一"。为了叙述上的方便,这里姑且将四大部书放在一起处理。

北宋王朝在太宗、真宗两朝,国家基本统一,加强中央集权以巩固统治地位,成为统治者最为重视的问题。宋太宗说:"外忧不过边事,皆可预为之防。惟奸邪无状,若为内患,深可惧焉。"④因而从宋太宗起,除以行政措施进一步加强集权制度外,又提出了"以文德致治"的方针,以期对巩固政权发生更深刻的作用。宋太宗说:"王者虽以武功克敌,终须以文德致治。"⑤他自己则勤奋读书,而且明确提出读书的目的,是要因"前代兴废以为鉴戒"⑥,提高断事能力,避免"全倚于人"⑦。宋太宗把书籍看做"教化之本,治乱之源"⑧,并建三馆秘阁以藏宋初以来收集的图书,以扩大科举取士数目,"博求俊乂于

---

① 《四库全书总目》卷85史部目录类一。
② 来新夏:《古典目录学浅说》第2章第4节。
③ 《四库全书总目》卷186集部总集类一。
④⑥ 《宋朝事实类苑》卷2《太宗圣训》。
⑤⑦ 李攸:《宋朝事实》卷3《圣学》。
⑧ 钱若水:《宋太宗实录》卷28,太平兴国九年正月壬戌;《宋会要》崇儒4·16。

科场中"①;"既得诸国图籍,聚名士于朝"②,为大规模修书提供了条件。

(一)《太平总类》——《太平御览》

《太平御览》初名《太平总类》,太平兴国二年(977年)三月诏修,八年(984年)十二月成书。在修成之前一月,太宗命日进三卷,以供御览,书成之后遂下诏改名为《太平御览》。

《太平御览》是一部大型类书,"杂采经史传记小说,自天地事物,迄皇帝王霸分类编次"③。由于宋太宗读前代类书,见所编"门目纷杂,失其伦次,遂诏修此书"④。奉诏参加修书的官员有:翰林学士李昉、扈蒙,左补阙知制诰李穆,太子少詹事汤悦,太子率更令徐铉,太子中允张洎,左补阙李克勤,右拾遗宋白,太子中允陈鄂,光禄寺丞徐用宾,太府寺丞吴淑,国子监丞舒雅,少府监丞吕文仲、阮思道等14人。后来李克勤、徐用宾、阮思道改他官,续命太子中允王克正、董淳,直史馆赵邻几补其缺。

编纂《太平御览》充分利用了三馆藏书。蒲叔献于庆元五年(1199年)刻《太平御览》所撰序文说:太宗时"四方既平,修文止戈,收天下图书典籍,聚之昭文、集贤等四库。太平兴国二年三月戊寅,诏李昉等十四人编集是书"。

《太平御览》分55部,5363类,有些类中又有附类,共有附类63,合总类一起共5426类。由于类目繁多,出于众手,不免造成重复。如卷35《时序部》和卷879《咎征部》都有"旱类",卷188《居处部》和卷767《杂物部》都有瓦类。有的在同部中也有重复,如"太白山"和"岷山"两类,在卷40《地部》和卷44《地部》中重复出现,这就势必将同一类的资料拆散,或造成重出;像卷188"瓦"目中引用的《礼记》、《史记》、《汉书》等资料,都重见于卷767的"瓦"目中。在编纂体例上不免混乱。

宋刊本首卷,附有《太平御览经史图书纲目》,详载引用书目,《纲目》列有《唐书》和《旧唐书》之名。欧阳修等重修《新唐书》成于仁宗嘉祐五年(1060年)。当修《御览》时,只有刘昫所修之《唐书》,不应有"旧唐书"之名。胡道静先生据以判定此目"决不是修书当时

---

① 《长编》卷18,太平兴国二年正月。
② 周必大:《平园续稿》卷15《文苑英华序》。
③ 王应麟:《玉海》卷54引《书目》语。
④ 南宋蜀刊本《太平御览》卷首摘《国朝会要》语。

所编,而为仁宗赵祯时代以后的好事者所撰辑的"①。《纲目》所列书目,既不完备,又有重复,难以作为统计《御览》引书数目的根据。1959年马念祖《水经注等八种古籍引用书目汇编》的序言和凡例中对《太平御览》所引书名核实后的统计数字为2579种。

南宋时,洪迈根据《太平御览经史图书纲目》与当时传世的古籍相对照的结果是"无传者十之七八矣"②,并深为之惋惜。其实《太平御览》所引书名,并非全是从原书中采撷,而是用前代类书为蓝本加以增删而成。《玉海》卷54引《太宗实录》,宋版本书前所附《国朝会要》,皆明确指出是据前代类书及诸书分门编纂的。陈振孙《直斋书录解题》卷14著录《太平御览》1000卷,解题云:

> 翰林学士李昉、扈蒙等撰,以前代《修文御览》、《艺文类聚》、《文思博要》及诸书,参详条次修纂,本号《太平总类》,太平兴国二年受诏,八年书成,改名《御览》。或言国初古书多未亡,以《御览》所引用书名故也。其实不然,特因前诸家类书之旧尔。以《三朝国史》考之,馆阁及禁中书,总三万六千余卷,而《御览》所引书多不著录,盖可见矣。

由于《御览》杂抄前代类书,有时未加考订而难免错误。如卷456引《行成坤国语》、《立后土国语》、《君臣望晏子》,卷457引《讽谏木新序》、《各纳木新序》等,这大约是抄录者不解文义,误将所据类书中书名前的文字混入。卷459引《淮南子》"奔车之上无仲尼,覆舟之下无伯夷",实为《韩非子·安危篇》之文。

但有的引文却比前此类书准确。余嘉锡《四库提要辩证》卷8著录《荆楚岁时记》称:"《艺文类聚》、《初学记》岁时部引此书,皆正文与注相连,不加分别。惟《太平御览》时序部引用尤多,于正文作大字,注文则作双行小字,附于本句之下,极为明晰。"

尽管《御览》在编纂体例和文字方面存在一些问题,但它是现存古代类书中保存五代以前文献最多的一部大书,所引古书,十之七八今已失传,是后人辑录佚书的宝库。如马国翰《玉函山房辑佚书》中的《范子计然》下卷,几乎全是从《太平御览》中抄出的。《御览》所存古训,又往往可据以订正宋以后经、史刊本的讹误。清代学者孙原湘《重刻宋本太平御览序》③,举例甚详,今从略。

---

① 胡道静:《中国古代的类书》第6章。
② 《容斋五笔》卷7《国初文籍》。
③ 孙原湘:《天真阁集》卷40,张海鹏刻本《太平御览》卷首。

(二)《太平广记》

太平兴国二年(977年)三月,与诏修《太平御览》同时,又命李昉等分类编集"野史小说"①,三年(978年)八月书成,号《太平广记》,其书500卷,并目录10卷,共510卷。李昉等所上《太平广记表》说:

> 六籍既分,九流并起,皆得圣人之道,以尽万物之情。足以启迪聪明,鉴照今古。伏惟皇帝陛下,体周圣启,德迈文思。博综群言,不遗众类。以为编秩既广,观览难周。故使采摭菁英,裁成类例。②

据此知太宗是要从野史、小说中吸取"鉴照今古"的资料,但由于"编秩既广,观览难周",而命李昉等分类编辑此书。六年(981年)正月雕印颁行。后来因为"言者以为非学者所急,收墨板藏太清楼"③,所以当时未能广泛流传。

《太平广记》广泛收集汉代至宋初的小说、野史、笔记中的故事,按题材分为92大类,附以150多个小类。每小类的各个故事,均标小题,照抄原书一段或数段,下面注明出处。《四库全书总目》,称其为"小说家之渊海"④。旧刻本书前附有引用书目共343种,但实际上并不止此数。据邓嗣禹《太平广记篇目及引书引得》所统计,旧刊本所附书目中有而书中没有的15种,书没有而书中实引的有147种,实际引书总数为475种。

《四库提要》评论《太平广记》称:

> 其书虽多谈神怪,而采摭繁富,名物典故,错出其间,词章家恒所采用,考证家亦多所取资。又唐以前书,世所不传者,断简残编,尚间存其什一,尤足贵也。⑤

据中华书局本汪绍楹《点校说明》,《太平广记》所引475种书中,"半数以上都已散佚,就是存留的也有不少残缺和错讹之处,现在就只能依据《太平广记》来作辑佚和校勘了"。清末学者缪荃孙,用《太平广记》所引宋初孙光宪的《北梦琐言》,校《云自在龛丛书》本,不仅订正不少误字,并从中辑补4卷。这一成果,已为上海古籍出版社1981年的点校本所吸取。

---

① ③ 《玉海》卷54《太平广记》。
② 李昉:《进太平广记表》。
④ ⑤ 《四库全书总目》卷142子部小说家类三。

但是,《太平广记》在编纂体例上,也和《御览》一样,存在零乱和重复的问题。如"神仙"类外,又有"女仙",还另分"神"一类。卷137《征应》类三《人臣体征》,引《幽明录》"陈仲举"一条,其事与卷316《鬼》类一相同,只是后者的小题写作《陈蕃》罢了。

(三)《文苑英华》

太平兴国七年(982年)九月,当编修《太平御览》的工作接近完成的时候,由于"诸家文集其数至繁,各擅所长,蓁芜相间"①,宋太宗又决定继梁昭明太子《文选》之后,续修诸家文集。于是从《太平御览》的修书官员中,抽出李昉、扈蒙、徐铉、宋白、李穆、吴淑、吕文仲等将近一半的人力,又命贾黄中、吕蒙正、李至、杨徽之、李范、杨砺、胡汀、战贻庆、杜镐参与编辑;其后李昉、吕蒙正、李至、李穆、李范、杨砺、吴淑、吕文仲、胡汀、战贻庆、杜镐、舒雅继领他任,续命苏易简、王祐、范杲、宋湜与宋白等共成之②,先后共20多人参加修纂。雍熙三年(986年)十二月修成《文苑英华》1000卷。上起萧梁,下至五代,以续《文选》。选录作家2200人,作品2万篇,分别编入赋、诗、歌行、杂文、中书制诰、翰林制诰、策问等38类中。其中绝大部分是唐人的著作。《四库全书总目》称此书"实为著作之渊海"③。

真宗景德四年(1007年),由于"《文苑英华》以前所编次未精,遂令文臣,择古贤文章重加编录,删繁补缺换易之,卷数如旧"④,做过一次校订。此后大中祥符二年(1009年)十月"命太常博士石待问校勘",十二月"又命张秉、薛映、戚伦、陈彭年复校"⑤。这两次校勘的目的原是为了与李善所注《文选》一起"摹印颁行"⑥,但是《会要》有"未几,宫城大火,二书皆烬"的记载,故这一校本是否刻印已难判断。南宋孝宗朝,"秘阁有藏本,然舛误不可读",用稍习文墨的书生为"御前校正书籍",但往往妄加涂注"⑦,校勘质量很差。周必大致仕后与胡柯、彭叔夏等重加校订上版刊行,这就是今之传本。

宋朝以前,书籍流传依靠手写,既多脱误,又易散失。宋初统治者,利用他们的人力、财力和馆阁藏书,编辑了这一部总集,给后世留下了丰富的文献资料。

---

①⑤ 《玉海》卷54《雍熙文苑英华》。

② 《宋会要》崇儒5·1。

③ 《四库全书总目》卷186集部总集类一。

④⑥ 《宋会要》崇儒4·3。

⑦ 《平园续稿》卷15《文苑英华序》。

《宋志》所载六朝及唐人文集,流传下来的十不及一,后人对文集的辑佚工作,主要依靠《文苑英华》。清朝严可均辑《全上古三代秦汉三国六朝文》,官修《全唐诗》、《全唐文》,《四库全书》,皆曾利用此书。《四库全书》中所收 76 家唐人文集,其中李邕、李华、萧颖士、李商隐等人的集子,都是从《英华》中辑出的。劳格的《读书杂识》曾举出一些见于《英华》而为《全唐文》失收的篇目,足见此书对补遗工作也是甚有用的。

《文苑英华》中收录了大批诏诰、书判、表疏、碑志,又往往可以考订史籍的得失,补充史传的缺漏。像徐松的《登科记考》,劳格的《唐尚书省郎官石柱题名考》和《唐御史台精舍题名考》,吴廷燮的《唐方镇年表》,以及近人岑仲勉的许多考证唐史的著作,许多重要材料来自《文苑英华》。晚清学者李慈铭说《文苑英华》中的中书、翰林制诰、表,"皆以当时所尚,而宋初尤重之,多足以考证史事";书、论、碑志"可谓考据之渊薮,册府之鸿宝也"①。

宋人所编唐人文集,往往与《文苑英华》源出两途,故可用以校勘文字上的差异。《文苑英华》的注文中,有不少"集作某"、"某史作某"的注文,这些小注就是以宋本校宋本的校勘记,对后人校勘该集、该史有重要的参考价值。

《文苑英华》存在的缺点也是很多的。周必大在《文苑英华序》中说:"元修书时,历年颇多,非出一手,丛脞重复,首尾衡决,一诗或析为二,三诗或合为一,姓氏差互,先后颠倒,不可胜计。"彭叔夏撰《文苑英华辨证》10 卷,分 20 个门类,指出了编纂中的各式错误,是我国校勘史上一部有代表性的著作。除了彭氏所涉及的问题之外,《文苑英华》在编纂体例上,沿袭了《文选》的分类原则,将作品分成 38 类,每类又分若干门目,把作品分割得支离破碎,无法看出作家、作品之间的发展脉络和继承关系。例如赋、诗、杂文是以文体相区分的,但中书制诰和翰林制诰是以受制的对象和作者的身份相区分的;用两种以上的分类标准,这是不科学的。所选文章,既滥又缺。所选赋、诗,有许多作品只是堆砌辞藻,思想内容空洞。晚清学者李慈铭在《越缦堂日记》中评论《文苑英华》所收的赋"陈陈相因,最无足观"②。但同时对历来被肯定的名诗,像杜甫的《三吏》、《三别》、《诸

---

① 李慈铭:《越缦堂读书记》八,文学诗总集选集。光绪戊子(1888 年)十一月十三日条。

② 《越缦堂读书记》八,文学诗总集选集。光绪戊子(1888 年)十一月十三日条。

将》、《咏怀古迹》,李白的《早发白帝城》、《黄鹤楼送孟浩然之广陵》、《梦游天姥吟留别》等均没有收入,柳宗元的诗只选了一首。因此就降低了这部千卷大书的资料价值。不过它毕竟保存了大量的有用资料,这应该是主要的。

(四)《历代君臣事迹》——《册府元龟》

真宗即位的第八年,即景德二年(1005年)九月丁卯(二十二日),继其父太宗所修三大书之后,又诏修《历代君臣事迹》,以"垂为典法"①。命王钦若、杨亿总其事。开始参加编修者有钱惟演、刁衎、杜镐、戚纶、李维、王希逸、陈彭年、姜屿、陈越、宋贻序。又令内臣刘承珪、刘崇超典其事。编修官供帐饮食皆异常等。其后,又命陈从易、刘筠、查道、王曙②4人,最后增加夏竦、孙奭,而由孙奭注撰音义。以上《玉海》所载参与修书工作的20人中,《宋史》无传者只姜屿与内臣刘崇超2人。凡8年而修成,至大中祥符元年(1008年)八月十三日,由王钦若等奏上。其书"凡千卷,目录十卷,音义十卷,诏题曰《册府元龟》"③。元龟意思是大龟,古人用龟甲卜未来,故把可作鉴戒的事称为龟鉴。《册府元龟》其意就是说这是一部可为君臣鉴戒的古籍大书,并可作将来的典法。④ 孙奭所撰《音义》10卷,已散佚不传。

《册府元龟》采取资料的范围小于《太平御览》,大抵以正史为主,兼及经、子,不取小说。这个原则是真宗所定的。"景德四年(1007年)九月戊辰(五日),上谓辅臣曰:'所编《君臣事迹》,盖欲垂为典法,异端小说,咸所不取'"⑤。总理编书的杨亿说:"所录以经籍为先","群书中如《西京杂记》、《明皇杂录》之类,皆繁碎不可与经史并行,今并不取。止以《国语》、《战国策》、《管》、《孟》、《韩[非]子》、《淮南子》、《晏子春秋》、《吕氏春秋》、《韩诗外传》与经史俱编,历代类书《修文御览》之类,采摭铨择。"⑥此外,据岑仲勉先生研究,亦采《实录》资料。⑦

《册府元龟》与《太平御览》在处理历史问题上,有不同的观点。《太平御览》以蜀、吴、十六国、宋、齐、梁、陈、北齐为偏霸,置《偏霸

---

① ③ ⑤ ⑥ 王应麟:《玉海》卷54《景德册府元龟》。
② "曙",《玉海》避英宗讳改作"晓",今回改。
④ 刘乃和:《册府元龟新探·序》。
⑦ 岑仲勉:《唐史余沈》卷4《〈册府元龟〉多采唐〈实录〉及〈唐年补录〉》。按《唐年补录》65卷,贾纬撰,以补武宗以后所缺实录,今佚。

部》；以秦、北周入《皇王部》。《册府元龟》则以秦、蜀、吴、宋、齐、梁、陈、北齐、东魏、朱梁为闰位，十六国及五代之十国另立《僭伪部》。同是北宋官书，看法却不一致。①

《册府元龟》和《太平御览》、《文苑英华》都是1000卷，而实际字数《册府元龟》则多出一倍，是四大书中最大的一部，在《四库全书》所收书中，仅次于《佩文韵府》而居第二位。

《册府元龟》共分31部，1116门②，每部之前有总序，各门又有小序。起初参加编修的人皆撰篇序，真宗以为体例不一，遂选李维等六人起草，交杨亿改定。

《册府元龟》采取资料，严守不改旧文的原则。《玉海》卷54载：

> 王钦若以《南·北史》有"索虏"、"岛夷"之号，欲改去。王旦曰："旧史文不可改。"赵安仁曰："杜预注《春秋》，以长历推甲子多误，亦不敢改，但注云：日月必有误。"乃诏：欲改者注释其下。

宋真宗对编修《册府元龟》是很重视的。王钦若称：

> 自缵集此书，发凡起例，类事分门，皆上禀圣意，援之群官，间有疑滞，皆答陈论。③

不仅限于一般性的指示，对不少具体问题也往往提出意见。《续资治通鉴长编》卷65景德四年（1007年）四月丁丑条载：

> 近览《唐实录》，恭宗即位，坐朝常晚，群臣班于紫宸殿，有顿踣者。拾遗刘栖楚切谏，叩龙墀不已，宰相宣谕，乃退。恭宗为动容，遣中使慰劳。谏臣举职，深可奖也。而史臣以（李）逢吉之党，目为鹰犬，甚无谓也。今所修《君臣事迹》，尤宜区别善恶，有前代褒贬不当如此类者，宜析理论之，以资世教。

此事在《册府元龟·谏诤部·强谏门》，就是根据真宗的意见安排的。《续资治通鉴长编》卷67景德四年（1007年）十一月癸酉条载：

> 上谓王钦若曰：《君臣事迹·崇释教门》，有布发于地令僧践之，及自剃僧头以徼福利，此乃失道或溺之甚者，可并刊之。

今《崇释门》已无此条。

---

① 刘乃和：《册府元龟新探·序》。
② 胡道静：《中国古代的类书》用明刊本核实的门数。
③ 《玉海》卷54《景德册府元龟》。

在编书过程中，真宗随着编书进度阅览，并随时发出指示。《玉海》卷54载真宗语云：

> 朕每因暇日，阅《君臣事迹》草本，遇事简，则从容省览，事多或至夜漏二鼓乃终卷。

《玉海》卷54又称：

> 日进三卷，帝亲览之，摘其舛误，多出手书诘问，或召对指示商略。

宋真宗谈到他修书的目的时说："朕编此书，盖取著历代君臣德美之事，为将来取法。"①所以选取的标准是历代"君臣善迹，帮家美政，礼乐沿革，法命宽猛，官师论议，多士名行"②；对于不足为法的史料，真宗则提出删改的意见。《四库提要》称"于悖逆非礼之事，亦多所刊削"③。《三国志·魏书·张杨传》注引《英雄记》云："[张]杨性仁和，无威刑。下人谋反，发觉，对之涕泣，辄原不问。"《君臣事迹》初稿将此事收入《将帅部·仁爱门》。真宗读后，认为：

> 张杨为大司马，下人谋反，辄原不问，乃属之《仁爱门》，此甚不可者，且将帅之体与牧宰不同，宣威禁暴，以刑止杀，今凶谋发觉，对之涕泣，愈非将帅之事。春秋息侯伐郑，大败，君子以为不察有罪，宜其丧师。今张杨无威刑，反者不问，是不察有罪也。可即商度改定之。④

于是这一条便从《仁爱门》中删去。

洪迈《容斋四笔》载：

> 真宗初，命儒臣编修《君臣事迹》，后谓辅臣曰：昨见《宴享门》中录唐中宗宴饮，韦庶人等预会和诗与臣僚马上口摘含桃事，皆非礼也。已令削之。⑤

其他像"臣僚自述杨历之事"，如李德裕《文武两朝献替记》、李石《开成承诏录》、韩偓《金銮密记》之类，又有子孙追述先德叙家世，如李繁《邺侯传》、《柳氏序训》、《魏公家传》之类，"或隐己之恶，或攘人之

---

① 《玉海》卷54《景德册府元龟》。
② 宋真宗《册府元龟·序》，见《玉海》卷54《景德册府元龟》。
③ 《四库全书总目》卷135子部类书1。
④ 《长编》卷73，大中祥符三年五月辛巳。
⑤ 《容斋四笔》卷11《册府元龟》。

善,并多溢美,故匪信书"。僭伪诸国的撰著,像《吴录》、《孟知祥实录》之类,"自矜本国,事或近诬"。《三十国春秋》、《河洛记》、《壶关录》之类,"多是正史已有"。《秦记》、《燕书》之类,"出自伪邦"。《殷芸小说》、《谈薮》之类,"俱是诙谐小事"。《河南志》、《邠志》、《平剡录》之类,多是故吏宾从述本府戎帅征伐之功,"伤于烦碎"。《西京杂记》、《明皇杂录》,"事多语怪"。《奉天录》"尤是虚词"。为了避免芜秽,皆不采收。① 洪迈对此评论说:

  《资治通鉴》则不然,以唐朝一代言之:叙王世充、李密事,用《河洛记》;魏郑公谏争,用《谏录》;李绛议奏,用《李司空论事》;睢阳事,用《张中丞传》;淮西事,用《凉公平蔡录》;李泌事,用《邺侯家传》;李德裕太原、泽潞、回鹘事,用《两朝献替记》;大中吐蕃尚婢婢等事,用林恩《后史补》;韩偓凤翔谋画,用《金銮密记》;平庞勋,用《彭门纪乱》;讨裘甫,用《平剡录》;记毕师铎、吕用之事,用《广陵妖乱志》。皆本末粲然,然则杂史、琐说、家传,岂可尽废也。②

  《册府元龟》虽然全书篇幅甚大,但由于收录范围比《太平御览》小,事迹又有所选择,所以多习见史料,引文不注出处。北宋人袁褧在《枫窗小牍》中说:"开卷皆目所常见,无罕觏异闻,不为艺林所重。"这是该书修成不久,就有人对其只采正史不取杂书提出的不同看法。元明清以来,学者"重《御览》而轻《册府》"③。乾隆年间,四库馆臣辑《旧五代史》,大部分本可从《册府》辑出,但因《册府》习见,外间多有,《永乐大典》是孤本,为内府所藏,遂标榜采用《大典》,而以《册府》为辅。虽然如此,《册府》一书已渐为学者所重视。

  道光年间,扬州岑建功惧盈斋刻《旧唐书》,请刘文淇等从事校勘,成《旧唐书校勘记》,就充分利用了《册府元龟》,取得显著成绩。这主要是由于编修《册府元龟》时,唐、五代各朝实录存者尚多,唐以前正史又都是北宋以前的古本,故不仅可以校史,而且可以补史。陈垣《影印明本册府元龟序》以《魏书》为例,提出补史的作用说:

  《魏书》自宋南渡后即有缺页,严可均辑全后魏文,其三十八卷刘芳上书言乐事,引《魏书·乐志》仅一行,即注:"原有阙页";卢文弨撰《群书拾补》,于《魏书》此页认为"无从考补",仅

---

① ② 《容斋四笔》卷11《册府元龟》。
③ 陈垣:《影印明本册府元龟序》。

从《通典》补得十六字。不知《册府》五百六十七卷载有此页全文,一字无缺。卢、严辑佚名家,号称博洽,乃均失之交臂,致《魏书》此页埋没八百年,亦可为清儒不重视《册府》之一证。

近年来,中华书局点校的《宋书》、《南齐书》、《梁书》、《陈书》、《魏书》、《北齐书》、《周书》、《隋书》,充分利用《册府元龟》进行他校,比仅用《南北史》、《太平御览》及各史不同版本对校,取得了更多的成果。事实证明,《册府元龟》对校史补史有重要的价值。

由于《册府元龟》引书不注书名,需要从文字内容所涉及的人和事去判断出处,用以校勘、辑佚都是比较麻烦的。此外,也不免有疏失致误之处。如卷967谓拓拔思恭为吐谷浑,与宋、辽史的《夏国传》及新、旧唐书的《党项传》皆不合。卷980将高宗上元年号误作肃宗(唐朝高宗、肃宗朝皆有"上元"年号)。卷219《僭伪部》中李昪一条,称昪自云永王璘之裔,未免附会①。

上述宋代四大书,虽然都是统治者为吸收前人的经验教训以维护其统治地位而编修的,在编纂体例和文字方面都存在不少问题,但却都保存和整理了大批古代文献,对后世的学术发展起了作用。四大书中有三部在太宗朝完成,真宗朝的《册府元龟》也是在太宗的影响下修成的。因此,四大书的修成与宋太宗重视文治的政策是分不开的。但是,自南宋以来,也有人认为宋太宗修书是为了羁縻前朝旧臣。王明清《挥麈后录》卷1云:

> 太平兴国中,诸降王死,其旧臣或喧怨言,太宗尽收用之。置之馆阁使修群书。如《册府元龟》、《文苑英华》、《太平广记》之类,广其卷帙,厚其廪禄赡给,以役其心,多卒老于文字之间……

此后元代刘埙《隐居通议》卷13,明谈恺校刊本《太平广记》所加按语,以及近年新出版的书籍,像1980年的《中国古代史校读法》(第3编第4节),1983年的《中国古代史史料学》(第5章第2节)等,皆祖述《挥麈后录》的成说。其实,此说早在南宋已被李心传所纠正。李氏《旧闻证误》卷1在引述《挥麈后录》所载朱希真之语后驳斥说:

> 按《会要》,太平兴国二年,命学士李明远、扈日用偕诸儒修

---

① 胡道静:《中国古代的类书》引张一纯《读册府元龟的编纂和他在文献学上的地位》,载山西《学术通讯》1963年第2期;《四库全书总目》卷66史部载记类《江南别录》条。

《太平御览》一千卷,《广记》五百卷。明年《广记》成。八年《御览》成。九年又命三公及诸儒修《文苑英华》一千卷,雍熙三年成。与修者李文恭穆、杨文安徽之、杨枢副砺,贾参政黄中,李参政至、吕文穆蒙正、宋文安白、赵舍人邻几,皆名臣也。杨文安虽贯蒲城,然耻事伪廷,举后周进士第。江南旧臣之与选者,特汤光禄、张师黯、徐昆臣、杜文周、吴正仪等数人。其后,汤、徐并直学士院,张参知政事,杜官至龙图阁直学士,吴知制诰,皆一时文人。此谓"多老于文字之间"者,误也。当修《御览》、《广记》时,李重光尚亡恙,今谓"降王死而出怨言",又误矣。《册府元龟》乃景德二年王文穆、杨文公奉诏修,朱说甚误。

宋太宗广集图书,修建馆阁,组织一批文人编修三部大书,是巩固宋王朝的实际需要而采取的一种文治措施。南宋周必大说:"太宗皇帝,丁时太平,以文化成天下。"[①]他能够重用前期旧臣,发挥他们的才能,一方面是由于五代以来至宋初,中原的才学之士处于青黄不接的阶段,宋太宗需要一批学识渊博的人为他的政权服务,同时也说明宋太宗作为封建王朝的最高统治者,也具有非凡的气度。他在收集、整理和保存史籍方面是有贡献的。

(原载《宋代文化史》第二章,
河南大学出版社 2000 年第 2 版)

---

① 《平园续稿》卷 15《文苑英华序》。

宋代刻书业的繁荣

一、雕版印刷的发展

印刷术是我国古代的一项重大发明。在印刷术发明之前,书籍全靠手写,印刷术发明之后,才大量刊印书籍。这对于知识的传播和古籍流传,都起着重要的作用;它丰富了人们的生活,并促进了社会的发展。

我国印刷术发明的确切年代,从宋朝迄今,出现过许多不同的说法,①现在仍然是一个有争议的问题。但在公元9世纪中期,已有不少印本书流传,却是没有问题的。

《旧唐书·文宗纪》,太和九年(835年)十二月"丁丑,敕诸道府,不得私置历日板",明令禁止民间刻版印刷日历。当时东川节度使冯宿上言称:"剑南两川及淮南道,皆以板印历日鬻于市。每岁,司天台未奏颁下新历,其印历已满天下。"②

宋王谠《唐语林》卷7载,"僖宗入蜀,太史历本不及江东,而市有印卖者,每差互朔晦。货者各征节候,因争执"。唐僖宗逃往成都,是在黄巢起义军陷长安的第二年,即公元881年,这时江东民间已有刻印日历上市。

追随僖宗入蜀的柳玭,在《家训序》中说:"中和三年(883年)癸

---

① 参考张秀民《中国印刷术的发明及其影响》一之二《雕版的发明》。
② 《册府元龟》卷160帝王部革弊二,《全唐文》卷624。

卯夏,銮舆在蜀之三年也,余为中书舍人,旬休,阅书于重城之东南。其书多阴阳杂记、占梦相宅、九宫五纬之流。又有字书小学,率雕版,印纸浸染,不可尽晓。"①由此可知,公元883年之前,成都已有多种民间使用的书籍雕印出来。不过这种印刷品的质量还是不高的。

现存最早的标有年代的雕板印刷品实物,是咸通九年(868年)刻印的《金刚经》,卷尾印有"咸通九年四月十五日,王玠为二亲敬造普施"。这一印本《金刚经》是长488厘米,宽30.5厘米的卷子,由7张纸粘在一起,雕刻精美,墨色浓而均匀。这说明雕印技术已积累了丰富的经验。

现存最早的刻印本历书,有唐僖宗乾符四年(877年)历书。这本历书,除记载节气、大小月及日期外,杂有阴阳五行吉凶禁忌,与后来宋元明清的历书相似。另外,还有中和二年(882年)民间出版的私历,印有"剑南四川成都府樊赏家历"的文字。这两种印本历书实物,现均藏在伦敦,张秀民《中国印刷术的发明及其影响》一书中,附有影印插图。

五代十国是中国历史上的混乱时期,但雕板印书方面,却在唐朝的基础上有所发展。前蜀任知玄刻印《道德经广圣义》30卷。前蜀昙域和尚刻印其师贯休的诗《禅月集》。后蜀宰相毋昭裔"在成都,令门人勾中正、孙逢吉书《文选》、《初学记》、《白氏六贴》镂板"②。南唐曾刻印《史通》、《玉台新咏》。吴越钱俶,刻印佛经8.4万卷。五代刻书,对后世影响最大的是冯道。后唐明宗长兴三年(932年),在冯道的倡议下,开始"依石经文字刻九经印板"③,至后周广顺三年(953年),历后唐、后晋、后汉、后周4朝,首尾22年,刻成《九经》、《五经文字》、《九经字样》的印板,并将3种书的印本"各二部,共百三十册"④进上。自此以后,雕版印书,也成为封建政府的出版事业。

宋代的雕版印刷,是在前代的基础上,适应政治、文化的需要,伴随着社会经济的发展,逐渐兴盛起来的。刻版的书籍,涉及各个领域,像儒、佛、道家的经典,历史、天文、地理、农工、医学、诗、文、词集、小说和民间必用书籍,当代及前人的著作,皆陆续刻印。官私刻书机构,遍布全国,呈现空前繁荣的局面。

---

① 《旧五代史》卷43《明宗纪九》,长兴三年一之二月辛未条注文。
② 《宋史》卷479《毋守素传》。
③④ 王溥:《五代会要》卷8《经籍》。

二、刻书业的繁盛

(一)官刻书籍

宋代刻书,分官刻、家刻、坊刻三大类。

政府各机关刻印的书籍称官刻本。官刻书籍,往往和政治需要有关,特别是在北宋建国的初期,刻书与政治上的关系更加明显。太祖建隆四年(963年),工部尚书、判大理寺窦仪上言:"《周刑统》科条繁浩,或有未明,请别加详定。"①于是命窦仪与权大理少卿苏晓、正奚屿、丞张希让及大理寺法直官陈义义、冯叔向等共同编修,共成书30卷。同时窦仪等又将格令宣敕106条,集为《编敕》4卷,一并进上,乃"诏刊板模印颁天下"②。这是我国第一次刻印的刑事法典。前者因为是在《大周刑统》的基础上编定的,所以称为《重详定刑统》。后者就是《建隆编敕》,用作《刑统》的补充法条。这类补充法律条文的敕、令、格、式,在宋代不断编集,形成一种制度,设敕令所(绍兴年间改为详定一司敕令所),"遇修敕、令、格、式,差朝臣提领,编敕事已则罢"③。北宋建国之初,首先修订并刻印颁行法典和编敕,这当然与稳定政局的政治需要是有关的。

宋代统治者也很注意利用宗教来巩固他们的统治地位。宋太祖乾德三年(965年)灭蜀,但当是四川形势并不稳定,曾出现武装反抗。赵宋政权除加强对四川的控制外,并利用信仰佛教的心理,刻印佛经以笼络人心。开宝四年(971年)遣内侍张从信等去益州(成都)监刻大藏经13万板,凡5048卷。这是我国历史上第一部雕印的佛经总集,称为《开宝藏》或《蜀藏》。在宋政权的提倡下,此后由寺院募捐大批刻印佛经者甚多,从而起到了巩固统治的作用。同时,宋初在四川大规模刻印佛经,积累了刻印经验,培养了大批刻印工匠,使四川的雕刻印刷业,在唐朝的基础上,发展成为刻书中心之一。

宋代自太宗以后,提倡道教。真宗命王钦若等将秘阁及太清宫道书系统编校,汇集为4359卷,赐名《宝文统录》。徽宗又命道士刘

---

① 《宋会要》刑法1·1。
② 《长编》卷4,乾德元年七月己卯条。
③ 《宋会要》职官4·45。

元道校定,并增入搜访的道家遗书,总计为5387卷,送往福州闽县万寿观,命知福州黄裳鸠工刻印,送于京师,称为《万寿道藏》。这是我国第一部刻印的道藏总集。

宋代虽然提倡佛、道,但只是作为儒学的辅助学说,并用以丰富儒学;融合了佛道的儒家思想,才是宋代官方的统治思想。皇帝也自称"崇尚文史"①。所以宋代官刻书籍,多侧重于儒家经典和正史。中央机关如国子监、崇文院、秘书监、司天监,地方各路安抚、提刑、转运、茶盐司及州(府、军)县机关、学校均有刻本。"凡官刻书,亦有定价出售"②,成为投入市场的商品。足见宋代官府刻板印书之盛。

宋代的国子监,不仅是教育机构,同时也是国家出版机构。所辖印书钱物所,"掌印经史群书,以备朝廷宣索赐予之用及出鬻而收其直以上于官"③。淳化五年(994年)判国子监李至上言:"国子监旧有印书钱物所,名为近俗,乞改为国子监书库官。"④治平三年(1066年)六月诏:"今后本监(国子监)卖书钱,尽纳左藏库,所合支用钱,并令三司勘会出给历子,下左藏库支。"⑤这个出版机构,初名印书钱物所,淳化五年以后,改名国子监书库官。所印经史诸书,除供朝廷赐予外,向各地出卖,利润交左藏库,经费由左藏库支给,已具备国家出版社的性质。

由于国子监设有刻印书籍的机构,经史书版迅速增加。景德二年(1005年)五月,真宗幸国子监,问及祭酒邢昺书版数字,刑昺回答说:

> 国初印版止及四千,今仅至十万,经史义疏悉备。曩时儒生中能具书疏者,百无一二,纵得本而力不能缮写。今士庶家藏典籍者多矣,乃儒者逢时之幸也。⑥

宋建国45年,国子监的经史书版增加了25倍。这不仅反映了国子监刻书的数量大增,也说明宋政权对刻印儒家经典和史籍的重视。

国子监的刻本,都是经过认真校勘的,有时由国子监自校,有时是雕印馆阁校本。天禧五年(1021年)七月,内殿承制兼管国子监刘

---

① 《宋会要》崇儒4·1。
② 叶德辉:《书林清话》卷6《宋监本书许人自印并定价出售》。
③④ 《宋史》卷165《职官志五》。
⑤ 《宋会要》职官28·5。
⑥ 《宋会要》职官28·1,《宋史》卷431《邢昺传》,《长编》卷60景德二年五月戊辰条。

崇超上言：

> 本监管经书六十六件印板，内《孝经》、《论语》、《尔雅》、《礼记》、《春秋》、《文选》、《初学记》、《六贴》、《韵对》、《尔雅释文》等十件，年深讹阙，字体不全，有妨印造。昨礼部贡贡（疑为衍字）院取到《孝经》、《论语》、《尔雅》、《礼记》、《春秋》，皆李鹗所书旧本，乞差直讲官重看，榻本雕造。内《文选》只是五臣注本，切见李善所注该博，乞令直讲官校本别雕李善注本。其《初学记》、《六帖》、《韵对》、《尔雅释文》等四件，须重写雕印。①

咸平三年（1000年）命直秘阁杜镐等，校勘《三国志》、《晋书》、《唐书》，"五年校毕，送国子监镂板"②。咸平六年（1003年），杜镐等所校《道德经》，也是"送国子监刊板"③的。

宋刻监本书，流传至今者很少。今北京图书馆收藏有乾德三年（965年）刻本《经典释义》30卷，端拱元年（988年）刻本《周易正义》14卷，南宋监本累经补版的《尔雅》10卷。

崇文院不仅是藏书校书的机构，也负责刻书。真宗时，秘阁外院为"校勘及抄写书籍，雕造印板"④之所。淳化五年（994年），崇文院检讨兼秘阁校理杜镐等，奉诏校勘《史记》和前后《汉书》，"既毕，遣内侍裴愈，赍本就杭州镂板"⑤。天禧四年（1020年）"利州路转运使李昉，请雕印《四时纂要》及《齐民要术》，付诸道劝农司提举劝课。诏令馆阁校勘镂版颁行"⑥。国子监所校书，有时亦交崇文院刻印。天圣七年（1029年）四月，判国子监孙奭上言：

> 准诏校定律文及疏。缘律疏与《刑统》不同，盖本疏依律生文。《刑统》参用后敕。虽尽引疏义，颇有增损。今既校为定本，须依元疏为正。其《刑统》内衍文者减省，阙文者添益，要以遵用旧书。与《刑统》兼行。又旧本多用俗字，寝为讹谬，亦已详改。至于前代国讳，并复旧字。圣朝庙讳，则空缺如式。又虑字从正体，读者未详，乃作律文音义一卷，其文义不同，即加训解。乞下

---

① 《宋会要》职官28·2。
② 《宋会要》崇儒4·2。
③ 《宋会要》崇儒4·2—3。
④ 《麟台故事》卷1《省舍》。
⑤ 《宋会要》崇儒4·1。
⑥ 《宋会要》崇儒4·5。

崇文院雕印,与律文并行之。①

司天监(元丰官制改称太史局,南渡后隶秘书省)设"印历所,掌雕印历书"②。熙宁四年(1071)二月二十三日,"诏民间毋得私印造历日;令司天监选官,官自印卖,其所得之息,均给在监官属"③。但由于历书需要量很大,元丰三年(1080年)又下诏书,"自今岁,降大小历本付川、广、福建、江浙、荆湖路转运司印卖,不得抑配。其前岁终,市轻赍物付纲送历日所,余路听商人指定路分卖"④。但崇文院、司天监所刻书,未见传本。

各路盐茶、转运、安抚、提刑司,以及计司、计台、公使库,也刻印书籍。北京图书馆李致忠同志在《宋代刻书述略》⑤一文中,举例甚多,今择要举例如下:

两浙东路茶盐司刻书较多,今北京图书馆藏有绍兴年间刻印的《周礼注疏》13卷、《尚书正义》20卷、《周礼疏》50卷。这是宋代茶盐司刻书的实例。

绍兴十七年(1147年),福建转运司刻印的《太平圣惠方》100卷;绍兴二十一年(1151年),两浙西路转运司刻印的《临川先生文集》100卷;绍兴年间淮南路转运司刻印的《史记集解》130卷;江南东路转运司刻印的《后汉书注》90卷,《志注补》30卷;淳祐十年(1250年)淮南东路转运司刻印的《徐积节先生文集》30卷等,北京图书馆皆有藏书。这是宋代转运司刻书的实例。

绍兴十八年(1148年),荆湖北路安抚司刻印的《建康实录》20卷,今藏北京图书馆。淳熙六年(1179年)浙西提刑司刻有《作邑自箴》10卷。这是宋代安抚司、提刑司刻书的实例。

北京图书馆所藏淳熙九年(1182年)江西漕台所刻《吕氏家塾读诗记》32卷,嘉定四年(1211年)江右计台所刻《春秋繁露》17卷,是宋代漕台、计台刻书的实例。

宋代官员公出,凭驿券乘驿马、役铺兵、宿驿馆,饮食费用皆由公出,"士大夫造朝不赍粮,节用者犹有余以还家"⑥,经费由公使库供应。这种公使库"诸道监帅司及州军边县与戎帅皆有之"。公使库所得朝廷"正赐钱不多,而著令许收遗利,以此州郡得以自恣"。"扬州

---

① 《宋会要》崇儒4·7。
② 《宋史》卷164《职官四》。
③④ 《宋会要》职官18·84。
⑤ 李致忠:《宋代刻书述略》,载《文史》第14辑。
⑥ 王明清:《挥麈录·后录》卷1。

一郡,每岁馈遗见于帐籍者,至十二万缗。江浙诸郡,每以酒遗中都官,岁五六至,必数千瓶"。"所谓公使库醋钱者,诸郡皆立额,白取于属县,县敛于民"。诸路漕司"于酒税钱内每贯或取二百,或五十至八十,大郡每岁不下二三万缗,小者亦不下万余缗"①。由于公使库经费充足,有条件附庸风雅大量刻书,从而成为重要的刻书机构。

绍兴二至三年(1132～1133年),两浙东路茶盐司公使库,刻印司马光《资治通鉴》294卷、《目录》30卷。绍兴十九年(1149年),明州公使库刻印了《骑省徐公集》30卷。绍兴二十八年(1158年),沅州公使库刻印了孔平仲《续世说》12卷。淳熙三年(1176年),舒州公使库刻印了《礼记郑注》20卷、《礼记释文》4卷、《春秋经传集解》30卷。淳熙年间,抚州公使库还刻印了《周易注》9卷、《春秋公羊经传解诂》12卷、《释文》1卷。北京图书馆皆有藏书。这是宋代公使库刻书的实例。

宋代州(府、军)县各有学校,学校既有学田提供经费,又有学生负责校勘,具有较好的刻书条件。学校既多,刻书的数量甚大。今北京图书馆收藏印有刻书年代的宋州县学刻本较多,重要的有:绍兴九年(1139年)临安府学刻印的贾昌朝《群经音辨》7卷,十二年(1142年)汀州宁化县学亦有此书刻本。十五年(1145年)齐安郡学刻印的宋夏竦《新集古文四声韵》。乾道六年(1170年)姑孰郡斋刻印的宋洪遵《洪氏集验方》5卷。同年平江府学刻印的唐韦应物《韦苏州集》10卷、《拾遗》1卷,零陵郡庠刻印的《唐柳先生外集》1卷。乾道八年(1172年)姑孰郡斋刻印的宋杨侃所辑《两汉博闻》12卷。九年(1173年)高邮军学刻印的宋秦观《淮海集》10卷、《后集》6卷、《长短句》3卷。淳熙二年(1175年)镇江府学刻印的宋聂崇义《新定三礼图集注》20卷。同年严陵郡庠刻印的宋袁枢《通鉴纪事本末》42卷,九江郡斋刻印的宋欧阳忞《舆地广记》38卷。淳熙六年(1179年)湖州泮宫(即州学)刻印的蔡节《论语集说》10卷。七年(1180年)舒州泮宫刻印的蔡邕《独断》2卷。八年(1181年)池阳郡斋刻印的《文选注》60卷。十年(1183年)象山县学刻印的宋林钺《汉隽》10卷。十一年(1184年)南康郡斋刻印的宋朱端章《卫生家宝产科备要》8卷。十四年(1187年)严州郡斋刻印的宋陆游《新刊剑南诗稿》20卷。庆元六年(1200年)寻阳郡斋刻印的晋郭璞《輶轩使者绝代语释别国方言解》13卷。嘉泰元年(1201年)筠阳郡斋刻印的宋米芾

---

① 俱见李心传《建炎以来朝野杂记》甲集卷17《公使库》。

《宝晋山林集拾遗》8卷。四年(1204年)新安郡斋刻印的《皇朝文鉴》150卷、《目录》30卷。嘉定四年(1211年)滁阳郡斋刻印的宋林钺《汉隽》10卷。九年(1216年)兴国军学刻印的晋杜预《春秋经传集解》30卷。十年(1217年)当涂郡斋刻印的宋朱熹《四书章句集解》28卷。十一年(1218年)衡阳郡斋刻印的宋胡寅《致堂读史管见》30卷。十三年(1220年)溧阳学宫刻印的宋陆游《渭南文集》50卷。嘉定年间建宁郡斋刻印的宋徐天麟《西汉会要》70卷。宝庆二年(1226年)建宁郡斋又刻印徐氏《东汉会要》40卷。绍定元年(1228年)严陵郡斋刻印的宋魏野《钜鹿东观集》10卷。六年(1233年)临江军学刻印的《朱文公校昌黎先生集》40卷。嘉熙四年(1240年)新安郡斋刻印的宋卫湜《礼记集说》160卷。淳祐十年(1250年)上饶郡学刻印的宋蔡沈《朱文公订正门人蔡九峰书集传》6卷、《书信答问》1卷。咸淳元年(1265年)镇江府学刻印的汉刘向《说苑》20卷。五年(1269年)崇县县斋刻印的宋张咏《乖崖先生文集》12卷。这些宋代州县学刻本的实例,虽不能概括一斑,却足以说明宋代学校刻书是刻书业的一个重要组成部分。

南宋书院发达,虽是官学性质的教育机构,也刻板印书。北京图书馆藏有白鹭书院刻印的《后汉书注》90卷、《志注补》30卷,即宋代书院刻书的实例。

以上是宋代官刻书籍中的大致情况,主要是以北京图书馆现存的宋版书为例,宋代实际官刻书籍当然要远远超过所举实例。

(二)家刻书籍

私宅或家塾所刻书籍,称家刻本。宋代经济、文化繁荣,科举制度吸引着剥削阶级乃至个别自耕农民努力向学。有条件的士大夫之家,不仅注意藏书,也从事刻印,所以宋代私家刻书甚盛。由于私家刻书有较大的自由,所刻子部、集部书较官刻为多。叶德辉《书林清话》卷3《宋私宅家塾刻书》条,所录刻书之家,有岳氏之相台家塾、廖莹中之世彩堂、蜀广都费氏进修堂、临安进士孟琪、京台岳氏、建邑王氏世翰堂、建安蔡子文东塾之敬堂、瞿源蔡潜道宅墨宝堂、清渭何通直宅万卷堂、麻沙镇水南刘仲吉宅、麻沙镇南斋虞千里、建溪三峰蔡梦弼傅卿家塾、吴兴施元之三巨坐啸斋、王抚干宅、锦谿张监税宅、武谿游孝恭德棻登俊斋、廉台田家、吉州东冈刘宅梅溪书院、建安陈彦甫家塾、梅山蔡建侯行父家塾、建安黄善夫宗仁家塾之敬堂、建安刘元起家塾之敬堂、建安魏仲举家塾、建安魏仲立宅、吉州周少傅府、祝太傅宅、建宁府麻沙镇虞叔异宅、秀岩山堂、建安刘叔刚宅、建安王懋甫桂堂、建安曾氏家塾、建安虞氏家塾、眉山文中、眉山程舍人宅、姑苏郑定、钱唐王叔边家、婺州市门巷唐宅、婺州义乌酥溪蒋宅崇知斋、婺州东阳胡仓王宅桂堂、刘氏学礼堂、隐士王氏取瑟堂、毕万裔宅富学堂、胡元质当涂道院、杭州净戒院、严陵詹义民、茶陵谭叔端,共45家。

现存宋代私家刻本,据李致忠同志所述①,北京图书馆善本库所藏经、史、子、集四部俱全,而以集部为多。今择要介绍如下:

廖莹中世彩堂于咸淳年间(1265～1274年)所刻《昌黎先生集》40卷、《外集》10卷、《遗集》1卷、《河东先生集》45卷、《外集》2卷。韩、柳二集,是廖氏亲自校订,版式完全相同,各卷后刻有篆书"世彩廖氏刻梓家塾"八字,版心下刻"世彩堂"三字,两书并称于世,成为韩、柳文中的标准印本,被藏书家推为宋版书的上品。

庆元二年(1196年),吉安周必大刻印的宋欧阳修《欧阳文忠公集》153卷、附录5卷。各卷版心多刻有刻工姓名,每卷末有"熙宁五年秋七月男发等编定,绍熙二年三月郡人孙谦益校正"。江西省图书馆亦藏有此书残本30卷。

嘉泰四年(1204年)吕乔年刻印的宋吕祖谦《东莱吕太史文集》15卷、《别集》16卷、《外集》5卷、《附录》3卷、《附录拾遗》1卷,版心亦有刻工姓名。

景定元年(1260年),陈仁玉刻的宋赵抃《赵清献公文集》16卷,卷16附录《国史本传》、《神道碑》等。此本后经元明修补。

以上是宋代家刻书籍的实例。

(三)坊肆刻书

坊肆,是指书坊和书肆,即经营刻书和卖书的作坊,或者称为书林、书堂、书铺、书棚、书籍铺、经籍铺,所刻印的书籍称坊刻本。书坊刻印书籍,以营利为目的,是作为商品生产的。他们自己拥有写工、刻工和印工。

宋代书坊最著名的是建安余仁仲的勤有堂,或题作万卷堂。

建安余氏,世代刻书,可从清乾隆四十年正月丙寅的上谕及钟音的复奏中了解其大概情况。上谕称:

---

① 李致忠:《宋代刻书述略》,载《文史》第14辑,《中国古籍印刷史》,印刷工业出版社1984年出版。

近日阅米芾墨迹,其纸幅有"勤有"二字印记,未能悉其来历。及阅内府所藏旧板《千家注杜诗》,向称为宋椠者,卷后有皇庆壬子(1312年)余氏刊于勤有堂数字。皇庆为元仁宗年号,则其版是元非宋。继阅宋版《古列女传》,书末亦有建安余氏靖安刊于勤有堂字样,则宋时已有此堂。因考之宋岳珂相台家塾论书板之精者,称建安余仁仲。虽未刊有堂名,可见闽中余板在南宋久已著名,但未知北宋时即行勤有堂名否?又他书所载,明季余氏建版犹盛行,是其世业流传甚久。近日是否相沿,并其家刊书始自何年,及勤有堂名所自,询之闽人之官于朝者,罕知其详。若在本处查考,尚非难事。着传谕钟音,于建安府所属,访查余氏子孙,见在是否尚习刊书之业,并建安余氏自宋以来刊印书板源流,及勤有堂昉于何代何年,今尚存否,或遗迹已无可考,仅存其名?并其家在宋曾否造纸,有无印记之处。或考之志乘,或征之传闻,逐一查明,遇便复奏。此系考订文墨旧闻,无关政治,钟音宜选派诚妥之员,善为询访,不得稍涉张皇,尤不得令胥役等借端滋扰,将此随该督奏扎之便,谕令知之。①

钟音奏复称:

余氏后人余廷勤等呈出族谱,载其先世自北宋建阳县之书林,即以刊书为业。彼时外省板少。余氏独于他处购选纸料,印记"勤有"二字,纸板俱佳,是以建安书籍盛行。至勤有堂名,相沿已久。宋理宗时,有余文兴,号勤有居士,亦系袭旧有堂名为号。今余姓见行绍庆堂书集,据称即勤有堂故址,其年已不可考云云。②

据叶德辉《书林清话》,南北朝时期,余祖焕始居福建;十四世徙建安书林,习刻书业;二十五世余文兴因旧有勤有堂之名,号勤有居士。建安自唐朝就是书肆集中之地,宋朝余仁仲经营时期,已成为很著名的书坊,子孙相承,至元代仍有印本传世。叶氏据坊刻本及诸家目录所载,刻于南宋的书多称万卷堂;刻于元代者多称勤有堂。汪中仿刻《春秋公羊经传解诂》,卷首何休序后有"合刻公穀二传缘起",六行,末题"绍熙辛亥(二年)孟冬朔日建安余仁仲敬书"。卷1后题"余氏刊于万卷堂"。卷2、卷9题"余仁仲刊于家塾"。孙星衍仿刻《唐律疏义》,序后有"至正辛卯十一年重校"一行,又有长方木印记

---

①② 叶德辉:《书林清话》卷2《宋建安余氏刻书》。

云：崇化余志安刊于勤有堂。

南宋临安陈氏书籍铺，也是非常著名的书坊。经营人是陈起、陈续芸父子。起，字宗之，能诗，常与江湖诗人交往；所开书肆名芸居楼，地址在临安府棚北大街睦亲坊。其子续芸继承他的事业。起卒后，续芸应乡试发解。所刻书中印有"陈道人书籍铺"者是指陈起，印"陈解元书籍铺"者是指续芸。

北京图书馆现藏临安府陈氏书籍铺刻本多种，其中唐《王建诗集》10卷，卷后有"临安府棚北睦亲坊巷口陈解元宅刊印"。唐《朱庆余诗集》1卷，卷后有"临安府睦亲坊陈宅经籍铺印"。《四库全书总目》卷124著录唐康骈《剧谈录》卷2云："此本末有临安府陈道人书籍铺刊行字。"《书林清话》卷2《南宋临安陈氏刻书》之一、之二，《宋陈起父子刻书之不同》，考订甚详，可供参考。

宋代坊刻书籍虽多，但因为书坊主人不入史传，大都只能从传本和名家书目或藏书家的题识中去探索。叶德辉《书林清话》除对余、陈两家书铺作了介绍外，于卷3《宋坊刻书之盛》一篇中，又列举以下书坊名称，并介绍诸书坊之刻本。今仅将所列书坊名称移录如下：

建宁府黄三八郎书铺、建阳麻沙书坊、建宁书铺蔡琪纯父一经堂、武夷詹光祖月厓书堂、崇川余氏、建宁府陈三八郎书铺、建安江仲达群玉堂、杭州大隐坊、临安府太庙前尹家书籍铺、杭州钱唐门里车桥南大街郭宅□铺、临安府金氏、金华双桂堂、临江府新喻吾氏、西蜀崔氏书肆、南剑州雕匠叶昌、咸阳书隐斋、汾阳博济堂、蒉斐轩、葛氏傅椶书堂、闽山阮仲猷种德堂。

乾道元年（1165年）建宁黄三八郎书铺刻印的《韩非子》20卷，五年（1169年）刻印的《钜宋重修广韵》5卷，绍兴十年（1140年）建阳麻沙书坊刻印的曾慥《类说》50卷，二十三年（1153年）刻印的《新雕皇宋事实类苑》78卷，嘉定元年（1208年）建阳书铺刻印的《汉书》120卷，皆见著录。《四部丛刊》所收唐李复言《续幽怪录》4卷，目录后刻有"临安府太庙前尹家书铺刊行"一行，即是影印的宋刻本。

（四）翻版禁例

随着坊市刻书业的发展，翻刻书籍的禁例，也在宋代产生了。在一书刻板之前皆需校勘，以提高刻书质量。翻印精校过的善本，既可省去此道工序以降低成本，又能保证质量，从而加强了市场的竞争能力，因而对原刻者不利，所以私家刻书，往往设法防止翻板。《书林清话》卷2《翻板有禁例始于宋人》条，记载叶氏所藏五松阁仿宋程舍人宅刻本宋王称《东都事略》130卷，目录后有长方牌记云："眉山程舍人宅刊行，已申上司，不许复板。"又载宋椠本祝穆《方舆胜览》前集43卷，后集7卷，续集20卷，拾遗1卷，自序后印有两浙转运司录白：

> 据祝太傅宅干人吴吉状：本宅见刊《方舆胜览》及《四六宝苑》、《事文类聚》凡数书，并系本宅贡士私自编辑，积岁辛勤。今来雕板，所费浩瀚。恐书市嗜利之徒，辄将上件书版翻开，或改换名目，或以节略《舆地纪胜》等书为名，翻开搀夺，致本宅徒劳心力，枉费钱本，委实切害。照得雕书合经使台申明，乞行约束，庶绝翻板之患。乞给榜下衢婺州雕书籍处张挂晓示；如有此色，容本宅陈告，乞追人毁版，断治施行。奉台判备榜须至指挥。
>
> 右令出榜衢婺州雕书籍去处张挂晓示，各令知悉。如有似此之人，仰经所属陈告，追究毁版施行。故榜。嘉熙贰年拾贰月□□日榜。
>
> 衢婺州雕书籍去处张挂
>
> 转运副使曾□□□□□台押
>
> 福建路转运司状，乞给榜约束所属，不得翻开上件书版，并同前式，更不再录白。

翻版禁例，是雕版印书盛行、刻书行业争夺市场的产物。正如叶德辉所说，这是书坊"意图垄断渔利，假官牒文字以遂其罔利之私"。"当时一二私家刻书，陈乞地方有司禁约书坊翻版，并非载在令甲，人人之所必遵，特有力之家，声气广通，可以得行其志耳。虽然，此风一开，元以来私塾刻书，遂相沿以为律例"[①]。禁翻刻书籍，虽创始于宋代，但在当时却并不普遍。

宋代刻书的坊肆，遍及全境，特别是浙、蜀、闽、赣、皖更盛，并形成了东京、浙江、四川、福建、江西五处刻书中心。坊刻书籍中，经、史、子、集俱全，对传播文化知识，开拓民智，促进文化教育的发展，有着重要的作用。

三、活字印刷术的发明

宋代把雕刻印刷的技术，广泛用于刻印各种书籍，这和前此长期

---

① 《书林清话》卷2《翻板有例禁始于宋人》。

用手写书籍相比,可以说是一次巨大的印刷技术革命。不过雕版印刷也有它的局限性,尽管一次刻板可印很多部书籍,但刻板费工费时,不印时要保存大量的书版,特别是印量小又不重印的书,刻版印刷之后,书版即成废物。针对这些问题,宋仁宗庆历年间(1041～1048年),毕昇发明了活字印刷的技术。沈括《梦溪笔谈》卷18《技艺》,载其事说:

> 板印书籍,唐人尚未盛为之。自冯瀛王始印五经,已后典籍,皆为板本。庆历中,有布衣毕昇,又为活板。其法用胶泥刻字,薄如钱唇,每字为一印,火烧令坚。先设一铁板,其上以松脂腊和纸灰之类冒之。欲印,则以一铁范置铁板上,乃密布字印。满铁范为一板,持就火炀之,药稍镕,则一平板按其面,则字平如砥。若止印三二本,未为简易,若印数十百千本,则极为神速。常作二铁板,一板印刷,一板已自布字,此印者才毕,则第二板已具,更互用之,瞬息可就。每一字皆有数印,如"之"、"也"等字,每字有二十余印,以备一板内有重复者。不用则以纸贴之,每韵为一贴,木格贮之。有奇字素无备者,旋刻之,以草火烧,瞬息可成。不以木为之者,木理有疏密,沾水则高下不平,兼与药相粘,不可取。不若燔土,用讫再火令药镕,以手拂之,其印自落,殊不沾污。昇死,其印为予群从所得,至今宝藏。

毕昇发明的活字印刷术,已包括造字、排版、印刷三个基本程序,并涉及储备多用字,排版时临时补充冷僻字,以及用完后对活字的保管方法等,这些都是较雕版印刷优越之处。后世的发展,只是在技术上的改进,其基本原理和工序,毕昇的活字印刷,已皆具备。可惜毕昇的活字印刷方法,在当时并未得到推广,究竟印了多少书也无从查考。据台湾学者黄宽重研究[1],南宋时周必大曾用胶泥活字印他的《玉堂杂记》。他在给程元成的信中说:

> 近用沈存中法,以胶泥铜版移换摹印,今日偶成《玉堂杂记》二十八事,首恩台览。尚有十数事,俟追记补缀续纳,窃计过目念旧,未免太息岁月之沄沄也。[2]

不过胶泥活字印刷在南宋也没有发展起来。这是因为,活字印刷需

---

[1] 黄宽重:《南宋活字印刷史料及其相关问题》,见《南宋史研究集》,新文丰出版公司,1985年。

[2] 《周益国文忠公集》卷198;《书稿》卷13,《程元成给事》。

要一次印出数量较多的书,拆版以后就无法再印了。雕版印刷虽然刻版费工,但书版长期保存,随时可印。所以尽管发明了新的印刷技术,雕版印刷一直到清代还很盛行。但是,活字印刷毕竟是一项代表印刷前进方向的新技术,毕昇不仅是雕版印刷的革新者,也是现代活字印刷的发明家。

(原载《宋代文化史》第三章,
河南大学出版社 2000 年第 2 版)

宋代修史机构与史学成就

一、宋代的修史机构与官修史书

隋唐以来,随着中央集权制的发展,封建政权对于史书编修特别是当代史的编修,也日益重视起来。隋文帝于开皇十三年(593年)曾下诏禁止私修国史,臧否人物。① 唐太宗于贞观三年(629年)罢著作郎修史之职,置史馆于禁中,选任史官,以宰相监修,确立了官修史书的制度。魏晋南北朝以来,史书多为私撰,虽然有一些是奉诏而修,但也只是个别人接受皇帝的命令,与私家修并无多大区别。至于由朝廷设馆集体修史的制度,则是从唐朝开始的。宋代在唐制的基础上,又有所发展。宋朝的修史机构,分工细而职司专。修起居注、时政记、日历、实录、国史、会要皆设有专门机构。绍兴二年(1132年)汪藻上书中提到:"书榻前议论之辞,则有时政记;录柱下见闻之实,则有起居注。类而次之,谓之日历;修而成之,谓之实录。"② 史官用"时政记及起居注、诸司文字,纂类日历"③。实录、国史则是在日历的基础上,又征集官私文字严加考订之后修成的。特别是会要,除以国史为凭借之外,更调集各级政府的档案,分类汇编而成。兹将宋代的修史机构介绍如下:

---

① 《隋书》卷2《高祖纪》。
② 《玉海》卷47《高宗日历》,《宋史》卷445《汪藻传》。
③ 《宋会要》运历1·15。

（一）起 居 院

宋代设立的起居院,是起居注编修之所。起居之官,是由左、右史发展而来的,渊源甚早。《礼记·玉藻》就有左史记动、右史记言的记载。汉武帝有禁中起居注。自魏至晋,起居之职归于著作。后魏始置起居令史。北齐设起居省。隋置起居舍人 2 人。唐朝起居之官属门下省,高宗以后起居舍人属中书省,起居郎属门下省,虽分属两省,皆为记注之官。五代曾设起居院,"应朝廷凡行制敕,并宜令起居院抄录,关送史馆"①。宋承唐制,于门下省设起居郎 1 员,中书省设起居舍人 1 员,名义上是记注之官,但"元丰前,以起居郎、舍人寄禄,而更命他官领其事,谓之同修起居注"②。"起居郎、舍人,不治本省事,以三馆秘阁校理以上充。天子御正殿,记注官不侍左右,惟朝会对立于香案前。常日则更番递直于崇政、延和二殿,行幸则从上出入,皆所以书言动,备记录以授史官"③。

宋初承五代之制置起居院,"但关勒送史馆,不复撰集"④。太宗淳化五年(994 年),因张泌上言,徙起居院于禁中。命起居舍人、史馆修撰梁周翰掌起居郎事,秘书丞、直史馆李宗谔掌起居舍人事。梁周翰等制定起居注体式,拟订修注制度。此后,起居院才正式开始修注工作。

元丰改官制,中书、门下各设后省。中书后省记注案,设起居舍人一员;门下后省记注案,设起居郎一员,"掌录起居事"⑤,仍由郎及舍人修注,沿袭了唐代旧制。

由于记注之官接近皇帝,预闻朝政,选任时"例以制科进士高第,与馆职有才望者兼用"⑥。熙宁二年(1069 年)始用谏官兼任。绍兴三年(1133 年)起居郎曾统上言称:

> 记注之官职司言动,国朝尤重其选,多以谏官为之。虽品秩甚卑,犹得参侍从之列,备顾问之数,有所论奏,悉得专达,且于陛立之际,亦听直前奏事。元丰更官制,始正起居郎、舍人之名,不复并任谏列。然神宗皇(原作黄)帝,虑废旧典,预诏修注官虽

---

① 《五代会要》卷 13《起居郎起居舍人》。
② 《宋史》卷 161《职官一》。
③ 《两朝国史志》,见《宋会要》职官 2·10,《玉海》卷 48《淳化崇政殿起居注》引。
④ 《宋会要》职官 2·10。
⑤ 《宋会要》职官 1·78—79。
⑥ 《宋会要》职官 2·13。

不兼谏职,如有史事,宜于崇政、延和殿承旨司奏事后,直前陈述。①

因此,记注官被视为荣耀的职务。欧阳修《论史馆日历状》称:"选三馆之士当升擢者,乃命修起居注"②,也是馆职升迁的台阶。

宋代所修起居注,并非仅记皇帝言行,也包括重要的朝政,"凡朝廷命令、赦宥,执政官以下进对,文臣御史、武臣刺史以上除拜,祭祀、燕享、临幸、引见之事,日月、星辰、风云、气候之兆,郡县祥瑞之符,闾阎孝悌之行,户口增减之数,皆书以授著作官"③。徽宗政和年间,门下中书后省所定《修起居注式》,载于《宋会要辑稿》职官2·10,文繁从略。

修起居注的根据,除左、右史所记外,"间有不得预闻者,并以台、省、寺、监及诸处供报文字修纂"④。各地机构供报文字皆有时限⑤,稽违者有惩罚之法⑥。修注官员出现差误,要受降级处分。大中祥符七年(1014年)同修起居注张复、崔遵度,以误书恭谢天地坛飨献事,"以昊天为天皇大帝,又多书圣祖一位"⑦,受到落修起居注及降官处分。这就保证了起居注的准确性。起居注被看做"实国史之所资,以为撰述之本"⑧。

当淳化五年(994年)梁周翰等正式开始修起居注的时候,曾上书称:"每月起居注,愿先以进御,后付史馆。"⑨于是首开起居注进御的先例。由于先送皇帝审阅,所记就难免有所忌讳,这说明宋代皇帝对史馆的控制进一步加强了。也正因为如此,修起居注"惟据诸司供报,而不敢书所见闻"⑩。"事关大体者,皆没而不书"⑪。针对起居注先进御的问题,欧阳修、胡铨均上书论"进史不当"⑫。但实际上"进史"在宋代已形成一种制度,而且有隆重的仪式。

宋代的起居注,从淳化五年(994年)开始,迄南宋末年,一直不断编修。其中尚存周必大《起居注稿》1卷,载绍兴三十二年六月十

---

① 《神宗正史职官志》,见《宋会要辑稿》职官2·17。
② 《欧阳修全集》奏议集卷12。
③ 《宋会要》职官2·13。
④⑥⑧ 《宋会要》职官2·15。
⑤ 《宋会要》职官2·11—14。
⑦ 《宋会要》职官2·12。
⑨ 《宋会要》职官2·11,《宋史》卷439《梁周翰传》。
⑩⑪ 《欧阳修全集》奏议集卷12《论史馆日历状》。
⑫ 《宋会要》职官2·19。

一、十二及八月十四日三天有关高宗禅位,孝宗诣德寿宫请安及上太皇太后宝册、尊号事,见《文忠集·承明集》卷1。周密辑《乾淳起居注》1卷所载为孝宗宫廷请安宴游诸事,收入元陶宗仪所编《说郛》宛委山堂本卷42。

(二) 日 历 所

日历创始于唐朝后期,间有停顿,后周显德元年(954年)又恢复修日历。北宋建隆元年(960年),赵普撰《建隆龙飞日历》(见《玉海》卷47),不久,宋建日历所,编修日历开始成为一种制度。宋初日历所属门下省编修院。元丰四年(1081年),废编修院归史馆,隶秘书省。日历所"以著作郎、著作佐郎掌之。以宰相时政记、左右史起居注所书会集修撰,为一代之典"①。元祐五年(1090年)改属门下省国史院。绍圣二年(1095年),还隶秘书省(见《宋会要辑稿》运历1·16—17)。

编修日历,以宰相提举,根据的资料是"依时政记、起居注及诸司报状,排日甲乙,编而集之"②,同时也征集文臣自宰相至卿监、武臣自使相至刺史未曾立传人的墓志、行状。③ 诸司供报文字皆有期限,违者有罚。绍兴元年(1131年)诏书称:

> 省曹台院寺监库务仓场诸司,被受指挥及更改诏条,并限当日录申修日历所。月内无即于月终具申,其取索急速者限一日,余皆二日。如追呼人吏,限当日赴所,已出者次日,展限不得过三日。违限及供报草略者,从本所将当行人吏直送大理寺,从杖一百科罪。④

编修官出现差错,要受到处罚。元符元年(1098年)"重修《熙宁日历》官周穜,所修进季日历,差错重复,罚铜八斤"⑤。由于编修日历的材料丰富,制度严格,从而为编修《实录》提供了方便。《南宋馆阁录》卷4《修纂》下,载乾道年间所定《修日历式》,可供参考。

修日历所根据的时政记,创始于唐代。《玉海》卷48《唐时政记》条称:

---

① 《宋史》卷164《职官四》。
② 《宋会要》职官2·17。
③ 《宋会要》运历1·24。
④ 《宋会要》运历1·19。
⑤ 《宋会要》运历1·17。

永徽后,左右史惟对仗承旨,仗下谋议不得闻。长寿二年(693年)正月戊申,文昌左相姚璹以为,帝王谟训不可缺纪,建议仗下后,宰相一人,录军国政要为时政记月送史馆。时政有记自璹始。

五代后唐以下,中书、枢密皆有时政记。太平兴国中,胡旦上言称:

> 五代自唐以来,中书、枢密院皆置时政记,中书即委末厅宰相修录,枢密院即直学士编修,每月、季送付史馆。①

开宝七年(974年),因扈蒙上言,命参知政事卢多逊将"经圣断,可书简策者"②,录送史馆,但卢多逊虽受诏而未能成书。太平兴国八年(983年)命参知政事李昉,将"国家裁制之事,及帝王宣谕之言,合书史册者"③,逐季录送史馆。李昉上言"所修时政记,请每月先以奏御后付所司"④。当时虽有时政记之名,但只题《送史馆事件》,至景德元年(1004年)始题时政记。

端拱二年(989年),始命枢密副使张齐贤等录皇帝"宣谕圣语,裁制嘉言"⑤送中书。自此以后,枢密院事,皆送中书省,修为一本送史馆。大中祥符五年(1012年),因王钦若、陈尧叟之请,枢密院所修时政记,不送中书,每月直接送往史馆。

宋朝时政记,自太宗以后,不断修纂,基本上没有中断。今存者有李纲《建炎时政记》1卷,收入《宋三大臣汇志·宋丞相李忠定公别集》。另有3卷本,收入《邵武徐氏丛书初刻·李忠定公别集》和《吉林探源书舫初编·李忠定公别集》。

编修日历,有丰富的资料,编纂时又力求详备,故卷帙甚巨。如淳熙十六年(1189年)修成的孝宗朝《至尊寿皇圣帝日历》,首尾不足27年,就成书2000卷。

(三)实录院 国史院

宋代实录是官修当代编年体的成书,国史是官修记传体的成书。参与修书的人员往往是相同的。

《玉海》卷48《实录》门序文说:"实录起于萧梁,至唐而盛。杂取

---

① 《宋会要》职官6·30。
②③⑤ 《宋会要》职官6·30,《职官分纪》卷15《史馆》。
④ 《宋会要》职官6·30,《宋史》卷265《李昉传》。

编年纪传之法而为之,备史官采择。"

实录是在日历的基础上修成的,孝宗朝日历达 2000 卷,而实录则是 500 卷。

宋初史馆是修史机构。仁宗天圣年间,在门下省置编修院。元丰改制后,"即崇文院为秘书省","每修前朝国史、实录,则别置国史、实录院"①,以宰相提举,修史则以别曹贴职学士为之。绍兴初,"实录、国史皆寓史馆"②,未有置此废彼之分。九年(1139 年),修《徽宗实录》,诏以实录院为名","以未修正史,诏罢史馆归实录院"。二十八年(1158 年)"实录成书,诏修《三朝正史》,复置国史院"③。自宋以后,实录院和国史院的工作人员及使用印记,往往是共同的。《宋会要辑稿》职官 18·66 载乾道二年(1166 年)洪迈上言称:

> 检会国朝典故,申请下项:一、遇修实录则署实录院。一、元符三年八月哲宗祔庙。九月内诏,国史院修纂实录,今更不置局,止就国史院修纂。一、行移文字以实录院为名,就用国史记印。一、更不添置官,止以见今国史院官兼充。一、乞差实录院官。一、同修撰官,乞差见今国史院编修官。一、检讨官乞差见今编修官,提举诸司承受主管诸司官,亦乞就差国史院提举诸司承受主管诸司官。

由上可知,实录院和国史院都是秘书省下所成立的修书班子,其间关系是十分密切的。

编修实录除依据日历外,还要尽量搜集各方面的材料,今将修《英宗实录》时曾巩所提出搜集材料的范围④节录如下:

1. 乞朝廷特降指挥命诸政府机构,出榜晓示,应系英宗朝亡殁臣僚,合立传者,并令供给行状、神道碑、墓志等,仰本家亲属限日尽快修写,疾速附递缴纳,赴实录院。

2. 凡高级臣僚,或因赐对亲闻圣语,或有司奏事特出宸断,可书简册者,编录付实录院。

3. 命中书枢密院将嘉祐八年四月至治平四年正月已前,臣僚进献文字,尽底检寻付实录院。

4. 命两省及司封、兵部、吏部、甲库、学士、舍人院,据实录院所缺

---

① 《麟台故事》卷 4。
② 《宋会要》职官 18·60,《宋史》卷 164《职官四》。
③ 《宋史》卷 164《职官四》。
④ 《曾巩集》卷 32《英宗实录院申请札子》。

宣敕及诏书除目告词,画时暂借。

5. 命礼宾院,将外蕃朝贡,所记本国风俗人物、道里土产,详实供报。

6. 命御史台、审刑院、刑部、大理寺,据实录院所要案牍,画时供借。

7. 命三司,将虫蝗水旱灾伤,及德音赦书蠲放税赋及蠲免欠负,并具实数,供报当院。

8. 命三司,将制置钱谷税赋及榷酒等有关章疏论议、废置事件,录供当院。

9. 都水监有关河渠水利论议更改,礼部郡国所申祥瑞,贡院改更贡举条制,太常寺礼院有关礼乐制作事,三司户部有关户口升降,令仔细检寻供报,不得漏略。

10. 天圣元年修《真宗实录》,治平元年修《仁宗实录》体例,命中书、枢密院检寻文字,照证编修。

11. 命管勾往来国信所,将所差入国接伴官等,正官借官簿等册并语录,权借赴当院。

12. 命玉牒所,取英宗皇帝玉牒一本照会。

13. 命中书编机房,将有关除改麻制文字照会。

14. 命尚书司封,检借中书除改百官官位姓名敕黄,照证修纂。

乾道三年(1167年)国史院实录院同修撰洪迈上言:

> 得旨编修《钦宗实录正史》,除日历所发到靖康日历及汪藻所编《靖康要录》,并一时野史杂说与故臣家搜访到文字外,缘岁月益久,十不存一。虽靖康首尾不过岁余,然徽宗朝大臣,多终于是年,其在今录所当立传,询之其家,已不可得,欲访之故臣遗老,则存者无几,寝寝不问,则史策脱略,漫无□纪。窃见前敷文阁待制致仕孙觌,在靖康中实为台谏侍从,亲识当时之人,亲见当时之事,其年虽老,其力不衰。乞诏觌以其所闻见,撰为蔡京、王黼、童贯、蔡攸、梁师成、谭稹、朱勔、钟师道、何㮚、刘延庆、聂昌、谭世勋等列传,及一朝议论事迹,国史、实录所当言者,皆令条列上送本院。①

实录之编修,"以日历为根底;日历之纪次,以时政记、起居注与诸司

---

① 《宋会要》职官 18·67。

之关报为依据"①,同时还征集私家撰述及元老旧臣之回忆录,故收集的资料必然是很丰富的,使从事编纂实录的官员,有足够的根据写出信史。

宋朝自太平兴国三年(978年)开始修《太祖实录》,迄淳祐二年(1242年)上《宁宗实录》,历朝皆有成书。理宗朝实录亦有初稿。今存者仅钱若水、杨亿等所修《太宗实录》残本。一为8卷本,收入《古学汇刊》第1集;一为20卷本,收入《四部丛刊》三编及鼎文书局本《宋史》的附编中。

宋代所修国史,自太宗雍熙四年(987年)开始命官修太祖朝正史,迄宝祐五年(1257年)进高、孝、光、宁四朝国史,代代相续,共修成十三朝正史。计有太祖、太宗、真宗《三朝国史》150卷,仁宗、英宗《两朝国史》120卷,神宗、哲宗、徽宗、钦宗《四朝国史》350卷,南宋高宗、孝宗、光宗、宁宗《中兴四朝国史》仅成草稿,卷数不详。

宋代所修国史,当时亦称"正史",今皆散佚。宋元人的著作多有引文。编修国史,除以日历、实录为依据外,还通过政府征集资料,并访求私家著作。徽宗大观四年(1110年)初修《哲宗正史》,修撰郑久中上言称:

> 文臣太中大夫以上,武臣正任刺史以上,并驸马都尉,或虽官品未至而有政绩在民,遗爱可纪,忠义之节显闻于时,或有不求闻达终于下位,及隐逸邱园并孝悌之士,曾经朝廷奖遇,凡在先朝葬卒者,并宗室大将军及赠公侯,例合立传者,要见逐人行状、墓志、神道碑、生平事迹;或有著述文字达于时务者,照证修纂。或烈女、节妇及艺术著闻者,事迹灼然,亦合书载。及中外臣僚并宗室,或因哲宗赐对亲闻圣语,或有司奏事特出宸断,或有论议章疏事关政体可书简册者,并许编录,实封于所在官司投纳,申缴赴院。或亡殁臣僚,有本家子孙追录所闻,或收藏得旧稿者,亦并许编录,依上项投纳,仍不得增饰事节。下进奏院遍牒天下州、军、监,明行晓示,及多方求访,如无子孙,亦许亲属及门生故吏编录,于所属投纳。仍乞下吏部左右选、入内内侍省、阁门、大宗正司出榜晓示,令依上件修写,直纳赴院。今来修国史合有取会事,并从本院押贴子会问。其诸处供报隐漏,当行人吏,并从严断勒停,事理重者,刺配五百里外本城,不在赦原降减。急限一日,慢限三日,差错违限,从本院直牒大理寺,主行人

---

① 《宋会要》职官18·107。

吏,并科杖八十,罪情理重者自从重。①

嘉泰三年(1203年),将修高宗、孝宗、光宗《三朝正史》,傅伯寿上言称:

> 中兴以来,修《徽宗实录》则采《元符诏旨》,修《四朝国史》则采《续资治通鉴》及《东都事略》。今孝宗、光宗《实录》已成,将修《三朝正史》,自建炎丁未至于绍熙甲寅六十八年,典册所书固已灿然,其间岂无登载漏脱,传闻异同之患。凡事有旧记述,可不广取而参考乎?今史馆所收《三朝北盟会编》、《中兴遗史》、《中兴小历》三书,恐如此之类尚多有之,臣以为宜发明诏,广加访求。②

宋朝所修国史,因为是当代所修,容易搞清史实。王应麟说:"岁远则同异难密"③,就是从修史的时间上看的。宋政权又十分重视修史,建立复杂重叠的修史机构,并调集丰富的资料,这都是宋修国史能够使内容充实、体例完备的条件。但当代修史却难以避免政治形势的影响,采用立传人物的家传,亦难免溢美隐恶,同时进史的制度也使史馆难以直笔。

宋代历朝所修国史虽已不传,但《宋史》是在宋修国史的基础上修成的。《宋史·艺文志序》云:"宋旧史,自太祖至宁宗为书凡四。志艺文者,前后部帙,有亡增损,互有异同。今删其重复,合为一志。"《舆服志序》云:"今取旧史所载著于篇,作《舆服志》。"赵翼《廿二史札记》卷23《宋史各传回护处》称:

> 元修《宋史》,度宗以前多本之宋朝国史,而宋国史又多据各家事状碑铭编缀成篇,故是非有不可尽信者。大奸大恶如章惇、吕惠卿、蔡确、蔡京、秦桧等,固不能讳饰,其余则有过必深讳之,即事迹散见于他人传者,而本传亦不载。有功必详著之,即功绩未必果出于是人,而苟有相涉者,亦必曲为牵合……盖宋人之家传、表志、行状以及言行录、笔谈、遗事之类,流传于世者甚多,皆子弟门生所以标榜其父师者,自必扬其善而讳其恶,遇有功处辄迁就以分其美,有罪则隐约其词以避之。宋时修国史者即据以立传,元人修史又不暇参证,而悉仍其旧,毋怪乎是非失当也。

---

① 《宋会要》运历1·30。
② 《宋会要》职官18·60。
③ 《玉海》卷46《正史》门后论。

由于宋代修史,皆有进本,史馆必然要有忌讳,难以直笔。如太祖、太宗之间的斗争,最后太祖在"烛影""斧声"中死去,应当是一件大事,但在官修史书中均不见记载。南宋高宗无嗣,在舆论的压力下,选取太祖的七世孙为太子,后即位为孝宗。这时李焘才在《续资治通鉴长编》中据吴僧文莹的《湘山野录》记载此事,而且注明"正史、实录并无之"①。

宋代官修史书,受政治形势的影响甚为明显。神宗时期,王安石变法,开始了变法与反变法两派官僚的斗争。新法失败后,在整个北宋后期,长期进行党争,这种政治上的斗争也反映在神宗一朝的修史上。以修《神宗实录》为例,前后共修五次,每次都有党争的背景。哲宗元祐元年(1086年)诏修《神宗实录》,先后命司马光、吕公著、吕大防提举,以陆佃、范祖禹、黄庭坚等负责编修。陆佃曾在国子监讲王安石经学,对变法多有肯定。范祖禹为旧党首领之一,吕公著的女婿,曾协助司马光编《资治通鉴》,一贯反对新法。黄庭坚也是反对新法的人物。在修史过程中,陆佃多次与范祖禹、黄庭坚争论,"大要多是安石"。黄庭坚指出:"如公言,盖佞史也。"陆佃答称:"尽用君意,岂非谤书乎?"②由于旧党执政,陆佃受到攻击,贬知颍州,又徙知邓州。元祐七年(1092年)书成进上。元祐《神宗实录》,当然是按旧党的观点编成的。

元祐八年(1093年)高太后去世,哲宗亲政后,改元绍圣,用章惇、蔡卞为相,"与其党论《实录》多诬,俾前史官分居畿邑以待问,摘千余条示之,谓为无验证。既而院吏考阅,悉有据依,所余才三十二事"③。范祖禹坐"修《实录》诋诬"④,接连贬居永州(今湖南零陵)等边远地方,死于贬所。黄庭坚谪居黔州(今四川彭水)等处。吕大防以宰相提举修史"诬诋"⑤,贬居安州(今河北安新县),再贬循州(今广东龙川),病死于途中。御史刘拯上书称:

  元祐修先帝《实录》,以司马光、苏轼之门人范祖禹、黄庭坚、秦观为之,窜易增减,诬毁先烈,愿名正国典。⑥

---

① 《长编》卷17,开宝九年十月壬子。
② 《宋史》卷343《陆佃传》。
③ 《宋史》卷444《黄庭坚传》。
④ 《宋史》卷337《范祖禹传》。
⑤ 《宋史》卷340《吕大防传》。
⑥ 《宋史》卷356《刘拯传》。

在这种政治形势下,绍圣元年(1094年)命王安石的女婿蔡卞为修撰,重修《神宗实录》。卞据王安石《日录》"尽改所修实录、国史"①。绍圣三年(1096年)成书。这是《神宗实录》的第一次重修本。

元符三年(1100年)正月己卯,哲宗崩。徽宗即位之初,向太后听政,"时议以元祐、绍圣均为有失,欲以大公至正消释朋党,明年,乃改元建中靖国"②,试图建立一个调和的政局。在这种政治气氛下,陈瓘上言:

> 伏闻《王安石日录》七十余卷,具载熙宁中奏对之语。此乃人臣私录,非朝廷典册。自绍圣再修,凡日历、时政记及御集所不载者,往往专据此书追议刑赏,宗庙之美皆为私史所攘,愿诏史官别行删修。③

于是在次年六月下诏订正。但此次删修是否完成,《玉海》未作交待。按李焘《续资治通鉴长编》引《神宗实录》共4种版本,即墨本、朱本、秘书省国史院本、新本。又李焘在乾道五年(1169年)的奏章中说:"《神宗实录》初修于元祐,再修于绍圣,又修于元符,至绍兴初凡四修。"④据此可以认为,元符删修的本子修成未进,故李焘称其为"秘书省国史院本"。此即第二次重修本。

北宋的灭亡,旧党归罪于王安石变法,及以后新党的执政。高宗即位以后,即排斥新党。建炎初高宗就提出"神宗史录,事多失实"⑤,绍兴四年(1134年)降诏重修。选范祖禹的儿子范冲及反对新党曾上章论绍圣中"章惇取王安石《日录》私书改修《神宗实录》"⑥的常同,负责编修。绍兴六年(1136年)成书。范冲又"为《考异》一书,明示去取,旧文以墨书,删去者以黄书,新修者以朱书,世号'朱墨史'"⑦。这是第三次重修,同年十二月,赵鼎罢相,朝议谓改旧史非是,乃从张浚所请,下诏命何抡等重修,绍兴七年(1137年)九月,张浚以措置淮西军事失宜,辞位,赵鼎复相,在赵鼎的干预下,仅

---

① 《宋史》卷472《蔡卞传》。
② 《宋史》卷471《曾布传》。
③ 《玉海》卷48《元祐神宗实录》条。
④ 《宋会要》职官18·69。
⑤ 《玉海》卷48《绍兴重修神宗实录》条。
⑥ 《宋史》卷376《常同传》。
⑦ 《宋史》卷435《范冲传》。

对前稿做一些补缀史实的工作而已。①《神宗实录》虽经四次重修,最后亦难称为定本,每次重修,都和政局紧密联系。南宋时"国史凡几修,是非凡几易"②,是众所周知的。

所以宋代官修史书,受到政治形势的影响是不可避免的。

(四)会 要 所

会要所,也和实录院、国史院一样,是秘书省下设置的修史机构。编修会要,也是以宰相提举。乾道四年(1168年),修《四朝会要》时,以"左正议大夫,守尚书右仆射、同中书门下平章事、兼枢密使、兼提举修《四朝国史》、兼制国用使陈俊卿,兼提举编修《国朝会要》"③。会要所的行政人员"亦不别差诸司官,止就委国史院、日历所见今提举承受诸司官排办施行"④,"以编修国朝会要都大提举司为名"⑤,"就现领国史院都大提举诸司印记行使"⑥。其行政人员、印记、提举宰臣,皆与国史院、日历所同。由此可知,会要所、日历所、实录院、国史院都是在秘书省下设置的修书机构,在行政上基本上是一套组织,只是因为编修官及其所修书不同,而各有不同的机构名称。

宋代编修本朝会要,与修实录、国史的单纯修史不同,更重要的是编集政府档案,供处理朝政参考。王珪《乞续修国朝会要札子》说:

> 臣伏见《国朝会要》,凡朝廷检用故事,未尝不用此书。⑦

《嘉泰孝宗会要序》说:

> 继今立政立事,其一以孝宗为准。⑧

王应麟《玉海》卷51,著录宋修9种本朝会要之后,评论说:

> 自昔帝王之兴,必有一代之制,著在方册,作则垂宪。若夫国有大典,朝有大疑,于是稽以为决,操以为验。使损益废置之序,离合因革之原,不待广询博考,一开卷而尽见,此会要之书所以不可废也。
>
> 会要之书,典故尽在,所以弥缝律令之阙,相为表里。

正由于会要对施政有"作则垂宪"的作用,所以就要力求修得完备、准

---

① 参考蔡崇榜《宋代修史制度研究》。
② 周密:《齐东野语》自序。
③④⑤⑥ 《宋会要》职官18·32。
⑦ 王珪:《华阳集》卷8。
⑧ 《玉海》卷51引。

确,以达到"信叠矩重规之盛,便遗训故实之求"①的目的。宋代臣僚的奏章,往往征引会要所载故事作为自己政见的依据。今存《宋会要辑稿》礼18·37—38,载淳熙三年五月二日礼部奏章中论建昌军请于天庆观建"火德殿"事,即"检照《国朝会要》"所载崇宁三年、政和元年、七年、建炎元年诸先例为根据,而予以否定。根据《会要》所载先例提出政见的事例,在《宋会要辑稿》中为数甚多。所以宋朝皇帝也认为:"《会要》,祖宗故事之总辖,不可缺也。"②

宋代所修本朝会要,具有档案汇编的性质,是当代处理政务的依据,所以编修会要时对调集资料是十分重视的。徽宗朝崇宁以后,置编修会要所,定九域图志所二局。王黼当政,欲尽去冗费,专事燕山,于是在京诸局皆罢,编修会要亦不复置官。程俱在《麟台故事》卷2《职掌》门评论说:

> 初罢诸局,[王]黼念贵倖恐复造膝开陈,卒不可罢,于是得旨亟行,令局官当日罢,书库官人吏,皆即赴吏部。于是文书草沓皆散失。乃不知朝廷每有讨论,不下国史院而常下会要所者,盖以事各类从,每一事则自建隆元年以来至当时,因革利害源流皆在,不如国史之散漫简约,难见首尾也。故论者惜其罢之无渐而处之无术也。

有关朝廷讨论的资料,"不下国史院而常下会要所",这说明编纂会要所根据的资料,比编修国史更加丰富。

编修会要的依据大致有以下几个方面:

第一,国史。现存《宋会要辑稿》职官、食货类各门篇首的序言,多注明引自《两朝国史》、《神宗正史》、《哲宗正史》、《四朝国史》,即是明证。

第二,日历、实录。乾道五年(1169年)修《四朝会要》时,秘书少监汪大猷等上言说:蔡攸所修《政和会要》,议论好恶不同,不可尽循,"乞许令本省重照《实录》诸书,再加删定"③。乾道六年(1170年),开始修高宗、孝宗朝会要,秘书省上言称:"所有照修文字,合用太上皇帝、今上皇帝《日历》,参照编修。"④

第三,调集诏令。乾道六年(1170年)秘书省上言称:

---

① 王珪:《华阳集》卷9《进国朝会要表》;《玉海》51有节文。
② 章如愚:《山堂先生群书考索》续集卷16;《建炎以来系年要录》卷188。
③ 《宋会要》职官18·33。
④ 《宋会要》职官18·34。

> 本省编修《国朝会要》,已降指挥,自建炎元年接续修至乾道五年。续准指挥,许逐旋关用建炎以后《日历》编修。缘其间多经去取,未为详备,欲望特降指挥,在内令六部行下所属,在外令诸路监司行下所管州军,将建炎元年以后至乾道五年终应被受诏书及圣旨指挥,内百司限一月,外路州军限一季,并录全文赴省送纳,照用编修,所贵大典不致疏略。①

各级政府如不能按上述要求抄送,就要受到处罚。乾道九年(1173年)秘书少监陈骙等上书提到,奉旨编修《会要》,取索内外官司文字,诸司视为闲慢,"伏望严限,依应回报,如违依见行条法施行"②,"诏依,仍限五日回报"③淳熙三年(1176年),又"诏限三日回报,违戾去处,开具当行人吏姓名,申尚书省"④。这就保证了编修会要的资料,使有宋一代的典章制度分门别类、系统地编集在一起。对后人来说,就成为研究宋代典章制度最丰富的史料。

宋会要既是编集宋代典制的档案资料,势必包括大量的国家机密。《南宋馆阁录》卷6《故实》门有《门禁》一条云:"日历所、会要所、国史院,准敕,辄入,流三千里;凡所见闻因而泄漏,并当军令。"告者"赏钱三百贯"。

两宋320年,外患不绝,雕版印刷盛行,因而宋政权就有禁止雕印的必要。元祐四年(1089年),苏辙使辽返回后,上书说:"朝廷得失、军国利害、臣僚奏章及士子策论,若使得流传北界,则泄漏机密。"⑤元祐五年(1090年),因苏辙之请立法如下:

> 凡议时政得失,边事军机文字,不得写录传布。本朝会要、实录不得雕印。违者徒二年,告者赏钱十万。⑥

南宋法律规定:

> 诸雕印御书、本朝会要及言时政边机文书者,杖八十。并许人告。即传写国史、实录者,罪亦如之。⑦

由此可知,宋代的实录、国史、会要,在法律上是禁止雕印和传抄的。但实际上由于官僚们需要援引旧例,往往有写本流传。《宋会要辑

---

① ② ③ 《宋会要》职官18·35。
④ 《宋会要》职官18·37。
⑤ 苏辙:《栾城集》卷41。
⑥ 《宋会要》刑法2·38。
⑦ 《庆元条法事类》卷17文书门二《私有禁书敕》。

稿》崇儒4·21—23载：绍兴初年，进士何克忠上《太祖实录》4册、《国朝会要》3册。右金吾卫上将军张琳妻王氏，上六朝实录、会要、国史志等书。唐开上王珪重修会要300卷。又征得故执政林摅家太祖以来国史、实录、国朝会要等书。知静江府许中上《政和重修国朝会要》1部。这就证明，官僚中是有写本流传的。所以北宋灭亡时，典籍虽然全部北运，而南宋仍能在民间将北宋的实录、国史、会要搜集起来。

宋代自天圣八年（1030年）诏修《庆历国朝会要》，迄淳祐二年（1242年）《宁宗会要》第4次进书，共成书11种。计有：

1.《庆历国朝会要》150卷，起太祖建隆元年（960年），迄仁宗庆历三年（1043年），章得象监修。

2.《元丰增修五朝会要》300卷，起建隆元年（960年），迄神宗熙宁十年（1077年），王珪请修。

3.《政和重修国朝会要》111卷，起建隆元年（960年），迄徽宗政和，仅成帝系、后妃、吉礼三类。蔡攸重修。

4.《乾道续四朝会要》300卷，起治平四年（1067年）神宗即位，迄靖康二年（1127年），汪大猷等纂修。

5.《乾道中兴会要》200卷，起建炎元年（1127年），迄绍兴三十二年（1162年），陈骙编类。

6.《淳熙会要》368卷，起绍兴三十二年（1162年）孝宗即位，迄淳熙十六年（1189年），陈骙编类。

7.《嘉泰孝宗会要》200卷，起绍兴三十二年（1162年），迄淳熙十六年（1189年），邵文炳请修。

8.《庆元光宗会要》100卷，起淳熙十六年（1189年）光宗即位，迄绍熙五年（1194年），葛邲等纂修。

9.《宁宗会要》150卷。起绍熙五年（1194年）宁宗即位，迄嘉定十七年（1224年），陈自强等奏进。

10.《嘉定国朝会要》588卷。起建隆元年（960年），迄乾道九年（1173年），张从祖类辑。

11.《国朝会要总类》588卷。起建隆元年（960年），迄嘉定十七年（1224年）。李心传等修。

宋代所修11种本朝会要，皆已散佚。明初修《永乐大典》时将李心传所修《国朝会要总类》（即《十三朝会要》）收入，今存者为清嘉庆中徐松辑自《永乐大典》的稿本，由北平图书馆、中华书局、台湾世界书局及新文丰出版公司先后影印出版，但原稿尚待进一步整理。

(五) 玉 牒 所

玉牒所掌修皇室族谱,其制始于唐朝。高似孙《史略》卷3称:"玉牒见于唐,所以尊世系,分宗谱也……其在本朝,世系之外,更为一史以记大事。"太宗至道初,命刑部郎中张洎、史馆修撰梁周翰编《皇属籍》,未成书张洎卒。真宗咸平四年(1001年)梁周翰与宗正卿赵安易修成33卷奏上。大中祥符六年(1013年),"诏以《皇宋玉牒》为名"①,其修书之所设在秘阁。宋代玉牒所设局置官,应始于太宗至道初年。元丰官制,属宗正寺。南宋绍兴十二年(1142年),始复玉牒所,于宗正寺置局,以宰臣一人提举,修玉牒官一人,以侍从兼修,宗正寺卿、少卿而下悉与修纂。绍兴二十九年(1159年)诏玉牒所并入宗正寺,以本寺少卿及丞同领编修事,宰臣提举依旧。

玉牒所编修的书籍有4种,绍兴十一年(1141年)宗正寺丞邓大受上言称:

> 宗正寺旧掌之书,其目有四:曰皇帝玉牒,曰仙源积庆图,曰宗藩庆系录,曰宗支属籍。因建炎南渡,寺官失职,悉举四书于江浒而逸之。②

其中皇帝玉牒"专书一代大事,视昔迁、固实为帝纪"③,与正史中的帝纪一样,记载国家大事。

玉牒编写的材料范围是有限的。淳熙二年(1175年)宗正少卿程叔达上言说:"玉牒修书止以实录、帝纪为则,其旁见他书者,未敢广取,恐未详尽。乞下修书官属许参考诸书修入。"④事下国史实录院议,认为"除会要、圣政、政要、宝训、训典系史馆藏书,合许参考修入外,其他传记碑刻,窃恐登载未实,难以照用"⑤。除上述许用成书外,还通过行政系统调集材料。比如有关皇帝诞圣、授官、冠礼、出阁、出官、节次转官、除拜差遣,以及皇后、皇子、皇女的有关事宜,外地宗室的材料,皆通过行政系统调集,但一般说来,较之实录院、国史院、会要所的规模要小得多。宋代玉牒今存者有刘克庄修宁宗朝《玉牒初草》二卷,收入《后村先生大全集》及《藕香零拾》中。

---

① 《皇宋玉牒》定名时间据《宋会要》职官20·55及《长编》卷80。《宋史》卷164、《文献通考》卷55系于淳化六年。按淳化止五年,今不取。
② 《宋会要》职官20·57,《宋史》卷164《职官四》。
③ 《宋会要》职官20·52。
④⑤ 《宋会要》职官20·42。

宋代的修史机构名称繁多，隶属关系也多有变化，诸修史机构多是临时置局，不过由于各种官修史籍皆不断编修，形同常设，故宋志诸书多以之为机构名称。这些修史机构，使用印记和行政人员往往是相同的，所修书籍亦未必皆与机构名称相符。如绍兴二十一年（1151年），"诏国史日历所编修《宰辅拜罢录》"①。二十八年（1158年）"诏国史日历所，编修《神宗皇帝宝训》事毕，接续修纂《哲宗皇帝宝训》"②。淳熙十六年（1189年）国史日历所负责编类《寿皇圣帝圣政》，即援旧例"就监修国史提举，以提举编类圣政系衔……添置检讨官二员，以馆职兼，仍以兼国史日历所编类圣政系衔"③。这些圣政、宝训之类的书，历朝皆有。今存者有石介撰《三朝圣政录》1卷，收入宛委山堂本《说郛》卷49，商务本卷3中；《中兴两朝圣政》64卷，残本收入《宛委别藏》中。

宋代统治者重视修当代史，主要是为了"订正旧史，以明国论"④，以便左右舆论，巩固政权。因而不可避免地要受封建专制主义观点的支配。但是，官修史籍汇集了大量资料，为私家修史提供了极大方便，如李焘的《续资治通鉴长编》、李心传的《建炎以来系年要录》、王称的《东都事略》，皆主要依据官史，因此官史成为当代史特别发达的基础。宋代完备的修史制度，对史学发展起了重要作用。

二、宋代重要的私修史学著作

（一）欧阳修的《五代史记》

此书是欧阳修继薛居正之后所修的纪传体五代史，后人称薛史为《旧五代史》，欧史为《新五代史》。二十四史中，唐以后所修诸史，惟是书为私撰。⑤

欧阳修，字永叔，吉州永丰（今江西永丰县）人，生于真宗景德四年（1007年），仁宗天圣八年（1030年）举进士。在仁宗、英宗、神宗三朝，历任中央和地方官职，最高做到枢密副使、参知政事。他是著名的文学家和史学家，《新五代史》是他史学著作的一种。

---

①② 《宋会要》运历1·23。
③ 《宋会要》职官18·103。
④ 《建炎以来系年要录》卷121，绍兴八年八月壬午。
⑤ 《四库全书总目》卷46史部正史二。

关于《新五代史》开始编写的时间，没有明确记载，但从他写给尹洙的信中，可以了解一个大概情况。欧阳修与尹洙曾合作撰《十国志》，此后又拟合作在《十国志》的基础上撰五代正史。他在景祐三年（1036年）写给尹洙的信中说：

> 前岁所作《十国志》，盖是进本，务要卷多。今若便为正史，尽宜删削，存其大要；至如细小之事，虽有可纪，非干大体，自可存之小说，不足以累正史。数日检旧本，因尽删去矣，十亦去其三四。师鲁（尹洙字）所撰，在京师时不曾细看，路中昨来细读，乃大好。师鲁素以史笔自负，果然。河东一传大妙，修本所取法，此传为[最]，此外亦有繁简未中，愿师鲁亦删之，则尽妙也。正史更不分五史，而通为纪传。今欲将梁纪并汉、周，修且试撰。次唐、晋，师鲁为之，如前岁之议。其他列传约略，且将逐代功臣，随纪各自撰传，待续次尽，将五代列传姓名写出，分而为二，分手作传。①

但是这个合作计划，却由于尹洙去世，而改由欧阳修单独完成了。在这封信中，欧阳修已明确提到为修正史，而对《十国志》开始删削，可以看做是《新五代史》开始编修的时间。

《新五代史》初稿成于皇祐五年（1053年），这一年他写给梅尧臣的信中说：

> 闲中不曾作文字，只整顿了《五代史》，成七十四卷。不敢多令人知，深思吾兄一看。②

在至和元年（1054年）写给徐无党的信中说：

> 《五代史》，昨见曾子固议，今却重头改换，未有了期。仍作注，有难传之处。盖传本固未可，不传本则下注尤难。此须相见可论。③

当与曾巩讨论之后，又对全书包括注文作系统的修改。修改本何时完成，也没有明确记载。据嘉祐五年（1060年）欧阳修所上《免进五代史状》，当时与欧阳修共同在唐书局的范镇等人，奏请朝廷取欧著《五代史》草本，付唐书局缮写上进。虽然在这篇奏状中提到"铨次

---

① 《欧阳修全集·居士外集》卷17《与尹师鲁书》第二。
② 《欧阳修全集·书简》卷6《与梅圣俞》第二十三首。
③ 《欧阳修全集·书简》卷7《与渑池徐宰无党》第二首。

未成","全然未成次第",尚须"精加考定"①,但同时修《新唐书》的人已确知《新五代史》已经修改成书,所以才敢于奏请朝廷取此书缮写上进。因而嘉祐五年(1060年),可以看做《新五代史》完成的时间。不过欧阳修却采取了审慎的态度,还要进一步"精加考定"。直到熙宁五年(1072年)欧阳修死后,他的家属才将此书上进。从景祐三年(1036年)开始写《新五代史》,到嘉祐五年(1060年)修改完成,共计费时24年。

五代时期的混乱,破坏了作为封建统治思想基础的纲常伦理,"君君、臣臣、父父、子子之道乖,而宗庙朝廷,人鬼皆失其序"②。宋政权建立后,总结这一段历史,从中吸取教训是很必要的。宋太祖统治时期,就曾命薛居正监修一部《五代史》,但当时的史官多是旧人,未能摆脱五代各朝统治者的观点。同时又成书仓促,出于众手,存在不少缺点,欧阳修就认为它"繁猥失实"③。陈师锡在《五代史记序》中说:

> 五代距今百有余年,故老遗俗,往往垂绝,无能道说者。史官秉笔之士,或文采不足以耀无穷,道学不足以继述作,使五十余年间废兴存亡之迹,奸臣贼子之罪,忠臣义士之节,不传于后世,来者无可考焉。惟庐陵欧阳公慨然以自任,盖潜心累年,而后成书。其事迹实详于旧记,而褒贬义例,仰师《春秋》。

由于薛史杂乱失实,而又缺乏义例,道学事迹皆不足以传后世,其为赵宋政权借鉴的作用就很不够了。欧阳修重修五代史,"褒贬义例,仰师《春秋》",就是出于维护纲常伦理的需要,而为赵宋政权服务的。他在《十国年谱论》中说:"《春秋》因乱世而立治法,本纪以治法而正乱君",其维护纲常的思想是很明确的。欧阳修死后,朝廷征其书,于熙宁十年(1077年)颁布,与薛史并行,此后,世人遂以《旧五代史》、《新五代史》区别两书。

《新五代史》效法《春秋》的笔法,叙事、褒贬用字皆有特定的含义,用作修史的义例,从中表现出褒贬之意。这些义例,在他的外甥徐无党署名的注文中有所归纳。如处理战争的叙述:两相攻称攻,以大加小称伐,加有罪称讨,天子自往称征。战败书败绩,彼败书败之。以身归书降,以地归书附。背此而附彼书叛,自下谋上书反。用兵无

---

① 《欧阳修全集·奏议集》卷16《免进五代史状》。
② 《新五代史》卷16《唐废帝家人传论》。
③ 《郡斋读书志》衢本卷5《五代史记》条。

胜负,攻城无得失则不书。记载皇帝的行动,已至称幸,往而未至称如。对人物的称谓亦较旧史严格,清代学者赵翼说:"薛史梁祖纪,开首即以帝称之;欧史则先称朱温,赐名后称全忠,封王后称王,僭位后始称帝。"①对于"死节"、"死事",有严格区别,分别立传。《五代史记》的义例,除严格贯彻纲常伦理的原则外,在叙事方面有些是比较准确,比如在对皇帝的称谓上根据不同时期的实际地位,较之旧史,只要做了皇帝一开始就称帝,要明确得多。但是为了迁就义例,有时也不免以辞害义。如梁太祖开平二年(908年)三月,"丙子,如怀州。丁丑,如泽州"。因当时梁军攻晋之潞州,梁太祖的行动皆与战争有关,但这次战争因无胜负,按例不书,如是"往而未至之辞",这样就使读者难以了解如怀州、泽州的目的。

《新五代史》较旧史事增文省。如旧史共有本纪61卷,新史省为12卷,并增入五代与边疆民族的贡使关系。特别是欧阳修采用了不少宋人关于五代及十国的著作,是宋初修史所不能见到的。如王溥的《五代会要》,陶岳的《五代史补》,王禹偁的《五代史阙文》,钱俨的《吴越备史》和《备史遗事》等。此外欧阳修也尽量搜集未成书的家传资料,如他在《王彦章画像记》②中提到,康定元年(1040年)访得"公之孙睿所录家传,颇多于旧史",所以《新五代史》的《王彦章传》就能够比《旧五代史》写得充实一些。因此《新五代史》卷帙虽不及薛史之半,而订正之功倍之③,特别是关于十国的记载"皆欧详薛略"④,记述的内容较旧史丰富了。但是欧阳修修史的目的在于"以治法而正乱君",以为乱世的制度不足为后世法,所以不立食货、职官、选举、兵、刑诸志,只有《司天考》、《职方考》两篇,则是欧史的一个重要缺点。清代学者赵翼对欧史是肯定的,他说:"欧史不惟文笔洁净,直追《史记》,而以《春秋》书法寓褒贬于纪传中,则虽《史记》亦不及也。"⑤章学诚评论说:"欧公文笔足以自雄,而史识史学均非所长。"⑥王鸣盛的《十七史商榷》对《新五代史》虽有不少肯定之处,而对于学《春秋》,意主褒贬,则加以批评。但从史料的角度来看,两书可以互相补充,是不能偏废的。欧史也存在一些史实的错误,宋人吴

---

① 《廿二史札记》卷21《薛欧二史体例不同》条。
② 《欧阳修全集·居士集》卷39。
③ 《廿二史札记》卷21《欧史不专据薛史旧本》条。
④ 王鸣盛:《十七史商榷》卷97《南汉事欧详薛略》条。
⑤ 《廿二史札记》卷21《欧史书法谨严》条。
⑥ 《章氏遗书》外篇卷1《信摭》。

缜撰《五代史记纂误》5卷,记载"凡二百余事,皆欧阳永叔《新五代史》牴牾舛讹也"①。原书失传,清初从《永乐大典》中辑出120条,编为3卷。《四库提要》称此书对欧史"一一抉其缺误,无不疏通剖析,切中症结,故宋代颇推重之"②。

《新五代史》颁行后,在当时并没有引起学者的重视。吴缜作《五代史记纂误》,挑出二百多条舛误,司马光修《资治通鉴》多采用薛史,刘攽对欧史无韩通传也进行了批评。但到南宋以后,欧史独享盛名。金章宗泰和七年(1207年),明令削去薛史只用欧史。这主要是由于欧史效法《春秋》,突出尊王思想,"食人之禄者,必死人之事"③是欧史的中心思想。比如欧史对朱温篡唐是深恶痛绝的,一再提出"天下之恶梁久矣"④,但即使像梁太祖这样的皇帝,也是不能反对的。《梁本纪》开平三年(909年)七月,杨虔叛梁附蜀,后被捉获杀掉,则称"杨虔伏诛";对梁尽忠的则加以表扬,贝州守将张源德,因守城不降,为部下所杀,则书"死之"。在《死节传》的三个人中,梁臣王彦章居第一位。欧史用尊王思想对五代人物的严格褒贬,就直接为宋政权服务,也是为封建制度的长期存在服务。这种尊王思想,也适用于入主中国的"夷狄"。五代的唐、晋、汉三代,都是少数民族统治者建立的,由于他们在中原建立了王朝,欧史都承认他们的地位,提倡作为他们臣子,都要向他们效忠。《死事传》中的夏鲁奇、姚洪、王恩同为后唐而死,翟进宗、沈斌、王清为后晋而死,都是被肯定的人物。后晋石敬瑭勾结契丹耶律德光夺取了后唐政权,并向耶律德光称子称臣,这样无耻的行为,欧史并未认真批评,由此可以理解金朝女真统治者提倡欧史的原因所在。由于欧史比薛史更符合封建政权的需要,所以南宋以后独享盛名。到了明朝,薛史几乎不传。今之传本,乃是清四库馆臣从《永乐大典》中辑出整理的,原书早已不存了。

(二)司马光的《资治通鉴》

《资治通鉴》是一部编年体史学巨著,作者司马光是陕州夏县(今名山西夏县)涑水乡人。生于真宗天禧三年(1019年),卒于哲宗元祐元年(1086年),享年68岁。出身官僚家庭,年20中进士第。历任奉礼郎,馆阁校勘,并州通判,开封府推官,天章阁侍制兼侍讲、

---

① 《郡斋读书志》衢本卷7。
② 《四库全书总目》卷46史部正史类二。
③ 《新五代史》卷32《死节传论》。
④ 《新五代史》卷2《梁本纪论》,卷32《死节传论》。

知谏院,龙图阁直学士,神宗即位任翰林学士,御史中丞。熙宁三年(1070年)王安石执政,因反对变法,辞枢密副使出知永兴军,请判西京御史台,居洛阳15年,修成《资治通鉴》。

司马光自称"好史学"①,"自幼至老,嗜之不厌"②。由于旧的史书文字繁多,"自布衣之士,读之不遍,况于人主,日有万几,何暇周览"③,所以早就有"删取其要,为编年一书"④的打算。治平元年(1064年)撰《历年图》7卷,将周威烈王二十三年至周世宗显德六年,即《资治通鉴》所包括的年代,编成年表。治平三年四月,又修成《通志》8卷,即后来《资治通鉴》的周纪、秦纪。奏进后,深得英宗赞许,命他于秘阁置局,续修其书,许借龙图、天章阁及三馆、秘阁藏书。神宗即位后,每开经筵,常令进读,神宗亲为之作序,赐名《资治通鉴》。及补外,"仍听以书局自随,给以禄秩,不责职业"⑤,专意著述15年,至元丰七年(1084年)成书,前后共历时19年。

司马光选择范祖禹、刘恕、刘攽为同修,用他的儿子司马康检阅文字,组成一个五人的修书班子。三名修书的助手,对史学都有很深的造诣,也都是与司马光志同道合的学者,他们分任搜集编排材料的工作,由司马光删定。刘攽负责两汉,刘恕负责魏晋至隋和五代十国,范祖禹负责唐。整个工作分成三个步骤,先做丛目,再成长编,然后定稿。编写丛目的要求,司马光在《答范梦得书》中,以写《唐纪》丛目为例,提出的要求是:按《实录》所记诸事立目,将两唐书并诸家传记、小说、文集稍干时事者,依年月注所出篇卷于逐事之下,《实录》所无者,也要依年月添附。无日者附于其月下,称"是月";无月者附于其年下,称"是岁";无年者,附于其事之首尾。无事可附者,则约其时之早晚,附于一年之下。但稍与其事相涉者即注之,过多不害。俟如此附注俱毕,然后修长编。编写丛目的目的,在于全面占有史料。

编制长编采取"宁失于繁,毋失于略"的原则。在《答范梦得书》中,司马光提出编制长编的要求,大致是:将丛目记载的资料全部阅读,其中事同文异者,择其中明白详备者录之;互有详略者,则综合诠次自用文辞修正之,这是属于修入的正文。遇年月或事迹不同者,选择其中证据分明情理近实者,修入正文,余者附注于下。附注次序,先注所舍去者云"其中云云,某书云云,今按某书证验云云";或无验证,则注明"以事理推之云云,今从某书为定";若无以考其虚实是非

---

①④ 《司马温公文集》卷1《进通志表》。
②③⑤ 《司马温公文集》卷1《进资治通鉴表》。

者,则云"今两存之"。凡年号皆以后来者为定,如武德元年,从正月便为唐武德元年,更不称隋义宁二年。诗赋若止为文章,诏诰若止为除官,及妖异止于怪诞、诙谐止于取笑之类,便可直删。凡国家灾异本纪所书者,并存之,其强附时事者,不须也。凡人物初入长编者,并于其下注云"某处人";或父祖已见于前者,则注云"某人之子或某人之孙"。由上可知,编写长编是对丛目中所有的资料进行全部系统的审查,从中鉴别筛选有用的资料,用严格的标准和明确的体例编入正文和附注,它实际上是对原始资料进行了初步整理和加工的编年史初稿。

丛目和长编由三位助手负责,刘恕的儿子羲仲在《通鉴问疑》中说:"先人在书局,止类事迹,勒成长编。其是非予夺之际,一出君实笔削。"唐纪的长编六百余卷,司马光用三天功夫只能删定1卷,定稿止成81卷。司马光定稿时,按照"关国家兴衰,系生民休戚,善可为法,恶可为戒"①的标准删去繁冗,并考订史料的异同,评论史事是非,统一体例,修饰文字,使全书记事可信,并使标准、体例和文章风格一致,如出一人之手,工作量是很大的。正如他在《进资治通鉴表》中所说:"研精极虑,穷竭所有,日力不足,继之以夜。遍阅旧史,旁采小说,简牍盈积,浩如烟海,抉摘幽隐,校计毫厘。""臣之精力,尽于此书。"

所修《资治通鉴》,上起战国,下终五代,凡1362年,修成294卷。仍另撰《资治通鉴目录》30卷,仿年表体例,将书中史事摘要之语,按时间顺序排列,并注明卷数,以备检阅,实际上是该书的索引。《四库提要》指出:"用目录之体,则光之创例。《通鉴》为纪、志、传之总会,此书又《通鉴》之总会矣。"②

又撰《通鉴考异》30卷,与《目录》并随《资治通鉴》奏上。在编制长编和修成《通鉴》的过程中,对于群书中材料的异同,经过研究,选择可靠的材料编入,把不同的记载和选择的理由汇集起来,编成《考异》一书,以解除将来之惑。《四库提要》评论说:"昔陈寿作《三国志》,裴松之注之,详引诸事错互之文,折衷以归一是,其例甚善。而修史之家,未有自撰一书,明所以去取之故,有之,实自光始。"③

司马光本打算继《通鉴》之后,再编一部《资治通鉴后记》,记北宋建国以后的历史,《涑水记闻》就是为撰《后记》所准备的资料汇编

---

① 《司马温公文集》卷1《进资治通鉴表》。
②③ 《四库全书总目》卷47史部编年类。

之一。①

司马光晚年著《通鉴举要历》80卷,是《通鉴》的节本,因不是定稿,无刻本流传。《通鉴释例》1卷,是南宋人所编司马光修《通鉴》时所定凡例,后附《与范祖禹论修书帖》二通。

刘恕撰《资治通鉴外纪》10卷,起三皇五帝,迄周威烈王,为《通鉴》的补编。其子羲仲所撰《通鉴问疑》1卷,记编写《通鉴》过程中恕与司马光讨论的意见。范祖禹写成《唐鉴》20卷,将与司马光意见不同的看法别成一书。以上都是与编修《通鉴》有关的著作。

司马光自称,他修《通鉴》时"遍阅旧史,旁采小说,简牍盈积,浩如烟海"②,他究竟采用多少书的问题,史籍记载不同。宋人高似孙在《史略》中设《通鉴参据书》专条,首先引出参据书目,并称"《通鉴》中所引援二百二十余家"。《文献通考》、《四库提要》据高氏另一部书《纬略》"通鉴"条记载的数字,但《通考》卷193称"《通鉴》采正史之外,其用杂史诸书凡222家"。《四库提要》卷47称,"《通鉴》采用之书,正史之外,杂史至322家"。今守山阁本《纬略》作222种,这一百之差,在史学界一直争论不休。陈光崇《通鉴引用书目的再考核》一文,经过反复核对以后的结论是359种。③ 这些书已有半数散佚,由于《通鉴》摘引而保存了部分内容。《通鉴》是根据当时所能见到的大量书籍,经过系统深入的研究,用严格的求实精神编制而成的著作,历来得到重视。马端临在《文献通考》自序中说:"司马温公作《通鉴》,取千三百年之事迹,十七史之纪述,萃为一书,然后学者开卷之余古今咸在。"《四库提要》评论说:"其书网罗宏富,体大思精,为前古所未有。"④清代学者王鸣盛说:《通鉴》是"天地间必不可无之书,亦学者必不可不读之书也"⑤。封建社会的学者,对《通鉴》作出这样高的评价,主要着眼于该书对维护封建政权的作用;我们今天肯定《通鉴》,是因为该书整理和考订的大量史料,在历史编纂学上做出了重大的贡献,并成为我们学习和研究祖国古代史的重要文献。

《资治通鉴》也存在一些体例和内容方面的缺点:在纪年的体例上,使用一个特定的王朝年号按年记事,这在统一的时代是没有问题

---

① 邓广铭:《略论有关涑水记闻的几个问题》,见中国宋史国际学术讨论会文;中华书局点校本《涑水记闻》篇首。
② 《司马温公文集》卷1《进资治通鉴表》。
③ 见中国宋史研究会第4届年会(1987年)论文。
④ 《四库全书总目》卷47史部编年类。
⑤ 王鸣盛:《十七史商榷》卷100《资治通鉴上续左传》。

的,在分裂时代就会使纪年和记事脱节。比如三国时期,只用曹魏年号,南北朝时期只用南朝年号,这就给读吴、蜀及北朝史事者带来困难。其书既以借古鉴今为目的,在内容上重在编写治乱兴衰及军事方面的史料,而对于典章制度,特别是文化方面则记载甚少,这些都是美中不足之处。

《资治通鉴》修成后,就受到学者的注视。南宋时期史炤撰《通鉴释文》30卷,宋末元初人胡三省撰《通鉴音注》294卷、《释文辨误》12卷,王应麟撰《通鉴地理通释》14卷。史氏《释文》多有错误,胡氏《释文辨误》多所纠正。王氏《地理通释》,是考证古代地理的重要著作。胡氏《通鉴音注》是《通鉴》的最好注本,一般简称胡注。胡三省,字身之,台州宁海人,生于宋理宗绍定三年(1230年),卒于元大德六年(1302年)。宝祐四年(1256年)进士及第后,就开始搜集资料,仿《经典释文》之体,撰《资治通鉴广注》97卷,单独成书,不载《通鉴》原文。此稿在蒙古灭宋的战乱中散失。以后重作时,才以《通鉴考异》和他的注文编入《通鉴》原文之下,即今之传本,元世祖至元二十二年(1285年)完成,总计费时达30年之久。在宋朝以前,除前四史有注外,《晋书》以下无前人的注释可循,都是属于胡氏所创,难度是很大的。胡注对于《通鉴》的名物、制度、地理、史实异同、少数民族、外国情况均有注,并在注文中逐一指明《通鉴》记事的前后照应,指出《通鉴》存在的错误和行文不妥之处;特别是在注文中也发挥了他的反元思想,陈垣在抗日战争期间,撰《通鉴胡注表微》一书,对此作过专门研究。

《资治通鉴》在史书编纂方面,也产生了重大影响,除上述与《通鉴》有关的各书外,南宋李焘的《续资治通鉴长编》,李心传的《建炎以来系年要录》,是续《通鉴》的史书;袁枢的《通鉴纪事本末》,则针对编年体难见一事首尾的缺陷,创纪事本末体;元朝以后,这些方面的史学著作甚多,都是在《通鉴》的影响下出现的。

(三)李焘的《续资治通鉴长编》

李焘,字仁甫,又字子真,号巽岩,眉州丹稜(今四川丹稜县)人,是唐宗室曹王后裔。父亲李中,大观三年(1109年)进士,曾为四川地方官,家富藏书,且熟悉本朝典故。焘生于政和五年(1115年),卒于淳熙十一年(1184年)。绍兴八年(1138年)进士及第,在四川任地方官二十多年。乾道三年(1167年)以后,历任内外官职,至敷文阁直学士、兼侍讲,同修国史,而以从事修史工作最久。他曾撰神、哲、徽、钦《四朝史稿》50卷①；与洪迈一起撰《四朝国史》350卷，其中诸志200卷"多出李焘之手"②；与吕祖谦一起重修《徽宗实录》200卷，《考异》25卷，《目录》25卷③等。所修《国史》、《实录》已佚，因此，他在史学著作上的最重要成就是《续资治通鉴长编》。

李焘仿司马光修《资治通鉴》的义例，继《通鉴》之后，将北宋太祖至钦宗九朝168年史事，修成《续资治通鉴长编》，其所以不称《续通鉴》而止称《长编》，一方面是由于李焘自谦，不敢将此书与《通鉴》并列；同时他所采取的"宁失于繁，毋失于略"的原则，是遵循司马光先为丛目，再修长编，然后删定成书的方法，先修成长编，并请孝宗"择耆儒正直若（司马）光者，属以删削之任"④，使之成为续《通鉴》之后的北宋九朝编年史；同时他称自己所修"篇帙或相倍蓰，则长编之体当然"⑤。由此可知，李焘本来就是按长编的要求编纂的。

李焘自称"尝尽力史学，于本朝故事尤且欣慕。每恨学士大夫，各信所传，不考实录、正史，纷错难信"，因此"愤发讨论，使众说咸会于一"⑥。将"纷错难信"的北宋历史记载，编成一部"会于一"的信史，便是他修《续资治通鉴长编》的宗旨。

李焘开始修《长编》的时间，缺乏明确记载，他在淳熙十年（1183年）69岁时所上进书表中说："臣网罗收拾垂四十年"，据此可以推知，他30岁左右，在四川任地方官时已着手搜集资料。绍兴二十九年（1159年），他修成《皇朝公卿百官表》112卷⑦，为编纂《长编》做好准备。周必大说："《长编》之书，盖始于此。"⑧此后，随着修书工作的进展，共进书五次。

隆兴元年（1163年）李焘知荣州时第一次进太祖一朝《长编》17卷。

乾道三年（1167年）召对，除兵部员外郎兼国史院编修官。四年第二次进太祖至英宗五朝《长编》108卷，其中太祖一朝对第一次进本稍有增益。

淳熙元年（1174年）自知泸州被召，除江西路转运副使。二年第三次进神宗、哲宗两朝《长编》417卷。四年第四次进徽宗、钦宗两

---

①⑧ 《周益公大全集·平园续稿》卷26《敷文阁学士李文简公焘神道碑》。
② 洪迈：《容斋三笔》卷13《四朝国史》条。
③ 《玉海》卷48《绍兴徽宗实录》条。
④⑤⑥ 《文献通考》卷193引李焘进长编奏状。
⑦ 《宋会要》崇儒5·6。

朝①《长编》。

李焘将所修北宋九朝《长编》，分四次进书之后，又对全书进行了系统的修订，修订后的定本，于淳熙十年（1183年）投进。定本的状况，李焘在上言中说：

> 臣累次进所为《续资治通鉴长编》，今重别写进，共五百八十卷，计六百零四册。其修换事总为目一十卷。又缘一百六十八年之事，分散为九十八卷之间，文字繁多，本末颇难立见，略存梗概，庶易检寻，今创为建隆至靖康《举要》六十八卷，并卷总目共五卷。已上四种，通计一百六十二卷，六百八十七册。②

全部成果由四个部分组成，总计超过千卷。《长编》记事翔实，《举要》是其节本，《目录》为检索工具，《修换事目》是定稿时修换史事的目录。

李焘以一人之力成此巨著，用力甚勤。他在淳熙十年（1183年）的奏状中说："臣网罗收拾，垂四十年，缀茸穿联，逾一千卷。牴牾何敢自保，精力几尽此书。"③淳熙十一年，即进全书的第二年，李焘病逝，享年70岁。

李焘在编纂《长编》的工作中，充分占有资料，以便考订异同，定其疑谬。叶适评论说："凡实录、正史、官文书，无不是正就一律也；而又家录、野记，旁互参审，毫发不使遁逸，邪正心迹，随卷较然。"④他搜集资料，也采取了比较科学的方法。周密《癸辛杂识》记载李焘为《长编》积累资料的方法说："作木厨十枚，每厨作抽屉匣二十枚，每屉以甲子志之。凡本年之事，有所闻必归此匣，分月日先后次第之，井然有条，真可为法也。"

李焘用司马光修《通鉴》时所用的长编体裁，采用"宁失于繁，毋失于略"的原则，有助于他将众说"咸会于一"的修书宗旨。他用正文表述自己的见解，用注文列出不同的记载并加以考订；不仅能保存大量的宋代史料，而且他在考订异同中的见解也是比较客观的。周必大说："《长编》考证异同，罕见其比。"⑤汪应辰则说："凡经传，历代

---

① 《周益公大全集·平园续稿》卷26《敷文阁学士李文简公焘神道碑》。
②③ 《文献通考》卷193引李焘进长编奏状。按，《通考》将此文系于淳熙九年，裴汝诚《续资治通鉴长编版本考略》（《文史》第12辑），据周必大《周益公大全集·平园续稿》卷26，李心传《建炎以来朝野杂记》甲集卷4，及王应麟《玉海》卷47，定为淳熙十年，今从之。
④ 《叶适集》卷12《巽岩集序》。
⑤ 《周益国文忠公集》附录4，楼钥撰《神道碑》。

史书,以及本朝典故,皆究极其末,参考异同,归于至当。"①虽然他的考订不无少量失误,但总的说来,由于他的治学态度严谨,使《长编》能够成为"使众说咸会于一"的信史。

由于李焘尊重史实,注意保存重要史料,所以在一定程度上能够避免以私意取舍的片面记述。比如在王安石变法的问题上,周必大说他"博览经传,独不乐王安石学"②,在政治上也是反对变法的。但在《长编》中除采用司马光、文彦博、韩琦、陈瓘等反变法派人物的记录外,也保存了王安石《熙宁奏对日录》、吕惠卿《日录》、《吕惠卿集》、曾布《日录》、沈括《自志》等著作的节文,使后人能够在《长编》中看到早已散佚的变法派人物的部分记录,这对于比较全面地了解变法是很有价值的。

关于李焘所修《长编》的成就,自南宋以来,一直是被肯定的。南宋张栻称赞李焘"如霜松雪柏,无嗜好,无姬侍,不殖产。平生生死文字间。《长编》一书,用力四十年"③。宋孝宗称"其书无愧司马迁"④。并答应为之写序而未果。叶适称"李氏《续通鉴》,《春秋》之后,才有此书"⑤。清代学者朱彝尊说:"宋儒史学,以文简(李焘)为第一,盖自司马君实、欧阳永叔书成,犹有非之者,独文简免于讥驳。"⑥朱氏的评论,未必全合事实,如朱熹就曾批评《长编》"书靖康事最疏略",及用不确切的纪载作正文,"可信者,反为小字以疏其下,殊无统纪"⑦。今本《长编》卷15记载开宝七年十月,太祖派曹彬率军南下事,云"以剑匣授彬曰:副将以下,不用命者斩之。潘美等皆失色,不敢仰视"。李心传《旧闻证误》卷1据《三朝国史》,潘美是从山南东道节度使任上起程,未曾经过京师。《长编》记载当有错误。但个别的失误,并不能否定《长编》的成就。

《长编》原书达980卷,篇幅过大,刻印困难。秘书省只有历次所上李焘的写本,并有秘书省奉诏"依《通鉴》字样大小缮写"⑧的抄本。民间虽有前五朝的刻本,但多有节略。今存宋刻《续资治通鉴长编》108卷、《续资治通鉴长编撮要》108卷,都是前五朝的节本。由于没有

---

① 汪应辰:《文定集》卷12《荐李焘与宰执书》。
② 《周益国文忠公集》附录4,楼钥撰《神道碑》。
③④ 《宋史》卷388《李焘传》。
⑤ 《叶适集》卷12《巽岩集序》。
⑥ 朱彝尊:《曝书亭集》卷45《书李氏〈续通鉴长编〉后》。
⑦ 《朱子语类》卷130,中华点校本,3 132~3 133页。
⑧ 《玉海》卷47《乾道续资治通鉴长编》。

全书刻本,所以元明以来,已无足本流传。明初修《永乐大典》,将太祖建隆至哲宗元符七朝《长编》采入。清乾隆间,四库馆臣从《永乐大典》抄出,重新编为520卷,与全书相比较,缺徽、钦两朝、英宗治平四年四月至神宗熙宁三年三月、哲宗元祐八年七月至绍圣四年三月、元符三年二月至十二月的史事。这个辑本收入《四库全书》,分藏七阁,因称阁本。

嘉庆二十四年(1819年),常熟张金吾据杭州文澜阁《长编》的抄本,用活字排印,因张氏藏书室而称爱日精庐本。

光绪七年(1881年),浙江巡抚谭钟麟主持,用黄以周、俞樾等人,以爱日精庐本作底本,以文澜阁残本及宋刻撮要本相校,并参考了其他宋人著作一百七十余种校勘后,刻版印刷,称浙江书局本。另外又用杨仲良《续资治通鉴长编纪事本末》所采《长编》史文,补阁本的残文,以元人托名李焘的《续宋编年资治通鉴》作注,编成《续资治通鉴长编拾补》60卷。①

(四)李心传的《建炎以来系年要录》和《建炎以来朝野杂记》

李心传,字微之,隆州井研(今四川井研县)人。生于乾道二年(1166年),卒于淳祐四年(1244年),享年79岁。② 其父舜臣为乾道二年进士,对经学造诣甚深,所著《易本传》33篇,为朱熹所称道。曾任宗正寺主簿,参与重修《裕陵玉牒》,对李心传治学影响甚深。李心传在《建炎以来朝野杂记·甲集自序》中说:"心传十四五时,侍先君子官行都,颇得窃窥玉牒所藏金匮石室之副;退而过庭,则获剽闻名卿才大夫之议论。"

李心传"有史才,通故实"③,庆元元年(1195年)30岁时举乡荐,二年,弟道传中进士,心传落第,遂"绝意不复应举,闭户著书"④,开始撰《建炎以来系年要录》和《建炎以来朝野杂记》。嘉泰二年(1202年)成《建炎以来朝野杂记》甲集20卷。开禧三年(1207年),正当修订《朝野杂记》乙集的时候,有旨给札上所著《高庙系年》。⑤嘉定元年(1208年)进《高宗系年要录》200卷。九年(1216年)又成《朝野杂记》乙集20卷。宝庆二年(1226年)因崔与之、许奕、魏了翁等前

---

① 以上参考裴汝诚《〈续资治通鉴长编〉版本著录考略》,载《文史》第12辑。
② 据方壮猷《南宋编年史家二李年谱》,载《中国史学史研究》1981年第1期。
③④ 《宋史》卷438《李心传传》。
⑤ 《建炎以来朝野杂记》乙集自序,《高庙系年》即《建炎以来系年要录》。

后23人推荐,自四川制置司奉诏至临安,入国史院,参加编修高、孝、光、宁《中兴四朝帝纪》。后因言者罢,添差通判成都府,奉诏置局,踵修《十三朝会要》。此后又入史馆参加国史、实录的编修。淳祐四年(1244年)79岁,卒于吴兴寓所。

《建炎以来系年要录》200卷,专记高宗朝36年史事,仿《通鉴》体例,与李焘《续资治通鉴长编》相接,取材以高宗朝的《日历》、《会要》为主,并参考大量的私家著作,"可信者取之,可削者辨之,可疑者缺之"①,以集众说之长。《四库提要》称"其书虽取法李焘,而精审较胜"。

李心传编纂此书的目的,就在于保存宋政权南迁以来的信史,许奕在奏状中引述李心传的话说:

> 尝谓中兴以来明君良臣,丰功盛烈,虽已见之《实录》等书,而南渡之初,一时私家记录,往往传闻失实,私意乱真,垂之方来,何所考信,于是纂辑科条,编年记载,久而成编,名曰《建炎以来系年要录》。②

因此,对材料的考订,非常精审。

《系年要录》用200卷的篇幅,记载高宗一朝36年史事,材料丰富,叙事翔实而条理分明,特别是据事直书,为宋代官修史书所不及。《四库提要》称其书"宏博而有典要","文虽繁而不病其冗,论虽歧而不病其杂,在宋人诸野史中,最足以资考证",书中对张浚攻李纲、枉杀曲端等事的论述,皆"一一据实直书,虽朱子行状亦不据以为信"。

《系年要录》成书后,当时就受到学者的重视,曾晹、许奕均上书,请宣取此书付史馆,以备史官采择。李心传也因此获得很大声誉,终于在宝庆二年(1226年)以魏了翁等23人交章推荐,担任了史官。该书在理宗宝祐初(1253年)曾刊行于扬州,因卷帙过大流传不便,元末修《宋史》时未能访到。明初,文渊阁藏一部20册,被采入《永乐大典》,此后原书散佚。清修《四库全书》时辑出,重定卷次,仍分为200卷,另附考证于各卷之末。辑本与原书相比,已发生了一些变化,书中涉及金朝的人名、地名、官名,已据《金史·国语解》加以窜改;注文中除李心传原注之外,又增入了四库馆臣所加按语;此外,修《永乐大典》时附入的文字,因"无别本可校,理贵缺疑,姑仍其旧"③,也仍

---

①② 《建炎以来系年要录》卷首《付出高宗皇帝系年要录指挥》引许奕奏状。
③ 《四库全书总目》卷47史部编年类。

然保留在辑本中。

《建炎以来朝野杂记》甲、乙集共 40 卷。甲集 20 卷,成于宁宗嘉泰二年(1202 年),分上德、郊庙、典礼、制作、朝事、时事、杂事、故事、官制、取士、财赋、兵马、边防共 13 类,类下各分子目。乙集 20 卷,缺郊庙一类,成于宁宗嘉定九年(1216 年)。书中所记为南宋高、孝、光、宁四朝的典章制度,有时也涉及北宋史事。《四库提要》称其书"虽以杂记为名,其体例实同会要"①。

李心传编修此书的目的,主要在于保存南宋典制资料。他在自序中说:

> 每念渡江以来,纪载未备,使明君良臣名儒猛将之行事,犹郁而未彰。至于七十年间,兵戎财赋之源流,礼乐制度之因革,有司之传往往失坠,甚可惜也。乃辑建炎至今朝野所闻之事,凡有涉一时之利害与诸人之得失者,分门著录。②

他想用此书来补充官方典籍对有关重要史事及制度方面的不足。

李心传在《建炎以来朝野杂记》甲集和乙集的两篇序言中,都提到有人提醒他写当代史难免涉及人物的是非善恶,并以李光撰私史得罪秦桧,"一家尽就流窜"为例,进行劝告。他虽然在甲集完成之后,曾一度停止,但出于史学家的责任心,认为"此非为己之学也",仍然冒着风险继续编写。

《朝野杂记》成书后,在当时就受到重视。国史院在给转运司的公文中,称该书对于中兴以后百年的成就,"与夫礼乐刑政之条目,典章制度之沿革,兵戎食货之源流,莫不咸在,三朝要录之纲要,实备于此"③。陈振孙《直斋书录解题》卷 5 著录该书,称"上自帝系帝德朝政国典,下及见闻琐碎,皆录之。盖南渡以后野史之最详者"。《四库提要》认为该书:

> 于高、孝、光、宁四朝,礼乐刑政之大,以及职官、科举、兵农、食货,无不该具,首尾完赡,多有马端临《文献通考》、章俊卿《山堂考索》及《宋史》诸志所未载。④

《朝野杂记》与《系年要录》相补充,都是记载南宋史实的重要史籍。

---

① ④ 《四库全书总目》卷 81 史部政书类一。
② 《建炎以来朝野杂记》甲集自序。
③ 丛书集成本《朝野杂记》卷首所附《国史院遵奉圣旨指挥,下转运司抄录孝宗皇帝、光宗皇帝系年要录公牒》。

（五）徐梦莘《三朝北盟会编》

徐梦莘（1126～1207年）①，字商老，临江（今江西清江西南）人，绍兴二十四年（1154年）进士，历官南安军教授、知湘阴县，主管广南西路转运司文字，知宾州、荆湖北路安抚使参议官。事迹见楼钥《攻媿集》卷108所载墓志铭，及《宋史》卷438《儒林传》。徐氏好学博闻，著述甚多，《三朝北盟会编》之外，有《北盟集补》、《会录》、《读书记志》、《集医录》等。《北盟集补》50卷，见陈振孙《直斋书录解题》卷5，谓用以补《会编》"铨载不尽者"，"靖康、炎、兴各为二十五卷"，惜此书已不传。他幼年值"靖康之变"，亲受战争威胁，《宋史》说他"恬于荣进，每念生于靖康之乱，四岁而江西阻讧，母褓负亡去，得免。思究颠末，乃网罗旧闻，会粹同异，为《三朝北盟会编》"。他编写《三朝北盟会编》开始于淳熙十三年（1186年），绍熙五年（1194年）成书。

此书会编了自徽宗政和七年（1117年）七月宋金海上之盟，迄绍兴三十二年（1162年）完颜亮被杀，共三朝46年间有关宋金和战的史料。凡有关宋金关系的诏令、奏章、国书、记序、碑志等，皆在收录之列。《四库提要》说：所引书102种，杂考私书84种，金国诸录10种，共196种，而文集之类尚不数焉。足见搜集材料是很丰富的。

徐氏幼年的遭遇，使他充满爱国主义的思想，促使他努力编纂这一时期的历史资料。他在自序中说："靖康之祸，古未有也"，"缙绅草茅，伤时感事，忠愤所激，据所见闻笔而为记录者，无虑数百家。然各说有同异，事有疑信，深惧日月浸久，是非混淆，臣子大节，邪正莫辨，一介忠款，湮没不传"。于是将"事涉北盟"的资料，"悉取铨次"，"使忠臣义士乱臣贼子善恶之迹，万世之下不得而淹没也"。

《会编》按时间顺序编排材料，属编年体裁，每事之前皆有类似标题的提纲，下面是有关资料，在按年编排中，又以事分类。这种编排体例，又近于纪事本末体，所以《四库总目》著录在纪事本末类中。全书分上、中、下三帙，政、宣为上帙，共25卷，起政和七年七月四日，止宣和七年十二月二十二日；靖康为中帙，共75卷，止于靖康二年四月二十八日；炎、兴为下帙，共150卷，起建炎元年五月一日，至绍兴三十二年四月二十一日。全书共250卷，130万言。靖康中帙之末，有

---

① 《宋史》卷438《徐梦莘传》谓梦莘卒于开禧元年（1205年），误。据陈乐素《徐梦莘考》改作开禧三年（1207年）。

诸录、杂记 5 卷,将无年月者仿《通鉴》之例,单独编排,附于篇尾。

《会编》所以从"海上之盟"开始,是因为在徐梦莘看来,"靖康之难"的根源在此。止于绍兴三十二年,是因为前此一年完颜亮被杀,次年恢复了宋金间的正常关系,被视为祸乱的结束。全书的重点,在写"靖康之难",用七十多卷的篇幅写一年零四个月的史事,约占全书的三分之一,是保存史料最丰富的部分。

徐氏在自序中阐明他编集资料的原则说:"其辞则因原本之旧,其事则集诸家之说,不敢私为去取,不敢妄立褒贬。参考折衷,其实自见。"由于他编入的材料,皆照录原文,从而保存了原始资料的本来面目,使后人能够在原始资料的基础上进行研究;特别是这些材料中有很多是处理宋金关系的当事人所记,具有很高的史料价值。尽管《四库提要》指出:"其时说部糅杂,所记金人事迹,往往传闻失实,不尽可凭;又当时臣僚札奏,亦多夸张无据之词。"但是,这些都是当时实际存在的问题,使用材料的人,自会作出自己的分析。所以《提要》仍给以很高的评价。认为此书"博赡奄通,南宋诸野史中,自李心传《系年要录》外,未有能过之者,固不以繁芜病矣"。陈乐素先生在《徐梦莘考》中说:

> 二百余种之原始史料,不特为研究宋辽金当时国际上之外交与军事关系最重要之根据,且三国当时之政治上,经济上,地理上,民俗上,社会上,以至一部分人之个性、私生活及特殊事件之经过等种种材料,蕴藏于其中者,亦极丰富,留以待今日史家之开发。①

其所以能保留多方面的原始资料,也正是照录原始资料的结果。所以《会编》一书,是研究两宋之际特别是宋金关系的基本史料。

(六)袁枢的《通鉴纪事本末》

袁枢,字机仲,南宋建州建安(今福建建瓯县)人,生于绍兴元年(1131年),卒于开禧元年(1205年),享年75岁。17岁入太学,33岁中隆兴元年(1163年)进士,由温州判官,历任严州教授、国史院编修官、权工部侍郎兼国子祭酒、右文殿修撰知江陵府等官。在国史院修神、哲、徽、钦《四朝国史》时,分修列传。章惇的家属曾以同乡关系请予章惇以文饰,袁枢的回答是:"子厚(章惇字)为相,负国欺君。吾

---

① 《国学季刊》1934 年 9 月,4 卷 3 期。

为史官,书法不隐,宁负乡人,不可负天下后世公议。"①宰相赵雄称赞他"无愧古良史"②。与当时学者朱熹、吕祖谦、杨万里等都有来往。晚年逢韩侂胄排斥道学,袁枢亦在庆元党禁之列,闲居达10年左右。

关于袁枢撰《通鉴纪事本末》的过程,缺乏明确记载。杨万里《通鉴纪事本末叙》写于淳熙元年(1174年),一般认为,成书的时间是乾道九年(1173年)袁任严州教授时。开始写作的时间则是较早的,吕祖谦说:"袁子之纪事本末,亦自其昔年玩绎参订","夫岂一日之积哉"③。《宋史》本传称,"枢常喜诵司马光《资治通鉴》,苦其浩博,乃区别而贯通之,号《通鉴纪事本末》"。

编年体史书突出了以时间为中心的历史发展顺序,却分割了每个历史事件的完整性,《四库提要》称之为"或一事而隔越数卷,首尾难稽"④。这是编年体史书不可克服的一个缺陷。杨万里说:"予每读《通鉴》之书,见事之肇于斯,则惜其事之不竟于斯,盖事以年隔,年以事析,遭其初莫绎其终,揽其终莫志其初,如山之峨,如海之茫,盖编年系日,其体然也。"⑤袁枢在读《通鉴》的过程中,找出了一个解决史事"首尾难稽"的补救办法,把《通鉴》中的文字,以事为中心,每事定一个专题,将分散的材料抄在一起,构成一个完整的故事。共分239个专题,成《通鉴纪事本末》42卷。

《通鉴纪事本末》成书后,很快受到重视。淳熙三年(1176年)十一月,参知政事龚茂良得其书上于朝,深得孝宗赞许,"诏严州摹印十部"⑥,"以赐东宫及分赐江上诸帅,且令熟读,曰治道尽在是矣"⑦。理宗宝祐五年(1257年),又重刻于湖州。

《通鉴纪事本末》的主要成就,在于创立了以事为中心的编纂体裁。《四库提要》评论说:

> 自汉以来,不过纪传、编年两法,乘除互用。然纪传之法,或一事而复见数篇,宾主莫辨;编年之法,或一事而隔越数卷,首尾难稽。枢乃自出新意,因司马光《资治通鉴》,区别门目,以类排纂,每事各详起讫,自为标题,每篇各编年月,自为首尾。始于三

---

① ② 《宋史》卷389《袁枢传》。
③ 《东莱集》卷7《跋通鉴纪事本末后》。
④ 《四库全书总目》卷49史部纪事本末类。
⑤ 杨万里:《通鉴纪事本末序》。
⑥ 《玉海》卷47《纪事本末》。
⑦ 《宋史》卷389《袁枢传》。

> 家之分晋,终于周世宗之征淮南,包括数千年(应是一千三百六十二年)事迹,经纬明晰,节目详具,前后始末,一览了然。遂使纪传、编年贯通为一,实前古之所未见也。

充分肯定了袁氏创立纪事本末的史书编纂体裁,并指出了它以事为中心的体裁,使读者可以"一览了然"的作用。但是,《通鉴纪事本末》只是按事目摘取《通鉴》的原文,全书分量约占《通鉴》的二分之一。本来《通鉴》记载经济、文化的内容,就不多,加上这些方面的记载又比较零碎,《通鉴纪事本末》在经济方面的事目只有《奸臣聚敛》和《两税之弊》两篇,文化方面则根本没有事目。就政治事件来说,也是不系统的。如第一卷只有《三家分晋》、《秦并六国》、《豪杰亡秦》三个事目,战国时期许多重要的历史事件都被省去了。第二卷的七个事目中根本没有涉及汉高祖如何统治全国的问题。因此,《通鉴纪事本末》不能作为系统学习中国古代史的读物,它的材料也都抄自《通鉴》,不能作为原始材料引用。王树民先生说:"纪事本末体在旧史书编纂学中的地位,只是增加了一种新的便于初学的体裁形式,而不能代替旧的有利于广泛保存史料的各种体裁形式。"①

但是,袁枢创立的纪事本末体,由于把复杂的治乱兴亡史简化为故事,使人爱读,又便于记忆,后来这一体裁的史学著作便日益增多。著名的有宋代杨仲良的《皇宋通鉴长编纪事本末》,明代陈邦瞻的《宋史纪事本末》、《元史纪事本末》,张鉴的《西夏纪事本末》,清代谷应泰的《明史纪事本末》、李有棠的《辽史纪事本末》、《金史纪事本末》等。这些都是各朝代的纪事本末。另外,还有属于专史的纪事本末,如清代杨陆荣的《三藩纪事本末》、钱名世的《四藩始末》、勒德洪的《平定三逆方略》、傅恒的《平定准噶尔方略》等。清初人马骕的《绎史》用160卷的篇幅编纂自开天辟地到秦朝灭亡的历史,也是"仿袁枢纪事本末之例,每一事各立标题,详其始末"②。不过马氏此书不是从一种书中摘取材料,而是"博引古籍,排比先后,各冠本书之名,其相类之事,则随文附注。或有异同讹舛,以及依托附会者,并于条下疏通辨证"③,而于篇末加以论断,实际上仍然是按专题汇编的先秦史料。

---

① 王树民:《史部要籍解题》18《纪事本末体史书》。
②③ 《四库全书总目》卷49史部纪事本末类存目。

（七）朱熹的《资治通鉴纲目》

南宋著名的理学家朱熹及其门人赵师渊,根据司马光的《资治通鉴》、《通鉴目录》、《通鉴举要历》和胡安国的《通鉴举要补遗》,于乾道九年(1173年)编成《资治通鉴纲目》一书,共59卷,凡例1卷。其书虽用编年体裁,但叙事却有纲、目之分,纲仿《春秋》笔法,写史事标题,用大字顶格;目仿《左传》叙述本事,用小字低格分注。比起单纯的编年叙事,眉目更加清晰。

《资治通鉴纲目》用《春秋》笔法寓褒贬之意,特别重视正统观念。朱熹在自序中说:"岁用于上而天道明,统正于下而人道定,大纲概举而鉴戒昭,众目毕张而几微著。"①对于司马光《通鉴》中不合正统观念者,一律改定。《通鉴》以魏继汉,本是符合史实的,《纲目》则改成以蜀为正统。武则天改国号为周,自有年号,《通鉴》据实记载,《纲目》则仿《春秋》记鲁昭公被逐出国,寓居乾侯之例,而用唐中宗的年号,书帝在某地。

《通鉴纲目》作为史料是没有价值的。但它简明易读,强调正统,寓意褒贬,比《通鉴》更适合封建统治者的需要。对元、明、清三朝产生了不小的影响,为此书作注,或用纲目体著书者甚多。注释者有:元尹起莘《资治通鉴纲目发明》,刘益友《资治通鉴纲目书法》,王幼学《资治通鉴纲目集览》,徐昭文《资治通鉴纲目考证》,汪克宽《资治通鉴纲目考异》等。以纲目体著书者有:南宋理宗时陈均的《宋九朝编年备要》,无名氏的《中兴两朝编年纲目》,光宗、宁宗《两朝纲目备要》,元陈桱《通鉴续编》。明商辂等奉敕所撰《续资治通鉴纲目》27卷,起北宋迄元末,与朱熹所著相接。清乾隆年间,又敕撰《通鉴纲目三编》,续至明末。康熙帝曾为《通鉴纲目》加上御批,于是此书成为考试策论的准则,得到了广泛流传。

（八）郑樵的《通志》

郑樵,字渔仲,南宋兴化军莆田(今福建莆田县)人,生于崇宁三年(1104年),卒于绍兴三十二年(1162年),享年59岁。其家世代读书做官,为当地望族,藏书甚富。重和二年(1119年),16岁时遭父丧,从此谢绝人事,不应科举,与堂兄郑厚在夹漈山读书。他在治学

---

① 《玉海》卷47《乾道资治通鉴纲目》。

方面抱负很大,"欲通百家之学"①,"集天下之书为一书"②,"自负不下刘向、扬雄"③。勤奋地读书、著书,往往"讽诵达旦而喉舌不罢劳",或"口不诵而心通,人或呼之,再三莫觉"。"闻人家有书,直造其门求读,不问容否,读已则罢,去住曾不吝情"④。郑樵还特别重视通过实践取得真实知识,他在二十略的序文中,分别谈到对所研究事物的考察情况。郑厚于绍兴五年(1135年)得礼部推荐出仕。郑樵于绍兴十九年(1149年)将所著"经旨、礼乐、地理、虫鱼、草木、方书"⑤上于朝。绍兴二十七年(1157年),因侍讲王纶、贺允中推荐,得召对,授右迪功郎、礼兵部架阁。不久遭御史弹劾,改监潭州南岳庙,奉命归抄所著《通志》。书成后,改授枢密院编修官,兼摄检详诸房文字。绍兴三十二年(1162年),高宗幸建康,命进《通志》,始知郑樵已于前一年病卒。

郑樵学识渊博,著述丰富。他在《上宰相书》中说:"山林三十年,著书千卷。"⑥据近人张须《通志总序笺》所附《郑樵著作考》,共列出57种,其中除24种无卷数外,其余33种共537卷,流传至今的只有《通志》、《夹漈遗稿》、《尔雅注》、《诗辩妄》、《六经奥论》和一些零散的遗文。《通志》是他毕生心血的结晶,其他著作亦多是与《通志》有关的。如:与《氏族略》有关的有《姓氏论》、《氏族源》、《氏族韵》、《氏族图》、《氏族志》;与《天文略》有关的有《天文志》、《分野志》、《补正王希明步天歌》、《天象略》、《天文横图》、《慧星议》;与《地理略》有关的有《春秋地名谱》、《百川原委图》、《郡县迁革书》;与《礼略》有关的有《运祀图》、《乡饮图》、《乡饮驳议》、《乡饮礼图》等。与二十略有关的专著有多种,所以《通志》就成了郑樵众多著作中的代表。

《通志》全书共200卷,包括本纪、世家、载记、列传、年谱、略6种形式,大体上仿照司光迁《史记》体例,将"书"改称"略","表"改称"谱",增加一种"载记"专载割据时期诸国史事。

郑樵本打算修一部通史,他在《寄方礼部书》中说:"自今天子中兴,上达秦汉之前,著为一书,曰通史。"⑦后来,由于害怕触犯本朝忌

---

① 《夹漈遗稿》卷2《献皇帝书》。
②⑥ 《夹漈遗稿》卷3《上宰相书》。
③⑤ 《宋史》卷436《郑樵传》。
④ 《夹漈遗稿》卷3《与景韦兄投宇文枢密书》。
⑦ 《夹漈遗稿》卷2。

讳,改成"上自羲皇,下迄五代"①。最后定稿时又作了改动。他在《通志》总序中说:"《唐书》、《五代史》皆本朝大臣所修,微臣不敢议,故纪传讫隋若礼乐政刑,务存因革,故引而至唐云。"他对修当代史,甚至当代大臣所修前代正史都是有顾虑的。

《通志》的纪传部分根据旧史,"即其旧文,从而损益"②,把各史的材料编集起来,统一体例,删除重复,补充内容,考信传疑③,使成一家之言。《通志》二十略中,除礼、职官、选举、刑法、食货多是节录《通典》文字外,其余十五略,皆是郑樵所独创。

《通志》的略就是正史中的书、志。《氏族略序》中称:"志者古史之名,今改为略,略者举其大纲。"在《通志·总序》中又说:"江淹有言:'修史之难,无出于志',诚以志者,宪章之所系,非老于典故者不能为也。"所以郑樵把主要精力用在二十略上。他在《通志·总序》中说:"臣今总天下之大学术而条其纲目,名之曰略。凡二十略,百代之宪章,学者之能事尽于此矣。"《氏族略》研究古代的姓氏问题,姓代表血统,氏为政权,战国以前姓氏分开,秦汉以后,姓氏合一,姓氏问题是研究古代社会史的一个重要方面。郑樵在《通志·总序》中说:"生民之本在于姓氏……原此一家之学,倡于左氏,因生赐姓,胙土命氏。"《左传》区分了五种姓氏的来源,《氏族略》则区分了32类。他反对旧的谱牒氏族书中的门第郡望观点,主张用朝廷职位谱列氏族,反映了品官地主的观点。这些都是郑樵在氏族学上的发展。

《艺文略》强调在明源流的基础上系统掌握知识。他说:"学术之苟且,由源流之分;书籍之散亡,由编次之无纪。"④《艺文略》与只记一代藏书的正史《艺文》或《经籍志》不同,它的著录范围是"纪百代之有无",著录的图书达10912部,110972卷,这一数字是空前的。《艺文略》还创立了新的图书分类体系,它打破前此所有的图书分类法,把历代史志、公私书目及个人见闻的书籍,分成12大类,82小类,442种。⑤ 郑樵把我国宋代以前的十一万多卷书重新按照他的理论和分类体系编排出来,是一件难能可贵的工作;但由于是初创,故难免出现一书两出及分类不当的错误,然而其成就还是主要的。

---

① 《夹漈遗稿》卷3《上宰相书》。
②④ 《通志》总序。
③ 《通志》卷1《三皇纪》按语云:"三王之事,在于传信,其有传疑者,则降而书之,以备记载云。"
⑤ 据王重民《中国目录学史论丛》第3章第8节。

《灾祥略》揭露了历代史官用神意欺天下的做法,采取"专以纪实迹,削去五行相应之说"①的办法,并在《总序》中明确指出:"天地之间,灾祥万种;人间祸福,冥不可知;若之何一虫之妖,一物之戾皆绳之以五行……历世史官,自愚其心目,俛首以受笼罩而欺天下。臣故削去五行而作《灾祥略》。"

《金石略》著录了历代的钟鼎碑刻,以补诸史艺文之缺,并对后世目录学的分类有创设之功。张之洞《书目答问》史部金石类注云:"金石之学,今为专家,依郑夹漈例,别出一门。"

郑樵为了写《昆虫草木略》,"与田夫野老往来,与野鹤晓猿杂处,不问飞潜动植,皆欲究其情性"②,使书本知识和实地考察结合起来。其他如六书、七音、天文、地理、都邑、谥、器服、乐、校雠、图谱诸略,或补充了旧史的志书,或是对旧史志书的改造。二十略不仅发展了旧史的志书,而且扩大了志书的范围。

郑樵的《通志》综合了古代的各种书籍,包罗广泛的知识,不仅记载了古代社会的历史,而且涉及天文、地理、动物、植物、文字、音韵等各种学术领域,把史学的范围扩大到前所未有的地步。

三、宋代的史学思想

宣扬封建伦常思想,从而巩固封建政权是宋代史学一个突出的特点。宋朝建立于五代十国的割据混乱之后,用军事力量基本完成统一的同时,也加强了中央集权制度。但是,要巩固这个统一集权的封建王朝,单凭军事和政治的力量是不够的。适应这种需要,强调伦理纲常的理学便诞生并发展起来。在史学方面也同样地强调伦常,以期从思想上巩固统一的封建政权,这是中国封建社会正常发展中的需要,在当时的历史条件下是起了进步作用的。

欧阳修的《新五代史》就是把恢复伦常作为指导思想的,他说:"史者,国家之法典也。"③又说:"昔孔子作《春秋》,因乱世而立治法,余述本纪,以治法而正乱君,此其志也。"④他写《新五代史》就是仿

---

① 《通志》卷74《灾祥略序》。
② 《通志》卷75《昆虫草木略序》。
③ 《欧阳修全集·奏议集》卷12《论史馆日历状》。
④ 《欧阳修全集》附录五,欧阳发等所述《事迹》。

《春秋》"正名以定分,求情而责实,别是非,明善恶"①。在《新五代史》中,他强调忠君,对僭伪之君、夷狄之君,都要尽忠,褒奖为忠君而死节之臣,对奸臣贼子则口诛笔伐,以弑君为臣子的大恶。他明确指出:"君父,人伦之大本;忠孝,臣子之大节。"②他在《新五代史》叙事和评论中,都大力贯彻封建伦常思想,为巩固封建统治秩序服务。因此,《新五代史》虽为私修,却被朝廷诏取刊行,并在南宋以后压倒薛居正的《旧五代史》而独享盛名。

司马光则强调礼治。他在《资治通鉴·周纪》的附论中说:"天子之职莫大于礼,礼莫大于分,分莫大于名。"所谓礼就是"纲纪",分就是"君臣",名就是"卿大夫","是故天子统三公,三公率诸侯,诸侯制卿大夫,卿大夫制众人。贵以临贱,贱以承贵"。就是用礼作为纲纪,建立统治人民的封建秩序。伦常关系是礼治的中心内容,他说:"妇之从夫,终身不改;臣之事君,有死无二,此人臣之大伦也。"③但其根本与欧阳修相同,《通鉴》卷29论冯道就是仿效欧阳修史论的一个例证。

司马光著《通鉴》,自三家分晋开始,他对全书的第一件大事的评论就揭示了著书的宗旨,他说:"三晋之列于诸侯,非三晋之坏礼,乃天子自坏之也","君臣之礼既坏,社稷无不泯绝"。胡三省在《通鉴胡注序》中说:"为人君而不知《通鉴》,则欲治而不知自治之源,恶乱而不知防乱之术;为人臣而不知《通鉴》,则上无以事君,下无以治民;为人子而不知《通鉴》,则谋身必至辱先,作事不足以垂后。"可见《通鉴》强调伦常关系,目的在于维护封建统治秩序。

宋代史学思想的另一个特点是对天人感应论持批判态度。以欧阳修为例,尽管他在其文集中往往用鬼、神来解释一些自然现象④,但在史学思想方面却包含了唯物主义的因素。在《司天考第二》中,他正面阐明了天人之间的关系,他说:"圣人不绝于人,亦不以天参人。绝天于人,则天道废,以天参人则人道惑,故常存而不究也。"正是在这种思想指导下,他的《新五代史》采取了将天象和人事截然分开的原则,不以天象附会人事,避免了神学迷信的色彩。这是对正史中天文、五行志编写方针的重要改进。

郑樵撰《通志》,更进一步指出天人感应说是"欺天之学",反对

---

① 《欧阳修全集·居士集》卷18《春秋论中》。
② 《新五代史》卷15《唐明宗家人传伦》。
③ 《资治通鉴》卷291,显德元年。
④ 《欧阳修全集》卷49《祈雨祭汉高皇帝文》、《求雨祭文》、《祈雨祭张龙公文》。

"以一虫之夭,一气之戾,而一一质之,以为祸福之应"①,并指出阴阳五行之说是"牵合附会"②,故削去五行而作《灾祥略》。

司马光虽然是一个天命论者,他认为"人之贵贱贫富寿夭系于天"③,但是在修《通鉴》时,他对符瑞灾变、神异怪诞等资料的处理原则是"皆无用可删"④。他也不信佛、道,说"其微言不能出吾书,其诞吾不信也"⑤。他在《通鉴》中尊重事实,据事直书,反对神学,用儒家的纲常伦理为封建统治者服务。

总之,史学和理学一样,均用君臣、父子、夫妇、兄弟、朋友的封建关系来约束广大人民群众的思想,建立并巩固封建社会的统治秩序,凡此等等比用神学迷信欺骗人民群众更为有效。

(原载《宋代文化史》第十章,河南大学出版社2000年第2版)

---

① 《通志》卷74《灾祥略序》。
② 《通志》总序。
③ 《司马温公文集》卷13《葬论》。
④ 王应麟:《困学纪闻》卷12《考史》。
⑤ 《宋史》卷336《司马光传》。

宋代方志与金石之学

一、宋代的地方志

（一）方志的起源和发展

"方志是以地命名,以地域为范围,分类记述该区域内一定时期事物的记录"①。我国地方志历史悠久,地域广阔,内容丰富,在世界上是仅有的,因而成为我国文化史上的一大特产。

"地志起于史官"②。《周礼·春官》谓外史"掌四方之志"。《周礼·地官》所载"诵训"的职务,是"掌道方志,以昭观事"。所谓"方"是指四方,"志"是记的意思。司马光说:"周官有职方、土训、诵训之职,掌道四方九州之事物,以昭王知其利害。后世学者,为书以述地理,亦其遗法也。"③战国时有人编写《禹贡》,把全国分为九州,按州记述该地区的疆域、土壤、物产、贡赋等,假托是夏禹治水时任土作贡的行政区划,故取《禹贡》之名,尽管内容简略,但它与后世的方志已很相近。西汉武帝时,郡国地志随计书上太史。④ 郡国地志是司马迁修《史记》根据的资料之一。成帝时,丞相张禹命朱贡条记风俗,班

---

① 刘光禄:《中国方志学概要》第1章第1节《方志的名称》。
② 《玉海》卷14《祥符州县图经》条引李宗谔《序》。
③ 《司马温公文集》卷66《河南志序》。
④ 《隋书》卷33《经籍志》史部地理后序。

固因之作《地理志》。① 班固的《地理志》,对各郡国及各地方的行政区域、山川、物产、风俗、户口,皆有记述,较《禹贡》的内容更加充实全面。

东汉建武二十八年(52 年),袁康、吴平所撰《越绝书》,记载今浙江及江苏一部分地区的地理沿革、城市建设、物产和风俗,已具有地方志的雏形。此后有晋常璩《华阳国志》、魏卢毓《冀州论》、晋荀绰《冀州记》、《兖州记》,刘宋王僧虔《吴郡地理记》等。郦道元《水经注·渠水篇》"因其方志所叙,就记缠络焉",说明当时学者已在著作中引用方志。南齐陆澄,合《山海经》以来 160 家地记,编成《地理书》149 卷,录 1 卷。梁任昉又增入 84 家地记,编成《地记》252 卷。晋朝挚虞纂《畿服经》170 卷,《隋书·经籍志》评论说:

> 晋世,挚虞依《禹贡》、《周官》作《畿服经》,其州郡及县分野封略事业,国邑山陵水泉,乡亭城道里土田,民物风俗,先贤旧好,靡不具悉。

足见这部书已具有总志的性质。

早期的地方志,名称不一,往往称作"书"、"记",也有称"传"的,如东汉袁汤的《陈留耆旧传》即为一例。"图经"之名始于东汉但望的《巴郡图经》,南北朝普遍使用。所谓图经,是包括"图"和"经"两部分,"图则作绘之名,经则载言之别"②。图是指行政单位的疆域图,后来图的范围又逐渐扩大,包括沿革图、关隘图、海防图、寺观图、八景图等。"经"是对"图"的文字说明,兼及境界、道里、户口、职官等情况。

大规模有组织地编修地方志,是从隋唐开始的。隋大业年间,"普诏天下诸郡,条其风俗物产地图,上于尚书"③,汇编成《诸郡物产土俗记》151 卷、《区宇图志》129 卷、《诸州图经集》100 卷。唐代诸州郡每三年造图经,送尚书省职方。德宗时一度改为五年一造,州县增废者不在五年之限。此后又恢复三年一造图经的制度。贞观年间,魏王李泰(太宗第四子)等,修成《括地志》550 卷,是一部"度越前载"④的总志。宪宗元和年间,李吉甫撰《元和郡县图志》40 卷,目录 2 卷。按当时分布诸道的 47 镇分列篇目,"每镇皆图在篇首,冠于叙

---

①③ 《隋书》卷 33《经籍志》史部地理后序。
② 《玉海》卷 14《祥符州县图经》条引李宗谔序。
④ 《玉海》卷 15《唐括地志》条引太宗诏书。

事之前"①。宋代以后,由于图已散亡,后人改称《元和郡县志》。李吉甫编制此书的目的,是为了"佐明王扼天下之吭,制群生之命,收地保势胜之利,示形束壤制之端"②,其为封建政权服务的目的是很明确的。书中扼要地记载全国州县的疆域、山川、扼塞、道里、户口、贡赋、物产等,是继《括地志》之后又一部全国性的总志。《四库全书总目》评论该书说:"舆地图经,《隋唐志》所著录者,率散佚无存,其传于今者,惟此书为最古。其体例亦最善。后来虽递相损益,无能出其范围。"③

宋代经济文化较之前代都有明显地发展,自然科学、哲学、史学、文学、考古学都进入了新的阶段,对地方志的编纂也有了新的发展。宋代以前的地方志,大都详于地理、略于人文,不出地理书的范围。从宋代开始,"由地理扩充到人文、历史方面,人物和艺文志在宋代的地方志中占有重要的地位。在体例方面,上承《史》《汉》的余绪,下为方志编纂打下了良好的基础"④。

(二)宋朝编修的地方志

宋朝出于巩固封建统治的需要,对编修地方志的工作是很重视的。它沿袭唐朝州郡三年一造图经的制度,规定"凡土地所产,风俗所尚,具古今兴废之因,州为之籍,遇闰岁造图以进"⑤。马光祖在《进建康志表》中也提到"图经三岁一上"。朝廷在这些图经的基础上,汇编全国图经的总集。宋朝大规模组织编修总志,主要是在北宋。编纂的志书,主要有下列几种:

《开宝诸道图经》——开宝四年(971年)"命知制诰卢多逊、扈蒙等重修天下图经,其书讫不克成"⑥。开宝六年(973年)卢多逊出使南唐,派人对国主李煜说:"朝廷重修天下图经,史馆独缺江东诸州,愿各求一本以归。"李煜命徐锴通夕雠对送与之。"于是江南十九州之形势,屯戍远近,户口多寡,多逊尽得之矣"⑦。开宝八年(975年)宋准"受诏修定诸道图经"⑧。宋准是在卢多逊等人工作多年的基础

---

① ② 李吉甫《元和郡县图志序》。
③ 《四库全书总目》卷68史部地理类一。
④ 朱士嘉:《中国方志的起源、特征及其史料价值》,载《史学史资料》第2期,1979年5月。
⑤ 《宋史》卷163《职官三》。
⑥ 《长编》卷12,开宝四年正月戊午,《玉海》卷14《开宝修图经》条。
⑦ 《长编》卷14,开宝六年四月辛丑。
⑧ 《宋史》卷440《宋准传》。

上完成的。此书已不传。

《太平寰宇记》——太宗时太常博士、直史馆乐史修《太平寰宇记》200卷,目录2卷。该书征引繁富,所引宋以前地方志"多至百数十种","吉甫以后,藉以考镜今古,联缀前后者,实无逾此书"①。其编纂体例和内容亦有新的发展。除记述地理外,"又编入姓氏、人物、风俗数门,因人物又详及官爵及诗词杂事"②,"后来方志,必列人物艺文者,其体皆始于史。盖地理之书,记载至是而始详,体例亦自是而大变"③。由于该书在体例上增加了新的内容,并为后世修方志者所遵循,因此宋代及此后所修的地方志,被看做地方资料的百科全书。

宋代的地理区划,在淳化四年(993年)以前依唐制,分全国为十道。至道三年(997年)改为十五路,元丰时析为二十三路。此书撰于太宗灭北汉之后,仍以《元和郡县志》为基础,与宋代元丰以后行政区划不合。又幽云十六州未曾收复,仍因《元和郡县志》之旧。今传本已有残缺。清末黎世晶用日本宋椠残本配补的《古逸丛书》本较完整,然亦只存197卷多,尚有2卷多散佚不存。朱彝尊《太平寰宇记跋》评论说:"是编稽之国史,多有不合,殆取诸稗官小说者居多,不若《九域志》、《舆地记》之简而有要也。"④

《祥符州县图经》——景德四年(1007年),真宗览《西京图经》,多有疏漏,"令诸州、府、军、监,选文学官校正图经,补其缺略来上。命知制诰孙仅等总校之"⑤。孙仅等因诸州所上体例不一,遂请创例重修。重修时命李宗谔、王曾领其事。大中祥符三年(1010年)十二月书成,凡1566卷,目录2卷。次年八月,又誊写542本颁下。这次大规模汇编图经总志,对此后地方官普遍修志起了重要作用。

《历朝九域志》——大中祥符六年(1013年)命王曾修《祥符九域志》3卷,是在《祥符州县图经》的基础上,为定赋役而编制的。熙宁八年(1075年),刘师旦上言:

> 今九域图自大中祥符六年修定,至今涉六十余年,州县有废置,名号有改易,等第有升降,所载古迹有出于俚俗不经者,乞选有地理学者重修。⑥

---

① ② 洪亮吉:嘉庆《重校勘太平寰宇记序》。
③ 《四库全书总目》卷68史部地理类一。
④ 朱彝尊:《曝书亭集》卷44《太平寰宇记跋》。
⑤ 《长编》卷65,景德四年二月庚辰条;《玉海》卷14《祥符州县图经》。
⑥ 《玉海》卷15《熙宁九域志》条。

乃命王存等任其事。其后王存上言说："以旧事不绘地形,难以称图"①,赐名《九域志》。元丰三年(1080年)书成进上。六年(1083年)刻版。八年(1085年)颁行,共成书10卷。因书成于元丰中,后人称《元丰九域志》。

王存在自序中说:

> 国朝以来,州县废置与夫镇戍城堡之名,山泽虞衡之利,前书所略,则谨志之。至于道里广轮之数,昔人罕得其详。今则凡一州之内,首叙州封,次及旁郡,彼此互举,弗相混淆。总二十三路、京府四、次府十、州二百四十二、军二十七、监四、县一千二百三十五,离为十卷,文直事核,欲使览者易知。

此书所记,具有简要的特点。各地沿革仅略叙宋代的变化,府州先书其户数、土贡、辖县,次叙各县去府、州方向里数、所辖乡数及境内市镇、山川。记户口将主、客户分列,土贡名目下详记额数。这是研究北宋自然地理及人文地理的重要资料,历来受到重视。

《九域志》是全国的总志,相当于唐的十道图和元明清的一统志,元丰以后还在不断补充和续修。绍圣四年(1097年)黄裳上言称"今《九域志》所载甚略,愿诏职方取四方郡县山川、民俗、物产、古迹之类,辑为一书,补缀遗缺"②。大观元年(1107年)"朝廷创置九域图志局,命所在州郡编纂图经"③。以后,遂有增设"古迹"一门的《新定九域志》问世。

除上述图经、九域志外,见于《玉海》的北宋总志尚有王曾所修《景德重修十道图》、晏殊纂《熙宁十八路图》、王洙等《皇祐方域图志》等。程俱在《麟台故事》卷2《职掌》中说:"九域图志,前朝固尝修定,止就馆阁而不置局。崇宁虽就秘书省,然置局设官,以从官为详定,余官为参详,修书官为编修官,检阅编修,其进用视秘书省官而无定员。当时宰执从官,大抵由此涂出。"

由上可知,北宋自建国之初即着手编修全国总志,以后又不断命文人编写,撰志成为文官升迁的阶梯,足见北宋政权对编修全国总志是很重视的。

南宋时,北方被金占领,使官修总志受到影响,但地方官重视修志已成为一种风气。陈垲在《语溪志序》中说:"志苟不作,则古往今

---

① 《玉海》卷15《熙宁九域志》条。
② 《玉海》卷15《元丰郡县志》条。
③ 黄鼎:《乾道四明图经序》,罗濬《宝庆四明志序》。

来,事事物物,皆无所考……此书不可一日无也。"①所以地方官以修志为己任,州县方志十分普遍,以至"僻陋之邦,偏小之邑,亦必有记录焉"②。在修志的方式上,也由奉诏造送图经的官修方式,改为由地方官主持,请名人学者编修,从而丰富了方志的内容。南宋新官之任前,往往先从志书中了解情况。胡太初《临汀志序》提到他于宝祐元年(1253年)由澄江改知汀州,赴任之前"转扣尝官于是者,求郡乘一观焉"③。宋代所修地方志,根据张国淦《中国古方志考》明确著录者统计,约600余种,但大部分散佚,现存者仅30多种,计有:

乐史《太平寰宇记》200卷

王存《元丰九域志》10卷

欧阳忞《舆地广记》38卷

王象之《舆地纪胜》200卷

祝穆《方舆胜览》70卷

(以上属全国性总志)

宋敏求《长安志》20卷(今陕西省西安市)

程大昌《雍录》10卷(今陕西省西安市)

宋敏求《河南志》20卷(今河南省洛阳市)

周应合等《景定建康志》50卷(今江苏省南京市)

朱长文《吴郡图经续记》3卷(今江苏省苏州市)

范成大《吴郡志》50卷(今江苏省苏州市)

孙应时等《宝祐琴川志》15卷(今江苏省常熟县)

史能之《咸淳毗陵志》30卷(今江苏省常州市)

卢宪《嘉定镇江志》22卷(今江苏省镇江市)

凌万顷、边实《玉峰志》3卷(今上海市嘉定县)

边实《玉峰续志》1卷(今上海市嘉定县)

杨潜等《云间志》3卷(今上海市松江县)

罗愿《新安志》10卷(今安徽歙县)

周淙《乾道临安志》3卷(今浙江省杭州市)

施谔《淳祐临安志》6卷(今浙江省杭州市)

潜说友《咸淳临安志》100卷(今浙江省杭州市)

常棠《澉水志》2卷(今浙江省海盐县)

---

① 康熙《崇德县志》引。
② 《仙溪志》黄岩孙宝祐丁巳《跋》。
③ 《永乐大典》卷7 895《临汀府题咏》。

谈钥《嘉泰吴兴志》20卷(今浙江省湖州市)
张津《乾道四明图经》12卷(今浙江省宁波市)
罗濬《宝庆四明志》21卷(今浙江省宁波市)
梅应发等《开庆四明续志》12卷(今浙江省宁波市)
缺名《宝庆昌国县志》2卷(今浙江省定海县)
施宿等《嘉泰会稽志》20卷(今浙江省绍兴市)
张淏等《宝庆会稽续志》8卷(今浙江省绍兴市)
高似孙《剡录》10卷(今浙江省嵊县)
陈耆卿《嘉定赤城志》40卷(今浙江省临海县)
陈公亮等《严州图经》8卷(今浙江省建德县)
郑瑶等《景定严州续志》10卷(今浙江省建德县)
缺名《寿昌乘》不分卷(今湖北省鄂城县)
梁克家《淳熙三山志》42卷(今福建省福州市)
赵与沁等《仙溪志》4卷(今福建省仙游县)

上述方志,都是研治宋史的宝贵资料。

(三)宋代方志的成就

宋代地方官修志,有明确的目的。北宋元祐七年(1092年)林虙为朱长文等所修《吴郡图经续记》所写的《后序》说:

> 举昔时牧守之贤,冀来者之相承也;道前世人物之盛,冀后生之自力也;沟渎条浚水之方,仓庾记裕民之术;论风俗之习尚,夸户口之蕃息。遂及于教化礼乐之大备。于是见先生之志,素在于天下者也,岂可以方域舆地之书视之哉!

马光祖《景定建康志序》称:

> 忠孝节义,表人才也;版籍登耗,考民力也;甲兵坚瑕,讨军实也;政教修废,察吏治也;古今是非得失之迹,垂劝鉴也。夫如是,然后有补于世。郡皆然,况陪都乎?

由此可知,地方官修志,是为了经世致用。

宋代地方官修志,多请熟悉地方掌故而且有志于此的学者执笔。如赵不悔修《新安志》,访得罗愿为修志已做了不少工作,于是就委罗氏修《新安志》。较大的行政单位,往往组织一套不小的修志班子,而且还通过行政权力,调集资料。像马光祖请周应合修《建康志》,就是因为周氏"博物洽闻,学力充赡,旧尝为《江陵志》,记载有法"①,才请他置局编修的。除用其长子天骥、婿吴畴协助检阅校雠外,并"选差局吏两名,分管书局事务,书吏十名,誊类草稿,书写板样,客司虞侯四名,以备关借文籍,传呈书稿"②。另外,还组织一批刻工,"修书之稿未半,刻梓之匠已集"③,对征集资料,则"搜访不厌其详"。并有具体规定,通知各级官员、百姓,"凡自古及今,有一事一物,一诗一文,得于记闻当入图经者,不以早晚,不以多寡,各随所得批报本局";"能记古今事迹,有他人所不知者,并请具述,从学校及诸县缴申";"阀阅子孙,能收上世家传行状、墓志、神道碑及所著书文,与先世所得御札、敕书、名贤往来书牍,并请录副申缴";"有能记忆旧闻,关于图志者,并许具述实封投柜,柜置府门,三日一开类呈"④。

由于以上原因,宋代地方志大都是广征博采、考订详密,堪称地方史的百科全书。如宋敏求的《长安志》,在唐韦述《西京记》的基础上,"博采群籍、参校成书",司马光以为"考之韦记,其详不啻十倍"⑤。祝穆撰《方舆胜览》,十分注意做实地考察,"所至必究登临",与人交谈"必孜孜访风土事",搜集的资料,包括"经史子集,稗官野史,金石刻,列郡志"⑥;"积十余年,方舆胜物,收拾略尽"⑦,从而收到"事备而核"⑧的效果。罗愿的《新安志》"博采详摭,论证得失,皆有依据"⑨。周中孚《嘉定镇江志跋》称该书"取材既富,可资考证者多"⑩。范成大的《吴郡志》"征引浩博,而叙述简核,为地志中之善本"⑪。

宋代方志,在编纂体例上已突破图经的呆板格式。有的是在旧图经的基础上扩充门目,如范成大《吴郡志》分为39门,谈钥《吴兴志》分为57门;施宿《嘉泰会稽志》分117门,诸门皆平列,没有从属关系。有的是分类列门,如卢宪《嘉定镇江志》,分为23类,类下附以子目;史能之《咸淳毗陵志》分19类,共辖52门,卷首列图7幅。也有的方志仿正史体例,如周应合的《景定建康志》,按留都录、图、表、志、传、拾遗,分别编集地方史料,后人称之"用史例编纂,事类粲然,

---

① 马光祖:《景定建康志序》。
②③④ 周应合:《景定建康修志本末》。
⑤ 《四库全书总目》卷70 史部地理三。
⑥⑧ 吕午:《方舆胜览序》。
⑦ 祝穆:《方舆胜览自序》。
⑨ 赵不悔:《新安志序》。
⑩ 《郑堂读书记补逸》12。
⑪ 《四库全书总目》卷68 史部地理一。

今志用为准式"①。地方志设纪、图、表、志、传的完整体例,实创始于南宋。

宋代有不少地方志,引文注明出处。清代学者孙星衍在《重刻景定建康志后序》中说:"《建康志》体例最佳,各表纪年隶事,备一方掌故,山川古迹,加之考证,俱载出处。"又如高似孙的《剡录》,"征引极为赅洽,唐以前佚事遗文,颇赖以存,其先贤传,每事必注其所据之书"②。

特别是续修,已被视为一种制度。周应合《景定建康志修志本末》称:"每卷每类之末,各虚梓以俟续添,固未敢以为成书也。"有些宋代地方志的记事年月晚于序言的年月,多是后人于空行中续增的结果。如《三山志》成于淳熙九年(1182年)十月,而知府题名,增至嘉定十五年(1222年);《云间志》成于光宗绍熙四年(1193),书中知县进士题名,则至宁宗、理宗朝,就是后人于空行中补入的。

由于宋代方志内容丰富,考订严密,往往可以补正史书的缺误。清末陆心源所编《宋史翼》40卷,仅有传记部分,共正传781人,附传64人,以补《宋史》所缺,引用的许多资料,是采自方志的。所以宋代方志是研治宋史的重要资料。

宋代的方志,也有只记地理的。如程大昌的《雍录》,记载的古迹、都邑、宫殿、山水,皆有图有说,尤其注重险要。这是因为孝宗时,关中已被金人占领,大昌曾作《北边备对》,与所作《雍录》皆"隐寓经略西北之意"③。王存的《元丰九域志》仅载本朝州县之地理、户口、土贡以及州县之等第、乡镇、山川,而略于古迹,是地理书的性质。此外,方志的编修,多为地方官歌功颂德,人物传往往采用被其后代美化了的碑传,修志者有时也藉以粉饰自己。如边实纂《玉峰志》于卷中《人物》篇,为其曾祖悖德立传,夸耀家世,并在《续志》中为自序一篇以自矜,清代学者钱大昕在《跋玉峰志》中,对此提出批评。

宋代地方志,往往有用古州郡命名的。如陈耆卿修台州志书,即以台州在梁时为赤城郡,而定名为《赤城志》。

---

① 索元岱:《至正金陵新志·修志本末》。
② 《四库全书总目》卷68 史部地理一。
③ 《四库全书总目》卷70 史部地理三。

二、宋代的金石学

(一)宋代金石学的形成

古人将重大事件用文字刻于铜器或石碑上,以求长久传世。这些金石刻辞就成为后人研究古代历史的重要根据,在宋代形成了一个专门的学科——金石学。

"金"主要是指商周时期的青铜器,在古代铜器铭文中往往称为"吉金"。"石"主要是指秦汉以后的石刻,在古代石刻中有时称为"乐石"、"嘉石"、"贞石"。郑樵在《通志·金石略序》中说:"三代而上,惟勒鼎彝;秦人始大其制而用石鼓,始皇欲详其文而用丰碑;自秦迄今,惟用石刻。"刻于铜器者称为金文,刻于石碑者称为石刻。金石的刻辞,是研究古代历史的宝贵资料。

对金石的研究,在我国有很长的历史。西汉司马迁作《史记》,在《秦始皇本纪》中录石刻六篇,将石刻资料修入史书。张晏注《汉书·儒林传》,据碑刻而知伏生名"胜"。郦道元《水经注》、杨衒之《洛阳伽蓝记》、魏收《魏书》,皆引用了石刻资料。梁元帝萧绎曾编集《碑英》100卷①,被《四库提要》称"为金石文字之祖",可惜今已不传于世。颜之推《颜氏家训·书证篇》根据秦时铁权铭文,校正《史记·秦始皇本纪》中丞相"隗林"为"隗状"之误。但是,在隋唐以前,对于发现的古代铜器,或看做祥瑞,如汉武帝因得鼎而改元;或作为陈列器物,如东汉明帝得鼎,下诏陈于庙,以备器用;也有用出土铜器解释经书所载器物形状的,如南朝刘杳用出土的牛形尊以证郑玄的解释不确。然而却没有出现过这方面的专著。不过,由于汉唐以来对金石文字的注意以及对古礼、古文字的研究成果,为金石学的建立奠定了基础,到宋代,便涌现出了一批具有开创性的金石著作。这些著作保存了一批古器图形和金石刻辞,并进行了初步研究,扩大了文献资料的范围,也建立了收集、整理、鉴别、考订金石资料的一套方法,成了近代考古学的先驱。

在五代十国分裂割据的局面下,作为维护封建统治的纲常伦理

---

① 知不足斋丛书本《金楼子》卷5《著书篇》。《四库全书总目》卷86《集古录》提要引作120卷。

和礼法制度均遭破坏。北宋政权建立之后,重整伦常、恢复礼制便成了地主阶级巩固政权的重要课题。所以,重视经学、史学的研究,用金石以考定古代礼器和证经补史的工作从而发展起来,金石学就是在此前提下建立起来的。宋代的金石学家对此有明确认识,与欧阳修同时代的刘敞,将所得先秦铜器11件,使工模其文,绘成图刻于石,名之曰《先秦古器图》。今石刻已不存,《公是集》卷36存其自序云:"三王之事,万不存一。《诗》、《书》所记,圣王所立,有可长太息者矣,独器也乎哉?"学者赖此可以"礼家,明其制度;小学,正其文字;谱牒,次其世谥"。吕大临在《考古图序》中说,研究古器,"探其制作之原,以补经传之缺亡,正诸儒之谬误",在古器物中"制度法象之所寓,圣人之精义存焉"。这些都表明,宋代重视对金石的研究是为了恢复礼制,以巩固封建政权。

宋人搜集铜器、石刻拓片并进行研究,已形成一种风尚。刘敞对所得铜器十分珍惜,"每曰:我死,子孙以此蒸尝我"①。刘季孙"家藏金石刻千余卷"②。欧阳修"集三代以来金石铭刻为千卷,用以校正传记纰缪,人得不疑"③。吕大临《考古图》所列收藏姓氏,除秘阁、太常、内藏以外,私家收藏者38家④。赵九成《续考古图》列收藏者29家。叶梦得在《避暑录话》中说:

> 宣和间,内府尚古器。士大夫所藏三代、秦、汉遗物,无敢隐者,悉献于上,而好事者复争寻求,不较重价,一器有值千缗者。利之所趋,人竞搜剔山泽,发掘冢墓,无所不至,往往数千载之藏,一旦皆见,不可胜数矣。吴珏为光州固始令,先申伯之国而楚之故封也。间有异物,而以僻远,人未之知,乃令民有罪者入古器自赎。既而罢官,凡得五六十器,与余遇汴上,出以相示,其间数十器尚三代物。后余中表继为守,闻之,微用其法,亦得十余器。

正因为宋代搜集金石成为风尚,出土的古器增多,石刻拓片也更易搜集,所以,宋代金石学的著作便丰富起来。

---

① 《宋史》卷319《刘敞传》。
② 赵明诚:《金石录》卷14《汉平都侯相蒋君碑》跋。
③ 《欧阳修全集》附录卷2韩琦《文忠欧阳公墓志铭》。
④ 原书列37家,其中漏4家,无器者3家,实为38家。据容庚《宋代吉金书籍述评》,载《学术研究》1963年第6期。

(二) 宋代金石学的主要著作

1. 吕大临《考古图》10卷

吕大临(1040~1092年),字与叔,京兆蓝田(今属陕西)人,是程颐的学生,通六经,尤精于《礼记》,"每欲掇习三代遗文旧制,令可行,不为空言以拂世骇俗"①。元祐中为太学博士,迁秘书省正字,得范祖禹推荐,未及用而卒。《考古图》自序写于元祐七年(1092年)二月,卷8《琥》按语引《复斋漫录》之文,涉及徽宗事迹,容庚认为:"若非后人所增,则其成书乃在作序十年之后矣。"②本书收录官私收藏铜器224件,石器1件,玉器13件;按年分类,摹绘器形、款识,并注明尺度、重量、容量以及出土地点、收藏之家;体例谨严,有疑则缺;所定器名虽有舛误,但因为有图,使后人能据图加以纠正,是我国现存最早最有系统的器物图录。

《考古图释文》1卷,《四库全书总目》卷115著录此书,附于《考古图》、《续考古图》之后,皆题"宋吕大临撰"。翁方纲《跋》据《籀史》有"赵九成著吕氏《考古图释》"之语,遂谓是赵九成所撰。容庚以《考古图》与《考古图释文》比较,《图》中铜器有铭文者96,《释文》所采为85,主要铭文皆已收入。又据《郡斋读书志》著录《钟鼎篆韵》提要中,有"元祐中吕大临所载仅数百字",与《释文》所收821字合,证明今本《释文》乃元祐中吕大临所撰,"盖无可疑者"③。至于造成混乱的原因,是因为此书原载《考古图》之后,其后与《续考古图》合刻,则附于《续考古图》之后,皆以为吕大临撰。《续考古图》既有绍兴三十二年得器的记载,遂并《释文》亦误作南宋所成之书。

此书据《广韵》韵目,分上平、下平、上、去、入四声,将《考古图》中的文字,分别编入,并将疑字、象形、无所从三部分附于卷末。各字间有音释,有异同者,则加以训释考证,相当于字典的作用。

2.《续考古图》5卷

《四库全书总目》据本书卷3有"绍兴壬午"记事,定此书成于"绍兴三十二年之后"④。容庚据本书《秦权》、《旅簋》二器,与《考古

---

① 《宋史》卷340《吕大防传》附弟《吕大临传》。
②③ 容庚:《宋代吉金书籍述评》,载《学术研究》1963年6期;中华本《考古图》卷首《考古图述评》;《考古图释文》卷首《考古图释文述评》。
④ 《四库全书总目》卷115子部谱牒类。

图》重出,但《秦权》失摹两诏,《旅簋》与《考古图》所载铭文同而形制殊异;又本书所用周尺、汉量,与《考古图》"权、衡、量皆用今太府法"不合,"足证其非大临所作"。而以陆心源《啸堂集古录·李邴序》所云南宋赵九成撰为是。①

此书收录铜器、玉器、瓦当、瓦鼎共 101 器(数器一图者以一器计),收藏者 29 家,又有各地出土献之朝廷者。所收器物,不以类从,是随见随录之作,体例亦不统一,或有图而未摹写文,或铭文不依原器行款,图识失真。王国维虽云该书所定器名有至当不可易者,但同时也指出"伪器错出,定名亦多误"②。

3.《博古图》30 卷

王黼等奉敕编修③,初修于大观之初,重修于宣和年间。本书收录自商至唐古器共 839 件,分 20 类,每类各有总说,器各有图,并记其大小、容器、重量、铭识及考说。此书编纂体例比较完整,在定名和考证方面吸取了前人的成果;但也有不少疏漏,宋代学者早有评论,见赵明诚《金石录》卷 12,洪迈《容斋随笔》卷 14 评《博古图》,讥其荒陋可笑者五事。容庚认为:"以此书为荒陋可笑不无过当。使今日而评此书,其铭文之误摹误释,正不可胜数。"④《四库提要》称"其书考证虽疏,而形模未失,音释虽谬,而字画俱存,读者尚可因其所绘以识三代鼎彝之制,款识之文,以重为之核订,当时裒集之功,亦不可没"⑤。王国维《书宣和博古图后》说:"此图中各器物,靖康之乱,已悉为金人辇之而北。然其十之一二尚见张抡《绍兴内府评》中,盖金人不甚重视古器,而宋之君臣方悬重值购之,古汴京内府及故家遗物,往往萃于榷场。"⑥《博古图》收录了大量的古器,对我国古代历史的研究颇有价值。

---

① 容庚:《宋代吉金书籍述评》,载《学术研究》1963 年第 6 期;中华本《续考古图》卷首《续考古图述评》。
② 王国维:《观堂集林》卷 3《说觥》。
③ 岑仲勉:《金石论丛》首篇《宣和博古图撰人》。
④ 容庚:《宋代吉金书籍述评》,载《学术研究》1963 年第 6 期。
⑤ 《四库全书总目》卷 115 子部谱录类。
⑥ 王国维:《观堂集林》卷 18。

(三)金石目录

1. 欧阳修《集古录跋尾》10卷

欧阳修长期搜集金石刻辞,至嘉祐八年(1063年)已积至千卷。他搜集的范围"上自周穆王以来,下更秦汉隋唐五代,外至四海九州,名山大泽,穷崖绝谷,荒林破冢,神仙鬼物,诡怪所传,莫不皆有"①。为防止"聚多而终必散"②,乃"摄其大要,各为之说"③,编成《集古录》。此后,又不断考订,共撰跋尾400余篇,分为10卷,成为传世的最早一部金石学专论。

欧阳修的《集古录跋尾》很注意补正史书中的缺漏,他在《集古录目序》中说:"因并载夫可与史传正其缺谬者,以传后学。"嘉祐四年(1059年),欧阳修在写给刘敞的信中说:

> 愚家所藏《集古录》,尝得故许子春为余言,集聚多且久,无不散亡,此物理也,不若举取其要,著为一书,谓可传久。余深以其言为然,昨在汝阴居闲,遂为《集古录目》,方得八九十篇,不徒如许之说,又因得与史传相参验,证见史家缺失甚多。④

故《集古录跋尾》中多有补正史书之处。如《唐孔颖达碑》跋尾云:

> 右孔颖达碑,于志宁撰,其文磨灭,然尚可读。今以其可见者,质于《唐书》列传,传所缺者,不载颖达卒时年寿;其与魏郑公奉敕共修《隋书》亦不著;又其字不同,传云字仲达,碑云字冲远,碑字多残缺,惟其名字特完,可以正传之缪,不疑以冲远为仲达,以此知文字转易,失其真者,何可胜数。幸而因余集录所得以正其讹舛者,亦不为少也。乃知余家所藏,非徒玩好而已,其益岂不博哉。⑤

《隋郎茂碑》之《跋尾》云:

> 《隋书·列传》言茂卒于京师,此碑云从幸江都而卒。史书之缪,当以碑为正。⑥

类似上例的《跋尾》甚多,对史书做了大量的补缺正误工作。

---

①② 《欧阳修全集·集古录目序》。
③ 《四库全书总目》卷86 史部目录类二。
④ 《欧阳修全集·书简》卷5《与刘侍读原父》第二首。
⑤⑥ 《欧阳修全集·集古录跋尾》卷5。

有些《跋尾》批判佛道迷信，或用以说明自己所修史书的评论根据。如《唐颜师古等慈寺碑》的《跋尾》称：

> 唐太宗破王世充、窦建德，乃于其战处建寺，云为阵亡士荐福。唐初用兵，破贼处多，大抵皆造寺……太宗英雄智识，不世之主，而牵惑习俗之弊，犹崇信浮图，岂以其言浩博无穷，而好尽物理为可喜耶？盖自古文奸言以惑听者，虽聪明之主，或不能免也，惟其可喜，乃能惑人，故余于《本纪》讥其牵于多爱者，谓此也。①

《唐会昌投龙文》之《跋尾》云：

> 余修《唐本纪》至武宗，以谓奋然除去浮图，锐矣，而躬受道家之箓，服药以求长年，以此知其非明智之不惑者，特其好恶有所不同尔。及得《会昌投龙文》，见其自称"承道继玄昭明三光弟子、南岳炎上真人"，则又益以前言为不谬矣。②

其他如用《唐田弘正家庙碑》以校《昌黎集》而得出"文字之传，久而转失其真者多矣"③的结论，都是很有价值的。

2. 赵明诚《金石录》30卷

赵明诚（1081～1129年），宋密州诸诚（今山东诸城县）人，字德夫（亦作德父、德甫），是徽宗朝宰相赵挺之之子。为太学生，以荫入仕，曾任鸿胪少卿、知莱州、淄州及江宁府。建炎三年（1129年）移知湖州，未赴而卒于建康。他长期访求古器、石刻，得商、周至五代金石拓片2 000件，仿欧阳修《集古录》体例，撰《金石录》30卷。绍兴年间，其妻李清照将此书上于朝。前10卷按时间顺序排列目录，题下多注明年月及撰书人名；后20卷集跋尾502篇。赵氏很重视金石刻辞的史料作用，他在自序中说：

> 窃尝以谓，《诗》《书》以后，君臣行事之迹，悉载于史；虽是非褒贬出于秉笔者私意，或失其实，然至其善恶大节有不可诬，而又传之既久，理当依据。若夫岁月、地理、官爵、世次，以金石考之，其牴牾十常三四。盖史牒出于后人之手，不能无失，而刻词当时所立，可信不疑。则又考其异同，参以他书，为《金石录》

---

① 《欧阳修全集·集古录跋尾》卷5。
② 《欧阳修全集·集古录跋尾》卷9。
③ 《欧阳修全集·集古录跋尾》卷8。

> 三十卷,至于文词之美恶,字画之工拙,览者当自得之,皆不复论。

所以其跋尾对于补正史书缺误之处甚多,对于欧阳修《集古录》中的跋尾,亦间有驳议,如卷30《瘗鹤铭》跋尾称:

> 瘗鹤铭,题华阳真逸撰,莫详其为何代人。欧阳公《集古录》云:华阳真逸,顾况道号。余编检唐史及况文集,皆无此号。况撰《湖州刺史厅记》,自称华阳山人尔,不知欧阳公何所据也。

李清照的《后序》,以浓郁的感情叙述了他们夫妇搜集金石诸文物及其散失的经过。晚清学者李慈铭对《金石录》评论说:

> 赵氏拔碑刻以正史传,考据精慎,远出欧阳文忠《集古录》之上,于唐代事尤多订新、旧唐两书之失。当时新史方行,而德夫屡斥其谬误,悉心厘正,务得其平;于《旧唐》亦无所偏徇,其善读书者也。①

并举出《车骑将军冯绲碑》可补《后汉书》缺谧,用《宗俱碑》及《灵帝本纪》、《党锢传注》、《姓苑》、《姓纂》以证《后汉书》中的宋均为宗均之误。并评论李清照的后序说:"叙致错综,笔墨疏秀,萧然出町畦之外。予向爱诵之,谓宋以后闺阁之文此为观止。"②

3. 洪适《隶释》27卷,《隶续》21卷

洪适(1117~1184年),宋饶州鄱阳人,字景伯,号盘洲,洪浩之长子。绍兴十二年(1142年)中博学宏词科,孝宗朝曾居相位三个月,事迹见《宋史》本传。洪适喜爱隶书,将自己所搜集的汉魏碑刻拓片189种及《水经注》、《集古录》、《金石录》、《天下碑录》中的汉魏碑目五百余种编集起来,于乾道二年(1166年)成《隶释》27卷。此后,又将续得碑刻文字及画像、砖、镜铭文编成《隶续》21卷,于乾道四年(1168年)至淳熙六年(1179年),分批刻成。今传本《隶续》已有残缺。二书所载碑文,皆依原字书写,并以跋尾形式将假借通用字加以说明,对碑文中有关史事者,亦进行考证。《四库提要》评论说:"自有碑刻以来,推是书为最精博。"③

---

① ② 李慈铭:《越缦堂读书记》九《艺术》,咸丰辛酉(1861年)四月十三日条。
③ 《四库全书总目》卷86史部目录类二。

4. 陈思《宝刻丛编》20卷

《四库提要》谓陈思为临安人,所著《小字录》结衔为成忠郎,缉熙殿、国史实录院、秘书省搜访;《海棠谱》自序题为开庆元年(1259年),据此判定他是理宗时人。① 《会要》载开禧元年(1205年)四月二十六日,"陈思已下六百一十一人,赐同进士出身"②,则其出仕当在宁宗朝。此书用《元丰九域志》的行政区划,将有地可考的碑刻分别编入,未详者附于卷末。在每条碑目之下,集录各家辩证审定的资料。王象之的《舆地碑目》只收江淮以南,而此书则兼及江淮以北。《四库提要》称:"惟是书于诸道郡邑,纲分目析,沿革厘然,较象之特为赅备。"此书所引曾南丰《集古录》、施氏《大观帖总释序》、《集古后集》、《诸道石刻录》、《复斋碑录》、《京兆金石录》、《访碑录》、《元丰碑目》、《资古绍志录》等皆已不传,惟藉此书得以了解其大略。在引书中,往往只称某人的字、号,使读者茫然不知为何人,则是此书的缺陷。但从总体来看,还是宋代碑目中较好的一种。

5.《宝刻类编》8卷,存《永乐大典》辑本,作者失名

宋理宗宝庆初年,始改筠州为瑞州,本书多以瑞州标目,《四库提要》据以判定为理宗以后人的著作。书中将周秦至五代的碑目,按帝王、太子诸王、国主、名臣、释氏、道士、妇人、姓名残缺八类编排。每类以书碑人名为纲,附以所书碑目,皆注出年月地名。书碑及篆额出于二手者则分别著录。《四库提要》评论称:"金石目录,自欧阳修、赵明诚、洪适三家以外,惟陈思《宝刻丛编》颇为该洽,而又多残佚不完,独此书搜采赡博,叙述详明,视郑樵《金石略》,王象之《舆地碑目》增广殆至数倍,前代金石著录之富,未有过于此者。"③ 今辑本名臣类,缺唐天宝迄肃、代两朝碑目。

(四)金石文字的著录和考释

1. 薛尚功《历代钟鼎彝器款识法帖》20卷

薛尚功,字用敏,杭州钱塘人,绍兴年间以通直郎签书定江军节度判官厅公事。据曾宏文《石刻铺叙》,此书初刻于绍兴十四年

---

①③ 《四库全书总目》卷86史部目录类二。
② 《宋会要》选举8·19。

(1144年)。书中将每件器物款识,依样摹写,附以释文,考证古籍中的问题。凡录夏器46件、商器165件、周器253件、秦器18件、汉器29件,共计511器之铭文,按朝代次第排序,其中鼓为石器,琥、玺为玉器,并非尽是铜器。"所录篆文,虽大抵以《考古》、《博古》二图为本,而搜辑较广,实多出于两书之外。"①薛氏"嗜古好奇,又深通篆籀之学,能集诸家所长而比其同异,颇有订讹刊误之功,非钞撮蹈袭者比也"②。但他所定器物时代及释文也往往出现错误。孙诒让《古籀拾遗序》指出:"薛氏之恉,在于鉴别书法,盖犹未刊集帖之陋,故其书摹勒颇精,而评释多谬",及为之校正商钟等14器。郭沫若《两周金文辞大系》,采其中秦公钟等52器重为考释,其余有待校正者仍然存在。但此书具有搜罗丰富、编次有法及精工摹写的特点,笺释订讹,也多有依据,迄今仍为金石学家所重视。

2. 王俅《啸堂集古录》2卷

王俅,《宋史》无传,据此书其同乡父辈李邴序,知为济州任城人。李邴卒于绍兴十六年(1146年),成书当在南宋初期。容庚《宋代吉金书籍述评续》称"此书之成,在《博古》之后,而非袭取《博古》之铭文"③。

书中收录了商至汉代铜器铭文及印章345件,皆"摹其款识,各以今文释之"④,未作考证。

3. 王厚之《钟鼎款识》1卷

王厚之,字顺伯,号复斋,浙江诸暨人。孝宗乾道二年(1166年)进士,官淮南转运判官、江东提刑,直显谟阁致仕,事迹见徐象梅《两浙名贤录》及《南宋馆阁续录》卷8。此书收录了自夏至晋古器59件铭文,每器之前,皆题器名,并记其出土之地,收藏之人,释其文字。

4. 娄机《汉隶字源》6卷

娄机,字彦发,嘉兴人。乾道二年(1166年)进士,宁宗朝累官礼部尚书、同知枢密院事、参知政事,事迹见《宋史》本传。此书依洪适《隶释》次第,以补洪氏所缺,首卷著录自汉至晋碑目340个,分别记

---

①② 《四库全书总目》卷41经部小学类二。
③ 《学术研究》1964年第1期。
④ 《四库全书总目》卷115子部谱录类。

其年月地里、书写人姓名。以下用《礼部韵略》206 部,分为 5 卷,以楷书标目,以隶文排比其下,韵中不载的字附于 5 卷之末,文字异同者随字注出;有时也进行一些考证,纠正前人的失误,"于古音古字,亦多存梗概,皆足为考证之资"①。

5. 黄伯思《东观余论》10 卷

黄伯思(1079～1118),宋邵武(今隶福建)人,字长睿。元符三年(1100 年)进士,曾为河南府户曹参军,"好古文奇字,洛下公卿家商、周、秦、汉彝器款识,研究字画体制,悉能辩正是非,道其本末,遂以古文名家"。徽宗朝任秘书郎,"凡诏讲明前世典章文物,集古器考定真赝,以素学与闻,议论发明居多,馆阁诸公自以为不及也"②。所著《法帖刊误》、《古器说》,在绍兴十七年(1147 年)由他的儿子讱裒其所著论辩题跋合并刊印,总名作《东观余论》。上卷《法帖刊误》对碑刻、汗简、古器物铭文进行考证;下卷是对古籍、画帖的题跋。其所考证虽不无疏漏,但就全书而言,"其精博胜《集古录》多矣"③。

6. 董逌(yóu)《广川书跋》10 卷

董逌,字彦远,东平人,政和中曾任徽猷阁待制,为北宋末南宋初人,家藏古器及金石拓片甚丰。此书前 4 卷为铜器题跋,后 6 卷为汉唐以来及宋代的石刻题跋,"论断考证,皆极精当"④。

7. 张抡《绍兴内府古器评》2 卷

张抡,字材甫,云间人,高宗、孝宗两朝在朝廷任文职官员。其书上卷 98 器,下卷 97 器,共收录 195 器。仅考释铭文,品评形色,并不摹写器形款识,而且大部分古器是见于《博古图》的。

8. 翟耆年《籀史》2 卷,现存 1 卷

翟耆年,字伯寿,润州丹阳人,是高宗朝参知政事汝文之子。此书是一部金石书目的提要,分别介绍作者生平事迹,并评述内容,有些散佚不传的金石著作,如李公麟《考古图》5 卷、《周鉴图》1 卷、杨元明《皇祐三馆古器图》、赵明诚《古器物铭碑》15 卷等,皆可从此书

---

① 《四库全书总目》卷 41 经部小学类二。
② 《宋史》卷 443《黄伯思传》。
③ 《四库全书总目》卷 118 子部杂家类二。
④ 《四库全书总目》卷 112 子部艺术类一。

中了解其梗概,因此对研究金石学史是有价值的。由于书中多载金石款式,故以《籀史》为名。《四库提要》评论说:"所录不及薛尚功《钟鼎彝器款识》备载篆文,而所述源委则较薛为详。二书相辅而行,固未可以偏废。"①

其他如洪遵《泉志》,是现存最早的研究古代货币的专著。

在宋人笔记中,也多有研究金石的内容,如吴曾《能改斋漫录》、洪迈《容斋随笔》、程大昌《雍录》、张世南《游宦纪闻》、沈括《梦溪笔谈》、岳珂《桯史》、邵博《邵氏闻见后录》、蔡绦《铁围山丛谈》、叶梦得《石林燕语》和《避暑录话》、赵彦卫《云麓漫抄》、赵希鹄《洞天清录集》等,皆有金石考古方面的记载。

宋代金石学家甚众,陆和九《宋代金石家姓名表》,共列出人名126人。② 宋代金石著作的数量尚无精确统计,杨殿珣《宋代金石佚书目》③共列89种,容媛《金石书录目》中所列今存者为30种④,只相当于散佚书目的三分之一。

宋代在金石研究方面出现了大批金石学家和众多的专著,使金石研究形成了一种专门学科。王国维说:"自宋人始为金石之学,欧、赵、黄、洪各据古代遗文,以证经考史,咸有创获。"⑤"凡传世古礼器之名,皆宋人所定也"⑥。然而,宋代金石学所研究的对象还只是收集古器、碑刻,而不是科学发掘;研究场所只限于书斋,而非考古工地现场;方法主要是著录和考证,而没有获得确切年代的文化层和器物标型学以及其他先进科学的手段,因此,与近代考古学是不能相比的。⑦

(原载《宋代文化史》第十一章,
河南大学出版社 2000 年第 2 版)

---

① 《四库全书总目》卷 86 史部目录类二。
② 陆和九:《中国金石学》。
③ 《考古社刊》1936 年第 4 期。
④ 朱剑心:《金石学》第 1 编第 4 章第 1 节。
⑤ 《观堂集林》卷 18《齐鲁封泥集存序》。
⑥ 《观堂集林》卷 3《说觥》。
⑦ 参考夏超雄:《宋代金石学的主要贡献及其兴起原因》,载《北京大学学报》1982 年第 1 期。

附录:论著总目

一、著　作

1. 《宋会要辑稿研究》　《河南师大学报》增刊,1984年3月
2. 《宋会要辑稿考校》　上海古籍出版社1986年8月版
3. 《校勘述略》(与裴汝诚合作)　河南大学出版社1988年版
4. 《宋代司法制度》(主编)　河南大学出版社1992年版
5. 《宋代文化史》(撰写"史学金石编")　河南大学出版社1992年版
6. 修订《词源》第四分册,承担阜部撰稿。商务印书馆1983年版
7. 《中国百科大全书·辽宋夏金史》释文、撰写词条。大百科全书1988年5月版
8. 《宋史研究论文集》(第二主编),河南大学出版社1993年11月版

二、主要论文

1. 《宋会要辑稿》的史料价值及其存在问题　《开封师范学院学报》1962/2;
2. 《宋会要辑稿》重出篇幅成因考　《史学月刊》1980/3
3. 《永乐大典》本《宋会要辑稿》增入书籍考　《文献》1980/3
4. 《宋会要辑稿》校勘举例　《河南师大学报》1980/5
5. 《宋会要研究备要序》(日·青山定雄撰,与聂莲增合译)　《河南师大学报》1981/4
6. 宋会要两议　《河南师大学报》1982/4
7. 徐辑《宋会要》稿本的"副本"问题　《河南师大学报》1983/4
8. 评《宋会要研究备要》,载《宋史论集》,中州书画社1983版
9. 古籍整理简论　《河南古籍整理》1985/2
10. 宋代坊廓户等的划分(与张德宗合作)　《史学月刊》1985/6
11. 宋太宗的右文政策　《河南大学学报》1986/1
12. 《宋会要辑稿》简介　《河南古籍整理》1986/1
13. 宋代中日关系史上奝然和荣西的贡献(与张德宗合作)　《东亚细亚世界史探究》(日)汲古书院1986年12月版
14. 《宋会要辑稿》的流传和整理　《古籍论丛》第二辑,福建人民出版社1986年版
15. 再校《宋会要辑稿》的几点体会　《史学月刊》1987/4
16. 宋代的邮递铺兵(与张德宗合作)　载《宋史研究论文集》,浙江

人民出版社 1987 年版

17. 宋辽金史的正统之争与宋史的重修　《史学函授》1987/6
18. 日本的宋史研究概况　《史学函授》1987/6
19. 宋代开封及其都市制度(日·梅源郁撰,与张德宗合译)　《河南大学研究生论丛》第二辑,1989 年版
20. 点校《宋会要辑稿·崇儒》凡例　(与苗书梅合作)《河南大学学报》1989/1
21. 《宋会要辑稿》校补(续)——附关于藤田本《宋会要食货·市舶》底本的探讨　载《刘子健博士颂寿纪念宋史研究论集》日本同朋舍 1989 年版
22. 论宋史研究中的方志史料　《宋史研究论文集》河北教育出版社 1989 年版
23. 藤田本《宋会要·食货·市籴》考源(译作)　《中州学刊》1990/2
24. 《宋会要辑稿·崇儒》校勘纪要　载《中日宋史研讨会中方论文选集》,河北大学出版社 1991 年版
25. 论宋代法制　载《国际宋史研讨会论文选集》,河北大学出版社 1992 年版
26. 《宋代历史发展述略》　载《开封大学学报》1995 年第 1 期。
27. 宋朝《总类国朝会要》考　载《第二届宋史学术研讨会论文集》,1996 年台北中国文化大学出版;又载《历史文化论丛》,河南大学出版社 2000 年 3 月版
28. 宋代幕职州县官及其改官制度　(此文与苗书梅合著),载《祝邓广铭教授九十华诞论文集》,河北教育出版社 1997 年出版。